EL SILMARILLION

J.R.R. TOLKIEN

QUENTA SILMARILLION

(La historia de los Silmarils)

junto con
AINULINDALË
(La Música de los Ainur)

y
VALAQUENTA
(Historia de los Valar)

Además de
AKALLABÊTH
(La Caída de Númenor)

y
DE LOS ANILLOS DE PODER
Y LA TERCERA EDAD

El Silmarillion

por

J.R.R. Tolkien.

Editado por
CHRISTOPHER TOLKIEN

Ilustrado por el autor

minotauro

El Silmarillion ilustrado por el autor

Originally published in the English language by HarperCollins Publishers Ltd. under the title *The Silmarillion*
The Tolkien Estate Limited and the estate of C.R. Tolkien have asserted their respective moral rights in this work

Publicación de Editorial Planeta, SA. Diagonal, 662-664, 08034 Barcelona
Copyright © 1984, 2024 Editorial Planeta, SA, sobre la presente edición
Reservados todos los derechos

© Traducción de Rubén Masera y Luis Domènech
Revisión de los textos a cargo de Martin Simonson
Revisión de los poemas a cargo de Nur Ferrante
Nota sobre las ilustraciones © Traducción de Mónica Sanz Rodríguez, 2024
Adaptación de los mapas y genealogías: Fernando López Ayelo
Adaptación de la inscripción en tengwar: Fernando López Ayelo y Mónica Sanz Rodríguez

Diseño de cubierta: HarperCollins *Publishers*, 2022
Adaptación del diseño de cubierta: Book & Look

ISBN: 978-84-450-1679-4
Depósito legal: B. 20.702-2023
Printed in EU / Impreso en UE.

PEFC Certificado

Este libro procede de bosques gestionados de forma sostenible

PEFC

PEFC/14-38-00305   www.pefc.es

Inscríbete en nuestra newsletter en: www.edicionesminotauro.com
Facebook/Instagram: @EdicionesMinotauro
Twitter: @minotaurolibros
www.sociedadtolkien.org

ÍNDICE

Genealogías:
  I La Casa de Finwë
 II Los descendientes de Olwë y Elwë
III La Casa de Bëor
IV y V La Casa de Hador de Dor-lómin y El Pueblo de Haleth

La división de los Elfos

ILUSTRACIONES

* Mapa de Christopher Tolkien
† Color por H.E. Riddett
‡ Color por Nicolette Caven

PRÓLOGO

El Silmarillion, que se publica ahora cuatro años después de la muerte de su autor, es una crónica de los Días Antiguos, o la Primera Edad del Mundo. En *El Señor de los Anillos* se narraban los grandes acontecimientos ocurridos en el final de la Tercera Edad; pero los cuentos de *El Silmarillion* son leyendas que proceden de un pasado mucho más remoto, cuando Morgoth, el primer Señor Oscuro, moraba en la Tierra Media, y los Altos Elfos combatían contra él por la recuperación de los Silmarils.

Sin embargo, *El Silmarillion* no sólo relata acontecimientos muy anteriores a los de *El Señor de los Anillos*; es también, en lo esencial de su concepción, un trabajo muy anterior. A decir verdad, aunque no se llamaba entonces *El Silmarillion*, ya existía hace medio siglo; y en las deterioradas libretas de notas que se remontan a 1917 todavía pueden leerse las primeras versiones, a menudo garrapateadas de prisa con lápiz, de las principales historias de la mitología. Pero no llegó a publicarse (aunque ciertos indicios de su contenido podían entresacarse de *El Señor de los Anillos*), y durante toda su larga vida mi padre nunca lo abandonó, y trabajó en él incluso en sus últimos años. En todo ese tiempo *El Silmarillion*, considerado sólo como una gran estructura narrativa, tuvo relativamente pocos cambios fundamentales; se había convertido hacía mucho en una tradición fija y un marco para escritos posteriores. Sin embargo, estaba muy lejos de ser un texto fijo, y ni siquiera permaneció inalterado en relación con ciertas ideas fundamentales acerca de la naturaleza del mundo que describe, mientras que las mismas leyendas volvían a ser narradas en formas más largas y más breves y en diferentes estilos. En el transcurso de los años los cambios y variantes, tanto de detalles como de perspectiva, se hicieron tan complejos, tan numerosos y de tan múltiples estratos, que la obtención de una versión final y definitiva parecía imposible. Además, las viejas leyendas («viejas» aquí no sólo por provenir de la remota Primera Edad, sino también en relación con la edad de mi padre) se convirtieron en vehículo y depositario de sus más profundas reflexiones. En escritos posteriores, las preocupaciones teológicas y filosóficas fueron desplazando a las preocupaciones mitológicas y poéticas, y de ahí surgieron incompatibilidades de tono.

Al morir mi padre, fue mía la responsabilidad de dar a la obra una forma publicable. Se me hizo evidente que presentar dentro de las cubiertas de un libro único materiales muy diversos —mostrar *El Silmarillion* como si fuera en verdad una creación ininterrumpida que se había desarrollado a lo largo de más de medio siglo— conduciría necesariamente a la confusión y a la subordinación de lo esencial. Por lo tanto, me puse a configurar un texto único, seleccionando y disponiendo el material del modo que me pareció más adecuado para obtener una narración con un máximo de coherencia y de consistencia interna. En este trabajo, los últimos capítulos (a partir de la muerte de Túrin Turambar) planteaban dificultades especiales por haber permanecido inalterados durante muchos años, y en ciertos aspectos había una grave falta de armonía entre estos capítulos y las concepciones más desarrolladas de otras partes de la obra.

No ha de esperarse una coherencia completa (sea dentro de los límites de *El Silmarillion* o entre *El Silmarillion* y otros escritos publicados de mi padre); y aun en el caso de que fuera posible encontrarla, el precio sería muy alto e innecesario. Además, mi padre llegó a concebir *El Silmarillion* como una compilación, una narrativa en forma de compendio realizada mucho tiempo después, a partir de fuentes muy diversas (poemas, crónicas y cuentos orales) que habrían sobrevivido en una antiquísima tradición; y esta concepción, de hecho, encuentra un paralelismo en la historia de la composición del libro, porque se apoya en unas cuantas obras en prosa y verso anteriores, y es de algún modo un verdadero compendio, y no sólo en teoría. A esto ha de atribuirse el ritmo variable de la narración y la abundancia de detalles en algunas partes, el contraste (por ejemplo) entre la evocación precisa de lugares y motivos en la leyenda de Túrin Turambar junto a la elevada y remota narración del fin de la Primera Edad, cuando Thangorodrim fue destruida y Morgoth derrocado; y también algunas diferencias de tono y descripción, algunas confusiones, y ciertas inconsistencias aquí y allá. En el caso de *Valaquenta*, por ejemplo, hemos de suponer que, si bien contiene mucho que seguramente se remonta a los primeros días de los Eldar en Valinor, ha sido remodelado en tiempos posteriores; lo cual explica por qué los tiempos de los verbos y la perspectiva cambian continuamente, al punto que los poderes divinos a veces parecen presentes y activos en el mundo, y a veces remotos, un poder desaparecido que sólo la memoria conoce.

El libro, aunque titulado por fuerza *El Silmarillion*, contiene no sólo el *Quenta Silmarillion* o *Silmarillion* propiamente dicho, sino también otras cuatro obras breves. *Ainulindalë* y *Valaquenta*, presentadas al principio, sí están estrechamente relacionadas con *El Silmarillion*; pero *Akallabêth* y *De los Ani-*

llos de Poder, que aparecen al final, son obras (es necesario subrayarlo) enteramente separadas e independientes. Se incluyen de acuerdo con la intención explícita de mi padre; y de este modo la historia se desarrolla desde la Música de los Ainur con que comenzó el mundo hasta la partida de los Portadores de los Anillos en los Puertos de Mithlond, al fin de la Tercera Edad.

Son muchos los nombres que aparecen en el libro y de ellos doy un índice completo; pero el número de personas (Elfos y Hombres) que desempeñan un papel importante en la crónica de la Primera Edad es mucho menor, y se los encontrará a todos en los cuadros genealógicos. Además, he diseñado un cuadro en el que se presentan las denominaciones, bastante complejas, de los diversos pueblos élficos, una nota sobre la pronunciación de los nombres élficos, una lista de algunos de los elementos principales que se encuentran en estos nombres, y un mapa. Habría que señalar que la gran cadena montañosa del este, Ered Luin o Ered Lindon, las Montañas Azules, aparece en el extremo occidental del mapa de *El Señor de los Anillos*. En el cuerpo del libro se incluye un mapa más pequeño, con el fin de mostrar de manera conveniente y clara dónde se situaban los reinos de los Elfos después del regreso de los Noldor a la Tierra Media. No he querido sobrecargar el libro todavía más con cualquier clase de comentarios o notas.

En la difícil y problemática tarea de preparar el texto del libro, me ayudó sobremanera Guy Kay, quien trabajó conmigo en 1974-1975.

CHRISTOPHER TOLKIEN
1977

PRÓLOGO A LA SEGUNDA EDICIÓN

Probablemente hacia finales de 1951, cuando *El Señor de los Anillos* estuvo concluido y las dificultades radicaban en la manera en que se llevaría a cabo su publicación, mi padre escribió una larguísima carta a su amigo Milton Waldman, a la sazón editor en la editorial Collins. La carta se redactó con ocasión y en el contexto de las insalvables diferencias que había provocado la insistencia de mi padre en que *El Silmarillion* y *El Señor de los Anillos* se publicaran «conjuntamente o relacionados de alguna manera» «como una larga saga sobre Joyas y Anillos». Sin embargo, no hay necesidad de profundizar aquí en este tema. La carta que mi padre escribió con la intención de justificar y explicar su postura se convirtió en una brillante exposición de su concepción de las primeras Edades (la última parte de la carta, como él mismo dice, no era más que «un largo aunque escueto resumen de la historia de *El Señor de los Anillos*»), y por ello considero que merece ser incluida entre las tapas de *El Silmarillion*, como sucede en esta edición.

La carta original se ha perdido, pero Milton Waldman hizo que la mecanografiaran y envió una copia a mi padre. Ésta fue la copia que se publicó (en parte) en *Cartas de J. R. R. Tolkien* (1981, 1993), nº 131. El texto que se ofrece aquí es el mismo que aparece en las *Cartas*, pp. 170-191, con pequeñas correcciones y la omisión de algunas notas a pie de página. La copia mecanografiada contenía multitud de errores, sobre todo en los nombres; mi padre corrigió buena parte de ellos, pero pasó por alto la frase de la p. 33: «No había nada de malo esencialmente en que se demoraran a pesar de los consejos recibidos, todavía entristecidos en las tierras mortales de sus antiguas hazañas heroicas.» No cabe duda de que en este caso, la persona que mecanografió la carta omitió palabras del manuscrito y tal vez leyó mal otras.

He corregido un gran número de errores en el texto y en el índice que hasta ahora habían escapado de la corrección para la edición de tapa dura (únicamente) de *El Silmarillion*. Los principales son los que afectan a la numeración secuencial de los reyes de Númenor (para estos errores y una explicación de cómo surgieron, véase *Cuentos Inconclusos* (1980, 1997), pp. 359-360, nota 11, y *Los Pueblos de la Tierra Media* (1996, 2002), p. 186, §31).

CHRISTOPHER TOLKIEN
1999

EXTRACTO DE UNA
CARTA DE J.R.R. TOLKIEN
A MILTON WALDMAN, 1951

Mi estimado Milton:

Me pide un breve esbozo de mi material que esté relacionado con mi mundo imaginario. Es difícil decir algo sin decir demasiado: el intento de decir unas pocas palabras abre una compuerta de entusiasmo, el egoísta y el artista a la vez desean expresar cómo se ha desarrollado el material, cómo es y qué quiere decir (según él lo piensa) o está tratando de representar con todo eso. He de infligirle algo de lo mencionado; pero agregaré un mero resumen de su contenido, que es (quizá) todo lo que necesita o para lo cual tiene tiempo o disponibilidad.

En orden de tiempo, desarrollo y composición, este material empezó conmigo; aunque no creo que esto tenga interés para nadie, salvo para mí. Quiero decir, no recuerdo que haya habido un tiempo en que no estuviera edificándolo. Muchos niños inventan, o empiezan a inventar, lenguas imaginarias. Yo me dediqué a ello desde que empecé a escribir. Pero nunca dejé de hacerlo y, por supuesto, como filólogo profesional (interesado especialmente en la estética lingüística), he cambiado de gusto, mejorado en teoría y, quizás, en habilidad. Tras mis historias hay ahora un nexo de lenguas (en general, sólo esbozadas estructuralmente). Pero a esas criaturas que en inglés llamo equívocamente Elves [Elfos] se les asignan dos lenguas emparentadas más completas, cuya historia está escrita y cuyas formas (que representan dos aspectos diferentes de mi propio gusto lingüístico) están deducidas científicamente de un origen común. Con el material de esas lenguas están hechos casi todos los nombres que figuran en mis leyendas. Esto da cierto carácter (una coherencia, una consistencia de estilo lingüístico y una ilusión de historicidad) a la nomenclatura, o así me lo parece, que falta de modo notorio en otras creaciones comparables. No todos considerarán esto tan importante como yo, pues padezco la maldición de una sensibilidad aguda para tales asuntos.

Pero una pasión mía igualmente fundamental *ab initio* es la que siento por el mito (¡no por la alegoría!) y, sobre todo, por la leyenda heroica a caballo entre el cuento de hadas y la historia, de la que no hay bastante en el mundo (que me sea accesible) para mi apetito. No me había graduado todavía cuando el pensamiento y la experienciame revelaron que éstos no eran intereses divergentes —polos opuestos de la ciencia y la novela— sino integralmente relacionados. *No* soy «erudito»[1] en las cuestiones del mito y los cuentos de hadas, sin embargo, porque en tales casos (en la medida en que me son conocidas) he estado siempre buscando material, cosas de un cierto tono y aire, y no simple conocimiento. Además —y espero no parecer aquí absurdo—, desde mis días tempranos me afligió la pobreza de mi propio amado país: no tenía historias propias (vinculadas con su lengua y su suelo), no de la cualidad que yo buscaba y encontraba (como ingredientes) en leyendas de otras tierras. Las había griegas, célticas, en lenguas

---

1   Aunque he pensado *sobre* ellas no poco.

romances, germánicas, escandinavas y finlandesas (que me impresionaron profundamente); pero nada inglés, salvo un empobrecido material barato. Por supuesto, se disponía y se dispone de todo el mundo arthuriano; pero, aunque poderoso, está imperfectamente naturalizado, asociado con el suelo de Bretaña, pero no con el inglés; y no reemplaza lo que siento ausente. Por empezar, lo «feérico» es en él demasiado pródigo y fantástico, incoherente y repetitivo. Pero lo que es aún más importante: está implicado en la religión cristiana y explícitamente la contiene.

Por razones que no he de argumentar, eso me parece fatal. El mito y el cuento de hadas, como toda forma de arte, deben reflejar y contener en solución elementos de moral y verdad (o error) religiosa, pero no de manera explícita, no en la forma conocida del mundo primordialmente «real». (Estoy hablando, por supuesto, de nuestra presente situación, no de los antiguos días paganos precristianos. Y no repetiré lo que intenté decir en mi ensayo, que usted ha leído.)

¡No se ría! Pero una vez (mi cresta hace mucho que ha caído desde entonces) tenía intención de crear un cuerpo de leyendas más o menos conectadas, desde las amplias cosmogonías hasta el nivel del cuento de hadas romántico —lo más amplio fundado en lo menor en contacto con la tierra, al tiempo que lo menor obtiene esplendor de los vastos telones de fondo—, que podría dedicar simplemente a Inglaterra, a mi patria. Debía poseer el tono y la cualidad que yo deseaba, algo fresco y claro, impregnado de nuestro «aire» (el clima y el terreno del Noroeste, Bretaña y las partes más altas de Europa, no Italia ni el Egeo, todavía menos el Este); y aunque poseyera (si fuera capaz de lograrla) la sutil belleza evasiva que algunos llaman céltica (aunque rara vez se la encuentra en los verdaderos objetos célticos antiguos), debería ser «elevado», purgado

de bastedad y adecuado a la mente más adulta de una tierra
que ahora hace ya mucho inmersa en la poesía. Trazaría en
plenitud algunos de los grandes cuentos, y muchos los dejaría
esbozados en el plano general. Los ciclos se vincularían en una
totalidad majestuosa, y dejaría márgenes para que otras mentes y manos hicieran uso de la pintura, la música y el teatro.
Absurdo.

Por supuesto, un propósito tan abrumador que no se desarrolló todo de una vez. Los cuentos fueron lo primero. Me
surgían en la mente como «dados», y a medida que iban presentándose, los eslabones crecían. Un trabajo absorbente, aunque de continuo interrumpido (especialmente porque, aparte
de las necesidades de la vida, la mente se trasladaba al polo
opuesto y se centraba en la lingüística); no obstante, tuve
siempre la sensación de registrar lo que estuvo siempre «allí»,
en alguna parte, no de «inventar».

Por cierto, concebía y aun escribía un montón de otras
cosas (especialmente para mis hijos). Algunas escapaban de los
zarcillos de este vasto tema ramificado, pues no guardaban
ninguna relación con él: *Hoja de Niggle* y *Egidio, el granjero*,
por ejemplo, las únicas dos que fueron publicadas. *El Hobbit*,
que tiene en sí mismo mucha más vida esencial, fue concebido
de manera del todo independiente; no sabía, cuando lo empecé, que pertenecía al conjunto fundamental. Pero resultó ser el
medio por el que se descubrió el acabamiento de la totalidad,
su modo de descenso a la tierra y su inmersión en la «historia».
Así como las elevadas Leyendas del comienzo, según se supo-
ne, consideran las cosas a través de las mentes élficas, el cuento
medio del Hobbit adopta virtualmente el punto de vista humano, y el último cuento los mezcla.

Me disgusta la Alegoría —la alegoría consciente e inten-
cional—; sin embargo, todo intento de explicar el contenido

de un mito o de un cuento de hadas debe recurrir al lenguaje alegórico. (Y, por supuesto, cuanta más «vida» tenga un cuento, más susceptible será de interpretaciones alegóricas; al tiempo que cuanto mejor hecha esté una alegoría, más fácilmente será aceptable como historia.) De cualquier modo, este material[2] trata sobre todo de la Caída, la Mortalidad y la Máquina. De la Caída, inevitablemente, y ese motivo se da de diversos modos. De la Mortalidad, especialmente en cuanto afecta al arte y el deseo creador (o, como yo diría, subcreador), que no parece tener función biológica ni formar parte de las satisfacciones de la vida biológica corriente, con la cual, en nuestro mundo, está por cierto generalmente en contienda. Este deseo, a la vez, se relaciona con un apasionado amor por el mundo primordial real y, por tanto, pleno del sentido de la mortalidad, aunque insatisfecho de él. Tiene varias oportunidades de «Caída». Puede volverse posesivo, adherirse a las cosas que ha hecho «como propias»; el subcreador desea ser el Señor y Dios de su creación privada. Se rebelará contra las leyes del Creador, especialmente en contra de la mortalidad. Ambas cosas (juntas o separadas) conducirán al deseo de Poder, para conseguir que la voluntad sea más prontamente eficaz, y, de ese modo, a la Máquina (o la Magia). Por esto último entiendo toda utilización de planes y proyectos externos (aparatos) en lugar del desarrollo de las capacidades o talentos inherentes internos, o aun la utilización de estos talentos con el corrupto motivo del dominio: intimidar al mundo real o reprimir otras voluntades. La Máquina es nuestra forma más evidente de hacerlo, aunque se encuentra más estrechamente relacionada con la Magia de lo que suele reconocerse.

---

2 Concierne fundamentalmente, supongo, al problema de las relaciones del Arte (y la Subcreación) y la Realidad Primaria.

No he empleado la «magia» coherentemente, y, por cierto, la reina de los Elfos, Galadriel, se ve obligada a reconvenir a los Hobbits por el empleo confuso que hacen de la palabra tanto en relación con las invenciones y las operaciones del Enemigo, como con las de los Elfos. Yo no lo he hecho, porque no existe palabra para designar a las últimas (pues todas las historias humanas han sufrido de la misma confusión). Pero lo Elfos han de demostrar (en mis cuentos) la diferencia. Su «magia» es Arte, despojada de muchas de sus limitaciones humanas: más fácil, más rápida, más completa (el producto y la intuición en una correspondencia sin tacha). Y su objetivo es el Arte, no el Poder; la subcreación, no el dominio y la reforma tiránica de la Creación. Los «Elfos» son «inmortales», al menos en lo que a este mundo respecta; y de ahí que se centren preferentemente en los dolores y las cargas de la inmortalidad en el tiempo y el cambio que en la muerte. El Enemigo, en formas sucesivas, se centra siempre «naturalmente» en el mero Dominio, y es también el Señor de la magia y las máquinas; pero he aquí el problema: que este espantoso mal puede surgir, y de hecho surge, de una raíz buena en apariencia, el deseo de beneficiar al mundo y a los demás[3] —velozmente y de acuerdo con los propios planes del benefactor—, que es un motivo recurrente.

Los ciclos empiezan con un mito cosmogónico: la *Música de los Ainur*. Se revelan Dios y los Valar (o poderes anglificados como dioses). Éstos son, como si dijéramos, poderes angélicos cuya función consiste en ejercer la autoridad en sus esferas (de regen-

---

3   No es el Iniciador del Mal: la suya fue una Caída subcreadora, de ahí que los Elfos (los representantes de la subcreación por excelencia) fueran peculiarmente sus enemigos y el objeto especial de su deseo y su odio, y que también estuvieran expuestos a su engaño. La de ellos era una Caída a la posesividad y (en un menor grado) a la perversión de su arte para la obtención de poder.

cia y gobierno, *no* de creación, hechura o rehechura). Son «divinos», es decir, estaban originalmente «fuera» y existían «antes de» la creación del mundo. Su poder y sabiduría derivan del Conocimiento que tienen del drama cosmogónico, que percibieron al principio como drama (es decir, como percibimos una historia hecha por algún otro) y luego como «realidad». Desde el punto de vista de la mera narración, por supuesto, esto tiene por fin procurar seres del mismo orden de belleza, poder y majestad que los «dioses» de la más alta mitología, que puede todavía ser aceptada. bueno, diremos sin mucho acierto por una mente que cree en la Santísima Trinidad.

La narración avanza luego velozmente a la *Historia de los Elfos* o el *Silmarillion* propiamente dicho; al mundo tal como lo percibimos, pero, por supuesto, transfigurado de un modo aún semimítico: vale decir, trata de criaturas racionales encarnadas de estatura más o menos comparable con la nuestra. El conocimiento del Drama de la Creación era incompleto: incompleto por parte de cada uno de los «dioses» individuales e incompleto aunque el conocimiento del panteón entero se amalgamara. Puesto que el Creador (en parte para dar nueva dirección al mal provocado por Melkor, el rebelde; en parte para el acabado de todo con fineza de detalle) no lo había revelado todo. La hechura y la naturaleza de los Hijos de Dios eran los dos principales secretos. Todo lo que los dioses sabían era que vendrían en el momento designado. Los Hijos de Dios, pues, están primordialmente relacionados y emparentados, y esencialmente son diferentes. Dado que también son algo del todo «otros» que los dioses, en cuya hechura éstos no tuvieron parte alguna, son objeto del deseo y el amor especiales de los dioses. Ellos son los *Primeros Nacidos*, los Elfos, y los *Seguidores*, los Hombres. El hado de los Elfos es ser inmortales, amar la belleza del mundo, llevarla a pleno florecimiento mediante sus dones de delicadeza y perfección, durar mientras ella dure, no abandonarla nunca ni aun cuando se los «mata», sino retornar; y, sin embargo, cuando los Seguidores llegan, enseñarles, abrirles camino, «desvanecerse» a medida que los Seguidores crecen y absorben la vida de la que ambos proceden. El Hado (o Don) de los Hombres es la mortalidad, la libertad de los círculos del mundo. Como el punto de vista del ciclo entero es el élfico, la mortalidad no se explica en mitos: es un misterio guardado por Dios, del que nada más se sabe que «lo que Dios ha propuesto para los Hombres permanece oculto»: motivo de dolor y de envidia para los Elfos inmortales.

Como digo, el *Silmarillion* es peculiar y difiere de todas las cosas similares que conozco, en cuanto no es antropocéntrico. Su centro de visión y de interés no son los Hombres, sino los «Elfos». Los Hombres intervinieron de manera inevitable: después de todo, el autor es un hombre, y si ha de tener una audiencia, se constituirá de Hombres, y los Hombres deben incluirse en nuestros cuentos como tales, y no meramente transfigurados o parcialmente representados como Elfos, Enanos, Hobbits, etcétera. Pero permanecen como periféricos: venidos tardíamente, y aunque van cobrando mayor importancia, no son los principales.

En la cosmogonía hay una caída: una caída de Ángeles, deberíamos decir. Aunque, por supuesto, muy distinta en cuanto a la forma de la del mito cristiano. Estos cuentos son «nuevos», no derivan en forma directa de otros mitos y leyendas, pero inevitablemente deben contener en gran medida motivos o elementos antiguos ampliamente difundidos. Después de todo, creo que las leyendas y los mitos encierran no poco de «verdad»; por cierto, presentan aspectos de ella que sólo pueden captarse de ese modo; y hace ya mucho se descubrieron ciertas verdades y modos de esta especie que deben siempre reaparecer. No puede haber ningún «cuento» sin caída —todos los cuentos son en última instancia acerca de la caída—, cuando menos, no para las mentes humanas tal como las conocemos y las tenemos.

Así pues, prosiguiendo, los Elfos tienen una caída antes de que su «historia» pueda volverse histórica. (La primera caída del Hombre, por las razones explicadas, no se registra en parte alguna; los Hombres no aparecen en escena hasta mucho después de que eso haya sucedido, y sólo se rumorea que, por algún tiempo, cayeron bajo el dominio del Enemigo, y que algunos se arrepintieron de ello.) El cuerpo principal del cuento, el *Silmarillion* propiamente dicho, trata de la caída de los más dotados de entre los Elfos; su exilio de Valinor (una especie de Paraíso, el hogar de los Dioses) en el lejano Oeste; su reentrada en la Tierra Media, la tierra de su nacimiento, desde largo tiempo bajo la égida del Enemigo, y su lucha con él, el poder del Mal todavía visiblemente encarnado. Recibe su nombre porque los acontecimientos se entretejen todos de acuerdo con el destino y la significación de los *Silmarilli* («radiación de luz pura») o Joyas Primordiales. La función subcreadora de los Elfos se simboliza principalmente por la hechura de gemas, pero los Silmarilli eran algo más que meros objetos de belleza como tales. Había Luz. Había la Luz de Valinor, hecha visible en los Dos Árboles de Plata y de Oro.[4] Éstos recibieron la

---

4   En la medida en que todo esto tiene significación simbólica o alegórica, la luz es un símbolo fundamental de tal índole en la naturaleza del Universo, que apenas puede analizarse. La Luz de Valinor (derivada de la luz antes de que tuviera lugar caída alguna) es la luz del arte no divorciado de la razón, que ve las cosas a la vez de manera científica (o filosófica) e imaginativa (o subcreativa) y «dice que son buenas»… y hermosas. La Luz del Sol (o de la Luna) deriva de los Árboles sólo después de haber sido éstos mancillados por el Mal.

muerte por acción maliciosa del Enemigo, y Valinor quedó a oscuras, aunque de ellos, antes de morir por completo, derivan las luces del Sol y de la Luna. (Hay aquí una pronunciada diferencia entre estas leyendas y la mayor parte de las demás, pues el Sol no constituye un símbolo divino, sino algo segundo en excelencia, y la «luz del Sol» —el mundo bajo el sol— se convierte en condición de un mundo caído y fuente de una dislocada visión imperfecta.)

Pero el principal artífice de entre los Elfos (Fëanor) había encerrado la Luz de Valinor en tres joyas supremas, los Silmarilli, antes de que los Árboles fueran mancillados o muertos. Esta Luz vivió así, en adelante, sólo en estas gemas. La caída de los Elfos se produce por la actitud posesiva de Fëanor y sus hijos en relación con estas gemas. El Enemigo se apodera de ellas, las engarza en su Corona de Hierro y las guarda en su fortaleza impenetrable. Los hijos de Fëanor hacen un voto terrible y blasfemo de enemistad y venganza contra cualquiera, aun contra los dioses, que claman derecho de posesión sobre los Silmarilli. Pervierten a la mayor parte de sus parientes, que se rebelan contra los dioses, abandonan el paraíso y parten a una guerra sin esperanzas contra el Enemigo. El primer fruto de su caída es la guerra en el Paraíso, la matanza de Elfos por Elfos; y esto y su maligno voto tiñen todos sus posteriores heroísmos, generando traiciones y malogrando todas las victorias. *El Silmarillion* es la historia de la Guerra de los Elfos Exiliados contra el Enemigo, que tiene lugar en el noroeste del mundo (la Tierra Media). En ella se incluyen varios cuentos de victoria y tragedia; pero termina en la catástrofe y el final del Mundo Antiguo, el mundo de la larga *Primera Edad*. Las joyas son recobradas (por la final intervención de los dioses) sólo para ser definitivamente perdidas por los Elfos: una en el mar, otra en las profundidades de la tierra y la última para convertirse en una estrella del cielo. Este *legendarium* acaba con una visión del fin del mundo, su rotura y reconstrucción y la recuperación de los Silmarilli y la «luz antes del Sol», después de una batalla final que, supongo, más debe a la visión escandinava de Ragnarök, que a ninguna otra cosa, aunque no se parece mucho a ella.

A medida que los cuentos se van volviendo menos míticos y más parecidos a los cuentos y las novelas, los Hombres se integran en ellos. En su mayoría son «Hombres buenos»: familias y sus jefes que, rechazando el servicio del Mal y oyendo rumores de los Dioses del Oeste y de los Altos Elfos, huyen hacia el occidente y entran en contacto con los Elfos Exiliados en medio de su guerra. Los Hombres que aparecen pertenecen sobre todo a los de las Tres Casas de sus Padres, cuyos capitanes se vuelven aliados de los Señores de los Elfos. El contacto de los Hombres con los Elfos prefigura ya la historia de las Edades posteriores, y un tema recurrente es la idea de que en los Hombres (tal como son ahora) hay una partícula de «sangre» o herencia proveniente de los Elfos, y que el arte y la poesía de los Hombres dependen en gran parte de ella o es ella la que las modifica.[5] Hay así dos matrimonios de mortales con elfos, que se unen posteriormente en la parentela de Eärendil, representada por Elrond, el Medio Elfo que aparece en todas las historias, aun en *El Hobbit*. La principal de las historias del *Silmarillion* y una de las más plenamente tratadas es la *Historia de Beren y Lúthien, la Doncella Elfo*. Aquí encontramos, entre otras cosas, el primer ejemplo del motivo (que se vuelve dominante ente los Hobbits) de que los grandes cursos de la historia, «las ruedas del mundo», a menudo no son trazados

---

5   Por supuesto, en realidad esto sólo significa que mis «elfos» son una representación o aprehensión de una parte de la naturaleza humana, pero ése no es el modo legendario de hablar.

por los Señores o los Gobernantes, ni siquiera por los dioses, sino por los aparentemente desconocidos y débiles, como consecuencia de la vida secreta que hay en la creación, y la parte desconocida para toda otra sabiduría, salvo para la Única, que reside en las intromisiones de los Hijos de Dios en el Drama. Es Beren, el mortal proscrito, el que tiene buen éxito (con ayuda de Lúthien, una mera doncella, si bien perteneciente a la nobleza élfica) allí donde los ejércitos y los guerreros habían fracasado: penetra en la fortaleza del Enemigo y arranca uno de los Silmarilli de la Corona de Hierro. De este modo obtiene la mano de Lúthien y se lleva a cabo el primer matrimonio entre mortales e inmortales.

Como tal, la historia es una novela de hadas heroica (hermosa y vigorosa, según creo) comprensible en sí misma con sólo un vago y general conocimiento del entorno. Pero es también un eslabón fundamental en el ciclo, privado de su plena significación fuera del lugar que ocupa en él. Pues la recuperación del Silmaril, una suprema victoria, conduce al desastre. El voto de los hijos de Fëanor se vuelve operativo, y el deseo de la obtención del Silmaril lleva a la ruina a todos los reinos de los Elfos.

Hay otras historias tratadas casi de modo tan cabal e igualmente independientes, y, sin embargo, vinculadas con la historia general. Está los *Hijos de Húrin*, el cuento trágico de Túrin Turambar y su hermana Níniel, de la que Túrin es el héroe: figura de la que podría decirse (por gente que gusta de ese tipo de relaciones, aunque no sirven de nada) que deriva de ciertos elementos de Sigurd el Volsung, Edipo y el Kullervo finlandés. Está la *Caída de Gondolin*: la principal fortaleza élfica. Y el cuento, o cuentos, de *Eärendil el Errabundo*. Resulta importante como la persona que lleva el Silmarillion a su culminación y que, con su descendencia, proporciona los principales eslabones con los cuentos de las Edades posteriores y con sus personajes. Su función, como representante de ambas razas, los Elfos y los Hombres, es hallar un camino en el mar de regreso a la Tierra de los Dioses y, como embajador, persuadirlos de que tengan en cuenta otra vez a los Exiliados, que sientan piedad por ellos y los rescaten del Enemigo. Su esposa Elwing desciende de Lúthien y posee todavía el Silmaril. Pero la maldición aún está en actividad, y la casa de Eärendil es destruida por los hijos de Fëanor. Pero esto procura la solución: Elwing, arrojándose al Mar para salvar la Joya, llega al encuentro de Eärendil, y con el poder de la gran Gema llegan por fin a Valinor y cumplen su cometido. El precio que deben pagar por ello es que nunca más se les permite volver o vivir otra vez entre los Elfos o los Hombres. Los dioses entonces se ponen en movimiento otra vez, y un gran poder llega del Oeste, y la Fortaleza del Enemigo es destruida; y él mismo [es] arrancado del Mundo y arrojado al Vacío, para que jamás vuelva a aparecer allí en forma encarnada. Los dos Silmarils restantes son recuperados de la Corona de Hierro, sólo para volver a perderlos otra vez. Los dos últimos hijos de Fëanor, obligados por su voto, los roban y son destruidos por ellos, por lo que se arrojan al mar y a los fosos de la tierra. El barco de Eärendil, adornado con el último Silmaril, se lanza a navegar por el cielo y se convierte en la estrella más brillante. Así terminan *El Silmarillion* y los cuentos de la Primera Edad.

El próximo ciclo trata (o debería tratar) de la Segunda Edad. Pero reina en la Tierra una edad oscura y no se cuenta (o no es necesario contar) mucho de su historia. En las grandes batallas contra el Primer Enemigo, las tierras quedaron deshechas y en ruinas, y el Oeste de la Tierra Media fue una tierra de desolación. Nos enteramos de que a los Elfos Exiliados, si bien no se les ordenó, se les aconsejó severamente que volvie-

ran al Oeste y allí se quedaran en paz. No debían morar permanentemente en Valinor otra vez, sino en la Isla Solitaria de
Eressëa, a la vista del Reino Bendecido. A los Hombres de las
Tres Casas se los recompensó por su valor y por la fidelidad
que mostraron con su alianza, permitiéndoseles habitar «al
extremo oeste de todos los mortales», en la gran isla «Atlantis»
de *Númenóre*.* Los dioses, por supuesto, no pueden cancelar
el hado o el don de la mortalidad concedido por Dios, pero
los númenóreanos disfrutan de una larga vida. Se hicieron a
la vela, abandonaron la Tierra Media y establecieron un gran
reino de marineros en lo más lejano que alcanza la vista desde
Eressëa (pero no de Valinor). La mayor parte de los Altos Elfos volvieron también al Oeste. Pero no todos. Algunos Hombres emparentados con los númenóreanos permanecen en la
tierra no lejos de las costas del Mar. Algunos de los Exiliados
no han de regresar o demoran su regreso (porque el camino
hacia el oeste está siempre abierto para los inmortales y en los
Puertos Grises los barcos están permanentemente listos para
navegar siempre). Tampoco los Orcos (trasgos) y otros monstruos criados por el Primer Enemigo han sido del todo destruidos. Y está *Sauron*. En el *Silmarillion* y los Cuentos de la
Primera Edad, Sauron era un ser de Valinor pervertido y
transformado en sirviente del Enemigo, de quien se convierte
en su principal capitán y asistente. Se arrepiente atemorizado
cuando el primer Enemigo es derrotado por completo, pero al
final no hace lo que se le ordena: volver para ser juzgado por
los dioses. Se demora en la Tierra Media. Se convierte muy
lentamente, comenzando por buenos motivos: la reorganización y rehabilitación de las ruinas de la Tierra Media, «olvidada por los dioses», en la reencarnación del Mal y en una criatura que anhela el Completo Poder, y, por tanto, se consume
por siempre jamás en un odio feroz (especialmente por los

dioses y los Elfos). A lo largo del crepúsculo de la Segunda Edad, la Sombra crece en el Este de la Tierra Media y avanza más y más sobre los Hombres, que se multiplican a medida que los Elfos empiezan a debilitarse. Los tres temas principales son, pues, los Elfos que se demoran en la Tierra Media; la conversión de Sauron en un nuevo Señor Oscuro, amo y dios de los Hombres, y Númenor-Atlantis. Se los trata analíticamente y en dos Cuentos o Crónicas: *los Anillos del Poder* y la *Caída de Númenor*. Ambos constituyen el marco esencial de *El Hobbit* y su continuación.

En el primero vemos una especie de segunda caída o, cuando menos, «error» de los Elfos. No había nada de malo esencialmente en que se demoraran a pesar de los consejos recibidos, todavía entristecidos en* las tierras mortales de sus antiguas hazañas heroicas. Pero querían comerse el pastel y conservarlo al mismo tiempo. Querían la paz, la beatitud y la perfecta armonía del «Oeste», y permanecer, sin embargo, en la tierra ordinaria donde su prestigio como pueblo, por encima del de los Elfos salvajes, los enanos y los Hombres, era mayor que el que ocupaban en el fondo jerárquico de Valinor. Así, pues, los obsesionó la idea de la «mengua», el modo en que percibían los cambios del tiempo (la ley del mundo bajo el sol). Se volvieron tristes, su arte (lo diremos así) se convirtió en la obra de un anticuario, y sus esfuerzos todos, en una especie de embalsamamiento; aunque también conservaron el antiguo motivo de su especie, el adorno de la tierra y la curación de sus heridas. Oímos de un reino demorado más o menos en el extremo Noroeste de lo que quedaba de las antiguas tierras de *El Silmarillion*, bajo Gilgalad; y de otros asen-

---

*   [El dactilógrafo omitió aquí algunas palabras del manuscrito original.]

tamientos, como Imladris (Rivendel), cerca de Elrond; y uno muy grande en Eregion, al pie occidental de las Montañas Nubladas, junto a las Minas de Moria, el mayor reino de los Enanos durante la Segunda Edad. Por primera y única vez, surgió una amistad entre los pueblos por lo general hostiles (de los Elfos y los Enanos), y la herrería alcanzó su más alto punto de desarrollo. Pero muchos Elfos escucharon a Sauron. En aquellos primeros tiempos, sus intenciones eran todavía buenas, y sus motivos y los de los Elfos parecían coincidir en parte: la curación de las tierras desoladas. Sauron encontró su punto débil al sugerir que, ayudándose los unos a los otros, harían del Oeste de la Tierra Media un lugar tan hermoso como Valinor. Era, en realidad, un ataque velado contra los dioses, una incitación a intentar hacer un paraíso separado e independiente. Gilgalad rechazó todas estas proposiciones y también lo hizo Elrond. Pero en Eregion se iniciaron grandes obras, y nunca estuvieron los Elfos tan cerca de sucumbir ante la «magia» y las maquinarias. Con la ayuda de la ciencia de Sauron construyeron los *Anillos de Poder* («poder» es una palabra ominosa y siniestra en todos estos cuentos, salvo cuando se aplica a los dioses).

El principal poder (de todos los anillos por igual) era el de evitar o disminuir la velocidad del *deterioro* (es decir, el «cambio» visto como algo lamentable), la preservación de lo que se desea o se ama, o la de su apariencia: éste es más o menos el motivo élfico. Pero destacaban también los poderes naturales del poseedor, acercándose así a la «magia», un motivo que fácilmente puede corromperse y volverse malvado, como un deseo de dominio. Y finalmente tenían otros poderes más directamente derivados de Sauron («el Nigromante»: así se lo llama cuando arroja una sombra flotante de malos augurios en las páginas de *El Hobbit*), tales como volver invisible el cuerpo material o volver visibles las cosas del mundo invisible.

Los Elfos de Eregion hicieron Tres anillos de supremo poder y belleza partiendo casi exclusivamente de su propia imaginación, dirigidos a la preservación de la belleza: no conferían la invisibilidad. Pero secretamente, en el Fuego subterráneo, en su propia Tierra Tenebrosa, Sauron hizo el Anillo Único, el Anillo Regente, que contenía los poderes de todos los demás y los gobernaba, de modo que quien lo llevara podía ver los pensamientos de los que usaban los anillos menores, controlar todo lo que hacían y, en última instancia, esclavizarlos por completo. No contaba, sin embargo, con la sabiduría y la sutil percepción de los Elfos. En el momento en que él dispuso del Único, tuvieron conocimiento de ello y de sus propósitos secretos, y tuvieron miedo. Escondieron los Tres Anillos, de modo que ni siquiera Sauron descubriera nunca dónde estaban, y permanecieron sin mácula. A los otros trataron de destruirlos.

En la guerra resultante entre Sauron y los Elfos de la Tierra Media, especialmente en el oeste, la ruina fue todavía mayor. Eregion fue tomada y destruida, y Sauron se apoderó de muchos Anillos de Poder. Para su definitiva corrupción y sometimiento, se los dio a los que los aceptaban (por ambición o codicia). De ahí el «antiguo poema» que aparece como leit-motiv en *El Señor de los Anillos*:

> *Tres Anillos para los Reyes Elfos bajo el cielo.*
> *Siete para los Señores Enanos en casas de piedra.*
> *Nueve para los Hombres Mortales condenados a morir.*
> *Uno para el Señor Oscuro, sobre el trono oscuro*
> *en la Tierra de Mordor donde se extienden las Sombras.*

Sauron se volvió así una fuerza casi suprema en la Tierra Media. Los Elfos perduraron en lugares secretos (todavía no revelados). El último Reino Élfico de Gilgalad se mantiene de manera precaria en las costas del extremo oeste, donde están los puertos de los Barcos. Elrond el Medio Elfo, hijo de Eärendil, mantiene una especie de santuario encantado en *Imladris* (en inglés, *Rivendel*), en el extremo oriental de las tierras occidentales.[6] Pero Sauron domina todas las hordas crecientes de los Hombres que no han entrado en contacto con los Elfos e, indirectamente, con los verdaderos Valar y dioses que nunca han caído. Gobierna un imperio creciente desde la gran torre oscura de Barad-dûr, en Mordor, cerca de la Montaña de Fuego, esgrimiendo el Anillo Único.

Pero para lograr esto, se había visto obligado a permitir que gran parte de su propio poder inherente (un motivo frecuente y muy significativo en el mito y en el cuento de hadas) pasara al Anillo Único. Mientras lo llevaba, su poder en la tierra de hecho aumentaba. Pero aun si no lo llevaba puesto, ese poder existía y estaba en «relación» con él: no quedaba «disminuido». A no ser que otro lo cogiera y fuera su poseedor. Si eso sucedía, el nuevo poseedor (si era lo bastante fuerte y de naturaleza heroica) podía retar a Sauron, volverse amo de todo lo que había aprendido o hecho desde la fabricación del Anillo Único y, por tanto, derrocarlo y ocupar su lugar. Ésta era la debilidad esencial que había introducido en su situación en el esfuerzo (en gran parte inútil) por esclavizar a los Elfos y en el deseo de establecer el control de las mentes y las volun-

---

6   Elrond simboliza la tradición antigua, y su cara representa la sabiduría común, la preservación reverente de todas las tradiciones referidas a la bondad, el conocimiento y la belleza. No es una escena de *acción* sino de *reflexión*. Es por tanto un lugar de paso para todos los hechos o «aventuras». Puede encontrarse en el curso del camino, pero quizá sea necesario tomar un rumbo totalmente inesperado. Así ocurre en *El Señor de los Anillos*: habiendo escapado Elrond de la persecución inminente del mal, el héroe parte en una dirección completamente nueva, decidido a enfrentar el mal en sus orígenes.

tades de sus sirvientes. Había otra debilidad: si el Anillo Único realmente se *deshacía*, era aniquilado, su poder entonces se disolvería, el mismo ser de Sauron disminuiría hasta convertirse en un punto de fuga y quedaría reducido a una sombra, al mero recuerdo de una voluntad maliciosa. Pero nunca contempló esa posibilidad, ni la temía. El Anillo no era destructible por herrería alguna que no fuera la suya. Ningún fuego podía disolverlo, salvo el inmortal fuego subterráneo en el que había sido forjado... y era imposible aproximarse a él, pues estaba en Mordor. Además, tan grande era el poder de deseo del Anillo, que cualquiera que lo llevara puesto quedaba dominado por él; estaba más allá de la fuerza de cualquier voluntad (aun la suya propia) dañarlo, deshacerse de él o no tenerlo en cuenta. Así lo creía. De cualquier modo, estaba en su dedo.

Así pues, mientras la Segunda Edad avanza, tenemos un gran Reino y una maligna teocracia (pues Sauron es también el dios de sus esclavos) que crece en la Tierra Media. En el Oeste —en realidad el Noroeste es la única parte claramente considerada en estos cuentos— están los precarios refugiados de los Elfos, mientras que los Hombres de aquellos sitios permanecen más o menos incorruptos, aunque ignorantes. La mejor y más noble especie de Hombres está constituida, de hecho, por los parientes de los que habían partido a Númenor, pero permanecen en un simple estado «homérico» de vida patriarcal y tribal.

Entretanto, *Númenor* ha crecido en riqueza, sabiduría y gloria bajo el linaje de grandes reyes de larga vida, descendientes directos de Elros, el hijo de Eärendil, hermano de Elrond. *La Caída de Númenor*, la Segunda Caída del Hombre (o el Hombre rehabilitado, pero todavía mortal), es causa del final catastrófico no sólo de la Segunda Edad, sino del Viejo Mundo, el mundo primordial de la leyenda (concebido plano y limitado). Después de lo cual empezó la Tercera Edad, una Edad Crepuscular, un *Medium Aevum*, el primero del mundo quebrantado y cambiado; el último del prolongado dominio de Elfos visibles plenamente encarnados, y también el último en el que el Mal asume una única forma dominante encarnada.

La Caída es en parte el resultado de una debilidad interior de los Hombres, consecuencia, si se quiere, de la primera Caída (sin registro en estos cuentos), sobre la que hubo arrepentimiento, pero no curación definitiva. ¡En la tierra es más peligrosa la recompensa que el castigo! La Caída es consecuencia de la astucia de Sauron, capaz de explotar esta debilidad. El tema central es (inevitablemente, creo, en una historia acerca de Hombres) una Proscripción, una Prohibición.

Los númenóreanos moran apenas a la vista de la tierra «inmortal» del más extremo oriente, Eressëa; y como los únicos hombres que hablan una lengua élfica (aprendida en los días de su Alianza), están en constante comunicación con sus antiguos amigos y aliados, sea en la beatitud de Eressëa o en el reino de Gil-galad, en las costas de la Tierra Media. Se vuelven así, en apariencia y aun en las capacidades de la mente, apenas distinguibles de los Elfos, pero siguen siendo mortales, aunque recompensados por un triple, o aún más de un triple, número de años. Esta recompensa es su ruina o, al menos, el medio por el que son tentados. Su larga vida contribuye a los logros que obtienen en arte y sabiduría, pero alimenta la actitud posesiva que adquieren en relación con esas cosas, y se les despierta el deseo de disponer de más *tiempo* para disfrutar de ellas. Previendo esto en parte, los dioses impusieron a los númenóreanos desde un principio la Proscripción de no navegar nunca hacia Eressëa, ni hacia el oeste hasta perder de vista su propia tierra. Podían ir a su gusto en cualquier otra dirección.

No debían poner pie en las tierras «inmortales» y de ese modo enamorarse de una inmortalidad (en el mundo) que estaba en contra de la ley que los regía, el hado o el don especial de Ilúvatar (Dios), y que su naturaleza, de hecho, no podía soportar.[7]

Hay tres fases en su caída del estado de gracia. Primero, consentimiento, obediencia que es libre y voluntaria, aunque sin cabal comprensión. Luego, durante largo tiempo, obedecen de forma involuntaria, murmurando cada vez más abiertamente. Por último, se rebelan, y se produce una pequeña fisura entre los rebeldes hombres del Rey y la pequeña minoría de los Fieles perseguidos.

En la primera etapa, siendo hombres de paz, su coraje se consagra a los viajes por mar. Como descendientes de Eärendil, se convierten en supremos marineros, y por estar proscritos del Oeste, navegan hasta el máximo posible hacia el norte, el sur y el este. Sobre todo llegan a las costas occidentales de la Tierra Media, donde ayudan a los Elfos y a los Hombres en contra de Sauron e incurren en su odio imperecedero. En aquellos días llegaban al encuentro de los Hombres Salvajes casi como benefactores divinos, cargados de obras de arte y conocimientos, que se marchaban luego otra vez y dejaban tras de sí muchas leyendas de reyes y dioses salidos del crepúsculo.

En la segunda etapa, durante los días de Orgullo y Gloria y de rencor por la Proscripción, empiezan a buscar la riqueza

---

7   Se adopta el punto de vista (como claramente reaparece más tarde en el caso de los Hobbits que tienen el Anillo en su poder por un tiempo) de que cada «Especie» tiene sus esperanzas de vida, que se integran en su naturaleza biológica y espiritual. Ésta no puede *incrementarse* cualitativa o cuantitativamente; de modo que la prolongación en el tiempo es como estirar un alambre que se vuelve cada vez más tenso o «extender la mantequilla cada vez más delgada»: se convierte en un tormento intolerable.

antes que la beatitud. El deseo de escapar de la muerte dio origen a un culto a los muertos, y prodigaron riqueza y arte sobre tumbas y monumentos recordatorios. Se asentaron entonces en las costas occidentales, pero éstas fueron más bien fortificaciones y «fábricas» de señores en busca de riqueza, y los númenóreanos se convirtieron en recolectores de impuestos que transportaban por mar en sus grandes barcos cada vez mayor número de bienes. Los númenóreanos empezaron la forja de armas y maquinarias.

Esta fase acabó, y empezó la última con el ascenso al trono del decimotercer* rey del linaje de Elros, Tar-Calion el Dorado, el más poderoso y orgulloso de todos los reyes. Cuando se enteró de que Sauron había adoptado el título de Rey de Reyes y Señor del Mundo, resolvió derrocar al «pretencioso». Se dirige magnífico y majestuoso a la Tierra Media, y tan vastos son sus armamentos y tan terribles son los númenóreanos en los días de su gloria, que los servidores de Sauron no los enfrentan. El mismo Sauron se humilla, rinde homenaje a Tar-Calion, y es llevado a Númenor como rehén y prisionero. Pero allí se eleva fácilmente, por su astucia y conocimientos, desde la situación de sirviente a la de máximo consejero del rey, y con sus mentiras seduce a éste y a la mayoría de los señores y a las gentes del pueblo. Niega la existencia de Dios, diciendo que el Único es una mera invención de los celosos Valar del Oeste, el oráculo de sus propios deseos. El principal de los dioses es el que habita en el Vacío, quien vencerá al final y erigirá en el vacío infinitos reinos para sus servidores. La proscripción es sólo un recurso mendaz del miedo para impedir

---

* [En esta carta todavía era válido el desarrollo original de la historia de Númenor, en el cual Tar-Calion (Ar-Pharazôn) era el decimotercer rey, y no el vigésimo quinto, como pasó a ser después.]

que los Reyes de los Hombres adquieran vida imperecedera y rivalicen con los Valar.

Bajo Sauron nace una nueva religión, la veneración de la Oscuridad con su propio templo. Los Fieles son perseguidos y sacrificados. Los númenóreanos trasladan su mal también a la Tierra Media y se vuelven allí crueles y malvados señores de la nigromancia que matan y atormentan a los hombres; y las viejas leyendas se entretejen con oscuras historias de horror. Esto no ocurre en el Noroeste; porque allí, por causa de los Elfos, sólo llegan los Fieles que siguen siendo amigos de los Elfos. El puerto principal de los númenóreanos bondadosos está cerca de la desembocadura del gran río Anduin. Desde allí la influencia todavía beneficiosa de Númenor remonta el Río y a lo largo de la costa llega hasta el reino de Gilgalad al norte, a medida que se difunde una Lengua Común.

Pero al final la estratagema de Sauron alcanza su culminación. Tar-Calion siente que la vejez y la muerte se aproximan y escucha las últimas incitaciones de Sauron y, formando la más grande de todas las armadas, se hace a la vela hacia el Oeste, desobedeciendo la Proscripción; y declara la guerra a los dioses, dispuesto a arrancarles «la vida sempiterna dentro de los círculos del mundo». Enfrentados con esta rebelión de espantable locura y blasfemia, y también con un verdadero peligro (pues los númenóreanos dirigidos por Sauron podrían haber llevado la ruina a la misma Valinor), los Valar deponen el poder que se les había delegado, apelan a Dios y reciben la capacidad y el permiso para tratar esta situación; el viejo mundo se rompe y cambia. Se abre un cisma en el mar, y Tar-Calion y su armada se hunden en él. La misma Númenor, al borde de la hendedura, se derrumba y desaparece para siempre en el abismo con toda su gloria. Desde entonces no hay morada visible divina o inmortal en la tierra. Valinor (o el Paraíso) y aun Eressëa desaparecen, y sólo quedan en la memoria de la tierra. Los Hombres pueden navegar ahora hacia el Oeste si quieren, tan lejos como les sea posible sin acercarse jamás a Valinor o al Reino Bendecido, para volver siempre al este; porque el mundo es redondo y finito, y un círculo inevitable... salvo por mediación de la muerte. Sólo los «inmortales», los Elfos demorados, pueden todavía, si así lo quieren, fatigados del círculo del mundo, embarcarse y encontrar el «camino recto» que lleva al antiguo o Verdadero oeste, y permanecer allí en paz.

De modo que la Segunda Edad avanza por una fundamental catástrofe, pero no ha terminado del todo todavía. Hay sobrevivientes del cataclismo: *Elendil* el Hermoso, jefe de los Fieles (su nombre significa *Amigo de los Elfos*), y sus hijos *Isildur* y *Anárion*. Elendil, figura de Noé, que se ha mantenido apartado de la rebelión y cuyos barcos tripulados y provistos se hallan en la costa este de Númenor, huye ante la abrumadora corriente desatada por la ira del Oeste, y es transportado en lo alto de olas como torres que llevan la ruina al oeste de la Tierra Media. Él y los suyos son arrojados como exiliados sobre las costas. Allí establecen los reinos númenóreanos de Arnor, en el norte, cerca del reino de Gilgalad, y de Gondor, alrededor de las desembocaduras del Anduin, más hacia el sur. Sauron, como es inmortal, a duras penas escapa a la ruina de Númenor y vuelve a Mordor, donde al cabo de un tiempo cobra fuerzas suficientes como para desafiar a los exiliados de Númenor.

La Segunda Edad culmina con la *Última Alianza* (de los Elfos y los Hombres) y el gran sitio de Mordor. Termina con el derrocamiento de Sauron y la destrucción de la segunda encarnación visible del mal. Pero a un alto precio y con un desastroso error. Gilgalad y Elendil reciben la muerte en el acto de matar a Sauron. Isildur, hijo de Elendil, corta el anillo de la mano de Sauron, que pierde sus poderes y su espíritu huye a las sombras. Pero el mal empieza a actuar. Isildur reclama el Anillo como de su propiedad, como «indemnización por la muerte de su padre», y se niega a arrojarlo al Fuego que arde a su lado. Se marcha, pero se ahoga en el Gran Río, y el Anillo se pierde sin que nadie sepa adónde ha ido a parar. Pero no se deshace, y la Torre oscura que se ha levantado con su ayuda aún está en pie, vacía, pero no destruida. Así termina la Segunda Edad con la llegada de los reinos númenóreanos y la desaparición del último reinado de los Altos Elfos.

NOTA SOBRE LAS ILUSTRACIONES[*]

Tolkien dijo sobre la mitología de su *Silmarillion*, tarea que le mantuvo ocupado durante la mayor parte de su vida, que creció a partir de un deseo de sustentar las lenguas que había creado y decidió que no podían existir en el vacío, y para dotar a su querida Inglaterra de un corpus de historias heroicas «vinculadas con su lengua y su suelo». Fue un esfuerzo majestuoso y, en última instancia, altamente complejo, que comenzó con los poemas que compuso siendo un jovencito. El más temprano de éstos fue *El viaje de Éarendel la estrella de la noche*, compuesto en septiembre de 1914. Estaba inspirado por un verso del poema anglosajón «Crist», *Eálá Earendel engla beorhtast / Ofer middangeard monnum sended*, «Salve Earendel, el más brillante de los ángeles, enviado a los hombres por sobre la tierra media». Al principio no estaba conectado a ningún plan literario más vasto, pero con el tiempo Éarendel (en *El Silmarillion*, Eärendil) se convertiría en un marinero que navega hacia el oeste de la Tierra Media para buscar la ayuda de los Valar, los más grandes de entre los poderes angélicos, contra Morgoth, Señor de la Oscuridad; y llevando un Silmaril, una

---

[*]   Esta *Nota sobre las ilustraciones* está extraída, adaptada y revisada a partir de *J.R.R. Tolkien: Artista e ilustrador* de Wayne G. Hammond y Christina Scull (1995). Se refiere libremente a *La Historia de la Tierra Media* además de a *El Silmarillion* publicado, y a personajes tal y como Tolkien los nombró en diferentes momentos cronológicos.

de las grandes joyas hechas por el orfebre élfico Fëanor, es enviado a navegar por el cielo como una estrella, signo de esperanza para los oprimidos.

Además de poseer raíces en la narración y el lenguaje, *El Silmarillion* fue creado también a través de la pintura y el dibujo. Tolkien era un entusiasta artista amateur, hábil con el lápiz, la pluma y los pinceles. Algunos de sus dibujos se conservan en un cuaderno de bocetos que él bautizó como *The Book of Ishness*†, dado que contenía representaciones de ideas simbólicas o abstractas, tales como 'Grownupishness' («Adultishness») y 'Undertenishness' («Menordediezishness»). Dibujó lugares que visitó y en los que vivió, pero también capturó visiones notables asociadas con su mitología. Ciertamente, en la época que compuso su poema «Éarendel», casi todo su arte ilustrativo estaba inspirado en sus propios escritos.

Uno de sus dibujos, *Agua, viento y arena* [opuesta a p. 350] posee la inscripción «Ilustración de La canción marina de un día antiguo», un poema que comenzaba como una impresión del mar y se convirtió, según lo revisaba, alargaba y retitulaba *Los cuernos de Ylmir*, en la canción que Tuor canta a su hijo Éarendel durante su exilio después de la caída de Gondolin. El dibujo capta muy bien la sensación emocional de las rocas y las olas cuando el mar está embravecido, pero como en un sueño, estilizado y con unos colores extraordinariamente brillantes. Tolkien había escuchado la llamada del mar, glorioso y triste, la música de los cuernos de Ylmir (en la mitología ya desarrollada es Ulmo, Señor de las Aguas), y podía expresar sus tonos más oscuros en su arte.

Sin embargo, pintó *Agua, viento y arena* a principios de 1915, antes de que el poema que ilustra obtuviese su marco narrativo en *El Silmarillion* con la historia de Tuor y «las visio-

---

† [N. de la T.] El sufijo *-ish* en inglés denota nociones de «parecido a», «algo como», «alrededor de». Así, el *Libro de Ishness*, entre otras ilustraciones, retrataría conceptos abstractos... o algo parecido a ellos.

nes que las caracolas de Ylmir conjuraron una vez ante él en el crepúsculo de la Tierra de los Sauces». Pero incluso en aquel momento en que componía, Tolkien debió tener en mente la idea de alguien transportado al mar por medio del pensamiento y no del cuerpo. La pequeña figura de la obra se encuentra en medio de los elementos y, al mismo tiempo, lejos de ellos. Quizá representaba al propio Tolkien, experimentando el choque de las olas al alcance de su mano. Pero no podemos descartar la posibilidad de que ésta fuese la semilla de la cual emergió la historia, la leyenda de Tuor, por la que el poema terminaría absorbido. La creatividad de Tolkien en ocasiones obraba por delante de su consciencia, y algunas veces el pintor precedía al poeta.

Esto también queda patente en *Tanaqui* [opuesta a p. 34], otra obra de principios de 1915, hasta donde podemos juzgar. Su título contiene raíces lingüísticas de la lengua «élfica» de Tolkien qenya (más tarde quenya) que significan «alto, elevado» y «blanco», similar al nombre «Taniquetil» con el que nos encontraríamos después. (Más o menos en este periodo, también comenzó a elaborar un diccionario de qenya, en el que se inventaría aspectos de su mitología junto con elementos de la lengua). No cabe duda de que el dibujo debe asociarse con, y probablemente precedió a, el poema *Kôr*, fechado el 30 de abril de 1915:

> Una colina azabache, gigante, coronada en murallas,
> se yergue mirando a través de un mar azur
> bajo un cielo azur, en cuyo oscuro fondo
> engarzados como contra un suelo de pórfido
> relumbran blancos templos marmóreos,
> y resplandecientes recintos.

Kôr, en los escritos tempranos de Tolkien, era tanto la ciudad de los elfos en Eldamar como la colina en la que se asentaba; en relatos posteriores se lo llama Tirion sobre Túna. En

Tanaqui, Tolkien ilustró detalles que no aparecen en el poema relacionado pero que se expresaron más tarde en prosa, en este caso la esbelta torre plateada de la casa de Inwë «proyectada hacia el cielo como una aguja», descrita en un relato de *El libro de los Cuentos Perdidos*. Allí, «una lámpara blanca de haz penetrante» hacía que la torre brillara «sobre las sombras de la bahía»; en *Tanaqui* una lámpara brilla no desde la torre sino desde un edificio alto y escalonado a la izquierda. La pálida estructura azul en el centro del dibujo es, posiblemente, un camino que trepa bruscamente hacia la ciudad. Sobre todo esto parece que hay un árbol de copa redonda, quizá un vástago de uno de los Dos Árboles que los Valar regalaron a los elfos de Kôr; una forma similar y estilizada aparece a la derecha de la alta torre. Esta escena anticipa el dibujo que Tolkien haría en 1928 de la ciudad élfica de Gondolin, construida en piedra blanca sobre la colina de Amon Gwareth.

Kôr también aparece en la obra que normalmente recibe el nombre de *Las costas de Faery* [opuesta a la p. 68], que ilustra y acompaña en el *Book of Ishness* a la versión más antigua del poema así titulado. La obra está fechada «10 de mayo de 1915», dos meses antes de la fecha de composición original del poema (8-9 de julio) que Tolkien registró en un manuscrito revisado. De hecho, el título que le dio a la obra es, según creemos, *Al oeste de la luna, al este del sol*, rememorando el nombre de un cuento de hadas popular noruego. Parece que Tolkien realizó esta obra, escribió su título en la página opuesta centrado y en el mismo estilo que otros títulos de su cuaderno de bocetos, pero después se sintió inspirado a componer un poema que escribió debajo, e incorporó el título de la obra en sus primeros versos. Después de hacerlo, escribió «Las costas de Faery» como nuevo título del poema en la parte alta de la hoja.

La frase «las costas de Faery» se refiere, en la mitología de Tolkien, a las tierras que se extienden a lo largo de la gran bahía en la costa este de Valinor en Aman, en el lugar o cerca de donde los elfos construyeron sus moradas. Los Dos Árboles,

Silpion (más tarde Telperion) y Laurelin, proporcionaban luz a Valinor, y también fue su luz la que fue capturada en los Silmarils que hizo Fëanor. Pero los Árboles fueron envenenados por la araña gigante Ungwë Lianti (más tarde Ungoliant), tejedora de oscuridad, a instancias de Melko (más tarde Melkor, Morgoth), el Vala malvado. Antes de morir, Silpion produjo una última flor plateada que se convertiría en la luna, y Laurelin un último fruto dorado que se convertiría en el sol. En la obra, los árboles casi desnudos enmarcan la vista al estilo del Art nouveau. El árbol de la izquierda tiene una luna creciente sobre la rama curvada, el de la derecha un orbe dorado. Los colores de la pieza cambian de acuerdo con ellos de izquierda a derecha, de la noche oscura al brillante día. Al pie de la colina del centro, sobre la que Kôr se eleva con sus torres doradas, encontramos arenas doradas y el «mar verde pálido» del poema. Un prefacio en prosa posterior deja claro que el punto brillante dentro de la curva de la luna es el marinero que surca el cielo, Earendel.

A finales de 1916 Tolkien comenzó a escribir su mitología como una narración plenamente en prosa, *El libro de los Cuentos Perdidos*. En ella desarrolló la historia de Aman, el Reino Bendecido en el oeste, y la de la Tierra Media, en lo que se conocería como la Primera Edad del Mundo. Pero antes de que completara los «cuentos perdidos», los dejó mayormente de lado, probablemente para concentrarse en la escritura de su primer gran trabajo de investigación, *A Middle English Vocabulary* (publicado en 1922). Ahora estaba, en los primeros años de la década de 1920, ocupado con sus nombramientos sucesivos en Leeds y Oxford y con una familia en crecimiento. En este periodo, no abandonó del todo sus invenciones literarias (por ejemplo, compuso *La balada de los hijos de Húrin*, comenzó *La Balada de Leithian* y escribió un *Esbozo* de su mitología) pero parece que creó pocas obras de arte.

Entonces de repente, alrededor de 1927-28, se volvió extraordinariamente productivo. Hizo una extensa y notable serie de obras pictóricas, algunas topográficas, otras ilustrativas. Su habilidad mejoró mucho. Algunas veces aún usaba colores vivos, pero ahora los aplicaba con una maestría y sutileza nunca vistas anteriormente en su arte. Su estilo siguió siendo dinámico pero se volvió más pictórico, dibujando los contornos de tal manera que ahora eran casi invisibles. La libertad y relajación que le proporcionaron las vacaciones familiares en Lyme Regis de 1927 y 1928 seguramente son una de las razones de su mejora. También es posible que sus talentos artísticos respondieran a la sensación de seguridad que tenía en ese momento con su familia y su profesión (lo habían nombrado Catedrático Rawlinson & Bosworth de anglosajón en Oxford en 1925), a que llevaba explorando el mundo de *El Silmarillion* más de una década o a que se sentía más seguro ilustrando sus paisajes inventados.

Entre éstos se encontraba Hisilómë, también llamado Hithlum o Dorlómin, la tierra de las sombras. En esta región se encuentra el lago Mithrim, en la orilla opuesta del lugar donde las huestes divididas de los gnomos (Elfos Noldorin) acamparon en su regreso a la Tierra Media hasta que sus pleitos terminaron y se unieron para oponerse a Morgoth. El lago se menciona en *El libro de los Cuentos Perdidos* pero no se lo describe hasta más tarde: tenía «amplias y pálidas aguas», era «un gran lago», sus «poderosas aguas reflejan una imagen pálida de las colinas circundantes». Ambos, colinas y lago, pueden verse en la obra [opuesta a p. 140] que Tolkien hizo en Lyme Regis en 1927. La cumbre que se ve en la distancia, a la izquierda del centro, es probablemente Thangorodrim: el *Esbozo de la Mitología* (1926) insinúa que las huestes de gnomos a ambos lados del Mithrim podían ver los humos y vapores de Angband y de la cumbre de Thangorodrim, la más alta de las Montañas de Hierro que rodean la fortaleza de Morgoth. Excepto por unas líneas que representan árboles, Tolkien no se esforzó en retratar los bosques a orillas del lago que menciona en algunos de sus textos, pero las nieblas que se extienden alrededor del lago oscurecen muchas cosas.

Después de *Mithrim*, en el *Book of Ishness* Tolkien pintó *Glórund parte al encuentro de Túrin* [opuesta a p. 296]. Primero relató la historia perteneciente al *Silmarillion* de Túrin y el dragón Glórund (más tarde Glaurung) en *El libro de los Cuentos Perdidos*. Allí se describe a Glórund como un «gran gusano» con escamas de bronce pulido y un aliento «mezcla de fuego y humo», que destruye los hogares de los Rodothlim (Elfos Noldorin fugitivos) en las cuevas sobre un arroyo. Reúne sus riquezas en un gran tesoro y toma sus moradas como su cubil. Tolkien volvió a la historia en *La balada de los hijos de Húrin* (circa 1929-1925), un título alternativo temprano para lo que entonces era *El dragón dorado*. Abandonó la composición de la balada antes de llegar al punto donde el dragón habría aparecido, pero introdujo, en el lugar de las Cuevas de los Rodothlin, la gran fortaleza élfica de Nargothrond con sus puertas de jambas y dinteles.

Aunque *Glórund* se pintó algo más tarde (septiembre de 1927), ilustra la escena que Tolkien debió haberse imaginado en la época de los «cuentos perdidos», con una entrada simple y parecida a la de una cueva. «Entonces se marchó de las cuevas y los parajes donde solía dormir» y Glórund «cruzó los ríos y se internó en los bosques, y éstos ardían ante su rostro», dice la *Historia de Turambar*. En la obra, el comienzo de esta acción está retratado dramáticamente. El dragón viene directamente de frente, con las mandíbulas rebosando fuego y los árboles marchitándose a su paso. El sol, que tiene un rostro pintado muy sutilmente sobre él, también resplandece poderosamente. Mientras tanto, la serenidad de las montañas del fondo es un contrapunto a la feroz destrucción que ocurre en el llano, los colores fríos de las cumbres contrastan con los cálidos dorado y rojo de Glórund. La figura de la bestia, torpemente escorzada, no posee nada de la sinuosa gracia de otros dragones que dibujó Tolkien, pero nadie la supera en fiereza. Su extraño rostro recuerda a las máscaras ceremoniales de las culturas africanas, asiáticas o nativas americanas.

Sin embargo, la obra «Silmarillionesca» más impactante de Tolkien, pintada en julio de 1928, es *Las estancias de Manwë en las montañas del mundo sobre Faerie*, pues ése es su título completo. Es más conocida con un nombre más simple, *Taniquetil* [opuesta a p. 92], el nombre de la más alta de las «montañas del mundo», la cadena montañosa más grandiosa de toda la mitología de Tolkien. Era en su cumbre, levantada por los Valar al este de Valinor como defensa contra Melko, donde su principal, Manwë, y su esposa Varda, Señora de las Estrellas, moraban en una casa de mármol blanco y azul sobre un campo nevado. Podemos ver sus estancias en la obra envueltas en un resplandor de luz en la cumbre. Al pie de la montaña se encuentra una de las torres de los elfos marineros, los Teleri. Una de sus naves se desliza por las aguas, con su mascarón tallado a modo de cuello de cisne, sus remos y su vela cuadrada similares a los de factura vikinga. Los elfos, dibujados muy pequeños en primer plano, visten gorros apuntados similares a los de los elfos del Polo Norte en las *Cartas de Papá Noel* y a los de las igualmente diminutas figuras de *Ciudad del Lago*, ilustración para *El Hobbit*.

La escena representada en *Las estancias de Manwë* pertenece a una época en *El Silmarillion* posterior a la destrucción de los Dos Árboles. Las laderas de uno de los costados de la montaña están bañadas por la luz del sol, mientras que las del costado opuesto brillan con una luz más fría bajo la luz de una luna creciente. Las diferentes capas de aire que Tolkien representa parecen acordes a las que describió en el *Ambarkanta* o *La forma del mundo* [cf. opuesta a p. 8], escrito en la década de 1930. Normalmente el aire más claro del centro, Ilmen, donde estaban el sol, la luna y las estrellas, se extendía directamente por encima de Valinor; pero a veces Vista, el aire más inferior, soplaba desde la Tierra Media, y «si Valinor se oscurece y este aire no se purifica mediante la luz del Reino Bendecido, toma la forma de sombras y nieblas grises». Las estrellas que Varda puso en el firmamento brillan intensamente; las que aparecen en la parte superior izquierda parecen ser las Pléyades.

Un dibujo [opuesto a p. 408] que Tolkien hizo en Lyme Regis un mes después de *Las estancias de Manwë* es casi seguramente otra representación de Taniquetil vista desde una perspectiva distinta. Y aun así no es Taniquetil, dado que en este caso la montaña está situada en un paisaje tranquilo de campos y bosques, quizá un recuerdo de Suiza de una visita que Tolkien hizo en 1911. Era un artista frugal, y frecuentemente reutilizaba elementos de sus obras que pensaba que le habían salido bien. Esta montaña aparecería de nuevo casi una década después en *El Hobbit*, redibujada por Tolkien como una de las Montañas Nubladas.

Una de las series más interesantes de reencarnaciones de su producción artística comenzó con su acuarela *Taur-na-Fúin* o *Beleg encuentra a Flinding en Taur-na-Fúin* [opuesta a p. 290], pintada en el *Book of Ishness* en julio de 1928. Representa el momento en el relato de Túrin del *Silmarillion* en que Beleg, un elfo de la corte de Thingol, encuentra a Flinding (más tarde llamado Gwindor), un elfo de Nargothrond que ha escapado de la cautividad en la fortaleza de Morgoth. Flinding yace exhausto bajo un árbol enorme mientras Beleg, con su enorme espada, se mueve hacia él por encima de las raíces retorcidas. Es el retrato más detallado que Tolkien hizo de los elfos de su mitología, aunque sólo se los ve de lejos (deliberadamente, dado que dibujar la figura humana no era uno de sus fuertes). En el suelo junto a Flinding hay un capuchón élfico rojo y la lámpara cuya luz azul atrajo a Beleg, hecha por los elfos a partir de «cristal irradiante» y plata. Beleg muestra una barba corta, el rostro de Flinding está oculto. Ambos poseen cabello largo y oscuro y son delgados y espigados, podría decirse que son altos, atendiendo a la concepción de Tolkien de los elfos en las tradiciones del inglés antiguo y de las lenguas germánicas, pero también son «elfinos» en el sentido habitual: no se pueden ignorar esos zapatos apuntados y rojos. Sin embargo parecen diminutos, pero sólo en relación con el tamaño de los árboles. «Allí se cernían, grises, / de dimensiones desconocidas en el transcurso de las edades / los troncos sin copa de los árboles encantados», dice Tolkien de Taur-na-Fúin en *La balada de los hijos de Húrin*. En la pintura, se alcanza el margen superior antes de que ninguna rama sea aún visible. Pero el bosque es más abierto y luminoso de lo que sugieren los textos. En la Historia de Turambar es «una sombría y peligrosa región tan espesa de pinos gigantescos que nadie, salvo los trasgos, podía seguir un rastro, pues sus ojos atravesaban la más profunda oscuridad».

Taur-na-Fúin se abrió camino hasta *El Hobbit*, redibujado como *El Bosque Oscuro*. Y aún más tarde, fue publicado en *The J.R.R. Tolkien Calendar 1974* con un nuevo título de manos del artista: *El Bosque de Fangorn*. Parece que sintió que la obra «Silmarillionesca» podía, de algún modo, hacer un poco de trabajo extra como ilustración para *El Señor de los Anillos*; y de este modo esta imagen fue utilizada, de una forma u otra, para ilustrar las tres obras mayores de Tolkien. Pero en su contexto final no aguanta bien un escrutinio minucioso. Sus altos árboles y carácter sombrío son adecuados para esa parte de *El Señor de los Anillos* en la que Merry y Pippin vagan a través del bosque en penumbra antes de encontrarse con Bárbol; pero nadie puede confundir estas figuras por mucho tiempo por los hobbits bajitos y descalzos quienes, por añadidura, en la historia no llevan ni lámpara ni espada.

Ya en primavera de 1928 Tolkien alcanzó el punto en su escritura de *La Balada de Leithian* en el que Beren y sus compañeros son apresados por Thû (un nombre temprano de Sauron) y son llevados a su fortaleza en una isla en el centro del río:

> Hallaron las rápidas
> y jóvenes aguas, ondeando, con palidez de plata,
> del Sirion, que corrían a través del valle
> donde Taur-na-Fuin, la Noche Letal,

la cumbre cubierta de pinos del bosque sin senderos,
cae ominosamente oscura, descendiendo lentamente
sobre el este, mientras en el oeste fruncen el ceño
las grises Montañas que se curvan al norte
e impiden el paso de la luz del día desde occidente.

Allí como un islote una colina se erguía solitaria
entre el valle, como una piedra
que hubiera rodado desde las vastas y lejanas montañas
cuando los gigantes tumultuosos pasaron precipitándose.
El río giraba en torno a su base,
una corriente dividida que había excavado
los bordes colgantes hasta horadarlos.

Todos los detalles de este pasaje están también reflejados en el dibujo a lápiz *El Valle del Sirion* [opuesto a p. 214, coloreado por H.E. Riddett], que Tolkien hizo en Lyme Regis en julio de 1928. El sol se hunde detrás de las Eryd Lómin (más tarde Ered Wethrin), las montañas ensombrecidas al oeste, y al otro lado la luna se alza sobre las copas de los árboles del bosque. En la distancia se encuentran Dor-na-Fauglith (Anfauglith) «los campos de la aridez, / las polvorientas dunas, el ancho desierto» y en el horizonte «la lóbrega nube que colgaba y descendía / sobre las atronadoras torres de Thangorodrim». Los dos abedules en primer plano enmarcan y enfatizan la fortaleza en el islote, sobre las cuevas horadadas por el agua.

En esta época Tolkien aún no había desarrollado aún la idea de que la fortaleza de Thû había sido en el pasado Minas Tirith, la torre vigía construida en Tol Sirion por el rey elfo Felagund (Finrod), aunque «Había sido una torre de vigía élfica, / era fuerte y todavía hermosa». Tampoco había completado Tolkien la evolución de Nargothrond, la majestuosa fortaleza subterránea de los Elfos Noldorin. Originalmente, en *La historia de Turambar* eran las cuevas de los empobrecidos Rodothlin y, como tales, sus puertas las habían «con gran astucia (...) ocultado con árboles y sortilegios que aún recordaban las bandas dispersas que ahí vivían. En aquel entonces, ese lugar se había convertido en el bastión de un pueblo al que se habían unido muchos fugitivos, y las artes y las obras de los Noldoli [Noldor] habían vuelto a florecer allí, aunque bajo formas rústicas y toscas».

Tolkien hizo tres ilustraciones de Nargothrond (cuatro, si incluimos *Glórund*). Tanto una versión a lápiz [opuesta a p. 232, coloreada por H.E. Riddett] dibujada en Lyme Regis en julio de 1928, como una acuarela inconclusa [opuesta a p. 146] pintada en mayo/julio de 1928, estaban incluidas en *The Book of Ishness*. Se hizo por separado un dibujo a tinta [opuesto a p. 172] y en algún momento posterior, probablemente en 1937; deriva claramente de la acuarela, con detalles adicionales añadidos para completar el panorama. Todas estas ilustraciones muestran tres puertas que conducen al interior de la fortaleza, y altas colinas y laderas bajas cubiertas de árboles tanto por encima como por debajo. En otros detalles son bastante diferentes las unas de las otras.

En la versión a lápiz las entradas están visiblemente bloqueadas con las enormes puertas de madera que se describen en las baladas. Parecen búnkeres excavados en la ladera. Pero no muestran los imponentes dinteles y jambas de piedra que indican los textos. Tanto en el dibujo a tinta como en la acuarela las entradas tienen la forma de trilito adecuada, con forma de *pi* y laterales inclinados. Sin embargo parecen no tener puertas, simples aberturas que se internan en la colina como en *Glórund*. Tampoco se intenta ocultar las entradas, al contrario que en el dibujo a lápiz. La orilla en este último es empinada y escarpada, y el río hace espuma sobre las piedras, como se describe en *La Balada de Leithian*. El árbol escuálido que se aferra a la orilla izquierda es muy probablemente el árbol que cuelga sobre el lago de Grendel en la ilustración del poema anglosajón *Beowulf* que Tolkien había dibujado unas pocas semanas antes. La acuarela muestra tres conjuntos de peldaños tallados en la ladera, que llevan a un río que Tolkien no llegó a dibujar ya que abandonó la tarea. En el dibujo en tinta eliminó los escalones centrales para incluir el puente que construye Túrin durante los últimos días de Nargothrond, de forma similar al «esbelto y airoso arco» sobre el Ingwil. En el dibujo a lápiz no hay puente, y se podría suponer que o bien Tolkien aún no lo había concebido, o que esta versión ilustra un punto más temprano de la historia.

¿Cuál fue su versión final de Nargothrond? La forma en general de las entradas en forma de arco del dibujo a lápiz son como la entrada del *Glórund* de 1927, pero la posición evidente de esa pintura en *The Book of Ishness* indica que es (ligeramente) más tardía que la acuarela inacabada de Nargothrond, cuyas puertas son tal y como se describen en el texto de Tolkien. ¿Acaso revisualizó Nargothrond pero hizo el cambio sólo en su obra plástica y no en la escrita? ¿O quizá cambió de idea sólo momentáneamente, para después regresar a las puertas con dintel y jambas? La similitud del dibujo a tinta y la acuarela, aunque el dibujo se hizo después de un prolongado hiato, sugiere que ésta es la imagen que Tolkien tenía presente. Pero también podría ser que nunca llegó a una conclusión definitiva sobre Nargothrond, como con muchas de las cosas de *El Silmarillion*. De algún modo, aún estaba debatiendo el tema consigo mismo en 1936-1937 (de ahí el nuevo dibujo, que probablemente hiciera por aquella época) en su serie de dibujos, relacionados conceptualmente con Nargothrond, de la entrada de los salones del reino élfico en *El Hobbit*.

Ése era a menudo el estilo de Tolkien, lo que es comprensible. Su mitología era algo vivo, que cambiaba y crecía constantemente. Pero algunas ideas se le ocurrieron pronto y cambiaron poco a lo largo de los años. Una de éstas fue su visión de la ciudad escondida de Gondolin, que según cuenta *El Silmarillion* fue construida imitando a Kôr (Tirion). Tal y como se refleja en *Gondolin y el valle de Tumladin desde Cristhorn* [opuesto a p. 344, coloreado por H.E. Riddett], datado en septiembre de 1928, es parecida a la ciudad de *Tanaqui*, especialmente en su alta torre y en los empinados acantilados de la colina. Pero su arquitectura es más simétrica, con la torre situada ahora en el centro, y el paisaje circundante es más sustancial (Tolkien era mejor artista treinta años después). El retrato de Gondolin es idéntico a la descripción del *Esbozo de la Mitología*:

> (…) un ancho valle totalmente rodeado por las colinas circundantes cuya altura disminuía a medida que se acercaban al centro. Dentro de este círculo había una tierra ancha sin colinas, a excepción de una colina rocosa que se erguía en la llanura, no justo en el centro, sino próxima a la parte del muro exterior que transcurría junto a la orilla del Sirion. (...) Sobre la colina rocosa, Amon Gwareth, la colina de vigilancia, cuyas laderas pulen hasta que adquieren la suavidad del cristal y cuya cima nivelan, construyen la gran ciudad de Gondolin de puertas de acero. Nivelan la llanura de alrededor hasta que queda tan plana y lisa como un jardín de césped recortado hasta los pies de las colinas, de modo que nada pueda acercarse furtivamente sin ser visto.

El ancho camino de la llanura presumiblemente transcurre entre la ciudad y el Paso de la Huida a través de las Montañas Circundantes, hacia el sur en dirección al Sirion. Aquí se muestra el paso Cristhorn («Grieta de las Águilas», más tarde Cirith Thoronath) como estaba emplazado originalmente en *La caída de Gondolin*; pero en la época en que se hizo el dibujo Tolkien lo había movido en el texto a las montañas al norte de la ciudad. Cristhorn es el paso que Tuor e Idril utilizan para escapar al saqueo de Gondolin, y el dibujo rememora cómo en la *Caída* miraron hacia atrás cuando el camino rodeaba la cornisa de las montañas y pudieron entrever por última vez la ciudad, ardiendo y casi destruida. En la obra Gondolin se muestra en su mayor plenitud, íntegra y magnífica.

Dos elementos pictóricos dominaban la mayor parte de la obra de Tolkien de 1927 y 1928. Uno eran las montañas, que lo habían impresionado desde su visita a Suiza en 1911, y que dibujaba con mucha frecuencia en accidentados paisajes «Silmarillionescos» como *Gondolin*. El otro eran los árboles, de los que estaba aún más enamorado: «En todas mis obras», confesó, «asumo la parte de los árboles en contra de todos sus enemigos». Los incorporó no sólo en las escenas boscosas como *Taurna-Fúin*, sino también en obras más tranquilas y decorativas. Los árboles aparecen tarde en *The Book of Ishness*, por ejemplo, a modo de elementos estilizados, con las nubes, los pájaros, las olas, montañas, lunas y estrellas, en frisos decorativos dibujados sin ningún propósito aparte del goce de decorar.

Tras la publicación de *El Señor de los Anillos* en 1954-1955, muchos lectores de Tolkien le pidieron más información sobre la Tierra Media, y lo presionaron para que completase *El Silmarillion*. Allen & Unwin lo estaban deseando también, y esperaban que tras su jubilación de la Universidad de Oxford en 1959 Tolkien no tardaría en preparar un texto definitivo. Pero se le hizo difícil ejercer la autodisciplina y trabajar con regularidad y, como siempre, tenía muchas obligaciones: trabajo académico inacabado y el cuidado de su esposa, cuya salud era frágil. Él mismo estaba ya a la mitad de su sexta década de vida, y notaba los efectos de la edad. E incluso cuando encontró tiempo para *El Silmarillion*, progresaba muy lentamente. Sopesó, y más tarde rechazó, un cambio radical en su cosmología para acercarla a la de nuestro propio mundo, y a medida que las nuevas preguntas de los fans creaban nuevas necesidades en su mente, se iba enredando cada vez más en hacer cambios, y también en las consecuencias de los mismos, que a veces eran destructivas.

Algunas veces prefería escribir largas cartas a quienes le preguntaban por ese medio, o garabatear elaborados diseños en cualquier papel que tuviera a mano, a veces en la parte trasera en blanco de las cartas que le escribían; en la parte delantera, trasera y dentro de los sobres; en felicitaciones, invitaciones, incluso en una ocasión en una servilleta de papel, y garabateando en viejos periódicos, sobre todo cuando hacía los crucigramas. Pasó algunos de estos diseños a limpio redibujándolos con más cuidado. Pero incluso en su tiempo de ocio, los pensamientos de Tolkien nunca vagaban muy lejos de su mitología. Decidió que algunos de sus diseños fuesen dibujos de artefactos de su mundo ficticio. Las formas flexibles y curvadas se convertían en su pensamiento en cinturones usados por el pueblo de Númenor; y los bordes decorativos que incluían motivos florales o geométricos, muchos de ellos con delicados colores, combinados con otros motivos en adornos más grandes, los etiquetó como «Alfombras númenóreanas» [opuestas a las págs. 402-403]. Estos adornos datan de finales de la década de 1960.

Tolkien mencionó por primera vez los diseños heráldicos para su mitología en *La caída de Gondolin* de *El libro de los Cuentos Perdidos*. Los diseños que describía allí son representativos y portan un cisne, una punta de flecha, un arcoíris, un arpa o (para el rey Turgon) un corazón dorado, que conmemora la recuperación del corazón de su padre, que los orcos arrancaron de su cadáver. Diseños pictóricos similares aparecen en *El Señor de los Anillos*, incluyendo el caballo blanco sobre campo de sinople de La Marca, y el árbol blanco con corona y siete estrellas sobre campo de sable de la Casa de Elendil. Pero, exceptuando las descripciones de *La caída de Gondolin* y la de la enseña de Finarphin en *La Balada de Leithian* y otros lugares, las referencias a los diseños heráldicos élficos son muy escasos y breves en los escritos de Tolkien. No facilitó ninguna descripción escrita tan exquisita como la serie de diseños heráldicos que dibujó en 1960-1961 para figuras principales en «El Silmarillion». Muchos ejemplos de entre ellos se reproducen en las cabeceras de los capítulos del presente volumen. Tolkien explicó sus reglas para la heráldica élfica en una nota:

Mujeres en redondo   personal
Hombres en losange   ”
Diseños generales (impersonales) o
emblemas familares en   *cuadrilátero*
(o [?] una vez, circular).
El rango normalmente se
mostraba mediante un número de «puntos» que
alcanzaban la bordura
cuatro era príncipe) 6-8 reyes
los grandes ancestros
a veces tenían tantos [como] 16 como en
la Casa de Finwë.

(*Losange* es un término heráldico para la forma de diamante).
Sus diseños para personajes femeninos están sin duda dibujados en redondo, el de la Casa Noldorin de Finwë está dibujado en cuadrado, y aquellos para personajes masculinos individuales, están dibujados en losange. Las relaciones familiares
están marcadas habitualmente por similitudes en los diseños:
por ejemplo, entre los diseños de la Casa de Finwë, o el de
Finwë mismo y su primogénito Fëanor, o el de su segundo
hijo, Fingolfin (aunque no siempre es el caso). Aparentemente, los nuevos diseños se creaban para resaltar un hecho importante en la vida de su portador. El diseño de Finrod Felagund [p. 157], hijo de Finarphin (Finarfin) muestra un arpa y
una antorcha, que probablemente conmemoran su encuentro
con los primeros hombres que entraron en Beleriand, ocasión
en la que cantó para ellos acompañado por un arpa. Tolkien
podría haber querido sugerir que este diseño fue creado por
los hombres para Finrod, dado que es más parecido a los diseños humanos que describe en *El Señor de los Anillos* y que dibujó a principios de la década de 1960, que a los otros diseños
élficos que son geométricos, teniendo en cuenta que los creó a
la vez. Estos últimos son normalmente simétricos en todos los
ejes, lo que a veces los dota de una sensación de rotación per-

petua, que quizá pretendiera sugerir la inmortalidad de los elfos dentro de los círculos del mundo. Por el contrario, los diseños humanos tienden a ser simétricos sólo en cada lado del eje vertical, y a veces también tienen un eje fuertemente horizontal. En estos el movimiento no es circular, sino que se extiende del centro hacia el interior hacia la bordura con tal ímpetu que parece que quisiera incluso salir de ella.

El diseño que Tolkien dibujó para el héroe humano Beren [p. 135] representa los picos triples de Thangorodrim que se elevaban por encima de la fortaleza de Morgoth, el Silmaril que Beren y Lúthien recuperaron de la corona de Morgoth, y la mano que Beren perdió en esa aventura. Tolkien pretendía que el diseño se hubiera realizado de forma póstuma para conmemorar las hazañas de Beren: escribió en el dibujo original del diseño «Beren Gamlost ["manos vacías"], placa histórica». Tolkien también diseñó una «placa» de este estilo, datada el 14 de diciembre de 1960, con el diseño de Idril Celebrindal [p. 169], la hija de Turgon, rey de los Elfos Noldorin, quien gobernó sobre la ciudad escondida de Gondolin en la Primera Edad de la Tierra Media. La inscripción en la placa de Idril está en quenya, la lengua de los Altos Elfos, representada en tengwar, caracteres élficos: «Menelluin Írildeo Ondolindello» («Aciano de Idril de Gondolin»). No hay nada en los escritos de Tolkien que explique por qué el aciano debería asociarse con Idril: quizá proviene de una asociación con las flores azules que crecen en el grano dorado, dado que se decía del cabello de Idril que era «como el oro de Laurelin antes de la llegada de Melkor».

El diseño de la placa puede interpretarse como doce grandes flores de aciano contra un campo de sable, con pequeños flósculos y hojas, o como un campo azur sobre el cual se han dibujado doce pétalos negros que contienen pequeñas flores que forman una flor de aciano en el centro. Sometido a las reglas heráldicas élficas de Tolkien, las doce flores o puntos que llegan a la bordura del círculo podrían reflejar la posición de Idril como hija del rey. Una inscripción relacionada dice que los descendientes de Idril conservaron la placa, «salvada de Gondolin y descendiendo de Earendil a Númenor, de donde fue salvada por Elendil y llevada a Gondor». Otra inscripción sugiere que era extensamente copiada: «Diseño de Idril. El patrón de "aciano" Menelluin. Origen de los patrones circulares númenóreanos (a menudo degradados)». Tolkien había dibujado una «baldosa númenóreana» [p. 367] inmediatamente antes que este diseño que, si bien no es realmente una «degradación» es más estilizada y, a diferencia de este último (que realmente sugiere una delicada flor de aciano), tiene muchos más colores y de mayor intensidad.

Tolkien invirtió mucho tiempo trabajando en los diseños para Eärendil, teniendo en cuenta la cantidad de ejemplos existentes. El hijo de Idril y Tuor había escapado del saqueo a Gondolin y más tarde se casó con Elwing, quien heredó el Silmaril que sus abuelos, Beren y Lúthien, habían luchado por recuperar de la corona de Morgoth y con el que Eärendil buscó la ayuda de los Valar contra la opresión de Melkor. El diseño de Eärendil [p. 351] tal y como Tolkien lo dibujó en la parte frontal de un sobre dirigido a él el 13 de diciembre de 1960, parece incluir un Silmaril y arde como la estrella en la que Eärendil se convirtió. Su ornamento en forma de estrella está colocado sobre círculos concéntricos (quizá inspirados por la noción medieval de las esferas cristalinas celestiales) y, presumiblemente, con las fases de Venus decorando los puntos del losange, dado que en el poema de Tolkien de 1914 se asociaba a Eärendil con Venus, la «estrella» de la tarde (o el lucero del alba).

El diseño correspondiente a Gil-galad, rey élfico de la Segunda Edad de la Tierra Media, recuerda al verso «y en el escudo de plata se reflejaban los astros innumerables de los campos del cielo» de *El Señor de los Anillos* (libro I, capítulo 11), lo que sugiere de una forma poética que el escudo de Gil-galad lucía un diseño repleto de estrellas. El diseño tal y como Tol-

kien lo dibuja contiene una estrella alargada que apunta a cada
esquina del losange siguiendo un patrón explosivo. Posiblemente Tolkien prefiriera esta versión de las dos que dibujó en
un sobre, dado que colocó una etiqueta debajo de este diseño;
su forma simétrica también es más consistente con el resto de
sus diseños élficos. Sin embargo ambos dibujos son sólo preli-
minares, ya que no muestran la precisión del trabajo definitivo
de Tolkien.

En el diseño de la casa de Finwë está escrito: «Sol alado |
Casa de Finwë [>Finrod] | descendiente de altos reyes | Fingol-
fin-Fingon | Turgon. Aquellos | descendientes de Finarphin |
usaban estrella azul». Finwë guio a los Elfos Noldorin en la
Gran Marcha hacia el oeste desde la Tierra Media hasta Aman.
En textos posteriores de «El Silmarillion», tenía tres hijos, Fëanor, Fingolfin, y Finarphin. Fingon y Turgon eran hijos de
Fingolfin. Cuando asignó este diseño a Finwë, Tolkien podría
haber tenido en mente la última reescritura de su cosmología
«Silmarilliana», en la que el sol y la luna existían desde el principio del mundo, por lo tanto, durante la vida de Finwë. En la
mayoría de versiones tempranas de sus historias, Finwë es asesinado antes de que el sol y la luna sean creados a partir de los
Dos Árboles.

Dieciséis «puntos» o «alas» se extienden hasta la bordura de
un cuadrilátero, que es lo apropiado para el alto rey de los
Noldor en Aman. Los crecientes más oscuros marcan otros
dieciséis puntos, y dentro del «sol» central hay ocho «pétalos»
amarillos contrapuestos a o intercalados con ocho más de color naranja pálido. Tolkien dibujó un diseño personal casi
idéntico para Finwë [págs. 50, 90], pero girado cuarenta y
cinco grados para formar un losange. También creó diseños
para los tres hijos de Finwë, en dos de los cuales tan sólo ocho
puntos se extienden hasta la bordura. La excepción es el diseño de Fëanor [págs. 75, 139], que tiene ocho puntos subsidia-
rios además de ocho «llamas». Tolkien dijo de Fëanor, el primogénito, que «su espíritu ardía como una llama» y que «fue

él el primero entre los Noldor en descubrir que con habilidad podían hacerse gemas más grandes y brillantes que las de la Tierra». En el centro de su diseño hay un Silmaril, su magna creación.

El diseño del segundo hijo de Finwë, Fingolfin [págs. 207, 340], está acompañado de la inscripción «Fingolfin y su casa». Es similar en colores al de Finwë, pero sus ocho puntos se parecen más a las «llamas» de Féanor. Las estrellas plateadas sobre campo de azur están relacionadas quizá con sus pendones azules y plateados, o con su escudo «con campo azul celeste y estrella / de cristal, que brillaba pálida a distancia». El diseño del hijo menor de Finwë, Finarphin [p. 97] está acompañado de la inscripción «Finarphin y su casa esp[ecialmente] Finrod». Su diseño es similar superficialmente a los de sus hermanos, con un círculo central y ocho puntos radiantes, pero sólo posee un círculo, no dos, y sus puntos similares a flores parecen casi permanecer inmóviles en contraste con las «llamas» de sus hermanos. El ánimo reposado de su diseño es apropiado para Finarphin, quien se mantuvo en la paz de Aman en lugar de marchar a la guerra en la Tierra Media con sus semejantes para recuperar los Silmarils que robó Morgoth. El diseño de Finarphin es probablemente una versión estilizada de la corona de flores doradas que aparece en su insignia, según se describe en la historia de Beren y Lúthien: «Porque este anillo [el de Finrod] era como dos serpientes gemelas con ojos de esmeralda, y encima de las cabezas había una corona de flores de oro, que una de ellas sostenía y la otra devoraba; ésa era la insignia de la casa de Finarfin». Pero los colores de sus «flores», naranja y rojo, están más íntimamente relacionadas con el diseño de Fingolfin, su hermano carnal, que las de su hermanastro Fëanor.

Elwë (Thingol) fue el primer líder de los Elfos Telerin. En la Gran Marcha de los elfos a Aman, quedó hechizado por la voz de Melian la Maia mientras ella cantaba con los ruiseñores. Se quedó con ella en la Tierra media, y juntos gobernaron el reino de Doriath. Junto al diseño de Elwë [págs. 66, 178] Tolkien escribió: «Luna alada | sobre sable con estrellas | Elwë». No hay ninguna razón en especial por la que Elwë debería tener una luna en su diseño, pero la «luna alada» contrasta con el «sol alado» de Finwë en el contexto de que estos dos diseños Tolkien los dibujó en la misma hoja. Los colores del diseño de Elwë también contrastan, más fríos que cálidos, gris, amarillo pálido y azul suave contra el naranja y el amarillo de Finwë. Es un diseño «menor» también en que tiene ocho puntos en lugar de dieciséis (cuatro alas grandes y cuatro pequeñas) y en la división interior de la luna en ocho partes en lugar de las dieciséis partes del sol de Finwë.

El diseño de Melian [p. 63] es uno de los más complejos de las creaciones heráldicas de Tolkien, con una sucesión de diferentes formas (cuadrados cóncavos y convexos, pétalos radiantes, círculos y estrellas) superpuestos unos sobre otros, pero sin que resulten confusos ni sobrecargados. Su complejidad podría reflejar la naturaleza de Melian como Maia. Tolkien escribió que en su rostro Elwë «contemplaba la luz de Aman como en un espejo sin nubes».

Para la hija de Melian y Elwë, Lúthien Tinúviel, a quien Tolkien asociaba íntimamente con su esposa Edith, dibujó dos diseños especialmente hermosos basados en las flores [págs. 31, 117, 225]. Lúthien era «la doncella más hermosa que jamás existió entre todos los hijos de este mundo», y cuando nació «las blancas flores de *niphredil* se adelantaron para saludarla como estrellas de la tierra». En *La Balada de Leithian* su danza y su canto anunciaban el regreso de la primavera, «y las campanillas brotaban a su paso». Cuando, en *El Señor de los Anillos* (libro II, capítulo 6) la compañía visita Cerin Amroth en Lothlórien, «en las laderas de la loma había unas florecitas amarillas de forma de estrella. Entre ellas, balanceándose sobre tallos delgados, había otras flores, blancas o de un verde muy pálido». El elfo Haldir le dice a Frodo: «Aquí se abren las flores de invierno en una hierba siempre fresca: la *elanor* amarilla, y la pálida *niphredil*». En una carta de noviembre de 1969 Tolkien escribió, en referencia a un libro sobre las flores de la Península del Cabo:

> No he visto nada que evoque inmediatamente *niphredil, elanor* o *alfirin*; pero eso es consecuencia, creo, de que esas flores imaginarias están iluminadas por una luz que no se veía nunca en una planta que crece y sería imposible que la pintura la captara. Iluminada por esa luz, *niphredil* sería simplemente una delicada pariente de una campanilla de invierno, y *elanor*, una pimpinela (quizás algo aumentada) que diera flores doradas como el sol y plateadas como una estrella en la misma planta, y a veces las dos combinadas.

Aunque la *elanor* no se menciona en ningún lugar relacionada con Lúthien, es probablemente esta flor la que aparece en el segundo de sus diseños. Ella es la única que posee dos diseños tan distintivos, aunque relacionados, cada uno con cuatro brazos radiantes desde una flor central. Puede que reflejen su naturaleza dual, medio Maia, medio Elfa. El primero se acerca en complejidad al de su madre Maia y refleja algunas de sus formas. Su parte central puede verse tanto como una flor con doce pétalos blancos contra un cuadrilátero cóncavo sombreado en verde, o como cuatro campanillas radiando del centro. Pero su segundo diseño es similar al de su padre elfo en sus estrellas sobre campo de sable y en sus pétalos blancos que recuerdan a la «luna alada» de Elwë.

Los diseños de Tolkien para Elfos y Humanos no deben ser vistos como meros productos del pasatiempo durante su jubilación. Por supuesto, son también hermosas obras de arte por derecho propio, maravillosos patrones caleidoscópicos, impecablemente coloreados, o ejemplos soberbios de vidrieras. Durante años Tolkien había experimentado con acuarelas, tintas de colores y lápices de colores (para bocetos). Finalmente, aprendió a combinar los métodos en proporciones perfectas (por ejemplo, usaba lápices de colores con tintas verdes y negras) y consiguió resultados con los que incluso él, que ejercía severamente la autocrítica, debió sentirse complacido.

Aunque en sus últimos años Tolkien dibujó muchas plantas, símbolos, artefactos y diseños variados para su mitología, después de sus ilustraciones para *El Señor de los Anillos* sólo crearía una visión más de la Tierra Media, *Las Colinas de la Mañana* [opuesta a p. lxviii]. Tiene dos inscripciones, una en tengwar (del nombre en quenya *Ambarona*, que Tolkien tradujo en sus *Etimologías* como «alzamiento, amanecer» de *amba* «hacia arriba» y *rona* «este». Pero el nombre también incluye el sentido de *ambaron*, «Tierra», el mundo. Aunque se dibujó en una época muy tardía, *Las Colinas de la Mañana* refleja la versión más antigua de la cosmología de Tolkien, en la que el navío del sol se ponía en el oeste, viajaba por debajo del mundo plano durante la noche, y se alzaba de nuevo sobre las montañas del este y trayendo luz a la Tierra Media de nuevo. En su concepción tardía el mundo era redondo y el sol era similar al nuestro, de modo que se alzaba en el horizonte, no de en medio del mar. El punto de vista del dibujo debe estar más allá del Mar Exterior en el este, mirando al oeste hacia las Colinas mientras el sol se alza de las aguas en un punto medio. Y es una vista compuesta, al mismo tiempo un corte transversal del mar y las olas sobre su superficie, y un paisaje montañoso que se pierde en la noche lejana. Este sol estilizado se parece mucho al diseño heráldico de Finwë o a algunos de los garabatos de Tolkien. La escena oceánica incluye plantas, espirales y «copos de nieve» que encontramos también en otros dibujos de Tolkien de esa época.

Las Colinas de la Mañana es un diseño magistral. Su multitud de líneas horizontales cobran vida con los rayos diagonales del sol, las pequeñas llamas y las serpenteantes verticales de las algas marinas, y sus colores se degradan suavemente del frío de las profundidades oceánicas al calor del cielo matinal. Tierra, mar y cielo: aquí se nos presenta la totalidad de la creación de Tolkien de una sola vez, y la escena más esperanzadora, bajo la mirada de una sola estrella en la parte superior izquierda, seguramente Eärendil y su Silmaril, serenos y poderosos. Si éste fue el último dibujo que Tolkien hizo para su mitología, fue un final adecuado.

Wayne G. Hammond y Christina Scull

Las Colinas de la Mañana

AINULINDALË

The Tale of the Years.

From the Coming of the Valar to the Kingdom of Arda until the end of the first age of the Children of Ilúvatar

Of the beginning of Time and its Reckoning

Time indeed began with the beginning of Ëa, and in that beginning the Valar came into the world. But the measurement which the Valar made of the ages of their labours is not known to any of the Children of Ilúvatar, until the first flowering of Telperion in Valinor. Thereafter the Valar counted time by the ages of Valinor, whereof each age contained one hundred of the Years of the Valar; but each such year was longer than are now nine years under the Sun. Thus spake Quennar Onótimo concerning this matter.

Now measured by the flowering of the Trees there were twelve hours in each Day of the Valar, and one thousand of such days the Valar took to be a year in their realm. It is supposed indeed by the Lore-masters that the Valar so devised the hours of the Trees that one hundred of such years so measured should be in duration as one fifth of an Age of the Valar, as those ages were in the days of their labours before the foundation of Valinor; whereas each Age of the Valar is one exact part, how great or how small they alone know, of the whole history of Ëa from its beginning to the End that shall be. But these things are not certainly known even to Vanyar.

As for the Years of the Trees in comparison with those that came after: one such year was longer than nine such as are now. For there were in each Year of the Trees twelve thousand hours. Yet the hours of the Trees were each seven times as long as is one hour of a full day upon Middle-earth from sunset unto sunset beside the Shores of the Great Sea. Therefore each Day of

Primera página del manuscrito de La Cuenta de los Años

AINULINDALË

La Música de los Ainur

En el principio estaba Eru, el Único, que en Arda es llamado Ilúvatar; y primero hizo a los Ainur, los Sagrados, que eran vástagos de su pensamiento, y estuvieron con él antes que se hiciera alguna otra cosa. Y les habló y les propuso temas de música; y cantaron ante él y él se sintió complacido. Pero por mucho tiempo cada uno de ellos cantó solo, o junto con unos pocos, mientras el resto escuchaba; porque cada uno sólo entendía aquella parte de la mente de Ilúvatar de la que provenía él mismo, y eran muy lentos en comprender el canto de sus hermanos. Pero cada vez que escuchaban, alcanzaban una comprensión más profunda, y crecían en unisonancia y armonía.

Y sucedió que Ilúvatar convocó a todos los Ainur, y les comunicó un tema poderoso, descubriendo para ellos cosas todavía más grandes y más maravillosas que las reveladas hasta entonces; y la gloria del principio y el esplendor del final asombraron a los Ainur, de modo que se inclinaron ante Ilúvatar y guardaron silencio.

Entonces les dijo Ilúvatar:

—Del tema que os he comunicado, quiero ahora que hagáis, juntos y en armonía, una Gran Música. Y como os he inflamado con la Llama Imperecedera, mostraréis vuestros poderes en el adorno de este tema mismo, cada cual con sus propios pensamientos y recursos, si así le place. Pero yo me sentaré y escucharé, y será de mi agrado que por medio de vosotros una gran belleza despierte en canción.

Entonces las voces de los Ainur, como de arpas y laúdes, pífanos y trompetas, violas y órganos, y como de coros incontables que cantan con palabras, empezaron a convertir el tema de Ilúvatar en una gran música; y un sonido se elevó de innumerables melodías alternadas, entretejidas en una armonía que iba más allá del oído hasta las profundidades y las alturas, rebosando los espacios de la morada de Ilúvatar; y al fin la música y el eco de la música desbordaron volcándose en el Vacío, y ya no hubo vacío. Nunca desde entonces hicieron los Ainur una música como ésta aunque se ha dicho que los coros de los Ainur y los Hijos de Ilúvatar harán ante él una música todavía más grande, después del fin de los días. Entonces los temas de Ilúvatar se tocarán correctamente y cobrarán vida en el momento en que suenen, pues todos entenderán entonces plenamente la intención del Único para cada una de las partes, y conocerán la comprensión de los demás, e Ilúvatar, complacido, pondrá en los pensamientos de ellos el fuego secreto.

Pero ahora Ilúvatar escuchaba sentado, y durante un largo rato le pareció bien, pues no había fallos en la música. Pero a medida que el tema prosperaba, nació un deseo en el corazón de Melkor: el de entretejer asuntos de su propia imaginación que no armonizaban con el tema de Ilúvatar, porque intentaba así acrecentar el poder y la gloria de la parte que le había sido asignada. A Melkor, entre los Ainur, le habían sido dados los más grandes dones de poder y conocimiento, y tenía parte en todos los dones de sus hermanos. Con frecuencia había ido solo a los sitios vacíos en busca de la Llama Imperecedera; porque grande era el deseo que ardía en él de dar Ser a cosas propias, y le parecía que Ilúvatar no se ocupaba del Vacío, cuya falta de sustancia lo impacientaba. No obstante, no encontró el Fuego, porque el Fuego está con Ilúvatar. Pero hallándose solo, había empezado a tener pensamientos propios, distintos de los de sus hermanos.

Melkor entretejió algunos de estos pensamientos en la música, e inmediatamente una discordancia se alzó a su alrededor, y muchos de los que estaban cerca se desalentaron, se les confundió el pensamiento, y la música vaciló; pero algunos empezaron a concertar su música con la de Melkor más que con el pensamiento que habían tenido en un principio. Entonces la discordancia de Melkor se extendió todavía más, y las melodías escuchadas antes naufragaron en un mar de sonido turbulento. Pero Ilúvatar continuaba sentado y escuchaba, hasta que pareció que alrededor del trono había estallado una furiosa tormenta, como de aguas oscuras que batallaran entre sí con una cólera infinita que nunca sería apaciguada.

Entonces Ilúvatar se puso de pie y los Ainur vieron que sonreía; y levantó la mano izquierda y un nuevo tema nació en medio de la tormenta, parecido y sin embargo distinto al anterior, y que cobró fuerza y tenía una nueva belleza. Pero la discordancia de Melkor se elevó rugiendo y luchó con él, y una vez más hubo una guerra de sonidos más violenta que antes, hasta que muchos de los Ainur se desanimaron y no cantaron más, y Melkor predominó. Otra vez se incorporó entonces Ilúvatar, y los Ainur vieron que estaba serio; e Ilúvatar levantó la mano derecha, y he aquí que un tercer tema brotó de la confusión, y era distinto de los otros. Porque pareció al principio dulce y suave, un mero murmullo de sonidos leves en delicadas melodías; pero no pudo ser apagado y adquirió poder y profundidad. Y pareció por último que dos músicas se desenvolvían a un tiempo ante el asiento de Ilúvatar, por completo discordantes. La una era profunda, vasta y hermosa, pero lenta y mezclada con una pena inmensa que era la fuente principal de su belleza. La música de Melkor había alcanzado ahora una unidad propia; pero era estridente, vana e infinitamente repetida, y poco armónica, pues sonaba como un clamor de múltiples trompetas que bramaran unas pocas notas, todas al unísono. E intentó ahogar a la otra música con una voz violenta, pero pareció que la música de Ilúvatar se apoderaba de algún modo de las notas más triunfantes y las entretejía en su propia solemne estructura.

En medio de esta batalla que sacudía las estancias de Ilúvatar y estremecía unos silencios hasta entonces inmutables, Ilúvatar se puso de pie por tercera vez, y era terrible mirarlo a la cara. Levantó entonces ambas manos y en un acorde más profundo que el Abismo, más alto que el Firmamento, penetrante como la luz de los ojos de Ilúvatar, la Música cesó.

Entonces Ilúvatar habló, y dijo:

—Poderosos son los Ainur, y entre ellos el más poderoso es Melkor; pero sepan él y todos los Ainur que yo soy Ilúvatar; os mostraré las cosas que habéis cantado y así veréis qué habéis hecho. Y tú, Melkor, verás que ningún tema puede tocarse que no tenga en mí su fuente más profunda, y que nadie puede alterar la música a mi pesar. Porque aquel que lo intente no será más que uno de mis instrumentos para la creación de cosas más maravillosas todavía, que él no ha imaginado.

Entonces los Ainur sintieron miedo aunque aún no habían comprendido qué les decía Ilúvatar; y Melkor se llenó de vergüenza, de la que nació un rencor secreto. Pero Ilúvatar se irguió resplandeciente, y se alejó de las hermosas regiones que había hecho para los Ainur; y los Ainur lo siguieron.

Pero cuando llegaron al Vacío, Ilúvatar les dijo:

—¡Contemplad vuestra música!

Y les mostró una escena, dándoles vista donde antes había habido sólo oído; y los Ainur vieron un nuevo Mundo hecho visible para ellos, y estaba abovedado en mitad del vacío, y en él se sostenía, aunque no pertenecía al Vacío. Y mientras lo miraban y se admiraban, este mundo empezó a desplegar su historia y les pareció que vivía y crecía. Y cuando los Ainur hubieron mirado un rato en silencio, volvió a hablar Ilúvatar:

—¡Contemplad vuestra Música! Ésta es vuestra obra musical y cada uno de vosotros encontrará en ella, dentro del diseño que os he propuesto, todas las cosas que en apariencia cada uno de vosotros habéis inventado o añadido. Y tú, Melkor, descubrirás los pensamientos secretos de tu propia mente y entenderás que son sólo una parte del todo y tributarios de su gloria.

Y muchas otras cosas dijo Ilúvatar a los Ainur en aquella ocasión, y por causa del recuerdo de sus palabras y por el conocimiento que cada uno tenía de la música que él mismo había compuesto, los Ainur saben mucho de lo que era, lo que es y lo que será, y son pocas las cosas que no ven. Sin embargo, algunas cosas hay que no pueden ver, ni a solas ni aun consultándose entre ellos; porque a nadie más que a sí mismo ha revelado Ilúvatar todo lo que tiene él en reserva y en cada edad aparecen cosas nuevas e imprevistas, pues no proceden del pasado. Y así fue que mientras esta visión del Mundo se desplegaba ante ellos, los Ainur vieron que contenía cosas que no habían concebido. Y vieron con asombro la llegada de los Hijos de Ilúvatar y las estancias preparadas para ellos, y advir-

tieron que ellos mismos durante la labor de la música habían
estado ocupados en la preparación de esta morada, pero igno-
rando que tuviese algún otro propósito que su propia belleza.
Porque sólo él había concebido a los Hijos de Ilúvatar; que
llegaron con el tercer tema, y no estaban en aquel que Ilúvatar
había propuesto en un principio, y ninguno de los Ainur había intervenido en esta creación. Por tanto, al verlos, se llenaron de un gran amor por ellos, pues eran criaturas distintas de
ellos mismos, extrañas y libres, en las que veían reflejada de
nuevo la mente de Ilúvatar; y conocieron aun entonces algo
más de la sabiduría de Ilúvatar, que de otro modo habría permanecido oculta aun para los Ainur.

Ahora bien, los Hijos de Ilúvatar son Elfos y Hombres, los
Primeros Nacidos y los Seguidores. Y entre todos los esplen-
dores del Mundo, las vastas salas y los espacios, y los carros de
fuego, Ilúvatar escogió como morada un sitio en los Abismos
del Tiempo y entre las innumerables estrellas. Y puede que
esta morada parezca algo pequeña a aquellos que sólo consideran la majestad de los Ainur y no su terrible agudeza; como
quien tomara toda la anchura de Arda como base para una
columna y la elevara hasta que el cono de la cima fuera más
punzante que una aguja; o quien considerara sólo la vastedad
inconmensurable del Mundo, que los Ainur aún están mode-
lando, y no la minuciosa precisión con que dan forma a todas
las cosas que en él se encuentran. Pero cuando los Ainur hubieron contemplado esa morada en una visión y después de
ver a los Hijos de Ilúvatar que allí aparecían, muchos de los
más poderosos de entre ellos se volcaron en pensamiento y
deseo sobre ese lugar. Y de éstos Melkor era el principal,
como también había sido al comienzo el más grande de los
Ainur que participaran en la Música. Y fingió, aun ante sí
mismo al comienzo, dominando los torbellinos de calor y de

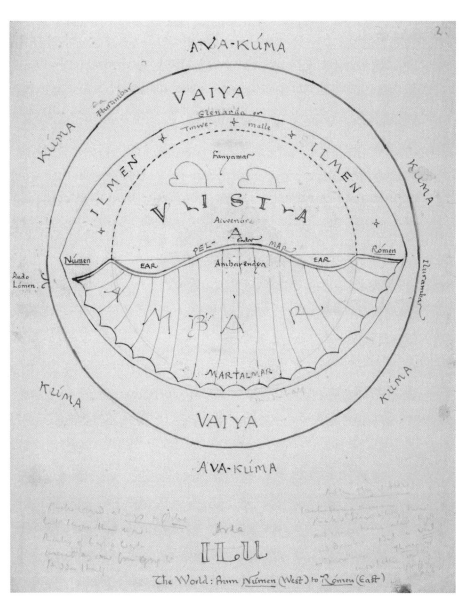

Ilu: El mundo: desde Numen *(Oeste) hasta* Romen *(Este)*

frío que lo habían invadido, que deseaba ir allí y ordenarlo todo para beneficio de los Hijos de Ilúvatar. Pero lo que en verdad deseaba era someter tanto a Elfos como a Hombres, pues envidiaba los dones que Ilúvatar les había prometido; y él mismo deseaba tener súbditos y sirvientes, y ser llamado Señor, y gobernar otras voluntades.

Pero los otros Ainur contemplaron esa habitación puesta en los vastos espacios del Mundo, que los Elfos llaman Arda, la Tierra, y los corazones de todos se regocijaron en la luz, y los ojos se les alegraron en la contemplación de tantos colores, aunque el rugido del mar los inquietó sobremanera. Y observaron los vientos y el aire y las materias de que estaba hecha Arda, el hierro y la piedra, la plata y el oro, y muchas otras sustancias, pero de todas ellas el agua fue la que más alabaron. Y dicen los Eldar que el eco de la Música de los Ainur vive aún en el agua, más que en ninguna otra sustancia de la Tierra; y muchos de los Hijos de Ilúvatar escuchan aún insaciables las voces del Mar, aunque todavía no saben qué esperan oír.

Ahora bien, aquel Ainu a quien los Elfos llaman Ulmo volvió sus pensamientos al agua y de todos fue a él a quien Ilúvatar dio más instrucción en música. Pero sobre aires y vientos quien más había reflexionado era Manwë, noble de nobles entre los Ainur. En la textura de la Tierra había pensado Aulë, a quien Ilúvatar había concedido una capacidad y un conocimiento apenas menores que los de Melkor; aunque lo que deleita y enorgullece a Aulë es la tarea de fabricar y las cosas fabricadas, y no la posesión ni su propia maestría; por tanto, da y no atesora, y no tiene preocupaciones, emprendiendo siempre nuevas tareas.

E Ilúvatar habló a Ulmo, y le dijo:

—¿No ves cómo aquí, en este pequeño reino de los Abismos del Tiempo, Melkor ha declarado la guerra contra tus dominios? Ha concebido un frío crudo e inmoderado, y sin embargo no ha destruido la belleza de tus fuentes, ni la de tus lagunas de agua transparente. ¡Contempla la nieve y la astuta obra de la escarcha! Melkor ha concebido calores y fuegos sin restricción, y no ha secado tu deseo ni ha callado por completo la música del mar. ¡Contempla más bien la altura y la gloria de las nubes, y las nieblas siempre cambiantes! ¡Y escucha el sonido de la lluvia que cae sobre la Tierra! Y en estas nubes eres llevado cerca de Manwë, tu amigo, a quien amas.

Respondió entonces Ulmo:

—En verdad, mi corazón no había imaginado que el agua llegara a ser tan hermosa, ni mis pensamientos secretos habían concebido el copo de nieve, ni había nada en mi música que presagiase la caída de la lluvia. Iré en busca de Manwë; ¡y juntos haremos melodías que serán tu eterno deleite!

Y Manwë y Ulmo fueron desde el principio aliados, y fueron ellos los que cumplieron todos los propósitos de Ilúvatar con más fidelidad.

Pero mientras Ulmo hablaba todavía y los Ainur miraban absortos, la visión se apagó y se ocultó a los ojos de todos, y les pareció que en ese momento percibían algo distinto, la Oscuridad, que no habían conocido antes excepto en pensamiento. Pero se habían enamorado de la belleza de la visión y habían contemplado embelesados el despliegue del Mundo que allí cobraba ser, y les colmaba la mente; porque la historia no estaba todavía completa ni los ciclos del tiempo del todo cumplidos cuando la visión les fue arrebatada. Y han dicho algunos que la visión cesó antes de que culminara el Dominio de los Hombres y el desvanecimiento de los Primeros Nacidos; por tanto, aunque la Música lo ocupaba todo, los Valar no han tenido nada parecido a una visión de las Edades Posteriores ni el fin del Mundo.

Entonces hubo inquietud entre los Ainur; pero Ilúvatar los llamó y dijo:

—Sé lo que vuestras mentes desean: que aquello que habéis visto sea en verdad, no sólo en vuestro pensamiento, sino como vosotros sois, y aun otros. Por tanto, digo *¡Eä!* ¡Que sean estas cosas! Y enviaré al Vacío la Llama Imperecedera, y se convertirá en el corazón del Mundo, y el Mundo Será; y aquellos de entre vosotros que lo deseen, podrán descender a él.

Y de pronto vieron los Ainur una luz a lo lejos como si fuera una nube con un viviente corazón de llamas; y supieron que no era sólo una visión, sino que Ilúvatar había hecho algo nuevo: Eä, el Mundo que Es.

Así sucedió pues que de los Ainur algunos siguen morando con Ilúvatar más allá de los confines del Mundo; pero otros, y entre ellos muchos de los más grandes y más hermosos, se despidieron de Ilúvatar y descendieron al Mundo. Ilúvatar les impuso esta condición, quizá también necesaria para el amor de ellos: que desde entonces en adelante los poderes que él les había concedido se limitaran y se confinaran al Mundo, y permanecieran en él por siempre, hasta que el Mundo quedase completado, de modo tal que ellos fuesen la vida del Mundo y el Mundo la vida de ellos. Y por esto mismo se los llama los Valar, los Poderes del Mundo.

Pero al principio, cuando los Valar entraron en Eä, se sintieron desconcertados y perdidos, pues les pareció que nada de lo que habían visto en la visión estaba hecho todavía, y que todo estaba a punto de empezar y aún informe y a oscuras. Porque la Gran Música no había sido sino el desarrollo y la floración del pensamiento en los Palacios Intemporales, y lo que habían visto, únicamente una prefiguración; pero ahora habían entrado en el principio del Tiempo, y se daban cuenta de que el Mundo había sido sólo precantado y predicho, y que ellos tenían que completarlo. Así comenzaron sus grandes trabajos en desiertos inconmensurables e inexplorados, y en edades incontables y olvidadas, hasta que en los Abismos del Tiempo y en medio de las vastas estancias de Eä, hubo una hora y un lugar en los que fue hecha la morada de los Hijos de Ilúvatar. Y en estos trabajos Manwë y Aulë y Ulmo se empeñaron más que otros; pero Melkor estuvo también allí desde el principio, y se mezclaba en todo lo que se hacía, cambiándolo si le era posible según sus propios deseos y propósitos; y animó grandes fuegos. Por tanto, mientras la Tierra era todavía joven y estaba toda en llamas, Melkor la codició y dijo a los otros Valar:

—¡Éste será mi reino, y lo reclamo para mí!

Pero Manwë era el hermano de Melkor en la mente de Ilúvatar y el primer instrumento en el segundo tema que Ilúvatar había levantado contra la discordancia de Melkor; y convocó a muchos espíritus, tanto mayores como menores, y bajaron a los campos de Arda a ayudar a Manwë, para prevenir que Melkor impidiera para siempre la culminación de los trabajos, y que la tierra se marchitara antes de florecer. Y Manwë dijo a Melkor:

—Este reino no lo tomarás para ti injustamente, pues muchos otros han trabajado en él no menos que tú.

Y hubo un enfrentamiento entre Melkor y los otros Valar; y por esa vez Melkor se retiró y partió hacia otras regiones donde hizo lo que quiso; pero no se quitó del corazón el deseo de dominar el Reino de Arda.

Ahora bien, los Valar tomaron para sí mismos forma y color; y porque habían sido atraídos al Mundo por el amor de los Hijos de Ilúvatar, cuya llegada esperaban, tomaron formas que se asemejaban a lo que habían contemplado en la Visión de Ilúvatar, excepto en majestad y en esplendor. Además, esas formas proceden del conocimiento que ellos tenían del Mundo visible más que del Mundo en sí; y no las necesitan, salvo como necesitamos nosotros nuestras vestimentas, pues podríamos ir desnudos sin sufrir la pérdida de nuestro ser. Por tanto, los Valar pueden andar, si así les place, sin atuendo, y entonces ni siquiera los Eldar los perciben con claridad, aunque estén presentes. Pero cuando deciden vestirse, algunos Valar toman forma de hombre y otros de mujer; porque esa diferencia de temperamento la tenían desde el principio, y se encarna según la elección de cada uno, no porque la elección haga de ellos varones o mujeres, sino como la vestimenta puede mostrarnos como varón o mujer, pero no nos convierte en una cosa ni en otra. Mas las formas con que los Grandes se invisten no son en todo momento como las formas de los reyes y de las reinas de los Hijos de Ilúvatar; porque a veces se visten de acuerdo con sus propios pensamientos, hechos visibles en formas de majestad y temor.

Y los Valar atrajeron a muchos compañeros, algunos menores, otros tan poderosos como ellos, y juntos trabajaron en el ordenamiento de la Tierra y en el apaciguamiento de sus tumultos. Entonces Melkor vio lo que se había hecho, y que los Valar andaban por la Tierra como poderes visibles, vestidos con las galas del Mundo, y eran agradables y gloriosos de ver, y bienaventurados, y la Tierra estaba convirtiéndose en un jardín de deleite, porque sus turbulencias habían sido subyugadas. La envidia de Melkor fue entonces todavía mayor y él también tomó forma visible, pero a causa del temple de Melkor y de la malicia que ardía en él, esa forma era terrible y oscura. Y descendió sobre Arda con poder y majestad más grandes que los de ningún otro de los Valar, como una mon-

taña que vadea el mar y tiene la cabeza por encima de las nubes, vestida de hielo y coronada de fuego y humo; y la luz de
los ojos de Melkor era como una llama que marchita las cosas
con su calor y las traspasa con un frío mortal.

Así empezó la primera batalla de los Valar con Melkor por
el dominio de Arda; y de esos tumultos los Elfos conocen
muy poco. Porque lo que aquí se ha declarado procede de los
Valar mismos, con quienes los Eldalië hablaron en la tierra de
Valinor y de quienes recibieron instrucción; pero poco contaron los Valar de las guerras anteriores a la llegada de los Elfos.
Se dice no obstante entre los Eldar que los Valar se esforzaron
siempre, a pesar de Melkor, por gobernar la Tierra y preparar-
la para la llegada de los Primeros Nacidos; y construyeron
tierras y Melkor las destruyó; cavaron valles y Melkor los levantó; tallaron montañas y Melkor las derribó; ahondaron
mares y Melkor los derramó; y nada podía conservarse en paz
ni desarrollarse, pues no bien empezaban los Valar una obra,
Melkor la deshacía o corrompía. Y, sin embargo, no todo era
en vano; y aunque la voluntad y el propósito de los Valar no
se cumplían nunca, y todas las cosas tenían un color y una
forma distintos de como ellos los habían pensado, no obstante, la Tierra iba cobrando forma y haciéndose más firme. Y así
la morada de los Hijos de Ilúvatar fue establecida al fin en los
Abismos del Tiempo y entre las estrellas innumerables.

VALAQUENTA

VALAQUENTA

*Historia de los Valar y los Maiar
según el saber de los Eldar*

En el principio Eru, el Único, que en la lengua élfica es llamado Ilúvatar, hizo a los Ainur de su pensamiento; y ellos hicieron una Gran Música delante de él. En esta Música empezó el Mundo; porque Ilúvatar hizo visible el canto de los Ainur, y ellos lo contemplaron como una luz en la oscuridad. Y muchos de entre ellos se enamoraron de la belleza y la historia del Mundo, que vieron comenzar y desarrollarse como en una visión. Por tanto, Ilúvatar dio Ser a esta visión, y la puso en medio del Vacío, y el Fuego Secreto fue enviado para que ardiera en el corazón del Mundo; y se lo llamó Eä.

Entonces aquellos de entre los Ainur que así lo deseaban, se levantaron y entraron en el Mundo en el principio del Tiempo; y era su misión acabarlo, y trabajar para que la visión se cumpliese. Largo tiempo trabajaron en las regiones de Eä, de una vastedad inconcebible para los Elfos y los Hombres, hasta que en el tiempo señalado se hizo Arda, el Reino de la Tierra. Entonces se vistieron con las galas de la Tierra, y allí descendieron y moraron.

De los Valar

A los Grandes de entre estos espíritus los Elfos llaman Valar, los Poderes de Arda, y los Hombres con frecuencia los han llamado dioses. Los Señores de los Valar son siete; y las Valier, las Reinas de los Valar, son siete también. Éstos eran sus nombres en la lengua élfica tal como se la hablaba en Valinor, aunque tienen otros nombres en el habla de los Elfos de la Tierra Media, y entre los hombres sus nombres son diversos. Los nombres de los Señores son éstos, en debido orden: Manwë, Ulmo, Aulë, Oromë, Mandos, Lórien y Tulkas; y los nombres de las Reinas son: Varda, Yavanna, Nienna, Estë, Vairë, Vána y Nessa. Melkor ya no se cuenta entre los Valar, y su nombre no se pronuncia en la Tierra.

Manwë y Melkor eran hermanos en el pensamiento de Ilúvatar. El más poderoso de los Ainur que descendieron al Mundo era en un principio Melkor; pero Manwë es el más caro al corazón de Ilúvatar y el que comprende mejor sus propósitos. Se lo designó para ser, en la plenitud de los tiempos, el primero de todos los reyes: señor del Reino de Arda y soberano de todo lo que allí habita. En Arda su deleite son los vientos, las nubes, y todas las regiones del aire, desde las alturas hasta los abismos, desde los confines exteriores del Velo de Arda hasta las brisas que mueven la hierba. Lo llaman Súlimo, Señor del Aliento de Arda. Ama a todas las aves veloces de alas vigorosas, y ellas vienen y van de acuerdo con lo que él ordene.

Con Manwë habita Varda, la Dama de las Estrellas, que conoce todas las regiones de Eä. Demasiado grande es la belleza de Varda para que se la declare en palabras de los Hombres o de los Elfos; pues la luz de Ilúvatar vive aún en su rostro. En la luz están el poder y la alegría de Varda. Desde las profundidades de Eä, acudió en ayuda de Manwë; porque a Melkor lo conoció antes de la creación de la Música y lo rechazó, y él la odió y la temió más que a cualquier otro hecho por Eru. Manwë y Varda rara vez se separan y permanecen en Valinor. Sus estancias se alzan sobre las nieves eternas, en Oiolossë, la más alta torre de Taniquetil, la más elevada de todas las montañas de la Tierra. Cuando Manwë asciende allí a su trono y mira enfrente, si Varda está a su lado, ve más lejos que otra mirada alguna, a través de la niebla y a través de la oscuridad y por sobre las leguas del mar. Y si Manwë está junto a ella, Varda oye más claramente que todos los otros oídos el sonido de las voces que claman de este a oeste, desde las colinas y los valles, y desde los sitios oscuros que Melkor ha hecho en la Tierra. De todos los Grandes que moran en este mundo, Varda es la más reverenciada y amada por los Elfos. La llaman Elbereth, e invocan su nombre desde las sombras de la Tierra Media y la ensalzan en cantos cuando las estrellas aparecen.

Ulmo es el Señor de las Aguas. Está solo. No habita mucho tiempo en parte alguna, sino que se traslada a su antojo por las aguas más profundas alrededor de la Tierra o debajo de la Tierra. Sigue en poder a Manwë, y antes de que Valinor existiera, era el más próximo a él en amistad; pero después, raras veces asistía a los consejos de los Valar, a menos que se debatieran muy grandes asuntos. Porque tiene siempre presente a toda Arda y no necesita lugar de descanso. Además, no le agrada andar sobre la tierra y rara vez viste un cuerpo, a la manera de sus semejantes. Cuando los Hijos de Eru llegaban a verlo, sentían un gran terror, pues la aparición del Rey del Mar era terrible, como una ola gigantesca que avanza hacia la tierra, con un yelmo oscuro de cresta espumosa y una cota de malla que resplandece pasando del color plata a unas sombras verdes. Altas son las trompetas de Manwë, pero la voz de Ulmo es profunda como los abismos del océano que sólo él ha visto.

No obstante, Ulmo ama tanto a los Elfos como a los Hombres y nunca los abandonó, ni aun cuando soportaban la ira de los Valar. A veces llega invisible a las costas de la Tierra Media o sube tierra adentro por los brazos del mar, y allí hace música con los grandes cuernos, los Ulumúri, de conchas blancas labradas; y aquellos a quienes llega esa música, la escuchan desde entonces y para siempre en el corazón, y la nostalgia del mar ya nunca los abandona. Pero Ulmo habla sobre todo a los que moran en la Tierra Media con voces que se oyen sólo como música del agua. Porque todos los mares, los ríos, las fuentes y los manantiales le están sometidos; de modo que los Elfos dicen que el espíritu de Ulmo corre por todas las venas del mundo. Así le llegan a Ulmo las nuevas, aun en las profundidades abismales, de todas las necesidades y los dolores de Arda, que de otro modo permanecerían ocultos para Manwë.

Poco menos poder que Ulmo tiene Aulë. Domina todas las sustancias de las que Arda está hecha. En un principio trabajó mucho en compañía de Manwë y Ulmo; y fue él quien dio forma a todas las tierras. Es herrero y maestro de todos los oficios, y se deleita en los trabajos que requieren habilidad, aun los muy pequeños, tanto como en las poderosas construcciones de antaño. Suyas son las gemas que yacen profundas en la Tierra y el oro que luce hermoso en la mano, y también los muros de las montañas y las cuencas del mar. Los Noldor fueron quienes más aprendieron de Aulë, quien fue siempre amigo de ellos. Melkor le tenía envidia, pues Aulë era el que más se le parecía en pensamiento y poderes; y hubo entre los dos una prolongada lucha en la que Melkor siempre estropeaba o deshacía las obras de Aulë, y Aulë se cansaba de reparar los tumultos y los desórdenes provocados por Melkor. Ambos, también, deseaban hacer cosas propias que fueran nuevas y que los otros no hubieran pensado, y se complacían en las alabanzas de los demás. Pero Aulë fue siempre leal y sometía todo lo que hacía a la voluntad de Eru; y no envidiaba la obra de los otros, sino que buscaba y daba consejo. Melkor, por su parte, se consumía en envidias y en odios, hasta que por último nada pudo hacer, salvo copiar el pensamiento de los demás, y destruir todas sus obras, si le era posible.

La esposa de Aulë es Yavanna, la Dadora de Frutos. Es amante de todas las cosas que crecen en la tierra, y conserva en la mente todas sus innumerables formas, desde los árboles altos como torres en los bosques antiguos hasta el musgo de las piedras o las criaturas pequeñas y secretas del mantillo. Entre las Reinas de los Valar, Yavanna es la más venerable después de Varda. En forma de mujer es alta y viste de verde; pero a veces asume otras formas. Hay quienes la han visto erguida como un árbol bajo el cielo, coronada por el Sol; y de todas las ramas se derramaba un rocío dorado sobre la tierra estéril que de pronto verdeaba con cereal; pero las raíces del árbol llegaban a las aguas de Ulmo y los vientos de Manwë hablaban en sus hojas. En la lengua eldarin la llaman Kementári, Reina de la Tierra.

Los Fëanturi, los Amos de los Espíritus, son hermanos, y con mucha frecuencia responden a los nombres de Mandos y Lórien. Sin embargo, éstos en realidad son los nombres de los sitios en que habitan, y ellos en verdad se llaman Námo e Irmo.

Námo, el mayor, habita en Mandos, en el oeste de Valinor. Es el guardián de las Casas de los Muertos, y convoca a los espíritus de quienes murieron a manos de otros. No olvida nada; y conoce todas las cosas que serán, excepto aquellas que aún dependen de la libertad de Ilúvatar. Es el Juez de los Valar; pero condena y enjuicia sólo por orden de Manwë. Vairë la Tejedora es su esposa, que teje todas las cosas que han sido alguna vez en el Tiempo, introduciendo los hilos en sus redes de historias, y las Estancias de Mandos, cada vez más amplias a medida que transcurren las edades, se adornan con ellas.

Irmo, el menor, es el amo de las visiones y los sueños. Los jardines de Irmo se encuentran en Lórien, en la tierra de los Valar, y es el más hermoso de todos los lugares del mundo, habitado por muchos espíritus. Estë la Gentil, curadora de las heridas y las fatigas, es su esposa. Gris es su vestido, y el reposo es su don. No camina durante el día, pero duerme en una isla en el lago de Lórellin, bajo las sombras de árboles. Las fuentes de Irmo y Estë calman la sed de todos los que moran en Valinor; y a menudo los mismos Valar acuden a Lórien y encuentran allí reposo y alivio de la carga de Arda.

Más poderosa que Estë es Nienna, hermana de los Fëanturi; ella vive sola. Conoce bien el dolor y llora todas las heridas que ha sufrido Arda por obra de Melkor. Tan grande era su pena, mientras la Música se desplegaba, que su canto se convirtió en lamento mucho antes del fin, y los sonidos de duelo se confundieron con los temas del Mundo antes que éste empezase. Pero ella no llora por su propia pena; y quienes la escuchan aprenden a tener piedad, y firmeza en la esperanza. Las estancias de Nienna se alzan al oeste del Oeste en los límites del Mundo; y ella rara vez viene a la ciudad de Valimar, donde todo es regocijo. Visita sobre todo las Estancias de Mandos, que están cerca de las suyas; y todos los que la esperan en Mandos claman por ella, pues fortalece los espíritus y convierte el dolor en sabiduría. Las ventanas de su casa miran hacia afuera desde los muros del mundo.

El más grande en fuerza y en proezas es Tulkas, a quien llaman Astaldo el Valiente. Fue el último en llegar a Arda para ayudar a los Valar en las primeras batallas contra Melkor. Ama la lucha y las pruebas de fuerza; y no monta a caballo, pues corre más rápidamente que todas las criaturas que andan a pie, y no conoce la fatiga. Tiene el pelo y la barba dorados y la piel rojiza; sus armas son las manos. Poco caso hace del pasado o del futuro, y no es buen consejero, pero sí un amigo firme. Su esposa es Nessa, hermana de Oromë, y también ella es ágil y ligera de pies. Ama a los ciervos, y ellos van detrás de su séquito toda vez que ella se interna en las tierras salvajes, pero los vence en la carrera, veloz como una flecha con el viento en los cabellos. La danza la deleita, y baila en Valinor en los prados siempre verdes.

Oromë es un poderoso señor. Aunque no tan fuerte como Tulkas, es más terrible en cólera; mientras que Tulkas ríe siempre, en el juego como en la guerra, y llegó a reírse en la cara de Melkor en las batallas antes de que los Elfos nacieran. Oromë amaba la Tierra Media, la dejó de mala gana y fue el último en llegar a Valinor; y en otro tiempo volvía a menudo al este por las montañas y regresaba con su ejército a las colinas y llanuras. Es cazador de monstruos y de bestias feroces, y le encantan los caballos y los perros; y ama a todos los árboles, por lo que recibe el nombre de Aldaron, y los Sindar lo llaman Tauron, el Señor de los Árboles. Nahar es el nombre de su caballo, blanco al sol y de plata refulgente por la noche. El gran cuerno que lleva consigo se llama Valaróma, y el sonido de este cuerno es como el ascenso del sol envuelto en una luz escarlata o el franco rayo que atraviesa las nubes. Por encima de todos los cuernos de su ejército se oyó a Valaróma en los bosques que Yavanna hizo crecer en Valinor; pues allí preparaba Oromë a su pueblo y a sus animales para perseguir a las criaturas malignas de Melkor. La esposa de Oromë es Vána, la Siempre Joven, hermana menor de Yavanna. Las flores brotan siempre allá donde ella pasa, y se abren cuando ella las mira; y todos los pájaros cantan cuando ella se acerca.

Éstos son los nombres de los Valar y las Valier y aquí se cuenta brevemente qué aspecto tenían, tal como los Eldar los contemplaron en Aman. Pero aunque las formas en que se manifestaron a los Hijos de Ilúvatar parecieran hermosas y nobles, no eran sino un velo que ocultaba su hermosura y su poder. Y si poco se dice aquí de todo lo que una vez supieron los Eldar, no es nada en comparación con lo que ellos son en verdad, pues se remontan a regiones y edades que nuestro pensamiento no alcanza. Entre ellos, Nueve eran los más poderosos y venerables, pero uno fue expulsado y quedaron Ocho, los Aratar, los Principales de Arda: Manwë y Varda, Ulmo, Yavanna y Aulë, Mandos, Nienna y Oromë. Aunque Manwë es el Rey y responsable de la lealtad de todos ante Eru, son pares en majestad y sobrepasan sin comparación a todos los demás, Valar o Maiar, o a cualquier otro enviado por Ilúvatar a Eä.

De los Maiar

Con los Valar vinieron otros espíritus que comenzaron a existir también antes que el Mundo, del mismo orden de los Valar, pero de menor poder. Son éstos los Maiar, el pueblo bajo los Valar, que son sus servidores y asistentes. El número de estos espíritus no es conocido por los Elfos y pocos tienen nombre en las lenguas de los Hijos de Ilúvatar porque, aunque no ha sido así en Aman, en la Tierra Media los Maiar rara vez se han aparecido en forma visible a los Elfos y los Hombres.

Principales entre los Maiar de Valinor cuyos nombres se recuerdan en las historias de los Días Antiguos son Ilmarë, la doncella de Varda, y Eönwë, el portador del estandarte y el heraldo de Manwë, cuyo poderío con las armas nadie supera en Arda. Pero de todos los Maiar, Ossë y Uinen son los más conocidos entre los Hijos de Ilúvatar.

Ossë es vasallo de Ulmo y amo de los mares que bañan las costas de la Tierra Media. No desciende a las profundidades, pero ama las costas y las islas y se regocija con los vientos de Manwë, se deleita en las tormentas y se ríe en medio del rugir de las olas. Su esposa es Uinen, la Señora de los Mares, cuyos cabellos se esparcen por todas las aguas bajo el cielo. Ama a todas las criaturas que habitan en las corrientes salinas y todas las algas que crecen allí; a ella claman los marineros, porque puede tender la calma sobre las olas, restringiendo el frenesí salvaje de Ossë. Los Númenóreanos vivieron largo tiempo bajo la protección de Uinen, y la tuvieron en igual reverencia que a los Valar.

Melkor odiaba el mar, pues no podía someterlo. Se dice que mientras hacían a Arda, intentó ganarse la lealtad de Ossë, prometiéndole todo el reino y el poder de Ulmo, si lo servía. Así fue que mucho tiempo atrás hubo grandes tumultos en el mar que llevaron ruina a las tierras. Pero Uinen, por ruego de Aulë, disuadió a Ossë y lo condujo ante Ulmo: y fue perdonado y volvió a su servicio y le fue fiel, la mayoría de las veces; porque nunca perdió del todo el gusto por la violencia, y a veces mostraba una furiosa terquedad aun sin el consentimiento de Ulmo, su señor. Por tanto, los que habitan junto al mar o se trasladan en embarcaciones suelen amarlo, pero no confían en él.

Melian era el nombre de una Maia que servía a Vána y a Estë; vivió largo tiempo en Lórien, donde cuidaba de los árboles que florecen en los jardines de Irmo, antes de que ella se trasladara a la Tierra Media. Los ruiseñores cantaban a su alrededor dondequiera que ella fuese.

El más sabio de entre los Maiar era Olórin. También él vivía en Lórien, pero sus caminos lo llevaban a menudo a casa de Nienna, y de ella aprendió la piedad y la paciencia.

De Melian mucho se dice en el *Quenta Silmarillion*. Pero de Olórin nada cuenta ese relato porque, aunque amaba a los Elfos, andaba entre ellos invisible o con la forma de un Elfo, y ellos desconocían el porqué de aquellas hermosas visiones o la impronta de sabiduría que él les ponía en el corazón. Más tarde fue amigo de todos los Hijos de Ilúvatar y compadeció sus sufrimientos, y quienes lo escuchaban despertaban de la desesperación y apartaban las aprensiones provocadas por la oscuridad.

De los Enemigos

Último entre todos se inscribe el nombre de Melkor, el que se Alza en Poder. Pero ha perdido el derecho a llevar ese nombre, y los Noldor, que entre los Elfos son los que más han sufrido su malicia, nunca lo pronuncian, y lo llaman en cambio Morgoth, el Enemigo Oscuro del Mundo. Gran poder le concedió Ilúvatar, y fue coevo de Manwë. Él tenía una parte de los poderes y el conocimiento de todos los otros Valar, pero los usó para propósitos malvados, y desperdició su fuerza en violencia y tiranía. Porque codiciaba a Arda y a todo lo que había en ella, deseaba hacerse con el reinado de Manwë y tener dominio sobre los reinos de sus compañeros.

Su arrogancia le provocó la caída desde el esplendor hasta el desprecio por todos los seres con excepción de él mismo, espíritu derrochador e implacable. Convirtió el conocimiento en artes sutiles, para torcer y someter a su propia voluntad todo lo que deseaba usar, hasta convertirse en un embustero que no conocía la vergüenza. Empezó con el deseo de la luz, pero cuando no pudo tenerla sólo para él, descendió por el fuego y la ira a una gran hoguera que ardía allá abajo, en la Oscuridad. Y fue la oscuridad lo que él más utilizó para obrar maldades en Arda, y la llenó de temores que afectaron a todas las criaturas vivas.

Sin embargo, tan grande era la fuerza de su rebelión, que en edades olvidadas su poder era tan grande como el de Manwë y todos los Valar, y por largos años tuvo a Arda sometida en la mayor parte de las regiones de la Tierra. Pero no estaba solo. Porque de entre los Maiar, muchos se sintieron atraídos por el esplendor de Melkor en los días de su grandeza, y permanecieron junto a él hasta el descenso a la oscuridad; y después corrompió a otros y los atrajo con mentiras y dones traicioneros. Terribles entre ellos eran los Valaraukar, los azotes de fuego que en la Tierra Media recibían el nombre de Balrogs, demonios de terror.

Entre sus servidores con nombre, el más grande fue ese espíritu a quien los Eldar llamaron Sauron o Gorthaur el Cruel. Se lo contó al principio entre los Maiar de Aulë, y fue siempre una figura poderosa en las tradiciones de ese pueblo. En todos los hechos de Melkor el Morgoth en el Reino de Arda, en las vastas obras que él edificó y en las trampas que tendía, Sauron tuvo parte, y era menor en maldad que su amo sólo porque durante mucho tiempo sirvió a otro y no a sí mismo. Pero en años posteriores se levantó como una sombra de Morgoth y como un fantasma de su malicia, y anduvo tras él por el mismo ruinoso sendero que descendía al Vacío.

AQUÍ CONCLUYE EL VALAQUENTA

QUENTA SILMARILLION

La historia de los Silmarils

1

DEL PRINCIPIO DE LOS DÍAS

Se dice entre los sabios que la Primera Guerra estalló antes de que Arda estuviera del todo acabada, y antes de que nada creciera o anduviera sobre la Tierra; y durante mucho tiempo Melkor dominó. Pero en medio de la guerra, un espíritu de gran fuerza y osadía acudió en ayuda de los Valar habiendo oído en el cielo lejano que se libraba una batalla en el Pequeño Reino; y el sonido de su risa llenó toda Arda. Así llegó Tulkas el Fuerte, cuya furia pasa como un viento poderoso, despejando nubes y oscuridad por delante; y la risa y la cólera de Tulkas ahuyentaron a Melkor, que abandonó Arda, y durante mucho tiempo hubo paz. Y Tulkas se quedó y se convirtió en uno de los Valar del Reino de Arda; pero Melkor cavilaba en las tinieblas exteriores y desde entonces odió para siempre a Tulkas.

En ese entonces los Valar trajeron orden a los mares y las tierras y las montañas, y Yavanna plantó por fin las semillas que tenía preparadas tiempo atrás. Y desde entonces, cuando los fuegos fueron reducidos o sepultados bajo las colinas primigenias, hubo necesidad de luz, y Aulë, por ruego de Yavanna, construyó dos lámparas poderosas para iluminar la Tierra Media que él había puesto entre los mares circundantes. En-

tonces Varda llenó las lámparas y Manwë las consagró, y los
Valar las colocaron sobre altos pilares, más altos que cualquiera de las montañas de días posteriores. Levantaron una de las
lámparas cerca del norte de la Tierra Media y le dieron el
nombre de Illuin; y la otra la levantaron en el sur, y le dieron
el nombre de Ormal; y la luz de las Lámparas de los Valar fluyó sobre la Tierra, de manera que todo quedó iluminado
como en un día sin noche.

Entonces las semillas que Yavanna había sembrado empezaron a brotar y a germinar con prontitud, y apareció una multitud de cosas que crecían, grandes y pequeñas, musgos y hierbas
y grandes helechos, y árboles con copas coronadas de nubes,
como montañas vivientes, pero con los pies envueltos en un
crepúsculo verde. Y acudieron bestias y moraron en las llanuras
herbosas, o en los ríos y los lagos, o se internaron en las sombras de los bosques. Y sin embargo aún no había florecido ninguna flor, ni había cantado ningún pájaro, porque estas cosas
aguardaban todavía en el seno de Yavanna a que les llegara el
momento; pero había gran riqueza en lo que ella concibiera, y
en ningún sitio más abundante que en las partes centrales del
mundo, donde las luces de ambas lámparas se encontraban y se
mezclaban. Y allí, en la Isla de Almaren, en el Gran Lago, tuvieron su primera morada los Valar, cuando todas las cosas eran
jóvenes y el verde reciente maravillaba aún a los hacedores; y
durante mucho tiempo se sintieron complacidos.

Sucedió entonces que mientras los Valar descansaban de
sus trabajos y contemplaban el crecimiento y el desarrollo de
las cosas que habían concebido e iniciado, Manwë ordenó
que hubiese una gran fiesta; y los Valar y todas sus huestes
acudieron a la llamada. Pero Aulë y Tulkas se sentían cansados, pues la habilidad de uno y la fuerza del otro habían estado sin cesar al servicio de todos mientras trabajaban. Y

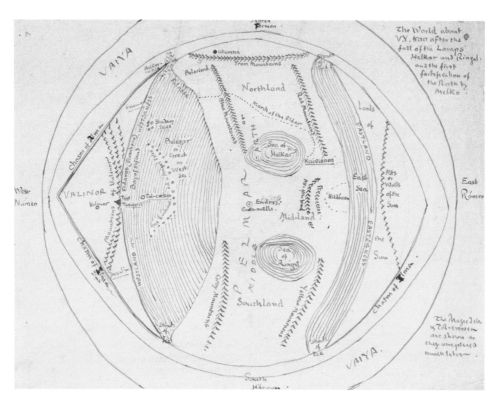

*El Mundo circa 500 A.V. tras la destrucción de las lámparas Helkar [Illuin]
y Ringil [Ormal] y la primera fortificación del Norte por Melko[r]*

Melkor conocía todo lo que se había hecho, ya que aún entonces tenía amigos y espías secretos entre los Maiar a quienes había convertido a su propia causa; y lejos, en la oscuridad, lo consumía el odio, pues tenía celos de la obra de sus compañeros, a quienes deseaba someter. Por tanto, convocó a los espíritus de los palacios de Eä que él había pervertido para que le sirvieran, y se creyó fuerte. Y viendo que le llegaba la hora, volvió a acercarse a Arda, y la contempló, y ante la belleza de la Tierra en Primavera, sintió todavía más odio.

Pues bien, los Valar estaban reunidos en Almaren sin sospechar mal alguno, y por causa de la luz de Illuin no percibieron la sombra en el norte que desde lejos arrojaba Melkor; porque se había vuelto oscuro como la Noche del Vacío. Y se canta que, en la fiesta de la Primavera de Arda, Tulkas desposó a Nessa, la hermana de Oromë, y ella bailó ante los Valar sobre la hierba verde de Almaren.

Luego Tulkas se echó a dormir, pues estaba cansado y satisfecho, y Melkor creyó que la ocasión le era propicia. Y pasó con su ejército por sobre los Muros de la Noche y llegó a la Tierra Media, lejos, al norte; y los Valar no lo advirtieron.

Entonces Melkor empezó a cavar, y construyó una vasta fortaleza muy hondo bajo la Tierra, por debajo de las montañas oscuras donde los rayos de Illuin eran fríos y débiles. Esa ciudadela recibió el nombre de Utumno. Y aunque los Valar aún no sabían nada de ella, la maldad de Melkor y el daño de su odio brotaron desde allí y profanaron la Primavera de Arda. Las plantas verdes enfermaron y se pudrieron, las algas y el cieno ahogaron los ríos; se crearon cenagales rancios y ponzoñosos, donde se multiplicaban las moscas; y los bosques se volvieron peligrosos y oscuros, moradas del miedo, y las bestias se transformaron en monstruos de cuerno y marfil, y tiñeron la tierra con sangre. Entonces supieron los Valar, sin ninguna duda, que Melkor estaba actuando otra vez, y buscaron su escondrijo. Pero Melkor, confiando en la fuerza de Utumno y en el poderío de sus sirvientes, acudió de repente a la lucha, y asestó el primer golpe, antes de que los Valar estuvieran preparados; y atacó las luces de Illuin y Ormal, derribó los pilares y quebró las lámparas. En el derrumbe de los poderosos pilares, las tierras se abrieron y los mares se levantaron en tumulto; y cuando las lámparas se derramaron, unas llamas destructoras avanzaron por la Tierra. Y la forma de Arda y la simetría de las aguas y tierras quedaron entonces dañadas, de modo que los primeros proyectos de los Valar nunca fueron restaurados.

En medio de la confusión y la oscuridad Melkor huyó, aunque tuvo miedo, pues por encima del bramido de los mares oyó la voz de Manwë como un viento huracanado; y la tierra temblaba bajo los pies de Tulkas. Pero llegó a Utumno antes de que Tulkas pudiera alcanzarlo; y allí se quedó escondido. Y los Valar no pudieron someterlo en aquella ocasión, porque necesitaban de casi todas sus fuerzas para apaciguar los tumultos de la Tierra y salvar de la ruina todo lo que pudiera ser salvado de lo que habían hecho; y después temieron desgarrar otra vez la Tierra en tanto no supieran dónde morarían los Hijos de Ilúvatar, que aún habrían de venir en un tiempo que a los Valar les estaba oculto.

Así llegó a su fin la Primavera de Arda. La morada de los Valar en Almaren quedó por completo destruida, y no tuvieron sitio donde vivir sobre la faz de la Tierra. Por tanto, abandonaron la Tierra Media y fueron a la Tierra de Aman, el más occidental de todos los territorios sobre el filo del mundo; pues las costas occidentales miraban al Mar Exterior, que los Elfos llamaban Ekkaia, y que circunda el Reino de Arda. Cuán an-

Tanaqui

cho es ese mar, sólo los Valar lo saben; y más allá de él se encuentran los Muros de la Noche.

Pero las costas orientales de Aman eran el extremo de Belegaer, el Gran Mar del Occidente; y como Melkor había vuelto a la Tierra Media y aún no podían someterlo, los Valar fortificaron sus propias moradas, y en las costas del mar levantaron las Pelóri, las Montañas de Aman, las más altas de la Tierra. Y por encima de las montañas de Pelóri, se alzaba una en cuya cima puso Manwë su trono. Taniquetil llaman los Elfos a esa montaña sagrada, y Oiolossë de Blancura Sempiterna, y Elerrína Coronada de Estrellas, y recibe muchos otros nombres; pero en la lengua tardía de los Sindar se la llamaba Amon Uilos. Desde las estancias de Taniquetil, Manwë y Varda podían ver a través de la Tierra hasta los confines más extremos del Este.

Detrás de los muros de las Pelóri, los Valar se establecieron en esa región que llamaban Valinor; y allí tenían casas, jardines y torres. En aquella tierra protegida acumularon grandes caudales de luz y las cosas más bellas que se salvaron de la ruina; y muchas otras aún más bellas las hicieron de nuevo, y Valinor fue todavía más hermosa que la Tierra Media en la Primavera de Arda; y fue bendecida, porque los Inmortales vivían allí, y allí nada se deterioraba ni marchitaba, ni había mácula en las flores o en las hojas de esa tierra, ni corrupción o enfermedad en nada de lo que allí vivía; porque aun las mismas piedras y las aguas estaban consagradas.

Y cuando Valinor estuvo acabada y las mansiones de los Valar establecidas, en medio de la llanura de más allá de los montes edificaron su ciudad, Valmar, de muchas campanas. Delante de las puertas occidentales había un montículo verde, Ezellohar, llamado también Corollairë; y Yavanna lo consagró, y se sentó allí largo tiempo sobre la hierba verde y entonó un canto de poder en el que puso todo lo que pensaba de las cosas que crecen en la tierra. Pero Nienna reflexionó en silencio y regó el montículo con lágrimas. En esa ocasión los Valar estaban todos reunidos para escuchar el canto de Yavanna, sentados en los tronos del consejo en el Máhanaxar, en el Anillo del Juicio, cerca de los portones dorados de Valmar; y Yavanna Kementári cantó delante de ellos, que la observaban.

Y mientras observaban, en el montículo nacieron dos esbeltos brotes; y el silencio cubría el mundo entero a esa hora y no se oía ningún otro sonido que la voz de Yavanna. Bajo su canto los brotes crecieron y se hicieron hermosos y altos, y florecieron; y de este modo despertaron en el mundo los Dos Árboles de Valinor. De todas las cosas que hizo Yavanna, ellos son los que más fama tienen, y en torno al destino de estos árboles se entretejen todos los relatos de los Días Antiguos.

Uno de ellos tenía hojas de color verde oscuro que por debajo eran como plata resplandeciente, y de cada una de las innumerables flores caía un rocío continuo de luz plateada, y la tierra de abajo se moteaba con la sombra de las hojas temblorosas. El otro tenía hojas de color verde tierno, como el haya recién brotada, con bordes de oro centelleante. Las flores se mecían en las ramas en racimos de llamas amarillas, y cada una era como un cuerno encendido que derramaba una lluvia dorada sobre el suelo; y de los pétalos de este árbol brotaba calor, y una gran luz. Telperion se llamó el primero en Valinor, y Silpion, y Ninquelótë y tuvo muchos otros nombres; pero Laurelin fue el otro, y también Malinalda, y Culúrien, y le dieron además muchos nombres en los cantos.

En siete horas la gloria de cada árbol alcanzaba su plenitud y menguaba otra vez hasta desaparecer; y cada cual despertaba una vez más a la vida una hora antes de que el otro dejara de brillar. Así en Valinor dos veces al día había una hora dulce de luz más suave, cuando la luz de los dos árboles era más débil y los rayos de oro y de plata se mezclaban. Telperion era el mayor de los árboles y el primero en desarrollarse y florecer; y esa primera hora en que resplandecía —el tenue brillo blanco de un amanecer de plata— los Valar no la incluyeron en la cuenta de las horas, pero le dieron el nombre de Hora de Apertura, y a partir de ella contaron las edades de su reinado en Valinor. Por tanto, a la sexta hora en ese Primer Día, y en todos los días gozosos que siguieron, hasta el Oscurecimiento de Valinor, concluía el tiempo de floración de Telperion; y a la hora duodécima dejaba de florecer Laurelin. Y cada día de los Valar en Aman tenía doce horas, y terminaba con la segunda mezcla de las luces, en la que Laurelin menguaba, pero Telperion crecía. Sin embargo, la luz que los árboles esparcían duraba mucho tiempo antes de que se la llevase el aire a las alturas o se hundiera en la tierra; y Varda atesoraba los rocíos de Telperion y la lluvia que caía de Laurelin en grandes tinas como lagos resplandecientes, que eran para toda la tierra de los Valar como fuentes de agua y de luz. Así empezaron los Días de la Bendición de Valinor, y así empezó también la Cuenta del Tiempo.

Pero mientras las edades avanzaban hacia la hora señalada por Ilúvatar para la venida de los Primeros Nacidos, la Tierra Media yacía en una luz crepuscular bajo las estrellas que Varda había forjado en edades olvidadas de sus labores en Eä. Y en las tinieblas vivía Melkor y aún andaba con frecuencia por el mundo, en múltiples formas poderosas y aterradoras, y arrojaba frío y fuego, desde las cumbres de las montañas a los profundos hornos que están debajo; y cualquier cosa que fuese cruel o violenta o mortal en esos días era obra de Melkor.

Pocas veces venían los Valar por encima de las montañas a la Tierra Media, dejando atrás la belleza y la bienaventuranza de Valinor, pero cuidaban y amaban los territorios de más allá de las Pelóri. Y en medio del Reino Bendecido se levantaban las mansiones de Aulë, y allí trabajó él largo tiempo. Porque en la hechura de todas las cosas de esa tierra Aulë fue el principal artífice e hizo allí muchas obras hermosas y esbeltas, tanto abiertamente como en secreto. De él provienen la ciencia y el conocimiento de la Tierra y todo lo que contiene: sea la ciencia de los que no hacen, pero intentan comprender lo que es, o la ciencia de los artesanos: el tejedor, el que da forma a la madera y el que trabaja los metales; y también el labrador y el granjero, aunque éstos y todos los que tratan con cosas que crecen y dan fruto se deben también a la esposa de Aulë, Yavanna Kementári. Es a Aulë a quien se da el nombre de Amigo de los Noldor, porque de él aprendieron mucho en días posteriores, y son ellos los más hábiles de entre los Elfos; y a su propio modo, de acuerdo con los dones que Ilúvatar les concedió, añadieron mucho a sus enseñanzas, deleitándose en las lenguas y en los escritos, y en las figuras del bordado, el dibujo y el tallado. Los Noldor fueron también los primeros que consiguieron hacer gemas; y las más bellas de todas las gemas fueron los Silmarils, que se han perdido.

Pero Manwë Súlimo, el más alto y sagrado de los Valar, instalado en los lindes de Aman, no dejaba de pensar en las Tierras Exteriores. Porque el trono de Manwë se levantaba majestuoso sobre la cima de Taniquetil, la más alta montaña del mundo, a orillas del mar. Espíritus que tenían forma de halcones y águilas revoloteaban por sus estancias; y sus ojos podían ver hasta las profundidades del mar y penetrar la tierra hasta las cavernas ocultas bajo el mundo. De este modo le traían noticias de casi todo cuanto ocurría en Arda; no obstante, había cosas ocultas aun para Manwë y los servidores de

Manwë, porque donde Melkor se ensimismaba en negros pensamientos, las sombras eran impenetrables.

Manwë no concibe ningún pensamiento que sirva a su propio honor y no tiene celos del poder de Melkor, sino que lo gobierna todo en paz. De entre todos los Elfos, amaba más a los Vanyar, y de él recibieron la poesía y el canto; pues la poesía es el deleite de Manwë, y el canto con palabras es la música que prefiere. El atuendo de Manwë es azul, y azul el fuego de sus ojos, y su cetro es de zafiro, que los Noldor labraron para él; y fue designado para ser el vicerregente de Ilúvatar, Rey del mundo de los Valar y los Elfos y los Hombres, y principal defensa contra el mal de Melkor. Con Manwë moraba Varda, quien en lengua sindarin es llamada Elbereth, Reina de los Valar, hacedora de las estrellas; y con ellos había una vasta hueste de espíritus bienaventurados.

Pero Ulmo se encontraba solo, y no moraba en Valinor, y ni siquiera iba allí excepto cuando se celebraba un gran consejo; vivió desde el principio de Arda en el Océano Exterior, y allí vive todavía. Desde allí gobierna el flujo de todas las aguas, y las mareas, el curso de los ríos y la renovación de los manantiales, y la destilación de todos los rocíos y lluvias en todas las tierras que se extienden bajo el cielo. En los sitios profundos concibe una música grande y terrible, y el eco de esa música corre por todas las venas del mundo en dolor y alegría; porque si alegre es la fuente que se alza al sol, el agua nace en pozos de dolor insondable en los cimientos de la Tierra. Los Teleri aprendieron mucho de Ulmo, y por esta razón su música tiene a la vez tristeza y encantamiento. Junto con él llegó Salmar a Arda, el que hizo los cuernos de Ulmo, aquellos que nadie puede olvidar si los ha oído una vez; también Ossë y Uinen, a los que dio el gobierno de las olas y los movimientos de los Mares Interiores, y además muchos otros espíritus. Y así fue que por el poder de Ulmo aun bajo las tinieblas de Melkor fluyó la vida por muchas vetas secretas, y la Tierra no murió; y para aquellos que andaban perdidos en esas tinieblas o lejos de la luz de los Valar, estaban siempre abiertos los oídos de Ulmo; y tampoco ha abandonado la Tierra Media; y no ha dejado de pensar en cualquier ruina o cambio que haya sobrevenido desde entonces, y así lo hará hasta el fin de los días.

Y en este tiempo de oscuridad tampoco Yavanna estaba dispuesta a abandonar por completo las Tierras Exteriores; pues todas las cosas que crecen le son caras, y se lamentaba por las obras que había iniciado en la Tierra Media, y que Melkor había dañado. Por tanto, abandonando la casa de Aulë y los prados floridos de Valinor, iba a veces a curar las heridas abiertas por Melkor; y al volver instaba siempre a los Valar a enfrentar el maligno dominio de Melkor, en una guerra que tendrían que librar sin duda antes de la llegada de los Primeros Nacidos. Y Oromë, domador de animales, también cabalgaba de vez en cuando por la oscuridad de los bosques; llegaba como poderoso cazador, con el arco y las flechas, persiguiendo a muerte a los monstruos y criaturas salvajes del reino de Melkor, y su caballo blanco, Nahar, brillaba como plata en las sombras. Entonces la tierra adormecida temblaba con el repiqueteo de los cascos dorados, y en el crepúsculo matinal del mundo Oromë hacía sonar el gran cuerno, el Valaróma, sobre los llanos de Arda; las montañas le respondían con ecos, y las sombras del mal huían, y el propio Melkor se agazapaba en Utumno anticipando la cólera por venir. Pero Oromë no había acabado de pasar y ya los sirvientes de Melkor se reagrupaban; y las tierras se cubrían de sombras y engaños.

Ahora se ha dicho todo de cómo fueron la Tierra y sus gobernantes en el comienzo de los días, antes de que el mundo apareciese como los Hijos de Ilúvatar lo conocieron. Porque los Elfos y los Hombres son Hijos de Ilúvatar; y como no habían entendido enteramente ese tema por el que los Hijos entraron en la Música, ninguno de los Ainur se atrevió a agregarle nada. Por esa razón los Valar son los mayores y los jefes de estas estirpes antes que sus amos; y si en el trato con los Elfos y los Hombres, los Ainur han intentado forzarlos en alguna ocasión, cuando ellos no querían ser guiados, rara vez ha resultado nada bueno, por buena que fuera la intención. En verdad los Ainur tuvieron trato sobre todo con los Elfos, porque Ilúvatar los hizo más semejantes en naturaleza a los Ainur, aunque menores en fuerza y estatura; mientras que a los Hombres les dio extraños dones.

Pues se dice que después de la partida de los Valar, hubo silencio, y durante toda una edad Ilúvatar estuvo solo, pensando. Luego habló y dijo: —¡He aquí que amo a la Tierra, que será la mansión de los Quendi y los Atani! Pero los Quendi serán los más hermosos de todas las criaturas terrenas, y tendrán y concebirán y producirán más belleza que todos mis Hijos; y de ellos será la mayor bienaventuranza en este mundo. Pero a los Atani les daré un nuevo don.

Por tanto, quiso que los corazones de los Hombres buscaran siempre más allá del mundo y no encontraran reposo en él; pero tendrían en cambio el poder de modelar su propia vida, entre las fuerzas y los azares mundanos, más allá de la Música de los Ainur, que es como el destino para toda otra criatura; y por obra de los Hombres todo habría de completarse, en forma y acto, hasta en lo último y lo más pequeño del mundo.

Pero Ilúvatar sabía que los Hombres, arrojados al torbellino de los poderes del mundo, se extraviarían a menudo y no utilizarían sus dones en armonía; y dijo: —También ellos sabrán, llegado el momento, que todo cuanto hagan contribuirá al fin sólo a la gloria de mi obra.

Creen los Elfos, sin embargo, que los Hombres son a menudo motivo de dolor para Manwë, que conoce mejor que otros la mente de Ilúvatar; pues parece a los Elfos que los Hombres se asemejan a Melkor más que a ningún otro Ainu, aunque él los ha temido y los ha odiado siempre, aun a aquellos que le servían.

Uno y el mismo es este don de la libertad concedido a los hijos de los Hombres: que sólo estén vivos en el mundo por un breve lapso, y que no estén atados a él, y que partan pronto a un lugar desconocido por los Elfos. Los Elfos, en cambio, permanecerán en el mundo hasta el fin de los días, y su amor por la Tierra y por todo es así más singular y profundo, y más desconsolado a medida que los años se alargan. Porque los Elfos no mueren hasta que no muere el mundo, a no ser que los maten o los consuma la pena (y a estas dos muertes aparentes están sometidos); tampoco la edad les quita fuerzas, a no ser que uno se canse de diez mil centurias; y al morir se reúnen en las Estancias de Mandos, en Valinor, de donde pueden retornar llegado el momento. Pero los hijos de los Hombres mueren en verdad, y abandonan el mundo; por lo que se los llama los Huéspedes o los Forasteros. La Muerte es su destino, el don de Ilúvatar, que hasta los mismos Poderes envidiarán con el paso del Tiempo. Pero Melkor ha arrojado su sombra sobre ella, y la ha confundido con las tinieblas, y ha hecho brotar el mal del bien, y el miedo de la esperanza. No obstante, ya desde hace mucho tiempo los Valar declararon a los Elfos que los Hombres se unirán a la Segunda Música de los Ainur; mientras que Ilúvatar no ha revelado qué reserva a los Elfos después de que el Mundo acabe, y Melkor no lo ha descubierto.

2

DE AULË Y YAVANNA

Se dice que al principio los Enanos fueron hechos por Aulë en la oscuridad de la Tierra Media; porque tanto deseaba Aulë la llegada de los Hijos, para tener discípulos a quienes enseñarles su ciencia y artesanía, que no estuvo dispuesto a aguardar el cumplimiento de los designios de Ilúvatar. Y Aulë hizo a los Enanos tal y como son todavía, porque aún no tenía clara en la mente la forma de los Hijos que estaban por venir y porque el poder de Melkor aún obraba en la Tierra; y por tanto deseó que fueran fuertes e inquebrantables. Pero temiendo que los otros Valar lo culparan, trabajó en secreto; e hizo primero a los Siete Padres de los Enanos en un palacio bajo las montañas de la Tierra Media.

Ahora bien, Ilúvatar sabía lo que se estaba haciendo, y a la hora misma en que Aulë completó su obra, y, sintiéndose complacido, empezó a instruir a los Enanos en la lengua que había inventado para ellos, Ilúvatar le habló: —¿Por qué has hecho esto? ¿Por qué intentas algo que está más allá de tu poder y tu autoridad, como bien lo sabes? Pues has recibido de mí como don sólo tu propio ser, y ninguna otra cosa, y por tanto las criaturas de tu mano y tu mente sólo pueden vivir de ese ser, moviéndose cuando tú lo piensas, y si tu pensamiento está en otro sitio, quedándose quietos. ¿Es ése tu deseo?

Entonces Aulë contestó:

—Yo no deseé semejante dominio. Deseé criaturas que no fueran como yo, para amarlas y enseñarles, de modo que ellas también pudieran percibir la belleza de Eä, que tú mismo hiciste. Porque me pareció que había grandes espacios en Arda como para que muchas criaturas pudieran gozar en ella, y sin embargo aún se encuentra casi toda muda y vacía. Y en mi impaciencia he caído en la locura. No obstante, llevo en el corazón el deseo de crear cosas nuevas, porque tú me hiciste así; y el niño de escaso entendimiento que convierte en juego los trabajos del padre no lo hace necesariamente para burlarse, sino porque es el hijo del padre. Pero ¿qué haré ahora para que no estés siempre enfadado conmigo? Como un niño a su padre te ofrezco yo estas criaturas, obra de las manos que tú mismo has hecho. Dispón de ellas como más te plazca. Pero ¿no tendría que destruir yo mismo la obra de mi presunción?

Alzó entonces Aulë un gran martillo para golpear a los Enanos; y lloró. Pero Ilúvatar vio la humildad de Aulë, y tuvo compasión de él y de su deseo; y los Enanos se sobrecogieron ante el martillo y se asustaron, e inclinaron la cabeza y suplicaron clemencia. Y la voz de Ilúvatar dijo a Aulë:

—Acepto tu ofrenda tal como la has hecho. ¿No ves que estas criaturas tienen ahora una vida propia y hablan con sus propias voces? De otro modo no habrían esquivado ni tu golpe, ni orden alguna de tu voluntad.

Entonces Aulë soltó el martillo y se sintió complacido, y dio las gracias a Ilúvatar diciendo:

—Quiera Eru bendecir mi obra y arreglarla.

Pero Ilúvatar habló otra vez y dijo:

—En el principio del Mundo di ser a los pensamientos de los Ainur y del mismo modo he tomado ahora tu deseo y le he dado sitio en el Mundo; pero no arreglaré de ningún otro modo la obra de tus manos, y tal como la hiciste, así será. Pero esto no toleraré: que estas criaturas lleguen antes que los Primeros Nacidos de mi hechura, ni que tu impaciencia sea recompensada. Dormirán bajo la piedra en la oscuridad y no saldrán de ella hasta que los Primeros Nacidos no hayan despertado sobre la Tierra: y hasta ese momento tú y ellos esperaréis, aunque la espera os parezca larga. Pero cuando llegue la hora, yo mismo los despertaré y serán para ti como hijos; y a menudo habrá disputas entre los tuyos y los míos, los hijos de mi adopción y los hijos de mi elección.

Entonces Aulë tomó a los Siete Padres de los Enanos y los puso a descansar en sitios distintos y apartados; y regresó a Valinor, y esperó mientras los largos años se prolongaban.

Como habrían de aparecer en los días del poder de Melkor, Aulë hizo a los Enanos fuertes y resistentes. Por tanto, son duros como la piedra, testarudos, rápidos en la amistad y en la enemistad, y soportan el trabajo y el hambre y los dolores del cuerpo más que ninguna otra criatura que tenga el don de la palabra; viven largo tiempo, mucho más que los días de los Hombres, pero no para siempre. Se sostuvo antaño entre los Elfos de la Tierra Media que al morir los Enanos volvían a la tierra y a la piedra de la que estaban hechos; sin embargo, no es eso lo que ellos mismos creen. Porque dicen que Aulë el Hacedor, a quien llaman Mahal, cuida de ellos y los reúne en Mandos, en estancias apartadas; y que Aulë declaró a los primeros Padres que Ilúvatar los consagrará y que les dará un lugar entre los Hijos cuando llegue el fin. Tendrán entonces la misión de servir a Aulë y ayudarlo a rehacer Arda después de la Última Batalla. Dicen también que los Siete Padres de los Enanos retornan para vivir entre los suyos y para ponerse una vez más los nombres antiguos de los que Durin fue el más notable en tiempos posteriores, padre del pueblo que más amistad tuvo con los Elfos, y cuyas mansiones se encontraban en Khazad-dûm.

Ahora bien, mientras Aulë trabajaba en la hechura de los Enanos, ocultó su obra a los demás Valar; pero al fin confió en Yavanna y le contó todo lo que había sucedido. Entonces Yavanna le dijo:

—Eru es piadoso. Veo ahora que tu corazón se regocija, como bien cabe; porque no sólo has recibido perdón, sino también abundancia. No obstante, y porque me ocultaste este pensamiento hasta que estuvo consumado, tus hijos no sentirán mucho amor por las cosas que yo amo. Amarán primero las cosas que sean obra de sus propias manos, al igual que su padre. Cavarán en la tierra y no estimarán las cosas que crecen y viven sobre la tierra. Muchos árboles sentirán la mordedura del hierro sin piedad alguna.

Pero Aulë respondió:

—También será eso cierto de los Hijos de Ilúvatar; porque ellos comerán y construirán. Y aunque las cosas de tu reino tienen valor en sí mismas, y seguirían teniéndolo aun si los Hijos no llegaran, no obstante, Eru les concederá poder, y utilizarán todo cuanto encuentren en Arda; pero no, según es propósito de Eru, sin respeto o sin gratitud.

—No, a no ser que Melkor les oscurezca el corazón —dijo Yavanna.

Y no se sintió apaciguada, pues estaba afligida por el temor de lo que pudiera hacerse en la Tierra Media en los días por venir. Por tanto, acudió a Manwë y no traicionó el secreto de Aulë, pero preguntó:

—Rey de Arda, ¿es cierto, como me dijo Aulë, que los Hijos, cuando lleguen, tendrán dominio sobre mis obras y harán de ellas lo que les plazca?

—Es cierto —dijo Manwë—. Pero ¿por qué preguntas? No necesitas de las enseñanzas de Aulë.

Entonces Yavanna calló y contempló sus propios pensamientos. Y al fin respondió:

—Porque hay ansiedad en mi corazón al pensar en los días por venir. Todas mis obras me son caras. ¿No basta que Melkor haya dañado tanto? ¿Nada que yo haya hecho estará libre del dominio de otros?

—Si tu voluntad se cumpliera, ¿qué protegerías? —dijo Manwë—. De todo tu reino, ¿qué te es más caro?

—Todo tiene su valor —le respondió Yavanna— y cada cosa contribuye al valor de las otras. Pero los *kelvar* pueden volar o defenderse, lo que no es posible entre las cosas que crecen como las *olvar*. Y de todas éstas, me son caros los árboles. Lentos en crecer, caerán rápido bajo el hacha, y a menos que paguen tributo del fruto en las ramas, apenas llorados en su desaparición. Esto veo en mi pensamiento. ¡Quisiera que los árboles pudieran hablar en nombre de todas las cosas que tienen raíz y castigar a quien les hiciese daño!

—Es ése un extraño pensamiento —dijo Manwë.

—Sin embargo, estaba en la Canción —dijo Yavanna—. Porque mientras tú andabas por los cielos y con Ulmo hacíais las nubes y derramabais las lluvias, levanté yo las ramas de los grandes árboles para recibirlas, y algunas cantaron a Ilúvatar entre el viento y la lluvia.

Entonces Manwë guardó silencio y el pensamiento de Yavanna, que ella le había puesto en el corazón, creció y se desarrolló, e Ilúvatar llegó a verlo. Entonces pareció a Manwë que la Canción se levantaba una vez más alrededor, y descubrió ahora muchas cosas que había oído antes, pero que no había advertido. Y por último se renovó la Visión, pero ya no era remota, porque él mismo estaba en ella, y vio sin embargo que la mano de Ilúvatar sostenía todo; y la mano entró en la Visión, y de ella emanaron muchas maravillas que hasta entonces Manwë no había visto en los corazones de los Ainur.

Y entonces Manwë despertó y fue al encuentro de Yavanna en Ezellohar, y se sentó junto a ella bajo los Dos Árboles. Y Manwë dijo:

—Oh, Kementári, Eru ha hablado diciendo: «¿Alguno de los Valar piensa que no escuché toda la Canción, aun el sonido más bajo de voz más baja? ¡Oíd! Cuando los Hijos despierten, el pensamiento de Yavanna despertará también, y convocará espíritus venidos de lejos, y caminarán entre los *kelvar* y las *olvar*, y algunos entrarán en ellos, y serán tenidos en reverencia, y su justa cólera será temida. Por un tiempo: mientras los Primeros Nacidos tengan dominio y los Segundos sean jóvenes». Pero ¿no recuerdas, Kementári, que tu pensamiento no siempre cantó solo? ¿Acaso no se encontraron tu pensamiento y el mío y remontamos vuelo juntos como las grandes aves que se elevan sobre las nubes? Eso también sucederá por obra de la atenta mirada de Ilúvatar, y antes de que los Hijos despierten, aparecerán las Águilas de los Señores del Oeste, con alas parecidas al viento.

Se complació entonces Yavanna y se puso de pie tendiendo los brazos a los cielos, y dijo:

—Altos crecerán los árboles de Kementári: ¡que las Águilas del Rey moren en ellos!

Pero también Manwë se puso de pie y pareció que se erguía, tan alto que su voz descendió a Yavanna como desde los caminos de los vientos.

—No —dijo—, sólo los árboles de Aulë serán lo bastante altos. Las águilas morarán en las montañas, y desde allí podrán oír las voces de los que nos reclamen. Pero los Pastores de Árboles caminarán por los bosques.

Entonces Manwë y Yavanna se separaron, y Yavanna volvió a Aulë, y él estaba en la herrería vertiendo metal fundido en un molde.

—Eru es generoso —dijo ella—. ¡Que se cuiden tus hijos ahora! Porque habrá un poder en los bosques, y como no tengan cuidado, despertarán su ira.

—No obstante, necesitarán madera —dijo Aulë, y prosiguió con el trabajo de herrero.

3

DE LA LLEGADA DE LOS ELFOS Y EL CAUTIVERIO DE MELKOR

Durante largos años los Valar vivieron gozosos bajo la luz de los Árboles más allá de las Montañas de Aman, pero un crepúsculo estelar cubría toda la Tierra Media. Mientras las Lámparas habían brillado, surgió allí una vegetación cuyo crecimiento fue entonces detenido, porque todo se hizo otra vez oscuro. Pero las más antiguas criaturas vivientes habían aparecido ya: en los mares las grandes algas, y en la tierra la sombra de grandes árboles; y en los valles vestidos de tinieblas había oscuras criaturas, antiguas y vigorosas. A esas tierras y bosques, los Valar iban rara vez, salvo Yavanna y Oromë; y Yavanna andaba allí por las sombras, lamentando que el nacimiento y la promesa de la Primavera de Arda se hubiesen detenido. Y puso a dormir a muchas criaturas nacidas en la Primavera, para que no envejecieran, y aguardaran el momento de despertar, que no había llegado aún.

Pero en el norte Melkor cobraba fuerzas, y no dormía, pero vigilaba, y trabajaba; y las criaturas malignas que él había pervertido andaban por las tierras vecinas, y los bosques oscuros y adormilados eran frecuentados por monstruos y formas espantosas. Y en Utumno reunió a sus demonios, los espíritus que se le unieron desde un principio en los días de esplendor y que más se le asemejaban en corrupción: sus corazones eran de fuego; pero un manto de tinieblas los cubría, y el terror les precedía; tenían látigos de llamas. Balrogs se los llamó en la Tierra Media en días posteriores. Y en ese tiempo oscuro Melkor creó muchos otros monstruos de distintas formas y especies que durante mucho tiempo perturbaron el mundo; y su reino fue extendiéndose hacia el sur por sobre la Tierra Media.

Y Melkor levantó también una fortaleza y armería no lejos de las costas noroccidentales del mar para resistir a cualquier ataque que viniera de Aman. La fortaleza era comandada por Sauron, teniente de Melkor; y recibió el nombre de Angband.

Sucedió que los Valar se reunieron en consejo, turbados por las nuevas que Yavanna y Oromë traían de las Tierras Exteriores; y Yavanna habló ante los Valar diciendo:

—Oh, vosotros, poderosos de Arda, la Visión de Ilúvatar fue breve y nos la quitaron pronto, de modo que quizá no podamos sospechar, dentro de un estrecho margen de días, la hora señalada. Esto, sin embargo, tened por seguro: se aproxima la hora, nuestra esperanza tendrá respuesta antes que esta edad termine, y los hijos despertarán. ¿Dejaremos, pues, las tierras que serán su morada, desoladas e invadidas por poderes malignos? ¿Darán a Melkor el nombre de «señor» mientras Manwë está sentado en Taniquetil?

Y Tulkas gritó:

—¡No! ¡Hagamos la guerra sin demora! ¿Acaso no hace mucho que descansamos de la lucha y no se ha renovado ya nuestra fuerza? ¿Se nos opondrá uno solo para siempre?

Pero por mandato de Manwë habló Mandos, y dijo:

—Tened por seguro que los Hijos de Ilúvatar vendrán en esta edad, pero aún no. Se ha proclamado además que los Primeros Nacidos llegarán en la oscuridad y primero contemplarán las estrellas. Verán la gran luz cuando empiecen a menguar, y acudirán a Varda cada vez que lo necesiten.

Entonces Varda abandonó el consejo y desde las alturas de Taniquetil contempló la oscuridad de la Tierra Media bajo las estrellas innumerables, débiles y distantes, e inició entonces un gran trabajo, la mayor de las labores de los Valar desde su llegada a Arda. Recogió el rocío plateado de las tinas de Telperion, y con él hizo estrellas nuevas y más brillantes preparando así la llegada de los Primeros Nacidos; por eso, a quien desde la profundidad de los tiempos y los trabajos de Eä se llamó Tintallë, la Iluminadora, los Elfos le dieron más tarde el nombre de Elentári, Reina de las Estrellas. También entonces hizo ella Carnil y Luinil, Nénar y Lumbar, Alcarinquë y Elemmírë, y reunió muchas otras de las antiguas estrellas y las puso como signos en los cielos de Arda: Wilwarin, Telumendil, Soronúmë y Anarríma; y Menelmacar, con un cinturón resplandeciente que presagia que la Última Batalla se librará al final de los días. Y alta en el norte, como reto a Melkor, echó a girar la corona de siete poderosas estrellas: Valacirca, la Hoz de los Valar y signo del destino.

Se dice que al poner fin Varda a estos trabajos, y muy largos que fueron, cuando Menelmacar entró en el cielo por primera vez y el fuego azul de Helluin titiló en las nieblas por sobre los confines del mundo, a esa misma hora despertaron los Hijos de la Tierra, los Primeros Nacidos de Ilúvatar. Junto a la laguna de Cuiviénen, el Agua del Despertar, iluminada por las estrellas, se levantaron del sueño de Ilúvatar; y mientras permanecían aún en silencio junto a Cuiviénen, lo primero que sus ojos vieron fueron las estrellas del cielo. Por ello, han amado siempre la luz de las estrellas, y veneran a Varda Elentári por encima de todos los Valar.

En los cambios del mundo, las formas de las tierras y de los mares se han destruido y reconstruido; los ríos no han conservado su curso, ni las montañas se han mantenido firmes; y no hay retorno a Cuiviénen. Pero se dice entre los Elfos que Cuiviénen estaba muy lejos al este de la Tierra Media y hacia el norte, y que era una bahía del Mar Interior de Helcar; y ese mar se encontraba donde habían estado las raíces de la montaña de Illuin antes de que Melkor la derribara. Muchas aguas fluían hacia allí desde las alturas del este, y lo primero que oyeron los Elfos fue el sonido de una corriente de agua al caer sobre las piedras.

Mucho tiempo habitaron en esta primera morada junto al agua bajo las estrellas, y recorrían la tierra maravillados; y empezaron a hablar y a dar nombre a todas las cosas que percibían. A sí mismos se llamaron los Quendi, que significa «los que hablan con voces»; porque hasta entonces no habían descubierto criatura alguna que hablara o cantara.

Y una vez sucedió que Oromë cabalgó hacia el este en el curso de una cacería, y se volvió al norte junto a las costas del Helcar y pasó bajo las sombras de las Orocarni, las Montañas del Este. Entonces, Nahar lanzó un gran relincho y se detuvo. Y Oromë, intrigado, permaneció en silencio, y le pareció que en la quietud de la tierra bajo las estrellas oía a lo lejos el sonido de muchas voces que cantaban.

Así fue que los Valar encontraron al fin, casi por azar, a aquellos que durante tanto tiempo habían esperado. Y Oromë se asombró al contemplar a los Elfos, como si fueran seres maravillosos e imprevistos; porque así les sucederá siempre a los Valar. Desde fuera del Mundo, aunque todas las cosas puedan preconcebirse en la Música o preverse en una visión lejana, a los que en verdad penetran en Eä las criaturas siempre los sorprenderán, como algo novedoso que nunca fue anunciado.

En el principio los Hijos Mayores de Ilúvatar eran más fuertes y grandes de lo que fueron luego; pero no más hermosos porque, aunque la belleza de los jóvenes Quendi sobrepasaba a todo lo creado por Ilúvatar, no se ha desvanecido, sino que vive en el Oeste, y el dolor y la sabiduría la han acrecentado. Y Oromë amó a los Quendi, y los llamó en la lengua de ellos Eldar, el Pueblo de las Estrellas; pero ese nombre sólo lo llevaron los que siguieron a Oromë por el camino del oeste.

Pero muchos Quendi se aterraron con la llegada de Oromë, y la causa era Melkor. Porque, de acuerdo con las conclusiones de los sabios, Melkor, siempre vigilante, fue el primero en conocer el despertar de los Quendi, y envió sombras y espíritus malignos para que los espiaran y los acecharan. De modo que algunos años antes de la llegada de Oromë, no era infrecuente que si alguno de los Elfos se aventuraba lejos, solo o con escasa compañía, desapareciese y no volviese nunca; y los Quendi dijeron que el Cazador los había atrapado, y tuvieron miedo. Y ciertamente los más antiguos cantos de los Elfos, cuyos ecos se recuerdan todavía en el Occidente, hablan de formas sombrías que recorrían las colinas encima de Cuiviénen y ocultaban súbitamente las estrellas; y del Jinete Oscuro que montaba un caballo salvaje y perseguía a los extraviados para atraparlos y comérselos. Ahora bien, Melkor sentía gran odio y temor por las cabalgatas de Oromë, y no se sabe si mandó en efecto a sus oscuros servidores a guisa de jinetes, o si envió a lo lejos engañosos rumores, con el fin de que los Quendi se apartaran de Oromë si alguna vez lo encontraban.

Así fue que cuando Nahar relinchó y Oromë estuvo realmente entre los Quendi, algunos de ellos se escondieron, y otros huyeron y se extraviaron. Pero los que tenían más coraje y se quedaron, comprendieron en seguida que el Gran Jinete no era una forma llegada de la oscuridad; porque en el rostro de Oromë estaba la luz de Aman, y los más nobles de entre los Elfos se sintieron atraídos por esa luz.

Pero de los desdichados que cayeron en la trampa de Melkor, poco se sabe con certidumbre. Porque ¿quién de entre los vivos ha descendido a los abismos de Utumno o ha explorado las tinieblas de los consejos de Melkor? Eso sí, los sabios de Eressëa afirman que todos los Quendi que cayeron en manos de Melkor, antes de la caída de Utumno, fueron puestos en prisión, y por las lentas artes de la crueldad, corrompidos y esclavizados; y así crió Melkor la raza de los Orcos, por envidia y en mofa de los Elfos, de los que fueron después los más fieros enemigos. Porque los Orcos tenían vida y se multiplicaban de igual manera que los Hijos de Ilúvatar; y Melkor, desde que se rebelara en la Ainulindalë antes del Principio, nada podía hacer que tuviera vida propia ni apariencia de vida, así dicen los sabios. Y en lo profundo de sus oscuros corazones, los Orcos abominaban del Amo a quien servían con miedo, el hacedor que sólo les había dado desdicha. Quizá sea ésta la más vil de las acciones de Melkor, y la más detestada por Ilúvatar.

Oromë se demoró entre los Quendi, y luego volvió cabalgando de prisa por tierra y mar a Valinor y llevó la nueva a Valmar; y habló de las sombras que perturbaban Cuiviénen. Entonces los Valar se regocijaron, aunque aún tenían dudas en medio de su alegría, y durante mucho tiempo debatieron acerca del mejor curso para proteger a los Quendi de la sombra de Melkor. Pero Oromë volvió en seguida a la Tierra Media y habitó con los Elfos.

Manwë estuvo pensando largo tiempo en Taniquetil, y buscó el consejo de Ilúvatar. Y descendiendo luego a Valmar, convocó a los Valar al Anillo del Juicio y aun Ulmo acudió desde el Mar Exterior.

Entonces Manwë dijo a los Valar:

—Éste es el consejo de Ilúvatar en mi corazón: que recobremos otra vez el dominio de Arda a cualquier precio y libremos a los Quendi de la sombra de Melkor.

Tulkas se alegró entonces; pero Aulë se sintió dolido pensando en las heridas que esa lucha abriría en el mundo. Pero los Valar se prepararon y partieron de Aman en pie de guerra, resueltos a atacar la fortaleza de Melkor y ponerle fin. No olvidó Melkor que esta guerra se libró para salvación de los Elfos y que ellos fueron la causa de que él cayera. No obstante, los Elfos no tuvieron parte en esos hechos, y poco saben de la cabalgata del poder del Oeste contra el Norte al principio de sus días.

Melkor salió al encuentro de la arremetida de los Valar en el noroeste de la Tierra Media, y toda esa región quedó muy destruida. Pero la primera victoria de los ejércitos del Occidente fue rápida, y los servidores de Melkor huyeron ante ellos a Utumno. Entonces los Valar cruzaron la Tierra Media y montaron guardia en Cuiviénen; y desde entonces los Quendi nada supieron de la gran Batalla de los Poderes, salvo que la Tierra se sacudía y rugía por debajo de ellos y que las aguas se levantaban y que en el norte brillaban luces como de fuegos poderosos. Largo y penoso fue el sitio, y muchas batallas se libraron delante de las puertas de Utumno, que los Elfos sólo conocieron de oídas. En ese tiempo cambió la forma de la Tierra Media, y el Gran Mar que la separaba de Aman se volvió más ancho y profundo; e irrumpió en las costas y abrió un profundo golfo en el sur. Muchas bahías menores aparecieron entonces entre el Gran Golfo y Helcaraxë, en el lejano norte, donde la Tierra Media y Aman casi se unían. De éstas la Bahía de Balar era la principal; y en ella desembocaba el poderoso Río Sirion, que descendía de las altas tierras recién levantadas en el norte: Dorthonion y las montañas alrededor de Hithlum. La desolación se extendió por las tierras del norte lejano en esos días; pues allí había sido excavada la profunda Utumno y en esos abismos ardían muchos fuegos y se ocultaban las huestes que servían a Melkor.

Pero finalmente las puertas de Utumno fueron derribadas y los techos se hundieron, y Melkor se refugió en el más profundo de los abismos. Entonces Tulkas se adelantó como campeón de los Valar y luchó con él y lo arrojó al suelo; y lo sujetó con la cadena Angainor que Aulë había forjado, y lo llevó cautivo; y de este modo hubo paz en el mundo durante un largo tiempo.

Sin embargo, los Valar no descubrieron todas las poderosas cámaras y cavernas ocultas con malicioso artificio en las profundidades bajo las fortalezas de Angband y Utumno. Muchas cosas malignas había aún allí, y otras se dispersaron y volaron en la oscuridad, y erraron por los sitios baldíos del mundo, a la espera de una hora más maligna; y a Sauron no lo encontraron.

Pero cuando la Batalla hubo terminado, y de las ruinas del norte se levantaban grandes nubes que ocultaban las estrellas, los Valar condujeron a Melkor de regreso a Valinor amarrado de pies y manos y con los ojos vendados; y fue llevado al Anillo del Juicio. Allí yació boca abajo ante los pies de Manwë y pidió perdón; pero esta súplica fue denegada, y lo encerraron en la fortaleza de Mandos, de donde nadie puede huir, ni Vala, ni Elfo, ni Hombre mortal. Vastas y poderosas son esas estancias, y fueron construidas en el oeste de la tierra de Aman. Allí fue condenado Melkor a permanecer por tres edades, antes de que fuera juzgado de nuevo o pidiera otra vez perdón.

Entonces una vez más los Valar se reunieron en consejo y quedaron divididos en el debate. Porque algunos, y de ellos era Ulmo el principal, sostenían que los Quendi tendrían que tener la libertad de andar como quisiesen por la Tierra Media, y con la capacidad de que estaban dotados ordenar todas las tierras y curar sus propias heridas. Pero la mayor parte temía por los Quendi abandonados a los peligros del mundo en el engañoso crepúsculo estelar; y se sentían además enamorados de la belleza de los Elfos y deseaban su compañía. Por tanto, al final los Valar convocaron a los Quendi a Valinor, para reunirse allí a las rodillas de los Poderes bajo la luz de los Árboles para siempre; y Mandos quebró el silencio y dijo:

—Y así ha sido juzgado. —Esta decisión fue causa de muchos daños que vinieron después.

Pero los Elfos en un principio no estuvieron dispuestos a escuchar este llamamiento, porque hasta entonces sólo habían visto a los Valar encolerizados, cuando marchaban a la guerra, excepto a Oromë, y tenían miedo. Por lo tanto, una vez más les fue enviado Oromë, y él escogió entre ellos a los embajadores que irían a Valinor y hablarían en nombre de los Quendi, y estos enviados fueron Ingwë, Finwë y Elwë, que más tarde fueron reyes. Y cuando llegaron y vieron la gloria y la majestad de los Valar, se sintieron sobrecogidos y tuvieron grandes deseos de la luz y el esplendor de los Árboles. Luego Oromë los llevó de vuelta a Cuiviénen, y ellos hablaron al pueblo y aconsejaron escuchar el llamamiento de los Valar y trasladarse al oeste.

Entonces tuvo lugar la primera separación de los Elfos. Porque la gente de Ingwë y la mayor parte de la gente de Finwë y Elwë hicieron caso a las palabras de los señores y se mostraron dispuestos a partir y a seguir a Oromë, y a partir de entonces éstos siempre fueron conocidos como los Eldar, el nombre que Oromë dio a los Elfos en un principio. Pero muchos rechazaron el llamamiento, prefiriendo la luz de las estrellas y los amplios espacios de la Tierra Media al rumor de los Árboles; y éstos son los Avari, los Renuentes, y en esa ocasión se separaron de los Eldar, y nunca más volvieron a encontrarlos hasta pasadas muchas edades.

Los Eldar se aprontaron a emprender una gran marcha desde sus primeras moradas en el este y se dispusieron en tres huestes. La más reducida y la primera en ponerse en marcha era conducida por Ingwë, el más grande de los señores élficos. Entró en Valinor y se sienta a los pies de los Poderes; y todos los Elfos reverencian el nombre de Ingwë, pero nunca regresó ni volvió a ver la Tierra Media. Los Vanyar fueron su pueblo; son los Hermosos Elfos, los bienamados de Manwë y Varda, y pocos de entre los Hombres han hablado con ellos.

Luego llegaron los Noldor, un nombre de sabiduría, el pueblo de Finwë. Son los Elfos Profundos, los amigos de Aulë, y alcanzaron un gran renombre en las canciones, pues mucho lucharon y se afanaron dolorosamente en las tierras septentrionales de antaño.

La hueste más numerosa fue la última en llegar, y recibió el nombre de los Teleri, porque se demoraron en el camino y no todos ellos estaban resueltos a abandonar la penumbra y dirigirse a la luz de Valinor. Encontraban gran deleite en el agua, y los que llegaron por fin a las costas occidentales se enamoraron del mar. Por tanto, se les conoció en la tierra de Aman con el nombre de Elfos del Mar, los Falmari, porque hacían música junto a la rompiente de las olas. Tenían dos señores, pues eran muy numerosos: Elwë Singollo (que significa Mantogrís) y Olwë, su hermano.

Éstos eran los tres clanes de los Eldalië, que llegaron por fin al extremo occidental en los días de los Árboles y reciben el nombre de Calaquendi, Elfos de la Luz. Hubo otros Eldar que emprendieron también la marcha hacia el oeste, pero que se perdieron en el largo camino, o se desviaron o se demoraron en las costas de la Tierra Media; y éstos pertenecían en su mayoría a la gente de los Teleri, como se indica más adelante. Vivieron junto al mar o erraron por los bosques y las montañas del mundo, aunque en lo más íntimo del corazón añoraban el Oeste. A estos Elfos los Calaquendi llaman los Úmanyar, pues nunca llegaron a la tierra de Aman y al Reino Bendecido; pero a los Úmanyar y a los Avari los llaman por igual los Moriquendi, los Elfos de la Oscuridad, pues nunca contemplaron la Luz que había antes del Sol y de la Luna.

Se dice que cuando las huestes de los Eldalië partieron de Cuiviénen, Oromë cabalgó al frente en Nahar, el caballo blanco con herraduras de oro; y al dirigirse al norte bordeando el Mar de Helcar, se volvieron hacia el oeste. Unas grandes nubes negras flotaban todavía en el norte por sobre las ruinas de la guerra, y las estrellas estaban ocultas en esa región. Entonces no pocos se asustaron y se arrepintieron, y se volvieron atrás, y han sido olvidados.

Larga y lenta fue la marcha de los Eldar hacia el oeste, porque las leguas de la Tierra Media eran innumerables, y eran fatigosas y sin sendas. Tampoco tenían prisa los Eldar, pues todo lo que veían los maravillaba, y deseaban morar junto a muchas tierras y ríos; y aunque todos estaban dispuestos a seguir caminando, el final del viaje era para muchos más temido que esperado. Por tanto, toda vez que Oromë se alejaba, por tener que cuidar de otros asuntos, se detenían y ya no avanzaban más hasta que él regresaba para guiarlos. Y sucedió al cabo de muchos años de viajar de este modo, que los Eldar se internaron en un bosque y llegaron a un gran río, más ancho que ninguno que hubieran visto antes; y más allá había montañas de cuernos afilados que parecían horadar el reino de las estrellas. Este río, se dice, era el que más tarde se llamó Anduin el Grande, y sirvió siempre de frontera occidental de la Tierra Media. Pero las montañas eran las Hithaeglir, las Torres de la Niebla en los límites de Eriador, y eran aún más altas y más terribles en aquellos días, y habían sido levantadas por Melkor para entorpecer las cabalgatas de Oromë. Ahora bien, los Teleri se asentaron durante mucho tiempo en la orilla oriental del río y quisieron quedarse allí, pero los Vanyar y los Noldor lo cruzaron y Oromë los condujo por los desfiladeros de las montañas. Y cuando Oromë hubo partido, los Teleri miraron las sombrías alturas y tuvieron miedo.

Entonces uno salió de entre el grupo de Olwë, que era siempre el último en el camino; y se llamaba Lenwë. Abandonó la marcha hacia el oeste y arrastró consigo a muchos que avanzaron hacia el sur junto al gran río, y los otros no supieron nada de ellos hasta después de muchos años. Ellos fueron los Nandor; y se convirtieron en un pueblo aparte, diferente de la gente de Olwë, excepto en el amor que sentían por el agua, y vivieron casi siempre junto a las cascadas y las corrientes. Mayor conocimiento tenían de las criaturas vivientes, de árboles y hierbas, aves y bestias, que todos los otros Elfos. En años posteriores Denethor, hijo de Lenwë, se volvió nuevamente hacia el oeste, y condujo parte de ese pueblo sobre las montañas hacia Beleriand, antes de levantarse la Luna.

Por fin los Vanyar y los Noldor llegaron a Ered Luin, las Montañas Azules, entre Eriador y el extremo oeste de la Tierra Media, que más tarde los Elfos llamaron Beleriand; y los primeros pasaron por el Valle del Sirion y llegaron a las costas del Gran Mar, entre Drengist y la Bahía de Balar. Pero cuando lo contemplaron, tuvieron mucho miedo, y muchos retrocedieron a los bosques y a las tierras altas de Beleriand. Entonces Oromë partió y volvió a Valinor en busca del consejo de Manwë, y los dejó.

Y el grupo de los Teleri pasó por las Montañas Nubladas, y cruzó las extensas tierras de Eriador, conducido por Elwë Singollo, que estaba ansioso por volver a Valinor y a la luz que había contemplado; y deseaba no separarse de los Noldor, porque tenía una gran amistad con Finwë, su señor. Así, al cabo de muchos años, los Teleri llegaron por fin a Ered Luin, en las regiones orientales de Beleriand. Allí se detuvieron y habitaron por un tiempo más allá del Río Gelion.

4

DE THINGOL Y MELIAN

Melian era una Maia, de la raza de los Valar. Moraba en los jardines de Lórien, y no había allí nadie más hermosa que Melian, ni más sabia, ni que conociese mejor las canciones de encantamiento. Se dice que los Valar abandonaban el trabajo y que el bullicio de los pájaros de Valinor se interrumpía, que las campanas de Valmar callaban y que las fuentes dejaban de fluir, cuando al mezclarse las luces Melian cantaba en Lórien. Los ruiseñores iban siempre con ella y ella era quien les enseñaba a cantar; y amaba las sombras profundas de los grandes árboles. Antes de que el Mundo fuera hecho, Melian se parecía a la mismísima Yavanna; y en el tiempo en que los Quendi despertaron junto a las aguas de Cuiviénen, partió de Valinor y llegó a las Tierras de Aquende, y allí poco antes del alba la voz de Melian y las voces de los pájaros llenaron el silencio de la Tierra Media.

Pues bien, cuando el viaje estaba por concluir, como ya se dijo, el pueblo de los Teleri descansó largo tiempo en Beleriand Oriental, más allá del Río Gelion; y en ese entonces muchos de los Noldor estaban todavía al oeste, en esos bosques que luego se llamaron Neldoreth y Region. Elwë, señor de los Teleri, atravesó a menudo los grandes bosques en busca

de Finwë, su amigo, en las moradas de los Noldor; y sucedió
una vez que llegó solo al bosque de Nan Elmoth, iluminado
por las estrellas, y allí escuchó de pronto el canto de los ruiseñores. Entonces cayó sobre él un encantamiento y se quedó
inmóvil; y a lo lejos, más allá de las voces de los *lómelindi*, oyó
la voz de Melian, y el corazón se le colmó de maravilla y deseo. Olvidó entonces por completo a su gente y los propósitos
que lo guiaban, y siguiendo a los pájaros bajo la sombra de los
árboles, penetró profundamente en Nan Elmoth y se extravió. Pero llegó por fin a un claro abierto a las estrellas, y allí se
encontraba Melian; y desde la oscuridad él la contempló, y
vio en el rostro de ella la luz de Aman.

No dijo Melian ni una palabra; pero anegado de amor,
Elwë se le acercó y le tomó la mano, y en seguida un hechizo
operó en él, de modo que así permanecieron los dos mientras
las estrellas que giraban por encima de ellos medían los largos
años, y los árboles de Nan Elmoth se volvieron altos y oscuros
antes de que ninguno pronunciara una palabra.

Así pues, el pueblo de Elwë, que lo buscó, no pudo encontrarlo, y Olwë fue rey de los Teleri y se pusieron en marcha, como se cuenta más adelante. Elwë Singollo no volvió
nunca a través del mar a Valinor, y Melian no volvió allí
mientras los dos reinaron juntos; pero de ella tuvieron, tanto
los Elfos como los Hombres, un aire de los Ainur que estaban
con Ilúvatar antes de Eä. En años posteriores él se convirtió
en un rey renombrado, que mandaba a todos los Eldar de Beleriand; se llamaron los Sindar, los Elfos Grises, los Elfos del
Crepúsculo; y él era el Rey Mantogrís, Elu Thingol en la lengua de esa tierra. Y Melian fue la Reina, más sabia que hijo
alguno de la Tierra Media; y habitaban en las estancias ocultas de Menegroth, las Mil Cavernas, en Doriath. Gran poder
dio Melian a Thingol, que ya era grande entre los Eldar; por-

que sólo él entre todos los Sindar había visto con sus propios ojos a los Árboles en los tiempos de su florecimiento, y aunque era rey de los Úmanyar, no se le consideraba miembro de los Moriquendi, sino de los Elfos de la Luz, poderoso en la Tierra Media. Y, del amor de Thingol y Melian, vino al mundo la más hermosa de todos los Hijos de Ilúvatar que fueron o serán.

5

DE ELDAMAR Y LOS PRÍNCIPES
DE LOS ELDALIË

Con el tiempo, los grupos de los Vanyar y los Noldor llegaron a las últimas costas occidentales de las Tierras de
Aquende. En el norte estas costas, en los antiguos días que siguieron a la Batalla de los Poderes, se curvaban hacia el oeste,
hasta que en el extremo norte de Arda sólo un mar estrecho
dividía Aman, donde se levantaba Valinor, de las Tierras de
Aquende; pero este mar estrecho estaba lleno de hielos cru-
jientes por causa de las potentes heladas de Melkor. Por tanto,
Oromë no condujo a las huestes de los Eldalië hacia el norte
lejano, sino que las llevó a las hermosas tierras en torno al Río
Sirion, que se llamaron más tarde Beleriand; y a partir de estas
costas, desde las que los Eldar contemplaron el Mar por primera vez, con temor y maravilla, se extendía un océano ancho
y oscuro y profundo entre ellos y las Montañas de Aman.

Pues bien, Ulmo, por consejo de los Valar, acudió a las
costas de la Tierra Media y habló con los Eldar que aguardaban allí, contemplando las olas oscuras, y por causa de sus
palabras y de la música que hizo para ellos con cuernos de
madreperla, el temor que les despertaba el mar se convirtió de
algún modo en deseo. Por ello, Ulmo arrancó una isla que

durante mucho tiempo se había levantado solitaria en medio del mar, lejos de ambas costas, desde los tumultos provocados por la caída de Illuin; y con ayuda de sus servidores la arrastró como si fuera un poderoso navío, y la ancló en la Bahía de Balar, en la que se volcaban las aguas del Sirion. Entonces los Vanyar y los Noldor embarcaron en la isla y fueron llevados por el mar, y llegaron por fin a las largas costas bajo las Montañas de Aman; y entraron en la dichosa Valinor y allí fueron bienvenidos. Pero el cuerno oriental de la isla, que estaba profundamente encallado en los bajíos de las Bocas del Sirion, se quebró y quedó atrás; y ésa, se dice, fue la Isla de Balar, que más adelante visitó Ossë con frecuencia.

Pero los Teleri permanecían todavía en la Tierra Media, porque habitaban en Beleriand Oriental, lejos del mar, y no oyeron la convocatoria de Ulmo hasta que fue demasiado tarde; y muchos buscaban todavía a Elwë, su señor, y no estaban dispuestos a partir sin él. Pero cuando supieron que Ingwë y Finwë y sus pueblos habían partido, muchos de los Teleri se precipitaron a las costas de Beleriand y habitaron en adelante cerca de las Bocas del Sirion, añorando a los amigos que habían partido; y escogieron a Olwë, hermano de Elwë, como rey. Largo tiempo se quedaron en las costas del Mar Occidental, y Ossë y Uinen fueron a visitarlos y los ayudaron; y Ossë los instruyó sentado sobre una roca cerca de la orilla de la tierra, y de él aprendieron todas las ciencias del mar y de la música del mar. Así fue que los Teleri, que desde un principio amaron el agua, y eran los mejores cantantes de entre todos los Elfos, se enamoraron luego de los mares, y en sus cantos se oyó con frecuencia el sonido de las olas en la costa.

Transcurrieron muchos años y Ulmo escuchó las plegarias de los Noldor y de Finwë, el rey, quienes lamentaban la larga separación de los Teleri, y le rogaban que los llevara a Aman, si estaban dispuestos a ir. Y la mayor parte de ellos estaban ahora muy ansiosos de partir; pero grande fue el dolor de Ossë cuando Ulmo volvió a las costas de Beleriand para llevárselos a Valinor; pues él cuidaba de los mares de la Tierra Media y de las costas de las Tierras de Aquende, y le entristecía que las voces de los Teleri ya no se escucharan en ese dominio. A algunos los persuadió de que se quedaran; y fueron ellos los Falathrim, los Elfos de las Falas, quienes en días posteriores moraron en los puertos de Brithombar y Eglarest, los primeros marineros de la Tierra Media y los primeros carpinteros de barcos. Círdan, el Carpintero de Barcos, fue señor de todos ellos.

Los parientes y amigos de Elwë Singollo también se quedaron en las Tierras de Aquende, pues lo buscaban todavía, aunque de buena gana hubieran partido a Valinor y a la luz de los Árboles, si Ulmo y Olwë hubieran estado dispuestos a demorarse un tanto. Pero Olwë quería irse; y por fin el grupo principal de los Teleri se embarcó en la isla y Ulmo se los llevó lejos. Entonces los amigos de Elwë quedaron atrás, y se dieron a sí mismos el nombre de Eglath, el Pueblo Abandonado. Vivieron en los bosques y las colinas de Beleriand en lugar de hacerlo junto al mar, que los ponía nostálgicos; pero llevaban siempre en los corazones el deseo de Aman.

Pero cuando Elwë despertó de aquel prolongado trance, acudió desde Nan Elmoth en compañía de Melian, y desde entonces vivieron en los bosques interiores. Aunque mucho había deseado volver a ver la luz de los Árboles, en la cara de Melian contemplaba la luz de Aman como en un espejo sin nubes, y esa luz le bastaba. Las gentes se reunieron alrededor de él, regocijadas y asombradas porque, aunque había sido hermoso y noble, parecía ahora un señor de los Maiar: los cabellos de plata gris, y de estatura más elevada que ninguno de los Hijos de Ilúvatar; y le esperaba un muy alto destino.

Las costas de Faery

Ossë siguió a la hueste de Olwë, y cuando hubieron llegado a la Bahía de Eldamar (que es el Hogar de los Elfos), los convocó a todos; y ellos reconocieron la voz y rogaron a Ulmo que detuviera el viaje. Y Ulmo accedió, y llamó a Ossë, que amarró la isla y la arraigó en los cimientos marinos. Lo hizo Ulmo de buen grado, pues comprendía el corazón de los Teleri, y en el consejo de los Valar había hablado en contra del llamamiento, pues creía mejor para los Quendi que se quedaran en la Tierra Media. Los Valar se alegraron muy poco al enterarse de lo que había hecho; y Finwë se lamentó ante la ausencia de los Teleri y más todavía cuando supo que habían abandonado a Elwë, y que ya no volvería a verlo excepto en las Estancias de Mandos. Pero la isla no volvió a ser movida y quedó allí sola en la Bahía de Eldamar; y recibió el nombre de Tol Eressëa, la Isla Solitaria. Allí habitaron los Teleri como lo desearon bajo las estrellas del cielo, y sin embargo a la vista de Aman y de las costas inmortales; y por esa larga estadía en la Isla Solitaria la lengua de ellos fue separándose de la de los Vanyar y los Noldor.

A éstos les habían dado los Valar una tierra y una morada. Aun entre las flores radiantes de los jardines, iluminados por los Árboles de Valinor, deseaban a veces contemplar las estrellas; y por ello se abrió un hueco en los grandes muros de las Pelóri, y allí en un valle profundo que descendía hasta el mar, los Eldar levantaron una elevada colina verde: Túna se la llamó. La luz de los Árboles se derramaba sobre ella desde el oeste y, la sombra apuntaba siempre al este, a la Bahía del Hogar de los Elfos y la Isla Solitaria y los Mares Sombríos. Entonces a través del Calacirya, el Paso de la Luz, el resplandor del Reino Bendecido fluía encendiendo las oscuras olas de plata y de oro, y rozaba la Isla Solitaria, y la costa occidental se volvió verde y hermosa. Allí se abrieron las primeras flores que hubo al este de las Montañas de Aman.

En lo alto de Túna se levantó la ciudad de los Elfos, los blancos muros y terrazas de Tirion; y la más alta torre de esa ciudad fue la Torre de Ingwë, Mindon Eldaliéva, cuya lámpara de plata era visible desde lejos, brillando entre las nieblas del mar. Pocos son los barcos de los Hombres mortales que hayan visto ese esbelto rayo de luz. En Tirion, sobre Túna, los Vanyar y los Noldor vivieron largo tiempo como amigos. Y de cuanto había en Valinor amaban sobre todo al Árbol Blanco, de modo que Yavanna hizo para ellos un árbol menor a imagen de Telperion, aunque no daba luz propia, Galathilion se llamó en lengua sindarin. Este árbol se plantó en el patio bajo la Mindon, y allí floreció y los hijos de sus semillas fueron muchos en Eldamar. De entre éstos uno fue plantado más tarde en Tol Eressëa, y prosperó allí y recibió el nombre de Celeborn; de él nació en la plenitud del tiempo, como se cuenta en otra parte, Nimloth, el Árbol Blanco de Númenor.

Manwë y Varda amaban sobre todo a los Vanyar, los Hermosos Elfos; pero los Noldor eran los amados de Aulë, y él y los suyos los visitaban con frecuencia. Grandes fueron los conocimientos y habilidades que mostraron, pero más grande aún era su sed de más conocimientos, y en muchas cosas pronto superaron a los maestros. Hablaban un lenguaje que no dejaba de cambiar, porque sentían un gran amor por las palabras y siempre querían encontrar nombres más precisos para las cosas que conocían o imaginaban. Y sucedió que los albañiles de la casa de Finwë, que excavaban en las colinas en busca de piedra (pues se deleitaban en la construcción de altas torres), descubrieron por primera vez las gemas de la tierra, y las extrajeron en incontables miríadas; e inventaron herramientas para cortar las gemas y darles forma y las tallaron de múltiples maneras. No las atesoraron, sino que las repartieron libremente, y con este trabajo enriquecieron a toda Valinor.

Los Noldor volvieron más adelante a la Tierra Media, y esta historia habla sobre todo de lo que allí hicieron, por tanto, los nombres y parentescos de los príncipes pueden señalarse aquí en la forma que esos nombres tuvieron más tarde en la lengua élfica de Beleriand.

Finwë era Rey de los Noldor. Los hijos de Finwë fueron Fëanor y Fingolfin y Finarfin; pero la madre de Fëanor fue Míriel, llamada Serindë, mientras que Indis, de los Vanyar, fue la madre de Fingolfin y Finarfin.

Fëanor era el más poderoso en habilidades de manos y de palabra, y más instruido que sus hermanos; su espíritu ardía como una llama. Fingolfin era el más fuerte, el más firme y el más valiente. Finarfin era el más hermoso y el más sabio de corazón; y más tarde fue amigo de los hijos de Olwë, Señor de los Teleri, y tuvo por esposa a Eärwen, la doncella-cisne de Alqualondë, hija de Olwë.

Los siete hijos de Fëanor fueron Maedhros el alto; Maglor el poderoso cantor, cuya voz se escuchaba desde lejos por sobre las tierras y el mar; Celegorm el hermoso, y Caranthir el oscuro; Curufin el hábil, que del padre heredó sobre todo la habilidad manual; y los más jóvenes, Amrod y Amras, que eran gemelos, iguales de temple y rostro. En días posteriores fueron grandes cazadores en los bosques de la Tierra Media; y también fue cazador Celegorm, quien en Valinor fue amigo de Oromë y siguió a menudo el cuerno del Vala. Los hijos de Fingolfin fueron Fingon, que fue luego Rey de los Noldor en el norte del mundo, y Turgon señor de Gondolin; su hermana era Aredhel la Blanca, más joven en los años de los Eldar que sus hermanos; y cuando alcanzó la plenitud en estatura y belleza, fue alta y fuerte, y amaba cabalgar y cazar en los bosques. Allí acompañaba a menudo a los hijos de Fëanor, sus parientes; pero a ninguno de ellos dio el amor de su corazón.

Ar-Feiniel se llamaba, la Blanca Señora de los Noldor, porque era pálida, aunque de cabellos oscuros, y nunca vestía sino de plata y blanco.

Los hijos de Finarfin fueron Finrod el fiel (que recibió más adelante el nombre de Felagund, Señor de las Cavernas), Orodreth, Angrod y Aegnor; los cuatro eran tan amigos de los hijos de Fingolfin como si todos hubieran sido hermanos. La hermana de ellos, Galadriel, era la más hermosa de la casa de Finwë; tenía los cabellos iluminados de oro, como si hubiera atrapado en una red el resplandor de Laurelin.

Ha de referirse aquí cómo los Teleri llegaron por fin a la tierra de Aman. Durante toda una larga edad habitaron en Tol Eressëa; pero poco a poco hubo un cambio en ellos y fueron atraídos por la luz que fluía sobre el mar hacia la Isla Solitaria. Se debatían entre el amor a la música de las olas sobre las costas y el deseo de ver otra vez a las gentes de su linaje, y contemplar el esplendor de Valinor; pero al final, el deseo de la luz fue el más poderoso. Por tanto, Ulmo, plegándose a la voluntad de los Valar, les envió a Ossë, amigo de ellos, y éste, aunque entristecido, les enseñó el arte de construir naves, y cuando las naves estuvieron construidas, les llevó como regalo de despedida muchos cisnes de alas vigorosas. Entonces los cisnes arrastraron las blancas naves de los Teleri sobre el mar sin vientos; y así, por último y siendo los últimos, llegaron a Aman y a las costas de Eldamar.

Allí vivieron, y si lo deseaban podían ver la luz de los Árboles, e ir por las calles doradas de Valmar y las escaleras de cristal de Tirion, en Túna, la colina verde; pero sobre todo navegaban en las rápidas naves por las aguas de la Bahía del Hogar de los Elfos o andaban entre las olas en la costa con los cabellos resplandecientes a la luz de más allá de la colina. Muchas joyas les dieron los Noldor, ópalos y diamantes y cristales pálidos, que ellos esparcieron sobre las costas y arrojaron a los estanques; maravillosas eran las playas de Elendë en aquellos días. Y extrajeron muchas perlas del mar, y sus estancias eran de perlas, y de perlas las mansiones de Olwë, en Alqualondë, el Puerto de los Cisnes, iluminado por muchas lámparas. Porque ésa era la ciudad de los Teleri, y el puerto de sus navíos; y éstos tenían forma de cisnes, con picos de oro y ojos de oro y azabache. La entrada del puerto era un arco abierto en la roca viva tallada por las aguas; y se alzaba en los confines de Eldamar, al norte del Calacirya, donde la luz de las estrellas era clara y brillante.

Con el paso de las edades los Vanyar llegaron a amar la tierra de los Valar y la plena luz de los Árboles, y abandonaron la ciudad de Tirion, sobre Túna, y habitaron en adelante en la montaña de Manwë o en los alrededores de las llanuras y los bosques de Valinor, y se separaron de los Noldor. Pero el recuerdo de la Tierra Media bajo las estrellas no se borró en el corazón de los Noldor, y moraron en el Calacirya, y en las colinas y los valles a donde llegaba el sonido del mar occidental; y aunque muchos de entre ellos iban a menudo a la tierra de los Valar, emprendiendo viajes distantes y explorando los secretos de la tierra y del agua y de todos los seres vivientes, sin embargo, los pueblos de Túna y de Alqualondë estaban unidos en aquellos días. Finwë reinaba en Tirion y Olwë en Alqualondë, pero Ingwë fue siempre tenido por el Alto Rey de todos los Elfos. Moró en adelante a los pies de Manwë, en Taniquetil.

Fëanor y sus hijos rara vez vivían en un mismo lugar mucho tiempo y viajaban muy lejos por los confines de Valinor, llegando aun hasta los bordes de la Oscuridad y las frías costas del Mar Exterior en busca de lo desconocido. Con frecuencia eran huéspedes en los salones de Aulë; pero Celegorm iba sobre todo a la morada de Oromë, y allí adquirió un gran conocimiento de los pájaros y las bestias, y entendía todas sus lenguas. Porque todos los seres vivientes que están o han estado en el Reino de Arda, salvo sólo las criaturas salvajes y malignas de Melkor, vivían entonces en la tierra de Aman; y había también muchas criaturas nunca vistas en la Tierra Media y que quizá tampoco se verán ahora, pues la hechura del mundo ha cambiado.

6

DE FËANOR Y EL DESENCADENAMIENTO DE MELKOR

Ahora los Tres Pueblos de los Eldar estaban reunidos por fin en Valinor, y Melkor había sido encadenado. Era éste el Mediodía del Reino Bendecido, en la plenitud de su gloria y bienaventuranza, largo en cómputo de años, pero demasiado breve en el recuerdo. En esos días los Eldar alcanzaron la plena madurez de cuerpo y mente, y los Noldor continuaron progresando en habilidades y conocimientos; y pasaban los largos años entretenidos en gozosos trabajos de los que nacieron muchas cosas nuevas, hermosas y maravillosas. Ocurrió en ese entonces que los Noldor concibieron por vez primera las letras, y el maestro Rúmil de Tirion fue el primero en idear unos signos adecuados para recoger por escrito el discurso y las canciones; algunos para ser grabados en metal o en piedra, otros para ser dibujados con pluma o pincel.

En ese tiempo nació en Eldamar, en la morada del Rey de Tirion, en la cima de Túna, el mayor de los hijos de Finwë, y el más amado. Curufinwë fue su nombre, pero su madre lo llamó Fëanor, Espíritu de Fuego; y así se lo recuerda en todos los cuentos de los Noldor.

Míriel fue el nombre de su madre, a quien llamaban Serindë, por su suprema habilidad en el tejido y el bordado, pues no había manos más diestras que las de ella entre todos los Noldor. El amor entre Finwë y Míriel era grande y dichoso, porque empezó en el Reino Bendecido en los Días de la Bendición. Pero el alumbramiento del hijo consumió el espíritu y el cuerpo de Míriel; que deseó entonces librarse de los cuidados de la vida. Y después de darle nombre, dijo a Finwë:

—Nunca volveré a concebir un hijo; porque la fuerza que habría nutrido a muchos se ha agotado toda en Fëanor.

Se apenó entonces Finwë, porque los Noldor estaban en la juventud de sus días y él deseaba traer muchos hijos a las dichosas tierras de Aman; y dijo:

—Sin duda hay cura en Aman. Aquí toda fatiga encuentra reposo.

Pero como Míriel continuaba languideciendo, Finwë buscó el consejo de Manwë, y Manwë la entregó a los cuidados de Irmo, en Lórien. Cuando se despidieron (por corto tiempo, creyó él), Finwë estaba triste, porque le parecía una desdicha que la madre tuviera que partir y no acompañara a su hijo al menos en los primeros días de infancia.

—Es por cierto una desdicha —dijo Míriel—, y lloraría si no estuviera tan cansada. Pero considérame inocente en esto y en todo lo que pueda acaecer en adelante.

Fue entonces a los jardines de Lórien, donde se acostó; pero aunque parecía dormida, en verdad el espíritu se le separó del cuerpo, y se trasladó en silencio a las Estancias de Mandos. Las doncellas de Estë cuidaron del cuerpo de Míriel, que permaneció incorrupto; pero ella ya no volvió. Entonces Finwë vivió atormentado; y fue a menudo a los jardines de Lórien, y sentado debajo de los sauces de plata junto al cuerpo de Míriel, la llamaba por todos los nombres que ella tenía, pero siempre en vano; y en todo el Reino Bendecido Finwë era el único privado de alegría. Al cabo de un tiempo, ya no volvió a Lórien.

Y desde entonces se dedicó por entero a su hijo; y Fëanor creció de prisa, como si un fuego secreto lo animara desde dentro. Era alto, y hermoso de rostro, e imperioso, de ojos de brillo penetrante y cabellos negros como plumas de cuervo; decidido e inquebrantable en la persecución de todos sus propósitos. Pocos lo desviaron de su camino por persuasión, ninguno por la fuerza. Fue entre todos los Noldor, entonces o después, el más sutil de mente y el de manos más hábiles. En su juventud, superando la obra de Rúmil, inventó las letras que llevan su nombre y que luego los Eldar utilizaron siempre; y fue él el primero entre los Noldor en descubrir que con habilidad podían hacerse gemas más grandes y brillantes que las de la Tierra. Las primeras gemas que hizo Fëanor eran blancas e incoloras, pero expuestas a la luz de las estrellas resplandecían con fuegos azules y plateados más brillantes que Helluin; y otros cristales hizo además en los que las cosas distantes podían verse pequeñas pero claras, como con los ojos de las Águilas de Manwë. Rara vez estaban ociosas las manos y la mente de Fëanor.

Cuando estaba todavía en su primera juventud, desposó a Nerdanel, la hija de un gran herrero llamado Mahtan, entre los Noldor el más amado de Aulë; y de Mahtan aprendió mucho sobre la elaboración de las cosas de metal y piedra. Nerdanel era también de firme voluntad, pero más paciente que Fëanor, deseando antes comprender las mentes que dominarlas, y al principio ella lo retenía cuando el fuego del corazón de Fëanor ardía demasiado; pero las cosas que él hizo luego la entristecieron, y se distanciaron. Siete hijos dio a Fëanor; y el temple de ella fue transmitido a algunos de ellos, pero no a todos.

Sucedió entonces que Finwë tomó como segunda esposa a Indis la Bella. Era una Vanya, pariente próxima de Ingwë el Alto Rey; alta y de cabellos dorados, en nada parecida a Míriel. Finwë la amó mucho y fue otra vez dichoso. Pero la sombra de Míriel no abandonó la casa de Finwë, ni tampoco su corazón; y de todos los que él amaba, Fëanor siempre ocupó la mayor parte de sus pensamientos.

El casamiento de su padre no fue del agrado de Fëanor; y no tuvo gran estima por Indis, ni tampoco por Fingolfin ni por Finarfin, los hijos de ella. Vivió apartado explorando la tierra de Aman y ocupándose del conocimiento y las artes en que se deleitaba. Muchos pensaron que esta ruptura dentro del seno de la familia de Finwë fue la razón de los infelices acontecimientos protagonizados por Fëanor que más tarde ocurrieron, juzgando que si Finwë hubiera soportado la pérdida de Míriel, y se hubiera contentado con tener un único y poderoso hijo, otros habrían sido los caminos de Fëanor y muchos males podrían haberse evitado; porque el dolor y la disputa en la casa de Finwë han quedado grabados en la memoria de los Elfos Noldorin. Pero los hijos de Indis fueron grandes y gloriosos, y también los hijos de los hijos; y si no hubieran vivido, la historia de los Eldar no habría tenido nunca la misma grandeza.

Ahora bien, aun mientras Fëanor y los artesanos de los Noldor trabajaban con deleite, sin pensar que esas labores pudieran tener fin, y los hijos de Indis crecían y alcanzaban la plenitud, el Mediodía de Valinor estaba ya concluyendo. Porque sucedió que Melkor, como lo habían decretado los Valar, completó el término de su confinamiento aislado, después de haber pasado tres edades en la prisión de Mandos. Por fin, como Manwë lo había prometido, fue llevado nuevamente ante los tronos de los Valar. Los vio entonces en toda su gloria y bienaventuranza, y la envidia le ganó el corazón; miró a los Hijos de Ilúvatar que estaban sentados a los pies de los Poderosos, y el odio lo dominó; miró la riqueza de brillantes gemas y sintió codicia; pero ocultó sus pensamientos y postergó su venganza.

Ante las puertas de Valmar, Melkor se rebajó a los pies de Manwë, y pidió perdón, prometiendo que si lo convertían sólo en el menor de los habitantes libres de Valinor, ayudaría a los Valar en todas sus tareas, principalmente en la curación de las muchas heridas que él mismo había abierto en el mundo. Y Nienna apoyó este alegato; pero Mandos no dijo una palabra.

Entonces Manwë le concedió el perdón; pero los Valar no permitieron que se apartara en seguida de la vista y la vigilancia de ellos, y tuvo que habitar dentro de los confines de Valmar. Pero de hermosa apariencia eran todas las palabras y los hechos de Melkor en este tiempo, y tanto los Valar como los Eldar sacaban provecho de su ayuda y consejos, si los buscaban; y por tanto al cabo de un tiempo se le permitió circular libremente por la tierra, y pareció a Manwë que Melkor estaba curado de todo mal. Porque no había mal en Manwë y no podía comprenderlo, y sabía que en el principio, en el pensamiento de Ilúvatar, Melkor había sido como él; y no veía las profundidades del corazón de Melkor y no advertía que el amor lo había abandonado para siempre. Pero Ulmo no se engañó, y Tulkas cerraba los puños cada vez que veía pasar a Melkor, el enemigo; porque si Tulkas es lento para la cólera, lo es también para olvidar. Pero obedecían el juicio de Manwë; pues quienes defienden la autoridad contra la rebelión, no han de rebelarse ellos mismos.

Ahora bien, en su corazón era a los Eldar a quienes más odiaba Melkor, tanto porque eran hermosos y felices, como porque en ellos veía la causa de la elevación de los Valar y la de su propia caída. Por ese motivo, tanto más fingía amarlos y buscaba la amistad de los Eldar, y les ofrecía el servicio de su ciencia y de su trabajo en toda gran empresa que ellos emprendiesen. Los Vanyar, por cierto, sospechaban de él, pues habitaban a la luz de los Árboles y eran dichosos; y Melkor prestaba poca atención a los Teleri, pues los consideraba de escaso valor, instrumentos en exceso débiles para sus designios. Pero los Noldor se complacían en el conocimiento oculto que podía revelarles; y algunos escuchaban palabras que mejor les hubiera valido no haber oído nunca. Melkor en verdad declaró después que Fëanor había aprendido muchas destrezas de él en secreto, y que él lo había instruido en la más grande de todas sus obras; pero mentía por envidia y codicia, pues ninguno de los Eldalië odió nunca tanto a Melkor como Fëanor hijo de Finwë, quien por primera vez le dio el nombre de Morgoth; y aunque atrapado en las redes de la malicia de Melkor contra los Valar, no habló con él, ni buscó su consejo. Porque sólo el fuego de su propio corazón impulsaba a Fëanor, que trabajaba siempre de prisa y solo; y nunca pidió la ayuda ni buscó el consejo de nadie que habitara en Aman, fuera grande o pequeño, excepto sólo y por un corto tiempo los de su esposa, Nerdanel la Sabia.

7

DE LOS SILMARILS Y LA INQUIETUD DE LOS NOLDOR

En ese tiempo se hizo la que luego tuvo más renombre entre las obras de los Elfos. Porque Fëanor, llegado a la plenitud de su capacidad, había concebido un nuevo pensamiento, o quizás ocurrió que una sombra de presciencia le había llegado del destino que se acercaba; y se preguntaba cómo la luz de los Árboles, la gloria del Reino Bendecido, podría preservarse de un modo imperecedero. Entonces inició una labor larga y secreta, recurriendo a toda la ciencia y el poder que poseía y a sus sutiles habilidades; y al cabo hizo los Silmarils.

Los Silmarils tenían la forma de tres grandes joyas. Pero no hasta el Fin, cuando regrese Fëanor, que pereció antes de que el Sol apareciese, y que se sienta ahora en las Estancias de Espera y no vuelve entre los suyos; no hasta que el Sol perezca y caiga la Luna, se conocerá la sustancia de que fueron hechos. Tenía la apariencia del cristal de diamante, y sin embargo era más inquebrantable todavía, de modo que ninguna violencia podía dañarla o romperla en el Reino de Arda. No obstante, ese cristal era a los Silmarils lo que es el cuerpo a los Hijos de Ilúvatar: la casa del fuego interior, que está dentro de él y sin embargo también en todas sus partes, y que le da vida.

Y el fuego interior de los Silmarils lo hizo Fëanor con la luz mezclada de los Árboles de Valinor, que vive todavía en ellos, aunque los Árboles hace ya mucho que se han marchitado y ya no brillan. Por tanto, aun en la oscuridad de las más profundas arcas los Silmarils resplandecían con luz propia, como las estrellas de Varda; y sin embargo, como si fueran en verdad criaturas vivientes, se regocijaban en la luz y la recibían y la devolvían con matices aún más maravillosos.

Todos los que vivían en Aman sintieron asombro y deleite ante la obra de Fëanor. Y Varda consagró los Silmarils, de modo que en adelante ninguna carne mortal, ni manos maculadas, ni nada maligno podría tocarlos sin quemarse y marchitarse; y Mandos predijo que ellos guardaban dentro los destinos de Arda, la tierra, el mar y el aire. El corazón de Fëanor estaba estrechamente apegado a esas cosas que él mismo había hecho.

Entonces Melkor codició los Silmarils, y le bastaba recordar cómo brillaban para que un fuego le royese el corazón. De ahí en adelante, inflamado por este deseo, buscó ansiosamente, incluso más que antes, la manera de destruir a Fëanor y de poner fin a la amistad entre los Valar y los Elfos; pero ocultó estos propósitos con astucia, y ninguna malicia podía verse en el semblante que mostraba. Mucho tiempo trabajó, y lentas al principio y baldías fueron sus labores. Pero al que siembra mentiras le llega a la larga el tiempo de la cosecha, y pronto puede echarse a descansar mientras otros recogen y siembran en su lugar. Melkor siempre encontró oídos que lo escucharan, y algunas lenguas que agrandaran lo que habían oído; y sus mentiras pasaron de amigo a amigo como secretos cuyo conocimiento demuestra la inteligencia de quien los revela. Amargamente pagaron los Noldor la locura de haberle prestado oídos en los días que siguieron.

Cuando vio que muchos lo aceptaban, Melkor anduvo con frecuencia entre ellos, y junto con las palabras dulces entretejía otras, con tanta sutileza que muchos de los que las escuchaban creían al recordarlas que eran pensamientos propios. Conjuraba visiones en sus corazones de los poderosos reinos del este que podrían haber gobernado a voluntad; y cundió el rumor de que los Valar habían llevado a los Eldar a Aman por causa de los celos, temiendo que la belleza de los Quendi y la capacidad de creación con que Ilúvatar los había dotado se volvieran excesivas y que los Valar no fueran capaces de gobernarlos, mientras los Elfos medraban y se extendían por las anchas tierras del mundo.

Además, en esos días, aunque los Valar tenían conocimiento de la próxima llegada de los Hombres, los Elfos nada sabían aún, pues Manwë no la había revelado. Pero Melkor les habló en secreto de los Hombres Mortales, viendo cómo el silencio de los Valar podría torcerse para mal. Poco sabía él de los Hombres, pues inmerso en sus propios pensamientos musicales, apenas había prestado atención al Tercer Tema de Ilúvatar; pero se rumoreaba ahora entre los Elfos que Manwë los mantenía cautivos, para que los Hombres pudieran llegar y suplantarlos en los reinos de la Tierra Media. Porque advertían los Valar que no les sería tan difícil someter a esta raza de corta vida y más débil, arrebatando así a los Elfos el legado que Ilúvatar les reservaba. Poca verdad había en esto y jamás lograron los Valar tener gran dominio de la voluntad de los Hombres; pero muchos de los Noldor creyeron, o creyeron a medias, estas palabras malignas.

Así pues, antes de que los Valar se dieran cuenta, la paz de Valinor fue envenenada. Los Noldor empezaron a murmurar contra ellos y el orgullo dominó a muchos, que olvidaron cuánto de lo que tenían y conocían era don de los Valar. En el corazón ansioso de Fëanor la nueva llama del deseo de libertad y de anchos reinos ardía con más fiereza; y Melkor se reía en secreto, porque ese había sido el objetivo de sus mentiras: era a Fëanor a quien odiaba sobre todo, codiciando siempre los Silmarils. Pero a éstos no le estaba permitido acercarse porque, aunque Fëanor los llevaba en las grandes fiestas, brillantes sobre la frente, en toda otra ocasión estaban bien guardados en las cámaras profundas del tesoro que guardaba en Tirion. Porque Fëanor empezó a amar los Silmarils con amor codicioso, y los ocultaba a todos excepto a su padre y sus siete hijos; rara vez recordaba ahora que la luz que albergaban no era suya.

Ilustres príncipes fueron Fëanor y Fingolfin, los hijos mayores de Finwë, honrados por todos en Aman; pero ahora ambos se habían vuelto orgullosos y celosos de sus derechos y bienes. Entonces Melkor diseminó nuevas mentiras en Eldamar, y a Fëanor le llegó el rumor de que Fingolfin y sus hijos planeaban usurpar el trono de Finwë y el mayorazgo de Fëanor, y suplantarlos con permiso de los Valar, porque disgustaba a los Valar que los Silmarils estuvieran en Tirion y no hubieran sido confiados a ellos. Pero a Fingolfin y a Finarfin se les dijo:

—¡Cuidaos! Poco amor ha sentido hasta hoy el orgulloso hijo de Míriel por los hijos de Indis. Ahora se ha engrandecido y tiene al padre en un puño. ¡No pasará mucho tiempo antes de que os expulse de Túna!

Y cuando Melkor vio que estas mentiras ardían como brasas, y que habían despertado el orgullo y la cólera entre los Noldor, les habló de las armas; y en ese tiempo los Noldor empezaron a forjar espadas y hachas y lanzas. También hicieron escudos con los signos de muchas casas y clanes que rivalizaban entre sí; y era lo único que llevaban abiertamente, y de otras armas no hablaban porque cada cual creía que sólo él había recibido la advertencia. Y Fëanor construyó una fragua secreta que ni siquiera Melkor conocía; y allí templó crueles espadas para él y para sus hijos, e hizo altos yelmos con penachos rojos. Amargamente lamentó Mahtan el día en que enseñó al marido de Nerdanel toda la ciencia de la metalurgia que él había aprendido de Aulë.

Así, con mentiras y malignos rumores y falsos consejos, Melkor incitó a los Noldor a que lucharan; y de esas disputas llegó con el tiempo el fin de los días ilustres de Valinor y el declive de su antigua gloria. Porque Fëanor empezó ahora a pronunciarse abiertamente contra los Valar, clamando a voces que abandonaría Valinor para volver al mundo de fuera, y que libraría a los Noldor de la opresión, si ellos estaban dispuestos a seguirlo.

Entonces hubo gran inquietud en Tirion, y Finwë se sintió perturbado; y convocó a todos sus señores a celebrar consejo. Pero Fingolfin corrió al palacio de Finwë y se le puso delante diciendo:

—Rey y padre, ¿no refrenarás el orgullo de nuestro hermano, Curufinwë, demasiado bien llamado Espíritu de Fuego? ¿Con qué derecho habla en nombre de todo nuestro pueblo como si él fuera el rey? Tú fuiste quien ya hace mucho aconsejó a los Quendi que aceptaran el llamamiento de los Valar a Aman. Tú fuiste quien condujo a los Noldor por el largo camino a través de los peligros de la Tierra Media a la luz de Eldamar. Si no te arrepientes ahora de tus palabras, al menos tienes dos hijos que te serán fieles.

Pero mientras todavía hablaba Fingolfin, entró Fëanor en la cámara, armado de arriba abajo: llevaba un alto yelmo en la cabeza, y al costado una poderosa espada.

—De modo que es como lo había adivinado —dijo—. Mi medio hermano se me adelanta al encuentro de mi padre en este asunto como en todo lo demás.

Luego, volviéndose hacia Fingolfin, desenvainó la espada y gritó:

—¡Fuera de aquí y ocupa el lugar que te corresponde!

Fingolfin se inclinó ante Finwë y sin decir una palabra, y evitando mirar a Fëanor, abandonó el aposento. Pero Fëanor lo siguió, y lo detuvo a las puertas de la casa del rey; y apoyó la punta de la brillante espada contra el pecho de Fingolfin.

—¡Mira, medio hermano! —dijo—. Esto es más afilado que tu lengua. Trata sólo una vez más de usurpar mi sitio y el amor de mi padre, y quizá libraré a los Noldor del que ambiciona convertirse en conductor de esclavos.

Muchos escucharon estas palabras, porque la casa de Finwë estaba en la gran plaza bajo la Mindon; pero tampoco esta vez Fingolfin respondió, y avanzando en silencio entre la multitud fue en busca de Finarfin, su hermano.

Ahora bien, a los Valar no se les había escapado la inquietud de los Noldor, pero la semilla de esta inquietud había sido sembrada en la oscuridad; y, como Fëanor fue quien primero habló en contra de los Valar, éstos creyeron que él era el promotor del descontento, pues tenía reputación de obstinado y arrogante, aunque todos los Noldor eran ahora orgullosos. Y Manwë estaba apenado, pero observó y no dijo palabra alguna. Los Valar habían traído a los Eldar a aquellas tierras sin quitarles la libertad, y eran libres de morar en ella o de partir; y aunque juzgaran que la partida era una locura, no la impedirían. Pero ahora no podían obviar la conducta de Fëanor, y los Valar estaban enfadados y afligidos; y Fëanor fue llamado a comparecer ante ellos a las puertas de Valmar, para que respondiera de todas sus palabras y actos. También fueron convocados todos los otros que habían tenido parte en este asunto o algún conocimiento de él; y a Fëanor, de pie ante Mandos en el Anillo del Juicio, se le ordenó que respondiese a todo lo que se le preguntara. Entonces, por fin la raíz quedó al desnudo, y la malicia de Melkor fue revelada; y sin demora Tulkas abandonó el consejo para echarle mano y llevarlo de nuevo a juicio. Pero no se consideró que Fëanor era inocente, porque él había sido el que quebrantara la paz en Valinor y desenvainara la espada contra su pariente; y Mandos le dijo:

—Tú hablas de esclavitud. Si esclavitud es en verdad, no puedes escaparte; porque Manwë es Rey de Arda y no sólo de Aman. Y esa acción fue contra la ley, fuera en Aman o no. Por tanto, este juicio se dicta ahora: por doce años abandonarás Tirion, donde se habló de esta amenaza. En ese tiempo reflexiona y recuerda quién y qué eres. Pero al cabo de ese tiempo, este asunto se considerará saldado y enmendado, si hay gente que esté dispuesta a perdonarte.

Entonces Fingolfin dijo:

—Yo perdonaré a mi hermano. —Pero Fëanor no dio respuesta alguna allí ante los Valar. En seguida se volvió y abandonó el consejo y partió de Valmar.

Junto con él partieron al destierro sus siete hijos, y al norte de Valinor construyeron una plaza fuerte y cámaras de tesoros; y allí, en Formenos, se atesoró un gran número de gemas, y también armas, y los Silmarils fueron guardados en una cámara de hierro. Allí fue también Finwë, el Rey, por causa del amor que profesaba a Fëanor; y Fingolfin gobernó a los Noldor en Tirion. Así, las mentiras de Melkor se hicieron verdad en apariencia, aunque Fëanor, con su propia conducta, había sido causa de que esto ocurriese; y la amargura que Melkor había sembrado subsistió, y sobrevivió todavía mucho tiempo entre los hijos de Fingolfin y Fëanor.

Al saber Melkor que sus maquinaciones habían sido descubiertas, se escondió y se trasladó de sitio en sitio como una nube en las colinas, y Tulkas lo buscó en vano. Entonces le pareció al pueblo de Valinor que la luz de los Árboles había menguado, y que la sombra de todas las cosas erguidas se alargaba y se oscurecía.

Se dice que por un tiempo no volvió a verse a Melkor en Valinor ni tampoco se oían rumores acerca de él, hasta que un buen día apareció y habló con Fëanor ante las puertas de Formenos. Fingió amistad con argumentos astutos e insistió en que volviera a pensar en librarse de las redes de los Valar; y dijo:

—Considera la verdad de todo cuanto he dicho y cómo has sido desterrado injustamente. Pero si el corazón de Fëanor es todavía libre y audaz como lo fueron sus palabras en Tirion, entonces lo ayudaré y lo llevaré lejos de la estrechez de esta tierra. Pues ¿acaso no soy yo también un Vala? Sí, y más todavía que los que moran orgullosos en Valimar; y he sido siempre amigo de los Noldor, el más valiente y capaz de los pueblos de Arda.

Todavía había amargura en el corazón de Fëanor por la humillación sufrida ante Mandos, y miró a Melkor en silencio, preguntándose si aún podía confiar en él y si lo ayudaría a huir. Y Melkor, viendo que Fëanor vacilaba y sabiendo que los Silmarils lo tenían dominado, dijo por último:

—He aquí una plaza fuerte y bien guardada; pero no creas que los Silmarils estarán seguros en cualquier cámara que se encuentre en el reino de los Valar.

Pero la astucia de Melkor sobrepasó el blanco; sus palabras llegaron demasiado hondo, y alentaron un fuego más fiero que el que se proponía; y Fëanor miró a Melkor con ojos que ardían a través de una hermosa apariencia, y horadaron las nieblas de la mente de Melkor, advirtiendo en ella la feroz codicia que despertaban los Silmarils. Entonces el odio pudo más que el miedo en Fëanor, y maldijo a Melkor y lo arrojó de su lado diciéndole:

—¡Vete de mis portales, carne del presidio de Mandos!
—Y cerró las puertas de su casa en la cara del más poderoso de los moradores de Eä.

Melkor partió entonces avergonzado, porque él mismo estaba en peligro y no veía llegado aún el momento de la venganza; pero la cólera le había ennegrecido el corazón, y Finwë tuvo mucho miedo y envió de prisa mensajeros a Manwë, en Valmar.

Ahora bien, cuando los mensajeros llegaron de Formenos, los Valar estaban reunidos en consejo a las puertas, temiendo la prolongación de las sombras. En seguida Oromë y Tulkas se pusieron en pie de un salto, pero cuando ya se disponían a lanzarse a la carrera, llegaron mensajeros de Eldamar con la novedad de que Melkor había huido a través del Calacirya y que desde la colina de Túna los Elfos lo habían visto pasar, furioso como una nube de tormenta. Y dijeron que desde allí se había dirigido al norte, porque los Teleri habían visto la sombra de Melkor pasar delante de su puerto, hacia Araman.

Así Melkor abandonó Valinor y por un tiempo los Dos Árboles volvieron a brillar sin sombra, y la tierra se colmó de luz. Pero los Valar quisieron en vano tener nuevas de su enemigo; y como una nube alejada y cada vez más alta, llevada por un lento viento helado, una duda empañaba ahora la alegría de los habitantes de Aman, pues tenían miedo de un mal desconocido que aún podía acaecerles.

8

DEL OSCURECIMIENTO
DE VALINOR

Cuando Manwë oyó qué camino había seguido Melkor, le pareció evidente que se proponía escapar a sus viejas fortalezas al norte de la Tierra Media; y Oromë y Tulkas marcharon de prisa hacia el norte con intención de alcanzarlo si era posible, pero no encontraron de él ni rastros ni rumores más allá de las costas de los Teleri, en los baldíos despoblados que llegaban casi hasta el Hielo. En adelante se redobló la vigilancia a lo largo de los cercados septentrionales de Aman; pero en vano, porque aun antes de que se hubiera iniciado la persecución, Melkor había regresado y había pasado en secreto alejándose hacia el sur. Porque era aún como uno de los Valar, y podía cambiar de forma, o andar invisible al igual que sus hermanos; aunque pronto habría de perder para siempre ese poder.

Así, sin ser visto, llegó por fin a la región oscura de Avathar. Esa tierra angosta se encontraba al sur de la Bahía de Eldamar, al pie oriental de las Pelóri, y sus prolongadas y lúgubres costas se extendían hacia el sur, sombrías e inexploradas. Allí, bajo los muros verticales de las montañas y el frío y oscuro mar, las sombras eran más profundas y espesas que en ningún otro sitio del mundo; y allí, en Avathar, secreta y desconocida, Ungoliant había construido su morada. Los Eldar no sabían de dónde venía ella; pero han dicho algunos que hace ya muchas edades descendió desde la oscuridad que está más allá de Arda, cuando Melkor miró por primera vez con envidia el Reino de Manwë, y que en el principio ella fue uno de aquellos que él corrompió para que lo sirvieran. Pero ella había renegado de su Amo en el deseo de convertirse en dueña de su propia codicia, apoderándose de todas las cosas para así alimentar su propio vacío; y huyó hacia el sur, escapando de los ataques de los Valar y de los cazadores de Oromë, pues éstos siempre habían vigilado el norte, y durante mucho tiempo el sur fue descuidado. Desde allí se había arrastrado hacia la luz del Reino Bendecido; porque tenía hambre de luz y a la vez la odiaba.

Vivía en una hondonada y había tomado la forma de una araña monstruosa que tejía sus negras telas en una hendidura de la montaña. Allí absorbía toda la luz y la expulsaba después hilada como una red oscura de asfixiante lobreguez, hasta que ya no le llegaba ninguna luz; y estaba hambrienta.

Entonces vino Melkor a Avathar y la buscó hasta encontrarla; y adoptó nuevamente la forma que había tenido como tirano de Utumno: un oscuro Señor, alto y terrible. Esta forma la conservó para siempre. Allí, en las sombras negras, más allá aun de lo que Manwë alcanzaba a ver desde sus más elevadas estancias, Melkor habló a Ungoliant de la venganza que había tramado. Pero cuando Ungoliant comprendió los propósitos de Melkor, se debatió entre la codicia y el miedo; porque temía desafiar los peligros de Aman y el poder de los terribles Señores, y de ningún modo quería moverse de su escondite. Por tanto, Melkor le dijo:

—Haz lo que pido; y, si aún estás hambrienta cuando todo esté consumado, entonces te daré lo que tu codicia exija. Sí, con ambas manos.

Hizo esta promesa a la ligera, como siempre; y se reía en secreto. De esta manera el ladrón mayor le tendió una trampa al ladrón menor.

Una capa de oscuridad tejió Ungoliant en derredor de los dos cuando se pusieron en marcha: una No-luz en la que las cosas ya no parecían ser y que los ojos no podían penetrar, porque estaba vacía. Entonces, lentamente, tendió Ungoliant las telas: hilado tras hilado, de grieta a grieta, de roca protuberante a pináculo rocoso, siempre en ascenso, trepando, arrastrándose y adhiriéndose, hasta que por fin alcanzaron la cima misma de Hyarmentir, la más alta montaña de esa región del mundo, muy lejos al sur de la gran Taniquetil. Allí los Valar no montaban vigilancia; porque al oeste de las Pelóri había una tierra vacía y penumbrosa, y al este, salvo la olvidada Avathar, las montañas sólo miraban a las oscuras aguas del mar sin senderos.

Pero ahora, la oscura Ungoliant se encontraba sobre la cima de la montaña; e hizo una escala de cuerdas tejidas y la dejó caer, y Melkor trepó y llegó a aquel elevado sitio, y se irguió junto a ella mirando el Reino Guardado a sus pies. Por debajo se extendían los bosques de Oromë y hacia el oeste brillaban tenues los campos y los pastizales de Yavanna, dorados bajo el alto trigo de los dioses. Pero Melkor miraba hacia el norte y vio a lo lejos la llanura resplandeciente y las cúpulas plateadas de Valmar que refulgían a la luz mezclada de Telperion y Laurelin. Entonces Melkor rió muy alto y echó a correr saltando por las largas pendientes occidentales; y Ungoliant iba con él y la oscuridad que ella expulsaba los cubría.

Era entonces tiempo de festividad, como Melkor sabía bien. Aunque todas las mareas y las estaciones seguían la voluntad de los Valar, y no había en Valinor invierno de muerte, ellos moraban en el Reino de Arda, que no era más que un

Las estancias de Manwë (Taniquetil)

reino minúsculo en las estancias de Eä, cuya vida es el Tiempo, que fluye siempre desde la primera nota hasta el último acorde de Eru. Y aunque entonces el deleite de los Valar (como se cuenta en la *Ainulindalë*) era ponerse como una vestidura las formas de los Hijos de Ilúvatar, también comían y bebían, y recogían los frutos de Yavanna, sacados de la Tierra, que habían hecho por voluntad de Eru.

Por tanto, Yavanna había ordenado las épocas de floración y madurez de todo lo que crecía en Valinor; y con cada primera cosecha Manwë hacía una gran fiesta en alabanza de Eru, y todos los pueblos de Valinor convertían su alegría en música y canciones sobre Taniquetil. Ésta era la hora, y Manwë había decretado una fiesta más gloriosa que ninguna celebrada antes desde la llegada de los Eldar a Aman. Porque, aunque la huida de Melkor hacía presagiar trabajo duro y dolor, y nadie podía conocer los daños que aún sobrevendrían, antes de que pudieran volver a someterlo, en esta ocasión Manwë decidió poner remedio al mal surgido entre los Noldor; y todos fueron invitados a ir a sus estancias en Taniquetil, para dejar allí de lado las querellas que separaban a los príncipes y olvidar por completo las mentiras del Enemigo.

Asistieron los Vanyar, y asistieron los Noldor de Tirion, y acudieron juntos los Maiar, y los Valar lucían toda su belleza y majestad; y cantaron ante Manwë y Varda en las altas estancias o danzaron en las verdes pendientes de la Montaña que miraba al oeste hacia los Árboles. Ese día las calles de Valmar quedaron desiertas y las escaleras de Tirion estuvieron en silencio; y toda la tierra dormía en paz. Sólo los Teleri, más allá de las montañas, cantaban todavía a orillas del océano; pues poco caso hacían del paso del tiempo o las estaciones, o de los cuidados de los Regidores de Arda, o de la sombra que había caído sobre Valinor, pues no los había afectado hasta entonces.

Sólo una cosa estropeaba el propósito de Manwë. Fëanor sí que había venido, porque sólo a él Manwë le había ordenado asistencia; pero Finwë no se presentó, ni ningún otro de los Noldor de Formenos. Porque, dijo Finwë:

—En tanto dure el destierro impuesto a mi hijo, y no pueda presentarse en Tirion, me privo a mí mismo de la corona y no he de reunirme con mi pueblo.

Y Fëanor no llegó vestido de fiesta y no llevaba ornamento alguno, ni plata, ni oro, ni gemas; y se negó a que los Valar y los Eldar contemplaran los Silmarils, y los dejó guardados en Formenos en la cámara de hierro. No obstante, se encontró con Fingolfin ante el trono de Manwë y se reconcilió con él, de palabra; y Fingolfin le perdonó por haber desenvainado la espada. Porque Fingolfin le tendió la mano, diciendo:

—Tal como lo prometí, lo hago ahora. Salgo en tu descargo y no recuerdo ya ofensa alguna.

Entonces Fëanor le tomó la mano en silencio; pero Fingolfin dijo:

—Medio hermano por la sangre, hermano entero seré por el corazón. Tú serás el primero y yo te seguiré. Que ninguna querella nos vuelva a separar.

—Te oigo —dijo Fëanor—. Así sea. —Pero nadie sabía el posible significado de esas palabras.

Se dice que cuando Fëanor y Fingolfin estaban ante Manwë, las luces de los Árboles brillaron a la vez y se mezclaron, y en la silenciosa ciudad de Valmar hubo un fulgor de plata y oro. Y a esa misma hora precisa Melkor y Ungoliant atravesaron precipitados los campos de Valinor como la sombra de una nube oscura que pasa veloz sobre la tierra iluminada por el sol; y llegaron ante el verde montículo de Ezellohar. Entonces la No-luz de Ungoliant subió hasta las raíces de los Árboles, y Melkor saltó sobre el montículo; y con su lanza negra hirió a cada Árbol hasta la médula, los hirió profundamente, y la savia manaba como si fuese sangre y se derramó por el suelo. Pero Ungoliant la absorbió y yendo de Árbol a Árbol aplicó el pico negro a las heridas hasta que quedaron desecadas; y el veneno de Muerte que había en ella penetró en los tejidos y las raíces, ramas y hojas se marchitaron; y murieron. Y ella aún tenía sed, y yendo a las Fuentes de Varda, bebió de ellas hasta dejarlas secas; pero eructaba vapores negros mientras bebía, y se hinchó hasta tener una forma tan grande y espantosa que Melkor sintió miedo.

Así la gran oscuridad descendió sobre Valinor. De los hechos de ese día se habla en el *Aldudénië*, que compuso Elemmírë de los Vanyar y es conocido de todos los Eldar. Pero no existe canto ni relato que pueda contener toda la aflicción y el terror que hubo entonces. La Luz menguó; pero la Oscuridad que sobrevino no fue tan sólo falta de luz. Fue una Oscuridad que no parecía una ausencia, sino una cosa con vida propia: pues en verdad había sido creada maliciosamente con la materia de la Luz, y tenía poder de herir el ojo y de penetrar el corazón y la mente, y de estrangular la voluntad misma.

Varda miró hacia abajo desde Taniquetil y vio la Sombra que se elevaba en súbitas torres de penumbra; Valmar había naufragado en un profundo mar nocturno. Pronto la Montaña Sagrada se erguía sola, una última isla en un mundo anegado. Todo canto cesó. Había silencio en Valinor y no se oía ningún sonido, sólo a lo lejos el lamento de los Teleri, como el grito frío de las gaviotas. Venía entre las montañas con el viento que a esa hora soplaba helado desde el este, y las vastas sombras del mar rompían contra los muros de la costa.

Pero Manwë miraba desde el alto trono, y sólo él alcanzó a horadar la noche hasta que vio una Oscuridad más allá de lo oscuro; enorme pero lejana y dirigiéndose al norte con mucha premura; y entonces supo que Melkor había venido y había partido.

Entonces empezó la persecución; y la tierra tembló bajo los caballos del ejército de Oromë, y el fuego que relumbró bajo los cascos de Nahar fue la primera luz que volvió a Valinor. Pero no bien llegaron los jinetes a la Nube de Ungoliant, quedaron cegados y desanimados y acabaron dispersados; y el sonido del Valaróma vaciló y se perdió. Y Tulkas parecía atrapado en una red negra por la noche, y nada podía hacer y batía el aire en vano. Pero cuando la Oscuridad hubo pasado, ya era tarde: Melkor había escapado, y la venganza estaba consumada.

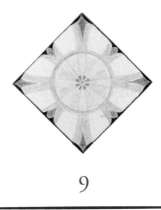

9

DE LA HUIDA DE LOS NOLDOR

Al cabo de un tiempo una gran concurrencia se reunió en el Anillo del Juicio; y los Valar se sentaron en la sombra, porque era de noche. Pero las estrellas de Varda brillaban en lo alto y el aire estaba claro; pues los vientos de Manwë habían barrido los vapores de muerte y habían devuelto las sombras al mar. Entonces Yavanna se incorporó y se irguió sobre Ezellohar, el Montículo Verde, pero ahora estaba desnudo, y negro; y puso las manos sobre los árboles, pero éstos estaban muertos y oscuros, y cada rama que tocaba se quebraba y caía marchita a sus pies. Entonces muchas voces se alzaron en lamentaciones; y les pareció a los que se apesadumbraban que habían bebido hasta las heces la copa de dolor que Melkor había escanciado para ellos. Pero no era así.

Yavanna habló ante los Valar, diciendo:

—La Luz de los Árboles se ha ido, y ahora vive sólo en los Silmarils de Fëanor. ¡Previsor ha sido! Aun para los más poderosos bajo la égida de Ilúvatar hay una obra que sólo pueden llevar a cabo una única vez. Di ser a la Luz de los Árboles, y en los confines de Eä nunca más podré hacerlo. Sin embargo, si yo dispusiese de un poco de esa luz, podría devolver la vida a los Árboles antes de que las raíces se corrompieran; y entonces nuestras heridas tendrían remedio, y la malicia de Melkor quedaría anulada.

Entonces intervino Manwë, que dijo:

—¿Oyes, Fëanor hijo de Finwë, las palabras de Yavanna? ¿Concederás lo que pide?

Hubo un largo silencio, pero Fëanor no respondió. Tulkas gritó entonces:

—¡Habla, oh, Noldo!, ¿Sí o no? Pero ¿quién ha de negarse a Yavanna? Y ¿no vino de su obra en un principio la luz de los Silmarils?

Pero Aulë el Hacedor dijo:

—¡No seas impaciente! Pedimos algo más grande de lo que te puedes imaginar. Concédele un instante de paz.

Pero Fëanor habló entonces y exclamó amargamente:

—Para los pequeños, como para los mayores, hay siempre algo que sólo pueden hacer una vez; y será la obra de su corazón. Puede que sea posible abrir mis joyas, pero nunca volveré a hacer nada parecido; y si he de romperlas, se me romperá el corazón y seré asesinado; el primero de entre todos los Eldar en Aman.

—No el primero —dijo Mandos.

Pero nadie entendió esas palabras; y una vez más hubo silencio mientras Fëanor meditaba en la oscuridad. Le parecía estar acosado en medio de un anillo de enemigos y le volvieron a la memoria las palabras de Melkor: los Silmarils no estarían seguros en manos de los Valar. «¿Y no es él Vala como ellos?», le decía el corazón. «¿Y no entiende acaso lo que ellos sienten? ¡Sí, es un ladrón el que delata a otros ladrones!» Entonces vociferó:

—No lo haré de propia voluntad. Pero si los Valar me obligan, sabré entonces con seguridad que Melkor es como ellos.

Entonces Mandos dijo:

—Has hablado.

Y Nienna se puso en pie y ascendió hasta lo alto de Eze-llohar, y se echó atrás la capucha gris y lavó con sus lágrimas las inmundicias de Ungoliant; y cantó doliéndose de la amargura del mundo y la Injuria de Arda.

Pero mientras Nienna aún se lamentaba, llegaron mensajeros de Formenos, y eran gente de los Noldor que traían nuevas de infortunio. Porque contaron cómo una ciega Oscuridad había avanzado hacia el norte, y en medio de ella se movía un poder para el que no había nombre, y la Oscuridad salía de él mismo. Pero Melkor también estaba allí, y fue a la casa de Fëanor, y mató a Finwë, Rey de los Noldor, delante de las puertas de su casa, y derramó la primera sangre en el Reino Bendecido; porque Finwë era el único que no había huido del horror de la Oscuridad. Y contaron que Melkor había quebrantado la fortaleza de Formenos y se había apoderado de todas las joyas de los Noldor que allí estaban guardadas; y los Silmarils habían desaparecido.

Entonces Fëanor se levantó, y alzando la mano ante Manwë, maldijo a Melkor llamándolo *Morgoth*, Negro Enemigo del Mundo; y desde entonces y para siempre los Eldar sólo lo conocieron por ese nombre. Y maldijo también el llamamiento de Manwë y la mala hora en que había acudido a Taniquetil, pensando en medio de la locura a que lo habían llevado la rabia y la pena, que si se hubiera encontrado en Formenos, la fuerza le habría valido al menos para que no lo mataran a él también, como Melkor se había propuesto. Entonces Fëanor abandonó a la carrera el Anillo del Juicio y se internó en la noche; porque Finwë le era más querido que las obras incomparables de sus manos o que la Luz de Valinor; y ¿quiénes entre los hijos, sean de Elfos o de Hombres, han tenido a sus padres en más alta estima?

Muchos allí se afligieron por el dolor de Fëanor, pero no era el único que había sufrido una pérdida; y Yavanna lloró junto al montículo, temiendo que la Oscuridad devorara para siempre los últimos rayos de la Luz de Valinor. Porque, aunque los Valar aún no entendían del todo qué pasaba, advertían que Melkor había pedido ayuda a algo que procedía de más allá de Arda. Los Silmarils habían desaparecido y puede parecer que daba lo mismo que Fëanor le hubiera dicho sí o no a Yavanna; sin embargo, si hubiera consentido desde un principio, antes de que las nuevas llegaran desde Formenos, puede que hubiese actuado de otra manera después. Pero el fatídico destino de los Noldor estaba ahora cada vez más cerca.

Entretanto Morgoth, al huir de la persecución de los Valar, llegó a los baldíos de Araman. Esta tierra se extendía hacia el norte, entre las Montañas de las Pelóri y el Gran Mar, como Avathar se extendía hacia el sur; pero Araman era una región más vasta, y entre las costas y las montañas había llanuras yermas, cada vez más frías a medida que se aproximaba el Hielo. Por esta región Morgoth y Ungoliant pasaron de prisa, y así llegaron a través de las grandes nieblas de Oiomúrë al Helcaraxë, el estrecho entre Araman y la Tierra Media, todo de hielo crujiente; y él lo cruzó, y regresó por fin al norte de las Tierras Exteriores. Juntos siguieron avanzando, porque Morgoth no podía eludir a Ungoliant, y la nube de Ungoliant todavía lo envolvía y todos los ojos de ella estaban fijos en él; y llegaron a esas tierras que se extienden al norte del Estuario de Drengist. Se acercaba ahora Morgoth a las ruinas de Angband, donde había levantado su gran fortaleza occidental; y Ungoliant se dio cuenta de cuál era su propósito y supo que allí intentaría huir, y lo detuvo exigiéndole que cumpliera lo que había prometido.

—¡Negro corazón! —dijo—. He hecho lo que me pediste. Pero todavía estoy hambrienta.

—¿Qué más quieres? —dijo Morgoth—. ¿Deseas meterte el mundo entero en la barriga? No prometí darte eso. Soy el Amo del mundo.

—No pretendo tanto —dijo Ungoliant—. Pero obtuviste un gran tesoro en Formenos; eso quiero. Sí, con ambas manos me lo darás.

Entonces por fuerza cedió Morgoth las gemas que llevaba consigo, una por una y a regañadientes; y ella las devoró y la belleza de las piedras murió para el mundo. Más grande y oscura se volvió Ungoliant, pero su codicia no estaba satisfecha todavía.

—Con una mano das —dijo—; sólo con la izquierda. Abre la otra mano.

En la mano derecha llevaba Morgoth apretados los Silmarils, y, aunque estaban encerrados en un cofrecillo de cristal, habían empezado a quemarlo y el dolor le agarrotaba la mano, pero no la abría.

—¡No! —dijo—. Has recibido lo que te adeudaba. Porque con el poder que puse en ti consumaste tu obra. Ya no te necesito. No tendrás estas cosas, ni las verás. Las nombro mías para siempre.

Pero Ungoliant había crecido y Morgoth era ahora más pequeño a causa del poder que había salido de él; y ella se irguió enfrentándolo, y lo encerró en su nube y lo atrapó en una red de cuerdas pegajosas para estrangularlo. Entonces Morgoth lanzó un grito terrible cuyos ecos resonaron en las montañas. Fue así que esa región se llamó Lammoth; porque esos ecos permanecieron allí para siempre, y despertaban cada vez que alguien gritaba en aquella tierra, y todas las tierras yermas entre las colinas y el mar se llenaban de un clamor de voces angustiadas. El grito de Morgoth en esa hora fue el más grande y terrible de los que se habían oído en el mundo del norte; las montañas se sacudieron y la tierra tembló y las rocas se partieron. En abismos olvidados se oyó ese grito. Muy por debajo de las estancias en ruinas de Angband, en criptas que los Valar no habían explorado en la prisa del ataque, los Balrogs, que aún ace-

chaban esperando el regreso de su Señor, se levantaron ahora
con rapidez, y precipitándose por Hithlum llegaron a Lammoth como una tempestad de fuego. Con los látigos de llamas
rompieron las telas de Ungoliant, y ella se amedrentó y se volvió eructando vapores negros para ocultarse y escapar, y huyendo del norte descendió a Beleriand y vivió bajo Ered Gorgoroth, en el valle oscuro que se llamó después Nan Dungortheb,
el Valle de la Muerte Terrible, por causa del horror que ella crió
en ese sitio; porque otras inmundas criaturas arácnidas habían
morado allí desde los días de la excavación de Angband, y Ungoliant se acopló con ellas y las devoró; y aun después de que
ella se fue, internándose en el olvidado sur del mundo, sus vástagos continuaron allí y tejieron unas telas horribles. Ningún
relato cuenta qué fue de Ungoliant. Sin embargo, han dicho
algunos que el fin le llegó hace ya mucho tiempo, cuando acu-
ciada por el hambre, terminó por devorarse a sí misma.

De este modo, el temor de Yavanna, de que Ungoliant
devorara los Silmarils y éstos se desvanecieran en nada, no
llegó a ocurrir, pero las piedras quedaron en poder de Morgoth. Y Morgoth, libre otra vez, reunió a todos los sirvientes
que pudo encontrar y se encaminó a las ruinas de Angband.
Allí cavó de nuevo unas vastas cavernas y mazmorras, y por
encima de las puertas levantó las cumbres triples de Thangorodrim, y estaban siempre envueltas en una espesa emanación
de humo oscuro. Las huestes de bestias y demonios llegaron a
ser allí innumerables, y la raza de los Orcos, criada muchos
años atrás, creció y se multiplicó en las entrañas de la tierra.
Oscura caía ahora la sombra sobre Beleriand, como se cuenta
a continuación; pero Morgoth forjó en Angband una gran
corona de hierro, y se llamó a sí mismo Rey del Mundo.
Como señal de esto, engarzó en la corona los Silmarils. Las
manos se le ennegrecieron quemadas por el contacto con esas

joyas sagradas, y desde entonces fueron siempre negras; nunca
se libró tampoco del dolor de la quemadura, ni de la ira del
dolor. En ningún momento se quitaba la corona, aunque el
peso lo abrumaba mortalmente. Sólo una vez dejó en secreto
los dominios del norte; lo cierto es que abandonaba los lugares profundos de la fortaleza sólo en raras ocasiones, y mandaba a sus ejércitos desde el trono del norte. Y también sólo una
vez esgrimió un arma, mientras duró su reinado.

Porque ahora, más que en los días de Utumno, antes de
que su orgullo fuera rebajado, lo devoraba el odio, y su espíritu se consumía en la tarea de dominar a sus sirvientes e incul-
carles el deseo del mal. No obstante, conservó largo tiempo la
majestad de los Valar, aunque transformada en terror, y al encontrarse con él frente a frente, todos, excepto los más poderosos, se hundían en un oscuro pozo de miedo.

Ahora bien, cuando se supo que Morgoth había escapado de
Valinor y que de nada servía perseguirlo, los Valar permanecieron largo tiempo sentados en la oscuridad, en el Anillo del
Juicio, y los Maiar y los Vanyar lloraban de pie junto a ellos;
pero la mayoría de los Noldor volvieron a Tirion y se lamentaron por el oscurecimiento de la bella ciudad. A través de la
garganta oscura del Calacirya venían flotando unas nieblas
desde los mares sombríos y cubrían las torres como mantos, y
la lámpara de la Mindon ardía pálida en la lobreguez.

Entonces, de pronto, apareció Fëanor en la ciudad y convocó a todos a la ilustre corte del Rey en la cima de Túna;
pero la condena al destierro que le había sido impuesta no
estaba levantada todavía, y él se rebeló contra los Valar. Una
gran multitud se reunió rápidamente para escuchar lo que
tuviera que decir; y la luz de las muchas antorchas que cada

cual llevaba en la mano iluminaba las colinas y todas las escaleras y calles que subían por ella. Fëanor era un maestro de las palabras y tenía gran poder sobre los corazones cada vez que hablaba, y esa noche pronunció un discurso ante los Noldor que éstos siempre recordaron. Fieras y salvajes fueron las palabras de Fëanor, y colmadas de cólera y de orgullo; y al escucharlas los Noldor se sintieron movidos a la locura. Fëanor habló sobre todo de Morgoth, con odio y cólera, y sin embargo, casi todo cuanto dijo procedía de las mentiras del propio Morgoth; pero Fëanor, trastornado de dolor por el asesinato de su padre y de angustia por el robo de los Silmarils, reclamó el reinado sobre todos los Noldor, ahora que Finwë estaba muerto, y despreció los decretos de los Valar.

—¿Por qué, oh, pueblo de los Noldor —exclamó—, por qué habremos de servir a los celosos Valar, que no pueden protegernos ni proteger a su propio reino del Enemigo? Y aunque sea ahora un adversario, ¿acaso no están emparentados todos ellos? La venganza me impulsa a marcharme, pero, aunque no fuese así, no querría yo vivir más tiempo en la misma tierra con los parientes del que asesinó a mi padre y robó mi tesoro. Pero no soy el único valiente en este pueblo de valientes. ¿Y no habéis perdido todos a vuestro Rey? ¿Y qué otras cosas habéis perdido, aquí encerrados en una tierra estrecha entre las montañas y el mar?

»Aquí una vez hubo luz, que los Valar negaron a la Tierra Media, pero ahora la oscuridad lo equipara todo. ¿Nos lamentaremos aquí siempre inactivos, pueblo de sombras, moradores de la niebla, vertiendo lágrimas vanas en el mar indiferente? ¿O volveremos a nuestra patria? En Cuiviénen fluían dulces las aguas bajo las estrellas de un cielo sin nubes, y vastas eran las tierras, por las que podía andar un pueblo libre. Allí se extienden todavía y nos aguardan, a nosotros que las abandonamos en un momento de locura. ¡Venid! ¡Que los cobardes se queden en esta ciudad!

Largamente habló, instando siempre a los Noldor a que lo siguieran, y a ganar ellos mismos la libertad y grandes reinos en las tierras del este, antes de que fuera demasiado tarde; porque repetía las mentiras de Melkor, que los Valar los habían engañado y pretendían mantenerlos cautivos para que los Hombres pudieran gobernar en la Tierra Media. Muchos de los Eldar oyeron entonces hablar por primera vez de los Nacidos Después.

—¡Hermoso será el fin —exclamó Fëanor—, aunque largo y áspero el camino! ¡Decid adiós al sometimiento! ¡Pero decid adiós también a la holgura! ¡Decid adiós a los débiles! ¡Decid adiós a vuestros tesoros! Crearemos más, y más grandes. ¡Viajad ligeros, pero llevad vuestras espadas! Porque iremos más lejos que Oromë, y aguantaremos más que Tulkas: nunca abandonaremos la persecución. ¡Tras Morgoth hasta el fin de la Tierra! Combatiremos contra él y nuestro odio será imperecedero. Pero cuando lo hayamos conquistado y recuperemos los Silmarils, nosotros y sólo nosotros seremos los señores de la Luz inmaculada y amos de la dicha y la belleza de Arda. ¡Ninguna otra raza nos despojará!

Entonces pronunció Fëanor un terrible juramento. Los siete hijos se acercaron a él de un salto y juntos hicieron el mismo voto, y rojas como la sangre brillaron las espadas desenvainadas al resplandor de las antorchas. Era un juramento que nadie puede quebrantar ni nadie ha de pronunciar, aun en nombre de Ilúvatar, y pidieron para ellos la Oscuridad Sempiterna si no lo cumplían; y a Manwë nombraron como testigo, y a Varda, y a la montaña sagrada de Taniquetil, prometiendo perseguir con odio y venganza hasta el fin del Mundo a Vala, Demonio, Elfo u Hombre aún no nacidos, o a cualquier otra criatura, grande o pequeña, buena o mala, a la que el tiempo diese origen desde ahora hasta la consumación de los días, que guardara, tomara o arrebatara uno de los Silmarils de Fëanor o sus hijos.

Así hablaron Maedhros y Maglor y Celegorm, Curufin y Caranthir, Amrod y Amras, príncipes de los Noldor; y muchos se sintieron descorazonados al oír las terribles palabras. Porque así dicho, un juramento, malo o bueno, no puede quebrantarse, y perseguirá tanto al que lo cumple como al que lo quebranta hasta el fin del mundo. Fingolfin y su hijo Turgon hablaron por tanto en contra de Fëanor, y despertaron palabras fieras, de modo que una vez más la ira estuvo cerca del filo de las espadas. Pero Finarfin habló dulcemente, como le era habitual, e intentó apaciguar a los Noldor, pidiéndoles que se detuvieran y meditaran antes de hacer algo que no pudiera deshacerse; y Orodreth, solo entre sus hijos, habló de igual manera. Finrod apoyó a Turgon, su amigo; pero Galadriel, la única mujer de los Noldor que se mantuvo erguida y valerosa entre los príncipes contendientes, estaba ansiosa por partir. No pronunció ningún juramento, pero las palabras de Fëanor sobre la Tierra Media le habían encendido el corazón, y anhelaba ver las amplias tierras desprotegidas y gobernar allí un reino a su propia voluntad. Lo mismo que Galadriel pensaba Fingon hijo de Fingolfin, también movido por las palabras de Fëanor, aunque poco lo amaba; y con Fingon estuvieron, como siempre, Angrod y Aegnor, hijos de Finarfin. Pero éstos mantuvieron la calma y no hablaron contra sus padres.

Por fin, después de un largo debate, prevaleció Fëanor, y a la mayor parte de los Noldor allí reunidos inflamó con el deseo de nuevas cosas y países extraños. Por tanto, cuando Finarfin habló otra vez pidiendo reflexión y tiempo, un gran grito se alzó:

—¡No, partamos! —Y sin dilación Fëanor y sus hijos se prepararon para emprender la marcha.

Poca previsión podía haber entre los que se atrevían a tomar una senda tan oscura. No obstante, todo se hizo con excesiva prisa; porque Fëanor los impulsaba temiendo que al enfriárseles el corazón las palabras que él había dicho se marchitaran, y prevalecieran otros consejos; y a pesar de todo el orgullo que había mostrado no olvidaba el poder de los Valar. Pero de Valmar no llegó mensaje alguno, y Manwë se mantenía en silencio. No estaba dispuesto a prohibir o estorbar el propósito de Fëanor; porque a los Valar les ofendía que se los hubiese acusado de malas intenciones para con los Eldar, o de que retuvieran a alguien por la fuerza. Ahora observaban y esperaban, porque no creían todavía que Fëanor pudiera convencer a todos los Noldor.

Y en verdad cuando Fëanor empezó a organizar a los Noldor para ponerse en camino, las discusiones comenzaron en seguida. Porque, aunque había persuadido a la asamblea entera de que era necesario partir, no todos pensaban que Fëanor tuviese que ser el Rey. Fingolfin y sus hijos eran los más amados, y los de su casa y la mayor parte de los habitantes de Tirion se negaron a aceptar la renuncia de Fingolfin, si él los acompañaba; y así por fin, como dos huestes separadas, emprendieron los Noldor el amargo camino. Fëanor y sus seguidores iban a la vanguardia, pero la hueste mayor iba detrás, liderada por Fingolfin; y éste marchaba de mala gana y sólo porque se lo pedía Fingon, su hijo, y porque no quería separarse de su pueblo que ansiaba partir, ni dejarlos expuestos a los precipitados consejos de Fëanor. Tampoco olvidaba lo que había dicho ante el trono de Manwë. Con Fingolfin iba también Finarfin, y por razones parecidas; pero él era el más reacio a partir. Y de todos los Noldor de Valinor, ahora ya un gran pueblo, sólo una décima parte rehusó ponerse en camino: algunos por el amor que tenían a los Valar (y de todos ellos no era Aulë el menos amado), otros por el amor de Tirion y las muchas cosas que allí habían hecho; ninguno por temor a los peligros del camino.

Pero mientras resonaba la trompeta y salía Fëanor por las puertas de Tirion, llegó por fin un mensajero de Manwë diciendo:

—A la locura de Fëanor se opone sólo mi consejo. ¡No partáis! Porque es mala hora, y vuestro camino os conduce a una pesadumbre que no prevéis. Ninguna ayuda os prestarán los Valar en esta empresa; pero tampoco os la entorpecerán; porque esto os digo: como vinisteis aquí libremente, libremente partiréis. Pero tú, Fëanor hijo de Finwë, por tu juramento estás exiliado. Aprenderás en la amargura que Melkor ha mentido. Vala es, dices. Pues entonces has jurado en vano, porque a ninguno de los Valar puedes vencer ahora ni nunca dentro de las estancias de Eä, ni aunque Eru, a quien nombras, te hubiera hecho tres veces más grande de lo que eres.

Pero Fëanor se rió, y habló no al heraldo, sino a los Noldor:

—¡Vaya! ¿Entonces este pueblo valiente ha de enviar a destierro al rey, acompañado sólo por sus hijos, para luego volver a someterse? Pero a aquellos que vengan conmigo, les preguntaré: ¿Se os dice que habrá dolor? Pero en Aman lo hemos visto. En Aman hemos pasado de la dicha a la pesadumbre. Intentaremos ahora el camino opuesto: a partir del dolor busquemos la alegría; o al menos la libertad.

Entonces, volviéndose al heraldo, gritó:

—Di esto a Manwë Súlimo, Alto Rey de Arda: si Fëanor no puede destruir a Morgoth, cuando menos no vacila en atacarlo, ni se queda sentado y lamentándose. Y quizá haya puesto Eru en mí un fuego mayor que el que tú sospechas. Al menos abriré tal herida al Enemigo de los Valar que aun los poderosos reunidos en el Anillo del Juicio se asombrarán al oírlo. Sí, al fin me seguirán. ¡Adiós!

En ese momento la voz de Fëanor se hizo tan fuerte y tan poderosa, que aun el heraldo de los Valar se inclinó ante él, como quien ha recibido una respuesta cabal, y partió; y los Noldor nada pudieron hacer. Por tanto, continuaron la marcha; y la Casa de Fëanor apretó la marcha a lo largo de la costa de Elendë; y ni una vez volvieron la cabeza para mirar hacia Tirion, en la verde colina de Túna. Detrás de ellos, más lentamente y con menor ansiedad iban las huestes de Fingolfin. De éstos, Fingon era el primero; pero en la retaguardia marchaban Finarfin y Finrod, y muchos de los más nobles y más sabios de los Noldor; y con frecuencia miraban atrás para ver la hermosa ciudad en que habían vivido, hasta que la lámpara de la Mindon Eldaliéva se perdió en la noche. De todo los Exiliados, ellos eran los que más recuerdos se llevaban de la dicha que habían abandonado, y algunos hasta llevaban consigo las cosas que allí habían hecho: solaz y carga para el camino.

Conducía ahora Fëanor a los Noldor hacia el Norte, pues ante todo quería seguir a Morgoth. Además, Túna bajo Taniquetil estaba cerca de la Cintura de Arda, y allí el Gran Mar era de una anchura inconmensurable, mientras que al norte los mares divisorios se hacían más estrechos a medida que se aproximaban a la tierra yerma de Araman y las costas de la Tierra Media. Pero al irse enfriando la mente de Fëanor y cobrando tino, entendió demasiado tarde que esas grandes compañías nunca sobrepasarían las largas leguas hacia el norte, ni cruzarían los mares, excepto con la ayuda de naves, pero exigiría largo tiempo y esfuerzo construir tantas embarcaciones, aun cuando alguno de los Noldor tuviera habilidad para ese arte. Por tanto, resolvió persuadir a los Teleri, siempre amigos de los Noldor, de que se les unieran; e inflamado por su propia rebeldía pensó que de ese modo la dicha de Valinor disminuiría todavía más, y él podría hacerle la guerra a Morgoth con mayor fuerza. Se encaminó pues de prisa a Alqualondë y les habló a los Teleri como había hablado antes en Tirion.

Pero de cuanto pudo decir nada movió a los Teleri. Estaban en verdad apenados por la partida de parientes y viejos amigos, y parecían más dispuestos a disuadirlos que a prestarles ayuda; y no quisieron prestar ningún barco, ni ayudar a construirlo contra la voluntad de los Valar. En cuanto a ellos, no deseaban otra patria que las playas de Eldamar y ningún otro señor que Olwë, príncipe de Alqualondë. Y él nunca había prestado oídos a Morgoth, ni lo había recibido de buen grado en su tierra, y confiaba todavía en que Ulmo y los otros grandes entre los Valar pondrían remedio a las heridas abiertas por Morgoth, y que la noche pasaría, y que luego habría un nuevo amanecer.

Entonces Fëanor se encolerizó, porque aún temía retrasarse, y dijo airado a Olwë:

—Renunciáis a los amigos en la hora de necesidad. Sin embargo, aceptasteis agradecidos nuestra ayuda cuando llegasteis los últimos a estas costas, perezosos de corazón flaco, casi con las manos vacías. Todavía viviríais en chozas sobre la playa si los Noldor no hubieran cavado vuestro puerto y trabajado en vuestros muros.

Pero Olwë respondió:

—De ningún modo renunciamos a los amigos. Pero sólo un amigo ha de censurar la locura del amigo. Y cuando los Noldor nos dieron la bienvenida y nos prestaron ayuda, hablaste de modo bien distinto: íbamos a vivir para siempre en la tierra de Aman, como hermanos en casas contiguas. Pero en cuanto a nuestros blancos navíos, no proceden de vosotros. No aprendimos ese arte de los Noldor, sino de los Señores del Mar; y los blancos maderos los trabajamos con nuestras propias manos, las blancas velas fueron tejidas por nuestras esposas e hijas. Por tanto, no las daremos ni las venderemos ni por alianza ni por amistad. Porque te digo, Fëanor hijo de Finwë, éstas son para nosotros como las gemas de los Noldor: la obra de nuestros corazones, que nunca podremos repetir.

Fëanor se alejó entonces, y ya fuera de los muros de Alqualondë se sintió acosado por negros pensamientos, hasta que sus huestes estuvieron reunidas. Cuando juzgó que contaba con tropas suficientes marchó hacia el Puerto de los Cisnes y se puso a dar órdenes a los barcos allí anclados y a apoderarse de ellos por la fuerza. Pero los Teleri se le resistieron y arrojaron a muchos Noldor al mar. Entonces se desenvainaron las espadas y se desencadenó una amarga batalla en los barcos y en los muelles y malecones iluminados por lámparas, y hasta sobre el gran arco de las puertas. Tres veces la gente de Fëanor fue rechazada y muchos murieron de ambos bandos; pero la vanguardia de los Noldor recibió el socorro de Fingon con los primeros de la hueste de Fingolfin, que al llegar y descubrir que se libraba una batalla en la que moría gente de su propio linaje, se unieron a ella sin conocer bien el motivo de la lucha; algunos creyeron que los Teleri intentaban impedir la marcha de los Noldor por orden de los Valar.

Así por último los Teleri fueron vencidos, y gran parte de los marineros que vivían en Alqualondë recibieron una muerte vil. Porque los Noldor se habían vuelto desesperados y feroces, y los Teleri contaban con menos gente y casi no tenían otras armas que unos arcos delgados. Entonces los Noldor se apoderaron de los navíos blancos y manejaron los remos como buenamente pudieron, y se alejaron hacia el norte a lo largo de la costa. Y Olwë llamó a Ossë, pero éste no acudió, porque no permitían los Valar que la huida de los Noldor fuera impedida por la fuerza. Pero Uinen lloró por los marineros de los Teleri;

y el mar se levantó airado en contra de los asesinos, de modo que muchos barcos naufragaron y quienes iban en ellos murieron ahogados. De la Matanza de los Parientes de Alqualondë se habla más en el lamento llamado *Noldolantë*, la Caída de los Noldor, que Maglor compuso antes de perderse.

No obstante, la mayor parte de los Noldor logró escapar, y cuando cesó la tormenta, mantuvieron el rumbo, algunos en barco y otros por tierra; pero el camino era largo y a medida que avanzaban sobrevenían nuevos males. Después de haber marchado largo tiempo en la inmensa noche, llegaron por fin a los confines septentrionales del Reino Guardado, en los bordes del desierto baldío de Araman, que eran montañosos y fríos. Allí vieron de pronto una figura oscura, de pie sobre una roca, que contemplaba la costa desde lo alto. Dicen algunos que era el mismo Mandos, y no un heraldo menor de Manwë. Y oyeron una voz alta, solemne y terrible que les ordenó detenerse y prestar oídos. Todos se detuvieron entonces y permanecieron inmóviles, y de extremo a extremo de las huestes de los Noldor se escuchó la voz que pronunciaba la maldición y la profecía denominada la Profecía del Norte y el Hado de los Noldor. Mucho se predijo en palabras oscuras que los Noldor sólo comprendieron cuando de hecho sobrevinieron los males; pero todos oyeron la maldición pronunciada contra los que no quisieran quedarse ni solicitar el juicio y el perdón de los Valar.

—Lágrimas innumerables derramaréis; y los Valar cercarán Valinor contra vosotros, y os dejarán fuera, de modo que ni siquiera el eco de vuestro lamento pasará por sobre las montañas. Sobre la Casa de Fëanor la cólera de los Valar cae desde el Occidente hasta el extremo Oriente, y sobre todos los que los sigan caerá del mismo modo. El Juramento los impulsará, pero también los traicionará, y aun llegará a arrebatarles los mismos tesoros que han jurado perseguir. A mal fin llegará todo lo que empiecen bien; y esto acontecerá por la traición del hermano al hermano, y por el temor a la traición. Serán para siempre los Desposeídos.

»Habéis vertido la sangre de vuestros parientes con injusticia y habéis manchado la tierra de Aman. Por la sangre devolveréis sangre y más allá de Aman moraréis a la sombra de la Muerte. Porque, aunque Eru os destinó a no morir en Eä, y ninguna enfermedad puede alcanzaros, podéis ser asesinados, y asesinados seréis: por espada y por tormento y por dolor; y vuestro espíritu sin morada se presentará entonces ante Mandos. Allí moraréis durante un tiempo muy largo, y añoraréis vuestro cuerpo, y encontraréis escasa piedad, aunque todos los que habéis asesinado rueguen por vosotros. Y aquellos que resistan en la Tierra Media y no comparezcan ante Mandos, se cansarán del mundo como si les agobiara un gran peso, y menguarán y aparecerán como sombras de arrepentimiento ante la raza más joven que llegará después. Los Valar han hablado.

Entonces muchos se lamentaron; pero Fëanor endureció su corazón y dijo:

—Hemos hecho un juramento y no a la ligera. Lo mantendremos. Se nos amenaza con muchos males y no es el menor de ellos la traición; pero hay algo que no se dijo: que padezcamos hoy de cobardía, de pusilanimidad o de miedo a la pusilanimidad. Por tanto, os digo que seguiremos adelante, y añadiré el siguiente vaticinio: que nuestras futuras hazañas serán tema de canciones hasta los últimos días de Arda.

Pero a esa hora Finarfin abandonó la marcha, y se volvió lleno de pena y amargura hacia la Casa de Fëanor, y esto por causa del parentesco que lo unía a Olwë de Alqualondë; y muchos de los suyos fueron con él entristecidos, y tomaron el camino de vuelta, hasta que contemplaron una vez más el rayo distante de la Mindon sobre Túna, que aún brillaba en la noche; y así llegaron por último a Valinor. Allí recibieron el perdón de los Valar y se dio a Finarfin el gobierno del resto de los Noldor en el Reino Bendecido. Pero los hijos de Finarfin no estaban con él, porque no quisieron abandonar a los hijos de Fingolfin, y todo el pueblo de Fingolfin siguió adelante, empujado por la voluntad de Fëanor y los lazos familiares que les unían a él, y temiendo enfrentar el juicio de los Valar, pues no todos eran inocentes de la Matanza de Alqualondë. Además, Fingon y Turgon eran audaces y de fiero corazón y detestaban abandonar cualquier tarea iniciada por ellos mismos antes del amargo final, si amargo había de ser. De modo que la mayor parte de la hueste siguió adelante, y pronto el mal que había sido presagiado empezó a operar.

Los Noldor llegaron por fin al extremo norte de Arda; y vieron los primeros dientes del hielo que flotaba en el mar, y supieron que estaban acercándose al Helcaraxë. Porque entre la Tierra de Aman, que en el norte se curvaba hacia el este, y las costas orientales de Endor (la Tierra Media), que llevan hacia el oeste, había un estrecho angosto por el que se juntaban las aguas heladas del Mar Circundante y las olas del Belegaer, y había vastas nieblas y vapores de frío mortal, y en las corrientes marinas flotaban colinas de hielo que chocaban entre sí, y el hielo crujía bajo el agua. Así era el Helcaraxë, y nadie había osado hollarlo todavía, salvo los Valar y Ungoliant.

Por tanto, Fëanor detuvo la marcha y los Noldor discutieron qué camino seguir. Pero comenzaron a sentir angustia por el frío y por la pegajosa niebla que el fulgor de las estrellas no podía horadar, y muchos lamentaron haber tomado ese camino, y empezaron a murmurar, especialmente los que seguían a Fingolfin, maldiciendo a Fëanor y acusándolo de ser la causa de todos los males de los Eldar. Pero Fëanor, enterado de todo lo que se decía, se reunió en consejo con sus hijos; y les pareció

que sólo dos caminos podían llevarlos lejos de Araman, y llegar así a Endor: por los estrechos o por barco. Pero al Helcaraxë lo consideraron infranqueable, y las naves no eran suficientes. Muchas se habían perdido en el largo camino, y no
quedaban ahora las necesarias para transportar a la numerosa
hueste; pero nadie estaba dispuesto a quedarse en la costa occidental mientras otros eran llevados primero: ya el miedo de la
traición había despertado entre los Noldor. Por tanto, Fëanor
y sus hijos tomaron la decisión de apoderarse de todos los barcos y de partir sin demora; porque habían retenido el dominio
de la flota desde la batalla del Puerto, y ésta estaba tripulada
sólo por aquellos que habían luchado en ella, y que estaban li-
gados a Fëanor. Y como si hubiera acudido a una llamada, un
viento sopló del noroeste, y Fëanor se marchó en secreto con
todos los que consideraba fieles, y se embarcó con ellos y se
hizo a la mar dejando a Fingolfin en Araman. Y como el mar
era allí estrecho, navegando hacia el este y algo hacia el sur, lo
cruzó sin pérdidas, y fue el primero entre los Noldor en poner
pie una vez más en las costas de la Tierra Media; y el desem-
barco de Fëanor ocurrió en la desembocadura del estuario llamado Drengist que venía del interior de Dor-lómin.

Pero cuando hubieron desembarcado, Maedhros, el mayor de los hijos de Fëanor, y en un tiempo amigo de Fingon
antes de que se interpusieran entre ellos las mentiras de Morgoth, habló a Fëanor diciendo:

—Ahora, ¿de qué barcos y remeros dispondrás para la vuelta, y a quién traerán de allí primero? ¿A Fingon el Valiente?

Entonces Fëanor rió como si estuviera poseído y replicó
gritando:

—¡Ningún barco y ningún remero! Lo que he dejado
atrás no lo considero una pérdida; ha sido una carga innecesa-
ria en el camino. ¡Que quienes han maldecido mi nombre lo

maldigan aún, y que vuelvan lloriqueando a las jaulas de los Valar! ¡Que se quemen las naves!

Entonces Maedhros se apartó, pero Fëanor hizo que se prendiera fuego a las blancas naves de los Teleri. Así pues, en ese lugar que se llamó Losgar, en la desembocadura del Estuario de Drengist, acabaron los navíos más hermosos que nunca hayan surcado el mar, en una gran hoguera, fulgurante y terrible. Y Fingolfin y su pueblo vieron la luz del incendio desde lejos, roja bajo las nubes; y supieron que habían sido traicionados. Éstos fueron los primeros frutos de la Matanza de Alqualondë y del Hado de los Noldor.

Entonces Fingolfin, al ver que Fëanor lo abandonaba, para que pereciese en Araman o regresara avergonzado a Valinor, se llenó de amargura; pero ahora deseaba como nunca llegar de algún modo a la Tierra Media y volver a encontrarse con Fëanor. Y él y sus huestes erraron afligidos mucho tiempo, pero sintiendo que el valor y la resistencia se les acrecentaban con las penurias; porque eran un pueblo poderoso, los primeros hijos inmortales de Eru Ilúvatar, recién llegados del Reino Bendecido y no sujetos todavía a las fatigas de la Tierra. El fuego de la juventud ardía en ellos, y conducidos por Fingolfin y sus hijos, y por Finrod y Galadriel, se atrevieron a penetrar en lo más crudo del norte; y al no hallar otro camino enfrentaron por fin el terror del Helcaraxë y las crueles montañas de hielo. Pocas de las hazañas que con posterioridad llevaron a cabo los Noldor fueron más audaces o dolorosas que esa desesperada travesía. Allí se perdió Elenwë, la esposa de Turgon, y muchos otros también perecieron; y fue con huestes disminuidas que Fingolfin pisó por fin las Tierras Exteriores. Poco amor por Fëanor y sus hijos sentían los que marcharon detrás de él, y soplaron sus trompetas en la Tierra Media cuando por primera vez se elevó la Luna.

10

DE LOS SINDAR

Ahora bien, como ya se ha dicho, el poder de Elwë y Melian aumentó en la Tierra Media, y todos los Elfos de Beleriand, desde los marineros de Círdan hasta los cazadores errantes de las Montañas Azules más allá del Río Gelion, reconocían a Elwë como su señor; Elu Thingol, Rey Mantogrís, era llamado en la lengua de su pueblo. Su pueblo era conocido como los Sindar, los Elfos Grises de Beleriand, iluminada por las estrellas; y aunque eran Moriquendi, bajo la égida de Thingol y por mediación de las enseñanzas de Melian se convirtieron en los más hermosos, los más sabios y los más hábiles de todos los Elfos de la Tierra Media. Y al cabo de la primera edad del Encadenamiento de Melkor, cuando en toda la Tierra había paz y la gloria de Valinor había alcanzado su cénit, vino al mundo Lúthien, la única hija de Thingol y Melian. Aunque casi toda la Tierra Media estaba sumida en el Sueño de Yavanna, en Beleriand, bajo el poder de Melian, había vida y alegría, y las estrellas brillantes resplandecían como fuegos de plata; y allí, en el bosque de Neldoreth, nació Lúthien, y las blancas flores de *niphredil* se adelantaron para saludarla como estrellas de la tierra.

Sucedió durante la segunda edad del cautiverio de Melkor que los Enanos llegaron por sobre las Montañas Azules de Ered Luin a Beleriand. A sí mismos se llamaban Khazâd, pero los Sindar los llamaban los Naugrim, el Pueblo Menguado, y Gonnhirrim, Maestros de la Piedra. Lejos, hacia el este, estaban las más antiguas viviendas de los Naugrim, pero habían excavado para ellos grandes estancias y mansiones, de acuerdo con el estilo de los Enanos, en las laderas orientales de Ered Luin; y a esas ciudades las llamaban Gabilgathol y Tumunzahar en su propia lengua. Al norte de la gran altura del Monte Dolmed se levantaba Gabilgathol, que los Elfos traducían como Belegost, que significa Grandeburgo; y al sur estaba excavada Tumunzahar, llamada Nogrod por los Elfos, Morada Hueca. La mayor de las mansiones de los Enanos era Khazad-dûm, la Mina de los Enanos, Hadhodrond en lengua élfica, que luego en los días de oscuridad se llamó Moria; pero se encontraba lejos en las Montañas Neblinosas, más allá de las vastas leguas de Eriador, y a los Elfos les llegó sólo como un nombre y un rumor a través de las palabras de los Enanos de las Montañas Azules.

Desde Nogrod y Belegost, los Naugrim llegaron a Beleriand; y los Elfos se llenaron de asombro, porque se creían las únicas criaturas vivientes de la Tierra Media que hablaban con palabras o trabajaban con las manos, y pensaban que todas las demás no eran sino pájaros y bestias. Pero no alcanzaban a entender una palabra de la lengua de los Naugrim, que les sonaba engorrosa y desagradable; y pocos Eldar han conseguido dominarla. Pero los Enanos aprendían de prisa, y en verdad estaban más dispuestos a aprender la lengua élfica que a enseñar la suya a los de otra estirpe. Pocos de entre los Eldar fueron nunca a Nogrod o Belegost, salvo Eöl de Nan Elmoth y Maeglin, su hijo; pero los Enanos comerciaban con Beleriand y construyeron un gran camino que pasaba bajo las salientes del Monte Dolmed y seguía el curso del Río Ascar, cruzando el Gelion en Sarn Athrad, el Vado de Piedras, donde aconteció luego una batalla. Siempre fue fría la amistad entre los Naugrim y los Eldar, aunque el beneficio mutuo era considerable, pero en aquel tiempo las querellas que los separaron no habían ocurrido aún, y el Rey Thingol les dio la bienvenida. Pero en días posteriores los Naugrim se mostraron más amigos de los Noldor que de cualesquiera de entre los demás Elfos u Hombres, a causa del amor y la reverencia que sentían por Aulë; y estimaban las gemas de los Noldor por encima de toda otra riqueza. Ya en la oscuridad de Arda habían llevado a cabo los Enanos grandes obras, porque aun en los primeros días de los Padres habían tenido una maravillosa habilidad con los metales y las piedras; pero en aquellos tiempos antiguos preferían trabajar el hierro y el cobre antes que la plata y el oro.

Ahora bien, Melian tenía mucha capacidad de previsión, como era propio de los Maiar; y cuando hubo transcurrido la segunda edad del cautiverio de Melkor comunicó a Thingol que la Paz de Arda no duraría para siempre. Pensó él, por lo tanto, cómo se construiría una morada real y un sitio resistente, si el mal había de despertar otra vez en la Tierra Media; y buscó la ayuda y el consejo de los Enanos de Belegost. Ellos los dieron, voluntariamente, pues no estaban fatigados en ese entonces, y se sentían ansiosos por realizar nuevas obras; y aunque los Enanos siempre pedían un precio por todo cuanto hacían, fuera con deleite o con esfuerzo, en esa ocasión se dieron por pagados. Porque Melian les enseñó mucho de lo que ellos querían aprender, y Thingol los recompensó con muchas bellas perlas. Éstas se las había dado Círdan, pues se recogían en abundancia en los bajíos en torno a la Isla de Balar; pero los

Naugrim nunca habían visto nada semejante y las tuvieron en alta estima. Había una tan grande como un huevo de paloma, y que brillaba como la luz de las estrellas en la espuma del mar; Nimphelos se la llamó, y el cabecilla de los Enanos de Belegost la consideró más valiosa que una montaña de riqueza.

Por lo tanto, los Naugrim trabajaron mucho y de buen grado para Thingol, y le hicieron mansiones parecidas a las de ellos, profundamente excavadas en la tierra. Donde corría el Esgalduin y dividía Neldoreth de Region, se levantaba en el medio del bosque una colina rocosa, y el río fluía debajo. Allí construyeron las puertas del Palacio de Thingol y levantaron sobre el río un puente de piedra que era el único camino de acceso. Más allá de las puertas unos pasajes anchos descendían a estancias y cámaras talladas en la roca viva, tantas y tan grandes que la morada fue llamada Menegroth, las Mil Cavernas.

Pero los Elfos también ayudaron en los trabajos, y Elfos y Enanos juntos, cada cual con su propia actividad, llevaron allí a cabo las visiones de Melian, imágenes de la maravilla y la belleza de Valinor, más allá del Mar. Los pilares de Menegroth habían sido tallados a semejanza de las hayas de Oromë, con tronco, ramas y hojas, y estaban iluminados por linternas de oro. Los ruiseñores cantaban allí como en los jardines de Lórien; y había fuentes de plata y pilones de mármol y suelos de piedras de múltiples colores. Figuras talladas de animales y de pájaros corrían sobre los muros, o trepaban por los pilares o se asomaban entre las ramas entrelazadas con muchas flores. Y mientras los años transcurrían, Melian y sus doncellas llenaron los recintos de tapices tejidos en los que podían leerse los hechos de los Valar y muchas de las cosas sucedidas en Arda desde sus inicios, y la sombra de las cosas que todavía habrían de ser. Ésa fue la mansión más hermosa que haya tenido rey alguno al este del Mar.

Y cuando la construcción de Menegroth estuvo acabada, y hubo paz en el reino de Thingol y Melian, los Naugrim siguieron acudiendo de cuando en cuando desde las montañas, y comerciaban en el país; pero rara vez iban a las Falas, pues detestaban el sonido del mar y temían mirarlo. A Beleriand no llegaban otros rumores o noticias del mundo exterior.

Pero mientras la tercera edad del cautiverio de Melkor se acercaba, los Enanos se sintieron perturbados y acudieron al Rey Thingol diciendo que los Valar no habían desarraigado por completo el mal del Norte, y que ahora el resto, multiplicado en la oscuridad, volvía nuevamente, y merodeaba por todas partes.

—Hay bestias salvajes —dijeron— en la tierra del este de las montañas, y vuestros antiguos parientes, que habitan allí, huyen de las llanuras a las colinas.

Y antes de que mucho tiempo transcurriera, las malvadas criaturas llegaron aun a Beleriand, por pasajes abiertos en las montañas o desde el sur a través de los bosques oscuros. Eran lobos, o criaturas que asumían la forma de lobos y otros seres salvajes de la sombra; y entre ellos estaban los Orcos, que luego llevaron la ruina a Beleriand: pero eran todavía pocos y precavidos, y se contentaban con olfatear los caminos de la tierra, esperando a que el señor regresara. De dónde venían o qué eran, los Elfos no lo sabían entonces, y pensaban que quizás eran Avari, que se habían vuelto malvados y salvajes en las tierras inhóspitas; lo cual era una conjetura bastante acertada, según se dice.

Por lo tanto, Thingol pensó en armarse, algo que antes no había necesitado, y al principio los Naugrim trabajaron para él en sus herrerías; porque eran muy hábiles en estas labores, aunque ninguno de ellos sobrepasaba a los artesanos de Nogrod, de quienes Telchar el herrero era el de mayor renombre.

Los Naugrim eran una raza guerrera desde antaño, y luchaban con fiereza contra quienquiera que los dañara: servidores
de Melkor, Eldar, Avari o bestias salvajes, y también, y no pocas veces, contra los Enanos de otras mansiones o señoríos.
Los Sindar, desde luego, no tardaron en aprender de ellos el
arte de la herrería; pero en el arte de templar el acero los Naugrim nunca fueron igualados, ni siquiera por los Noldor, y en
la fabricación de cotas de malla de anillos eslabonados, que
los herreros de Belegost hicieron por vez primera, la artesanía
de los Enanos no tenía rival.

En este tiempo, por tanto, los Sindar estaban bien armados, y espantaron a todas las criaturas malignas y tuvieron paz
otra vez; pero las armerías de Thingol estaban repletas de hachas, lanzas y espadas, y altos yelmos y largas cotas de malla
resplandeciente; porque las cotas de los Enanos no se herrum-
braban nunca, y siempre brillaban como recién pulidas. Y eso
fue bueno para Thingol en el tiempo que estaba por venir.

Ahora bien, como ha sido contado, un tal Lenwë, de las huestes de Olwë, abandonó la marcha de los Eldar en el tiempo en
que los Teleri se detuvieron a orillas del Río Grande al borde
de las tierras yermas de la Tierra Media. Poco se sabe de los
caminos que siguieron los Nandor, a quienes él condujo por
el Anduin abajo: algunos, se dice, habitaron por largo tiempo
en los bosques del Valle del Río Grande, y algunos llegaron
por fin a la desembocadura y allí habitaron junto al Mar, y
otros, abriéndose camino por Ered Nimrais, las Montañas
Blancas, llegaron de nuevo al norte y penetraron en el páramo
de Eriador, entre Ered Luin y las distantes Montañas Nubladas. Pues bien, ellos eran un pueblo que moraba en los bosques y no tenían armas de acero, y la llegada de las bestias

salvajes del norte los llenó de espanto, tal y como contaron los Naugrim al Rey Thingol en Menegroth. Por tanto Denethor, el hijo de Lenwë, al tener noticias del poderío y la majestad de Thingol, y de la paz que había en ese reino, reunió a todos cuantos pudo de las gentes dispersas de su pueblo, y los condujo sobre las montañas hasta Beleriand. Allí Thingol les dio la bienvenida, como a parientes perdidos que regresan después de un largo tiempo, y ellos habitaron en Ossiriand, la Tierra de los Siete Ríos.

De los largos años de paz que siguieron a la llegada de Denethor, poco es lo que se cuenta. En esos días, se dice, Daeron el Bardo, maestro de sabiduría en el reino de Thingol, inventó sus Runas; y los Naugrim que acudieron a Thingol las aprendieron, y el invento les gustaba mucho, teniendo el arte de Daeron en más alta estima que los Sindar, el propio pueblo de Thingol. Los Naugrim llevaron las *Cirth* hacia el este sobre las montañas, y así llegaron al conocimiento de muchos pueblos; aunque los Sindar apenas las utilizaron para sus crónicas hasta los días de la Guerra, y gran parte de lo que se guardaba en la memoria pereció en las ruinas de Doriath. Pero poco hay que decir de la bienaventuranza y de la vida placentera antes de que concluyan; pues las obras bellas y maravillosas, mientras duran y es posible contemplarlas, son su propio testimonio, y sólo cuando están en peligro o se quebrantan para siempre pasan a las canciones.

En Beleriand, en aquellos días, los Elfos andaban, y los ríos fluían, y las estrellas brillaban y las flores nocturnas esparcían su fragancia; y la belleza de Melian era como el mediodía, y la belleza de Lúthien era como el alba en primavera. En Beleriand, el Rey Thingol en su trono era como los señores de los Maiar, cuyo poder está en reposo, cuya alegría es como un aire que respiran cada día, cuyo pensamiento fluye en una onda imperturbada desde las alturas a las profundidades. En Beleriand todavía a veces cabalgaba Oromë el Grande, que pasaba como un viento por las montañas, y el sonido del cuerno descendía desde la luz distante de las estrellas; y los Elfos lo temían por el esplendor de su rostro, y el estrépito de la carrera de Nahar; pero cuando el eco de Valaróma resonaba en las colinas, sabían muy bien que toda criatura maligna ya había huido lejos.

Pero ocurrió al fin que el término de la bienaventuranza se aproximaba, y el mediodía de Valinor declinaba hacia el ocaso. Porque como se dijo y es conocido por todos, pues está escrito en los libros y ha sido cantado en muchas canciones, Melkor hirió a los Árboles de los Valar con ayuda de Ungoliant, y huyó, y volvió a la Tierra Media. Lejos al norte tuvo lugar la disputa entre Morgoth y Ungoliant; pero el eco del gran grito de Morgoth resonó en todo Beleriand, y el pueblo se sobrecogió de miedo; porque, aunque no sabían lo que presagiaba, creyeron oír al heraldo de la muerte. Poco después Ungoliant abandonó el norte y llegó al reino del Rey Thingol, envuelta en un terror de oscuridad; pero fue detenida por el poder de Melian, y no entró en Neldoreth, y moró largo tiempo a la sombra de los precipicios, donde Dorthonion descendía hacia el sur. Y esas cimas fueron conocidas con el nombre de Ered Gorgoroth, las Montañas del Terror, y nadie osaba ir por allí, ni pasar cerca de ellas; allí la vida y la luz perecían, allí todas las aguas estaban envenenadas. Pero Morgoth, como ya se dijo, volvió a Angband y la reconstruyó, y por encima de las puertas levantó las torres pestilentes de Thangorodrim; y entre las puertas de Morgoth y el puente de Menegroth no había más que ciento cincuenta leguas: una distancia larga, pero aún demasiado corta.

Ahora bien, los Orcos, que se multiplicaban en la oscuridad de la tierra, crecieron en fuerza y en ferocidad, y su oscuro señor los inflamaba con deseos de ruina y muerte; y salían por las puertas de Angband bajo las nubes que Morgoth enviaba delante de sí, y marchaban en silencio a las tierras altas del norte. De allí un gran ejército avanzó de pronto sobre Beleriand y atacó al Rey Thingol. En aquel vasto reino muchos Elfos erraban libres por las tierras salvajes o vivían en paz en pequeños clanes apartados entre sí; y sólo en torno a Menegroth, en medio de la tierra, y en el país de los marineros a lo largo de las Falas, había numerosos pueblos. Pero los Orcos descendieron sobre ambos lados de Menegroth, y desde los campamentos del este entre el Celon y el Gelion, y saquearon a lo largo y a lo ancho vastas extensiones de las llanuras occidentales, entre el Sirion y el Narog; y Thingol quedó separado de Círdan en Eglarest. Por tanto convocó a Denethor; y los Elfos vinieron en gran número de Region, más allá del Aros, y de Ossiriand, y libraron la primera batalla de las Guerras de Beleriand. Y el ala oriental del ejército de los Orcos quedó atrapada entre los ejércitos de los Eldar, al norte de la Andram y a mitad de camino entre el Aros y el Gelion, y allí fueron completamente derrotados, y los que corrieron hacia el norte huyendo de la gran matanza fueron recibidos por las hachas de los Naugrim que salieron del Monte Dolmed: pocos en verdad volvieron a Angband.

Pero la victoria costó cara a los Elfos, porque los de Ossiriand tenían armas livianas y no eran rivales para los Orcos, que iban calzados de hierro y con escudos también de hierro y espadas de hoja ancha; y Denethor quedó aislado y rodeado en la colina de Amon Ereb. Allí cayó junto a los suyos, antes de que el ejército de Thingol pudiera acudir en su ayuda. Aunque fue duramente vengado cuando Thingol llegó a la retaguardia de los Orcos y sembró el campo de pilas de cadáveres, el pueblo de Denethor lo lloró siempre y no volvió a

tener rey. Después de la batalla, algunos regresaron a Ossiriand, y las nuevas que allí llevaron llenaron de temor al resto
de la gente, de modo que ya no guerrearon abiertamente, sino
que se atuvieron a la cautela y el secreto; y fueron llamados
los Laiquendi, los Elfos Verdes, pues llevaban vestiduras del
color de las hojas. Pero muchos se encaminaron al norte y
entraron en el reino guardado de Thingol, donde se mezclaron con ese pueblo.

Y cuando Thingol volvió a Menegroth, se enteró de que el
ejército de los Orcos había ganado la batalla del oeste, y que
había empujado a Círdan hasta el borde del mar. Por tanto,
reunió a toda la gente de los refugios de Neldoreth y Region,
y Melian desplegó su poder y cercó todo aquel dominio con
un muro invisible de sombra y desconcierto: la Cintura de
Melian, que nadie en adelante pudo atravesar contra la voluntad de ella, o la voluntad del Rey Thingol, a no ser que tuviera
un poder más grande que el de Melian, la Maia. Y esta tierra
interior, que durante mucho tiempo se llamó Eglador, recibió
después el nombre de Doriath, el reino guardado, la Tierra
del Cerco. Dentro de ella había aún una paz vigilante; pero
fuera de allí había peligro y mucho miedo, y los sirvientes de
Morgoth merodeaban a su antojo, salvo en los puertos amu-
rallados de las Falas.

Pero pronto iba a suceder algo que nadie en la Tierra Media
había previsto, ni Morgoth en los abismos ni Melian en Menegroth; pues desde la muerte de los Árboles no llegaban noticias
de Aman, ni por medio de mensajeros ni espíritus, ni por una
visión en un sueño. En este mismo tiempo Fëanor vino por el
Mar en las naves blancas de los Teleri, y desembarcó en el Estuario de Drengist, y allí en Losgar quemó las naves.

11

DEL SOL Y LA LUNA
Y EL OCULTAMIENTO
DE VALINOR

Se cuenta que después de la huida de Melkor, los Valar se quedaron largo tiempo inmóviles, sentados en los tronos del Anillo del Juicio; pero no estuvieron ociosos, como declaró Fëanor en la locura de su corazón. Porque los Valar pueden obrar muchas cosas con el pensamiento antes que con las manos, y pueden comunicarse entre sí sin voces, en silencio. Así se mantuvieron en vela en la noche de Valinor, y fueron con el pensamiento más allá de Eä y llegaron hasta el Fin; no obstante, ni el poder ni la sabiduría aliviaron el dolor y el reconocimiento del mal en el momento de su aparición. Y no lamentaron más la muerte de los Árboles que la corrupción de Fëanor: de las obras de Melkor, ésa era una de las peores. Porque Fëanor, entre todos los Hijos de Ilúvatar, era el más poderoso, en cuerpo y mente, en valor, resistencia, belleza, comprensión, habilidad, fuerza y sutileza, y una llama resplandeciente ardía en él. Sólo Manwë alcanzaba a concebir en alguna medida las obras maravillosas que para gloria de Arda podría haber llevado a cabo en otras circunstancias. Y dijeron los Vanyar, que vigilaron junto con los Valar, que cuando los mensajeros comunicaron las respuestas de Fëanor a los heraldos, Manwë lloró y agachó la cabeza. Pero ante las últimas palabras de Fëanor: que cuando menos las proezas de los Noldor vivirían por siempre en canciones, levantó la cabeza como quien escucha una voz lejana y dijo:

—¡Así sea! Caras se pagarán esas canciones, pero la compra será justa. Pues no hay otro precio. Así pues, como Eru dijo, una belleza que antes no podría haber sido concebida vendrá a Eä, y bueno será que haya habido mal.

Sin embargo, Mandos dijo:

—Con todo, seguirá siendo el mal. Fëanor no tardará mucho en comparecer ante mí.

Pero cuando por fin los Valar se enteraron de que los Noldor habían abandonado realmente Aman y habían vuelto a la Tierra Media, se incorporaron y trabajaron en los remedios que habían pensado y que enderezarían los males de Melkor. Entonces Manwë pidió a Yavanna y a Nienna que manifestaran todos sus poderes de crecimiento y curación, y ellas aplicaron esos poderes a los Árboles. Pero las lágrimas de Nienna de nada le valieron para curar sus propias y mortales heridas; y por un largo tiempo cantó Yavanna sola en las sombras. No obstante, aun cuando vacilara la esperanza y se quebrara la canción, brotó por fin en una rama sin hojas de Telperion una gran flor de plata, y Laurelin dio una única fruta de oro.

Yavanna las recogió; y a continuación los Árboles murieron, y los troncos sin vida aún siguen en pie en Valinor, en recuerdo de las alegrías desaparecidas. Pero la flor y la fruta las dio Yavanna a Aulë, y Manwë las consagró, y el pueblo de Aulë construyó las naves que las llevarían y preservarían su resplandor, como se cuenta en la *Narsilion*, la Canción del Sol y la Luna. Los Valar dieron estas naves a Varda para que se convirtieran en lámparas del cielo, con un fulgor mayor que el de las estrellas por estar más cerca de Arda; y ella les otorgó el poder de trasladarse por las regiones inferiores de Ilmen, y las hizo viajar en cursos establecidos sobre el cinturón de la Tierra, desde el oeste hacia el este y de vuelta.

Estas cosas hicieron los Valar, recordando en el crepúsculo la oscuridad de las tierras de Arda; y resolvieron entonces iluminar la Tierra Media, y estorbar con luz las acciones de Melkor. Porque se acordaron de los Avari que habían permanecido junto a las aguas en que despertaron, y no querían abandonar por completo a los Noldor en exilio; y Manwë sabía también que se acercaba la hora de los Hombres. Y se dice que así como los Valar hicieron la guerra a Melkor por el bien de los Quendi, así ahora la evitaban por el bien de los Hildor, los Nacidos Después, los Hijos Menores de Ilúvatar. Porque tan graves habían sido las heridas abiertas en la Tierra Media durante la guerra contra Utumno, que los Valar temían que aún ocurriera algo peor; por cuanto los Hildor serían gente mortal, y menos aptos que los Quendi para soportar el miedo y los tumultos. Además, no le estaba revelado a Manwë dónde aparecerían los Hombres: al norte, al sur o al este. Por tanto, los Valar lanzaron la luz, pero fortalecieron la tierra en que morarían los Hombres.

Isil la Refulgente llamaron los Vanyar de antaño a la Luna, flor de Telperion en Valinor; y Anar el Fuego de Oro, fruta de Laurelin, llamaron al Sol. Pero los Noldor los llamaron también Rána la Errante, y Vása el Corazón de Fuego, el que despierta y consume; porque el Sol se erigió como signo del despertar de los Hombres y la declinación de los Elfos, pero la Luna alimenta el recuerdo de ellos.

La doncella a quien los Valar escogieron entre los Maiar para gobernar la nave del Sol se llamaba Arien, y el timonel de la isla de la Luna era Tilion. En los días de los Árboles, Arien había cuidado las flores de oro de los jardines de Vána, y las había regado con el refulgente rocío de Laurelin; pero Tilion era un cazador de las huestes de Oromë, y tenía un arco de plata. Era un enamorado de la plata, y en los días de descanso abandonaba los bosques de Oromë, entraba en Lórien, y se tendía a soñar junto a los estanques de Estë, bajo los titilantes rayos de Telperion; y Tilion rogó que se le encomendara la tarea de cuidar para siempre la última Flor de Plata. Arien, la doncella, era más poderosa que él, y fue escogida porque no había tenido miedo del calor de Laurelin, que no la había dañado, pues ella era desde un principio un espíritu de fuego a quien Melkor no había podido engañar ni atraer. Demasiado brillantes eran los ojos de Arien para que ni siquiera los Eldar pudiesen mirarlos, y abandonando Valinor se había despojado de la forma y los vestidos que como todos los Valar había llevado allí hasta entonces, y se convirtió en una llama desnuda, terrible en la plenitud de su esplendor.

Isil fue la primera luz que hicieron y prepararon y la primera en ascender al reino de las estrellas, y la primogénita de las nuevas luces, como lo había sido Telperion entre los Árboles. Entonces, por un tiempo, el mundo tuvo luz lunar, y muchas cosas se estremecieron y despertaron que habían estado aguardando largamente en el sueño de Yavanna. Los siervos de Morgoth se llenaron de asombro, pero los Elfos de las Tierras Exteriores levantaron la mirada con deleite; y mientras la Luna se alzaba sobre la oscuridad occidental, Fingolfin ordenó que soplaran las trompetas de plata, e inició su marcha hacia la Tierra Media, y las sombras proyectadas por los caminantes caían negras y largas delante de ellos.

Tilion había atravesado el cielo siete veces y se encontraba en el extremo oriental, cuando la barca de Arien estuvo dispuesta. Entonces Anar se levantó en toda su gloria, y el primer amanecer del Sol fue como una gran llamarada en las torres de las Pelóri: las nubes de la Tierra Media resplandecieron, y se oyó el sonido de muchas cataratas. Entonces Morgoth, profundamente afligido, descendió a las más hondas profundidades de Angband, retiró a sus sirvientes y despidió grandes emanaciones y nubes oscuras para ocultar sus dominios de la luz de la Estrella del Día.

Decidió entonces Varda que las dos naves viajarían por Ilmen siempre en las alturas, pero no juntas; irían de Valinor hacia el este, y luego regresarían partiendo una del oeste mientras la otra volvía desde el este. Así pues, los primeros de los nuevos días se midieron de acuerdo con el modo de los Árboles, desde la mezcla de las luces cuando Arien y Tilion recorrían el cielo, a mitad del cinturón de la Tierra. Pero Tilion era inconstante y de marcha incierta y no se atenía al curso designado; e intentaba aproximarse a Arien atraído por aquel esplendor, aunque la llama de Anar lo quemara, y la isla de la Luna quedara oscurecida.

En consecuencia, por causa de la inconstancia de Tilion y más todavía por los ruegos de Lórien y Estë, que dijeron que el sueño y el descanso habían quedado eliminados de la Tierra, y que las estrellas estaban ocultas, Varda cambió de decisión y reservó un tiempo para que en el mundo hubiera todavía luz y sombra. Anar descansó por tanto un rato en Valinor, yaciendo sobre el seno fresco del Mar Exterior; y el Atardecer, la hora de la caída y el descanso del Sol, fue la de más luz y alegría en Aman. Pero el Sol no tardó en ser arrastrado hacia abajo por los siervos de Ulmo, y se precipitó entonces de prisa por debajo de la Tierra y se volvió de ese modo invisible en el este, y allí se elevó otra vez, para que la noche no fuera excesivamente larga y el mal no echara a andar bajo la Luna. Pero por obra de

Anar las aguas del Mar Exterior se hicieron cálidas y resplandecieron como fuego, y Valinor tuvo luz por un rato después de que Arien partiese. Pero mientras viajaba bajo la Tierra y hacia el este, el resplandor menguaba y Valinor se oscurecía, y los Valar se lamentaban entonces como nunca por la muerte de Laurelin. Al amanecer, las sombras de las Montañas de la Defensa se extendían pesadas sobre el Reino Bendecido.

Varda ordenó a la Luna que viajara de igual manera, pasando bajo la Tierra para ascender en el este, aunque sólo después de que el Sol hubiera descendido del cielo. Pero Tilion avanzaba con paso incierto, como lo hace todavía, y aún se sentía atraído por Arien, como siempre le ocurrirá, de modo que con frecuencia se los puede ver juntos sobre la Tierra, y acaece a veces que él se le acerca tanto, que su sombra rebana el brillo del Sol y hay oscuridad en medio del día.

Por lo tanto, desde entonces los Valar contaron los días por la llegada y la partida de Anar, hasta el Cambio del Mundo. Porque Tilion rara vez se demoraba en Valinor, y en cambio iba de prisa y a menudo por la tierra occidental, por Avathar o Araman o Valinor, y se sumergía en el abismo de más allá del Mar Exterior, marchando solo en medio de las grutas y cavernas que se abren en las raíces de Arda. Allí a menudo erraba largo tiempo y se demoraba en volver.

Además, al cabo de la Larga Noche, la luz de Valinor era aún más abundante y hermosa que en la Tierra Media; ya que el Sol descansaba allí, y en esa región las luces del cielo se acercaban a la Tierra. Pero ni el Sol ni la Luna son capaces de resucitar la luz de antaño, que venía de los Árboles antes de que los tocara el veneno de Ungoliant. Esa luz vive ahora sólo en los Silmarils.

Pero Morgoth detestaba las nuevas luces, y quedó por un tiempo confundido ante este golpe tan inesperado que le asestaron los Valar. Entonces atacó a Tilion, enviando contra él espíritus de sombra, y hubo lucha en Ilmen bajo el curso de las estrellas; pero Tilion resultó victorioso. Y Morgoth temía Arien con pavor, y no se atrevía a acercársele, porque le faltaba poder, ya que mientras crecía en malicia y despedía de sí mismo el mal en forma de mentiras y criaturas malvadas, el poder pasaba a ellas, y se dispersaba, y él estaba cada vez más encadenado a la tierra, y ya no deseaba abandonar las fortalezas oscuras. Envueltos en sombras, él y sus siervos se escondían de Arien, cuyos refulgentes ojos no podían soportar por mucho tiempo; y las tierras próximas a su morada estaban envueltas en una mortaja de vapores y grandes nubes.

Pero al ver Tilion atacado, a los Valar les entraron dudas, pues no sabían de lo que eran capaces aún la malicia y la astucia de Morgoth. Resistiéndose a hacerle la guerra en la Tierra Media, recordaron no obstante la ruina de Almaren; y resolvieron que no le sucedería lo mismo a Valinor. Por tanto, en ese tiempo, fortificaron de nuevo las tierras y levantaron los muros montañosos de las Pelóri, creando unas alturas verticales y terribles al este, al norte y al sur. Las laderas exteriores eran oscuras y lisas, sin asidero para el pie ni saliente, y descendían en profundos precipicios de piedra dura como vidrio, y se alzaban como torres coronadas de hielo blanco. Se las sometió a una vigilancia perpetua y no había paso que las atravesara, salvo sólo el Calacirya: pero ese paso no lo cerraron los Valar por los Eldar que aún les eran fieles, y en la ciudad de Tirion, sobre la colina verde, Finarfin gobernaba aún al resto de los Noldor en la profunda hendidura de las montañas. Porque la gente de raza élfica, aun los Vanyar e Ingwë, señor de todos ellos, han de respirar a veces el aire exterior y el viento que

viene por encima del mar desde las tierras en que nacieron; y
los Valar no estaban dispuestos a apartarse por completo de
los Teleri. Pero en el Calacirya levantaron torres fortificadas y
pusieron muchos centinelas, y a sus puertas, en las llanuras de
Valmar, acampó un ejército, de modo que ni pájaro ni bestia,
ni Elfo ni Hombre, ni ninguna otra criatura que viviera en la
Tierra Media, podía romper ese cerco.

Y también en esos tiempos, que los cantos llaman *Nurtalë
Valinóreva*, el Ocultamiento de Valinor, se levantaron las Islas
Encantadas, y en todos los mares de alrededor hubo sombras
y desconcierto. Y estas islas se extendieron como una red por
los Mares Sombríos desde el norte hasta el sur, antes de que
quien navegue hacia el oeste llegue a Tol Eressëa, la Isla Solitaria. Difícilmente puede pasar un barco entre ellas, pues en
aquellos estrechos peligrosos las olas rompen de continuo con
un suspiro sobre rocas oscuras amortajadas en nieblas. Y el
crepúsculo inspiraba en los marineros un gran cansancio y un
odio hacia el mar; pero todo el que alguna vez puso pie en las
islas quedó allí atrapado y durmió hasta el Cambio del Mundo. Así fue que, como predijo Mandos en Araman, el Reino
Bendecido quedó cerrado para los Noldor; y de los muchos
mensajeros que en días posteriores navegaron hacia el oeste,
ninguno llegó nunca a Valinor; excepto uno, el más poderoso
marinero de los cantos.

12

DE LOS HOMBRES

Los Valar estaban ahora en paz detrás de sus montañas; y habiendo dado luz a la Tierra Media, la desatendieron durante mucho tiempo, y el señorío de Morgoth no era discutido, excepto por el valor de los Noldor. Quien más tenía en cuenta a los exiliados era Ulmo, que recogía nuevas de la Tierra desde todas las aguas.

Desde este tiempo en adelante se contaron los Años del Sol. Más rápidos son y más breves que los largos Años de los Árboles de Valinor. En ese tiempo el aire de la Tierra Media se espesó con el aliento del crecimiento y la mortalidad, y el cambio y el envejecimiento de todas las cosas se apresuró tremendamente; la vida rebosaba en las tierras y aguas en la Segunda Primavera de Arda, y los Eldar se multiplicaron, y bajo el nuevo Sol, Beleriand lució verde y hermosa.

Cuando por primera vez se elevó el Sol, los Hijos Menores de Ilúvatar despertaron en la tierra de Hildórien, en las regiones orientales de la Tierra Media; pero el primer Sol se elevó en el oeste, y cuando los hombres abrieron los ojos estaban mirando hacia allí, y al caminar por la Tierra, hacia allí dirigieron sus pasos casi siempre. Los Eldar llamaron a los Atani el Segundo Pueblo, pero también Hildor, los Seguidores, y muchos otros nombres: Apanónar, los Nacidos Después, Engwar, los Enfermizos, y Fírimar, los Mortales; y además los llamaron los Usurpadores, los Forasteros y los Inescrutables, los Malditos, los de Mano Torpe, los Temerosos de la Noche y los Hijos del Sol. Poco se dice de los Hombres en estos cuentos, que se refieren a los Días Antiguos, antes del auge de los mortales y el desvanecimiento de los Elfos, salvo de esos Padres de los Hombres, los Atanatári, que en los primeros años del Sol y la Luna se mudaron al norte del mundo. Ningún Vala fue a Hildórien para guiar a los Hombres o llamarlos a Valinor; y los Hombres, que están enfrentados con el mundo, les han tenido siempre a los Valar más miedo que afecto, y no han comprendido los propósitos de los Poderes, pues les parecen ajenos. Ulmo, no obstante, pensó en ellos y facilitó el consejo y la voluntad de Manwë, y sus mensajeros a menudo llegaron a ellos por corrientes y mareas altas. Pero a los Hombres no se les da bien interpretar estas cosas, y menos en aquellos días, antes de que se mezclaran con los Elfos. Por tanto, amaban el agua porque movía sus corazones, pero no comprendían los mensajes. No obstante, se dice que poco después, se toparon con los Elfos Oscuros en diversos sitios, y tuvieron amistad con ellos; y los Hombres, aún en la niñez, se convirtieron en compañeros y discípulos de este pueblo antiguo, vagabundos de la raza élfica que nunca tomaron el camino de Valinor, y que sólo conocían a los Valar a través de los rumores, como un nombre distante.

No hacía mucho por entonces que Morgoth había vuelto a la Tierra Media; su poder no llegaba lejos, y además estaba estorbado por la súbita aparición de la gran luz. Había poco peligro en las tierras y las colinas; y allí nuevas cosas, concebidas edades atrás por el pensamiento de Yavanna, y sembradas como semillas en la oscuridad, por fin brotaron y florecieron. Por el oeste, el norte y el sur los hijos de los Hombres se extendieron y erraron, y eran alegres como la mañana antes de que el rocío se seque, cuando el verde brilla en todas las hojas.

Pero el alba es breve y a menudo el pleno día desmiente la promesa de la primera luz; y se acercaba el tiempo de las grandes guerras de los poderes del norte, cuando Noldor, Sindar y Hombres luchaban contra las huestes de Morgoth Bauglir, y cayeron estrepitosamente. Desde el principio, las astutas mentiras de Morgoth, que había sembrado antaño y siempre volvió a sembrar entre sus enemigos, y la maldición nacida de la Matanza de Alqualondë y del Juramento de Fëanor, operaban incesantemente hacia este fin. Sólo una parte se cuenta aquí de los hechos de aquellos días, y se habla sobre todo de los Noldor y los Silmarils y los mortales cuyos destinos quedaron confundidos.

En aquellos días, la fuerza física y la estatura de Elfos y Hombres eran parecidas, pero era mayor la sabiduría, la habilidad y la belleza de los Elfos; y los que habían morado en Valinor, y contemplaran a los Poderes, sobrepasaban a los Elfos Oscuros en estas cosas, tanto como ellos sobrepasaban a su vez al pueblo de la raza mortal. Sólo en el reino de Doriath, cuya reina Melian estaba emparentada con los Valar, pudieron los Sindar igualar en cierta medida a los Calaquendi del Reino Bendecido.

Los Elfos eran inmortales, y de una sabiduría que medraba con los años, y no había enfermedad ni pestilencia que les diera muerte. Eso sí, tenían cuerpos hechos de la materia de la Tierra y podían ser destruidos; y en aquellos días se asemejaban más a los Hombres, pues el fuego de su espíritu, que los consume desde dentro con el paso de los años, aún no llevaba mucho tiempo habitando en ellos. Pero los Hombres eran más frágiles, más vulnerables a las armas o la desdicha, y de curación más difícil; vivían sujetos a la enfermedad y a múltiples males, y envejecían y morían. Lo que ocurre con su espíritu tras la muerte, los Elfos no lo saben. Algunos dicen que también los Hombres van a las Estancias de Mandos; pero allí no esperan en el mismo sitio que los Elfos, y sólo Mandos bajo la égida de Ilúvatar, aparte de Manwë, saben a dónde van después de reunirse en las estancias silenciosas junto al Mar Exterior. Ninguno ha regresado nunca de las mansiones de los muertos, con la única excepción de Beren hijo de Barahir, cuya mano había tocado un Silmaril; pero nunca volvió a hablar con los Hombres mortales. Quizás el hado póstumo de los Hombres no esté en manos de los Valar, así como no todo estuvo previsto en la Música de los Ainur.

En los días que siguieron, cuando por causa del triunfo de Morgoth los Elfos se separaron de los Hombres, como él tanto deseaba, los miembros de la raza élfica que aún habitaban en la Tierra Media menguaron y se desvanecieron, y los Hombres usurparon la luz del Sol. Entonces los Quendi erraron por los sitios solitarios de las grandes tierras y las islas, y se refugiaron en la luz de la Luna y de las estrellas, y en los bosques y las cavernas, volviéndose como sombras y recuerdos, salvo los que de vez en cuando se hacían a la vela hacia el oeste y desaparecían de la Tierra Media. Pero en el alba de los años, Elfos y Hombres eran aliados y se consideraban emparentados, y hubo algunos de entre los Hombres que aprendieron la sabiduría de los Eldar, y llegaron a ser grandes y valientes entre los capitanes de los Noldor. Y en la gloria y la belleza de los Elfos, y en su destino, participaron también los vástagos de Elfos y mortales: Eärendil, y Elwing, y su hijo Elrond.

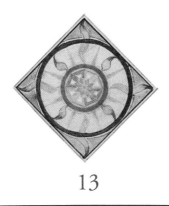

13

DEL RETORNO DE LOS NOLDOR

Se ha dicho que Fëanor y sus hijos fueron los primeros de los Exiliados en llegar a la Tierra Media, y desembarcaron en el yermo de Lammoth, el Gran Eco, en las orillas externas del Estuario de Drengist. Y al poner pie los Noldor en la playa, sus gritos chocaron con las colinas y se multiplicaron, de modo que un clamor de incontables voces poderosas llegó a todas las costas del norte; y el ruido del incendio de las naves en Losgar se trasladó por los vientos del mar como el tumulto de una cólera terrible, y a lo lejos, todos los que oyeron el sonido, quedaron azorados.

Ahora bien, no sólo Fingolfin, a quien Fëanor había abandonado en Araman, vio las llamas de ese incendio, sino también los Orcos y los vigías de Morgoth. No hay relato que diga lo que pensó Morgoth en lo íntimo de su corazón ante la nueva de que Fëanor, su más amargo enemigo, había traído consigo un ejército del oeste. Puede que no le temiera demasiado, porque no había probado todavía las espadas de los Noldor; y pronto se vio que intentaría rechazarlos y devolverlos al mar.

Bajo las frías estrellas, antes de que se levantara la Luna, las huestes de Fëanor avanzaron a lo largo del prolongado Estuario de Drengist, que horadaba las Colinas del Eco de Ered Lómin, y pasaron así de las costas a la gran tierra de Hithlum; y llegaron por fin a la orilla septentrional del alargado lago de Mithrim, en la región que lleva el mismo nombre, y allí acamparon. Pero el ejército de Morgoth, alborotado por el tumulto de Lammoth y la luz del incendio de Losgar, avanzó por los pasos de Ered Wethrin, las Montañas de la Sombra, y atacó de súbito a Fëanor, antes de que el campamento estuviese del todo levantado y defendido; y allí, en los campos grises de Mithrim, se libró la Segunda Batalla de las Guerras de Beleriand. Dagor-nuin-Giliath se la llamó, la Batalla bajo las Estrellas, porque la Luna no se había elevado todavía; y fue muy afamada en los cantos. Los Noldor, aunque superados en número y sorprendidos de improviso, no tardaron en imponerse, pues la luz de Aman no se les había nublado todavía en los ojos, y eran fuertes y rápidos, letales si los arrebataba la cólera, y tenían espadas largas y terribles. Los Orcos huyeron delante de ellos, y fueron expulsados de Mithrim en medio de una gran matanza y perseguidos hasta el otro lado de las Montañas de la Sombra a la gran llanura de Ard-galen, al norte de Dorthonion. Allí los ejércitos de Morgoth, que habían avanzado hacia el sur al Valle del Sirion y sitiado a Círdan en los Puertos de las Falas, acudieron a ayudarlos, y quedaron atrapados en la ruina de los Orcos. Porque Celegorm hijo de Fëanor, advirtiendo que habían llegado, los sorprendió con una parte de las huestes élficas, y descendiendo sobre ellos desde las colinas próximas a Eithel Sirion, los empujó hasta el Marjal de Serech. Malas sin duda fueron las nuevas que por fin llegaron a Angband, y Morgoth se sintió consternado. Diez días duró esa batalla, y de todas las huestes que había destinado a la conquista de Beleriand sólo regresó un puñado de supervivientes.

Mithrim

No obstante, había razones para que sintiera una gran alegría, pero él no las conoció hasta después de un tiempo. Porque Fëanor, arrastrado por la furia, no quiso detenerse, y se precipitó detrás del resto de los Orcos, pensando así llegar hasta el mismo Morgoth; y rió fuerte mientras esgrimía la espada, contento por haber desafiado la cólera de los Valar y los males del camino y por ver llegada la hora de la venganza. Nada sabía de Angband ni de la gran fuerza defensiva que tan de prisa había preparado Morgoth; pero aun cuando lo hubiera sabido, no habría cambiado de planes, pues estaba poseído, consumido por la llama de su propia cólera. Así fue que se adelantó demasiado a la vanguardia de su ejército; y los siervos de Morgoth se volvieron para acorralarlo, y de Angband salieron unos Balrogs que se sumaron al ataque. Allí, en los confines de Dor Daedeloth, la tierra de Morgoth, Fëanor fue rodeado junto con unos pocos amigos. Largo tiempo continuó luchando inquebrantable, aunque estaba envuelto en fuego y con múltiples heridas; pero finalmente fue derribado por Gothmog, Señor de los Balrogs, quien a su vez fue muerto luego por Ecthelion en Gondolin. Allí habría perecido, si en ese momento sus hijos no hubieran acudido a ayudarlo; y los Balrogs lo dejaron, y volvieron a Angband.

Entonces los hijos levantaron a su padre y lo cargaron de vuelta hacia Mithrim. Pero al acercarse a Eithel Sirion, en el camino de ascenso al puerto de las montañas, Fëanor ordenó que se detuvieran; porque estaba mortalmente herido, y sabía que le había llegado la hora. Y desde las laderas de Ered Wethrin, contemplando por última vez las cumbres lejanas de Thangorodrim, las más poderosas de las torres de la Tierra Media, supo con la presciencia de la muerte que jamás poder alguno de los Noldor podría derribarlas; pero maldijo tres veces el nombre de Morgoth y encomendó a sus hijos atenerse al juramento y vengar la muerte del padre. Entonces murió; pero no tuvo entierro ni sepulcro, pues tan fogoso era su espíritu que al precipitarse fuera dejó el cuerpo reducido a cenizas, que se desvanecieron como humo; pero nunca reapareció en Arda, ni abandonó las Estancias de Mandos. Así acabó el más poderoso de los Noldor, por cuyas hazañas obtuvieron a la vez la más alta fama y la más pesada aflicción.

Ahora bien, en Mithrim habitaban los Elfos Grises, pueblo de Beleriand que había errado hacia el norte sobre las montañas; y los Noldor los recibieron allí con alegría, como a parientes que no veían desde hacía mucho; aunque les costó entenderse al principio, pues en el largo tiempo que habían estado separados las lenguas de los Calaquendi en Valinor y de los Moriquendi en Beleriand se habían distanciado mucho. Por los Elfos de Mithrim supieron los Noldor del poder de Elu Thingol, Rey en Doriath, y de la cintura de encantamiento que rodeaba el reino; y las nuevas de estos grandes hechos en el norte llegaron al sur a Menegroth, y a los puertos de Brithombar y Eglarest. Entonces todos los Elfos de Beleriand se sintieron asombrados y esperanzados ante la aparición de aquel poderoso linaje, que regresaba imprevistamente del oeste cuando más lo necesitaban, y en verdad al principio los tomaron por emisarios de los Valar que venían a liberarlos.

Pero aun a la hora de la muerte de Fëanor llegó una embajada de Morgoth en la que se reconocía derrotado y ofrecía conversaciones de paz, la entrega incluso de uno de los Silmarils. Entonces Maedhros el Alto, el hijo mayor, aconsejó a sus hermanos que fingieran interesarse en las tratativas y se reunieran con los emisarios de Morgoth en el sitio indicado; pero a los Noldor les importaba entonces tan poco la buena fe como al mismo Morgoth. Por tanto, cada embajada acudió con más fuerzas de las convenidas; pero mayores fueron las enviadas por Morgoth, y había Balrogs presentes. Maedhros cayó en una emboscada y todos sus acompañantes fueron muertos; pero él mismo fue llevado con vida a Angband por orden de Morgoth.

Entonces los hermanos de Maedhros retrocedieron y fortificaron un gran campamento en Hithlum; pero Morgoth retuvo a Maedhros como rehén y envió el mensaje de que no lo dejaría en libertad a menos que los Noldor olvidaran la guerra y regresaran al oeste, o que se alejaran de Beleriand hacia el sur del mundo. Pero los hijos de Fëanor sabían que Morgoth los traicionaría y no liberaría a Maedhros, en ninguna circunstancia; y además estaban obligados por el juramento y nunca dejarían de luchar contra el Enemigo. Por tanto, Morgoth tomó a Maedhros y lo colgó de lo alto de un precipicio de Thangorodrim, y lo sujetó a la roca por la muñeca de la mano derecha con una banda de acero.

Ahora bien, llegó el rumor al campamento en Hithlum de la marcha de Fingolfin y de sus seguidores, que habían cruzado el Hielo Crujiente; y todo el mundo estaba entonces asombrado por la llegada de la Luna. Pero cuando las huestes de Fingolfin entraron en Mithrim, el Sol se levantó flameante en el oeste; y Fingolfin desplegó los estandartes azules y plateados, e hizo sonar los cuernos, y las flores se abrieron delante de él mientras marchaba, y las edades de las estrellas habían concluido. Ante la elevación de la gran luz, los siervos de Morgoth huyeron a Angband, y Fingolfin avanzó libremente a través de la fortaleza de Dor Daedeloth mientras el enemigo se escondía bajo tierra. Entonces los Elfos golpearon las puertas de Angband y el sonido de sus desafiantes trompetas sacudió las torres de Thangorodrim; y Maedhros las oyó en medio de su tormento y gritó con fuerza, pero la voz se le perdió entre los ecos de la montaña.

Pero Fingolfin, de otro temperamento que Fëanor, y cansado de los engaños de Morgoth, se retiró de Dor Daedeloth y volvió hacia Mithrim, porque había oído nuevas de que allí encontraría a los hijos de Fëanor, y deseaba también tener por escudo las Montañas de la Sombra mientras sus gentes descansaban y se fortalecían; porque había comprobado el poder de Angband, y pensaba que no caería sólo con el sonido de las trompetas. Por lo tanto, al llegar al fin a Hithlum, levantó su primer campamento y morada junto a las orillas septentrionales del Lago Mithrim. No había amor por la Casa de Fëanor en el corazón de los que seguían a Fingolfin, pues grande había sido la agonía de los que soportaron el cruce del Hielo, y Fingolfin consideraba a los hijos cómplices del padre. Hubo peligro de que las huestes se enfrentaran, pero, aunque habían tenido graves pérdidas a lo largo del camino, el pueblo de Fingolfin y de Finrod, hijo de Finarfin, era aún más numeroso que los seguidores de Fëanor, y éstos ahora se retiraron mudándose a las orillas del sur y ahora el lago les separaba. Gran parte de la gente de Fëanor se había arrepentido en verdad del incendio de Losgar, y estaban asombrados por el valor con que los amigos abandonados habían cruzado el Hielo del Norte; y les habrían dado la bienvenida, pero callaron por vergüenza.

Así, a causa de la maldición que pesaba sobre ellos, los Noldor nada hicieron mientras Morgoth vacilaba, y el miedo a la luz era nuevo y fuerte entre los Orcos. Pero Morgoth salió al fin de su ensimismamiento, y rió al descubrir que sus enemigos estaban divididos. Y en los abismos de Angband ordenó que se hiciesen grandes humos y vapores, y éstos salieron por los picos hediondos de las Montañas de Hierro, y alcanzaron a verse en Mithrim, manchando los aires brillantes de las primeras mañanas del mundo. Un viento vino del este y los llevó sobre Hithlum oscureciendo el nuevo Sol; y descendieron, y serpentearon por los campos y las hondonadas, y se tendieron sobre las aguas de Mithrim, lóbregos y ponzoñosos.

Entonces Fingon el Valiente, hijo de Fingolfin, resolvió poner remedio a la querella que dividía a los Noldor antes de que el Enemigo estuviera preparado para la guerra; porque la tierra temblaba en el norte con el trueno de las herrerías subterráneas de Morgoth. Tiempo atrás, en la dicha de Valinor, antes de que Melkor fuera desencadenado, o las mentiras los separaran, Fingon había tenido una estrecha amistad con Maedhros; y aunque no sabía aún que Maedhros no lo había olvidado en el incendio de las naves, el recuerdo de la vieja amistad le atormentaba el corazón. Entonces hizo algo que siempre se recordaría entre las hazañas de los príncipes de los Noldor: solo y sin pedirle consejo a nadie se lanzó al encuentro de Maedhros; y ayudado por la oscuridad que el mismo Morgoth había extendido alrededor, llegó sin ser visto a la fortaleza del Enemigo. Trepó muy arriba hasta los salientes de Thangorodrim, y contempló desesperado la desolación de la tierra; pero no encontró paso ni hendidura por la que pudiera entrar en la fortaleza de Morgoth. Entonces, desafiando a los Orcos, que acobardados todavía se ocultaban en las oscuras bóvedas subterráneas, tomó el arpa y cantó un canto de Valinor compuesto antaño por los Noldor, antes de que hubiera rencor entre los hijos de Finwë; y la voz de Fingon resonó en las hondonadas luctuosas que hasta ese momento nada habían escuchado, excepto gritos de miedo y de dolor.

Así encontró Fingon lo que buscaba. Porque de pronto, por encima de él, lejana y débil, una voz se unió a la canción, y respondió con una llamada. Era Maedhros, que cantaba en medio del tormento. Pero Fingon trepó hasta el pie del precipicio desde el que colgaba el hijo de Fëanor y no pudo seguir adelante; y lloró cuando vio la crueldad del ardid de Morgoth. Entonces Maedhros, sumido en una angustia sin esperanza, rogó a Fingon que le disparara con el arco; y Fingon sacó una flecha y tendió el arco. Y al ver que no había mejor opción clamó a Manwë diciendo:

—¡Oh, Rey para quien todos los pájaros son queridos, apresura ahora esta flecha emplumada y muestra un poco de piedad por los Noldor!

El ruego de Fingon obtuvo pronta respuesta. Porque Manwë, para quien todas las aves son caras y a quien éstas traen nuevas hasta Taniquetil desde la Tierra Media, había enviado a la raza de las Águilas a habitar en los riscos del norte y vigilar a Morgoth; pues Manwë aún sentía piedad por los Elfos exiliados. Y las águilas llevaban nuevas de gran parte de lo que acontecía entonces a los tristes oídos de Manwë. Ahora, justo cuando Fingon tensaba el arco, desde los aires altos descendió Thorondor, Rey de las Águilas, la más poderosa de cuantas aves haya habido, con alas de una envergadura de treinta brazas; y deteniendo la mano de Fingon, subió volando con él hasta el muro de piedra donde colgaba Maedhros. Pero Fingon no pudo aflojar la banda forjada en el infierno que sujetaba la muñeca, ni romperla, ni desprenderla de la roca. Por tanto, una vez más, dolorido, Maedhros le rogó que le diera muerte; pero Fingon le cortó la mano por encima de la muñeca, y Thorondor los llevó a ambos de regreso a Mithrim.

Allí Maedhros curó con el tiempo, pues fuerte ardía en él el fuego de la vida, y conservaba el vigor del mundo antiguo, como todos los que se habían criado en Valinor. El cuerpo se le recuperó del tormento y cobró nuevas fuerzas, pero en el corazón le quedaba la sombra de un dolor; y vivió para esgri-

Nargothrond (I)

mir la espada con la mano izquierda más mortalmente todavía que antes con la mano derecha. Por esta hazaña Fingon ganó gran renombre, y todos los Noldor lo alabaron; y el odio entre las casas de Fingolfin y Fëanor se mitigó. Porque Maedhros pidió que lo perdonasen por la deserción en Araman; y abandonó sus pretensiones al trono de los Noldor diciendo a Fingolfin:

—Si ya no hay ofensa entre nosotros, el reinado te corresponde con justicia a ti, ahora el mayor de la casa de Finwë, y en modo alguno el menos sabio. —Pero con esto no todos los hermanos estuvieron realmente de acuerdo.

Por tanto, como predijo Mandos, la Casa de Fëanor recibió el nombre de los Desposeídos, porque el dominio soberano pasó de ella, la del mayorazgo, a la Casa de Fingolfin, tanto en Elendë como en Beleriand, y también por causa de la pérdida de los Silmarils. Pero los Noldor, unidos otra vez, pusieron unos centinelas en los confines de Dor Daedeloth, y Angband fue asediada desde el oeste, el sur y el este; y enviaron mensajeros lejos y alrededor a explorar los países de Beleriand, y a tratar con los pueblos que allí vivían.

Ahora bien, el Rey Thingol no dio la bienvenida de todo corazón a tantos poderosos príncipes llegados del oeste, que buscaban nuevos dominios; ni abrió el reino ni quitó la cintura encantada, pues iluminado por la sabiduría de Melian, no confiaba en que Morgoth fuera a contenerse por mucho tiempo. De todos los príncipes de los Noldor, sólo a los de la Casa de Finarfin admitió dentro de los confines de Doriath; pues podían proclamar un estrecho parentesco con el mismo Rey Thingol, ya que la madre era Eärwen de Alqualondë, hija de Olwë.

Angrod hijo de Finarfin fue el primero de los Exiliados en llegar a Menegroth como mensajero de su hermano Finrod, y habló largo tiempo con el rey de los hechos de los Noldor en el norte, y de su número, y del ordenamiento de sus fuerzas; pero por ser veraz y de sabio corazón y por creer perdonadas ahora todas las ofensas, no dijo una palabra de la Matanza de los Parientes, ni de cómo se habían exiliado los Noldor, ni del Juramento de Fëanor. El Rey Thingol escuchó las palabras de Angrod; y antes de que partiera, le dijo:

—Así dirás por mí a los que te enviaron. Se permite a los Noldor morar en Hithlum, y en las tierras altas de Dorthonion, y en las tierras al este de Doriath desiertas y silvestres; pero en otras partes hay muchos de los míos y no quiero que se les quite la libertad, y aún menos que se los expulse de sus hogares. Cuidado, por tanto, con cómo os comportáis, príncipes del Oeste; porque yo soy el Señor de Beleriand y todos los que intenten morar allí oirán de mí. A Doriath nadie entrará, ni habitará en ella, salvo los que yo llame como huéspedes o los que recurran a mí en extrema necesidad.

Entonces los Señores de los Noldor se reunieron en consejo en Mithrim, y Angrod vino de Doriath con el mensaje del Rey Thingol. A los Noldor les pareció un frío saludo de bienvenida, y los hijos de Fëanor se enfadaron al escucharlo; pero Maedhros rió, diciendo:

—Rey es quien puede cuidar de lo suyo; de otro modo vano resulta el título. Thingol sólo nos cede las tierras donde no tiene ningún poder. En verdad hoy únicamente reinaría en Doriath, si no fuera por la llegada de los Noldor. Que reine en Doriath entonces, y se contente con tener a los hijos de Finwë por vecinos y no los Orcos de Morgoth. En otra parte será como a nosotros nos parezca bien.

Pero Caranthir, que no amaba a los hijos de Finarfin y era el más duro de los hermanos y el más rápido para la ira, vociferó:

—¡Y aún más! ¡Que los hijos de Finarfin no corran de aquí para allá con sus cuentos ante ese Elfo Oscuro de las cavernas! ¿Quién los nombró nuestros portavoces para tratar con él? Y aunque de hecho lleguen a Beleriand, que no olviden tan de prisa que tienen como padre a un señor de los Noldor, aunque la madre sea de otra estirpe.

Entonces Angrod montó en cólera y abandonó el consejo. Maedhros reprendió a Caranthir; pero la mayor parte de los Noldor de ambas facciones sintieron que estas palabras les perturbaban el corazón, pues tenían el ánimo salvaje de los hijos de Fëanor, siempre dispuestos a estallar en palabras duras o en violencia. Pero Maedhros apaciguó a sus hermanos y éstos abandonaron el consejo, y poco después se marcharon de Mithrim hacia el este más allá del Aros, a las extensas tierras en torno a la Colina de Himring. Esa región fue llamada en adelante la Frontera de Maedhros; porque al norte había escasas defensas de río o colina contra los ataques de Angband. Allí Maedhros y sus hermanos montaron guardia con todos los que quisieran unirse a ellos, y tuvieron poco trato con la gente de su propio linaje en el oeste, salvo en caso de necesidad. Se dice que en verdad fue el mismo Maedhros quien concibió este plan con el fin de disminuir las oportunidades de disputa y porque deseaba con fervor que el principal riesgo de ataque recayera sobre él mismo; y por su parte se mantuvo en términos amistosos con las casas de Fingolfin y Finarfin, e iba a ellos en ocasiones para tratar asuntos comunes. No obstante, también estaba obligado por el juramento, aunque durante un tiempo éste pareció dormido.

Por ese entonces la gente de Caranthir era la que más al este moraba, más allá de las aguas superiores del Gelion en torno al Lago Helevorn bajo el Monte Rerir, y hacia el sur; y treparon a las alturas de Ered Luin y miraron hacia el este con asombro, porque amplios y salvajes les parecieron las tierras de la Tierra Media. Y así fue cómo la gente de Caranthir llegó a encontrarse con los Enanos, que después de la matanza de Morgoth y la llegada de los Noldor habían dejado de comerciar con Beleriand. Pero aunque ambos pueblos amaban la habilidad manual y todos deseaban aprender, no hubo gran amor entre ellos; porque los Enanos eran reservados y se ofendían con facilidad, y Caranthir era altivo, y apenas ocultaba su desprecio por la fealdad de los Naugrim, y su gente imitaba al señor. No obstante, como ambos pueblos temían y odiaban a Morgoth, celebraron una alianza, y se beneficiaron sobremanera con ella; porque los Naugrim conocían muchos secretos de artesanía por entonces, de modo que los herreros y los albañiles de Nogrod y Belegost alcanzaron gran renombre entre los suyos, y cuando los Enanos empezaron a viajar otra vez a Beleriand, todo el comercio de las minas pasaba primero por las manos de Caranthir, y grandes fueron las riquezas que así obtuvo.

Cuando veinte años del Sol hubieron pasado, Fingolfin, Rey de los Noldor, celebró una gran fiesta; y ésta tuvo lugar en primavera, cerca de los estanques de Ivrin, donde nacía el Río Narog, pues allí las tierras eran verdes y hermosas al pie de las Montañas de la Sombra que los escudaban del norte. La alegría de esa fiesta se recordó mucho tiempo en los posteriores días de dolor; y se la llamó Mereth Aderthad, la Fiesta de la Reunión. A ella asistieron muchos capitanes y gente de Fingolfin y Finrod; y los hijos de Fëanor, Maedhros y Maglor, con guerreros de la Frontera Oriental; y también asistieron muchos Elfos Grises, gente errante de los bosques de Beleriand y de los Puertos, con Círdan, su señor. Hasta asistieron Elfos Verdes de Ossiriand, la Tierra de los Siete Ríos, que se extendía muy lejos, bajo los muros de las Montañas Azules; pero de Doriath sólo vinieron dos mensajeros, Mablung y Daeron, portadores de los saludos del Rey.

En Mereth Aderthad se celebraron de buen grado múltiples consejos, y se oyeron juramentos de alianza y amistad; y se dice que en esta fiesta la gente habló sobre todo la lengua de los Elfos Grises, aun los mismos Noldor, pues aprendieron de prisa el idioma de Beleriand; en cambio los Sindar eran lentos en dominar la lengua de Valinor. Los corazones de los Noldor estaban henchidos y llenos de esperanzas, y a muchos de ellos les pareció que las palabras de Fëanor tenían ahora justificación, cuando les aconsejó que buscaran libertad y hermosos reinos en la Tierra Media; y en verdad siguieron luego largos años de paz, mientras un cerco de espadas defendía Beleriand de la maldad de Morgoth, que ya no tenía poder sino dentro de sus propias estancias. En aquellos días había alegría bajo el nuevo Sol y la nueva Luna, y toda la tierra estaba complacida; pero la Sombra aún meditaba en el norte.

Y cuando otra vez hubieron transcurrido treinta años, Turgon hijo de Fingolfin abandonó Nevrast, donde moraba, y fue a la isla de Tol Sirion en busca de Finrod, su amigo, y juntos viajaron hacia el sur a lo largo del río, momentáneamente cansados de las montañas septentrionales; y mientras viajaban, la noche descendió sobre ellos más allá de las Lagunas del Crepúsculo cerca de las aguas del Sirion, y descansaron a sus orillas bajo las estrellas del verano. Pero Ulmo llegó hasta ellos río arriba y los sumió en un sueño profundo y en pesados ensueños; y la perturbación de los ensueños continuó una vez despiertos, pero ninguno dijo nada al otro, porque el recuerdo era confuso, y cada cual creía que Ulmo le había enviado un mensaje sólo a él. Pero la inquietud los ganó en adelante, y la duda de lo que pudiera acaecer, y con frecuencia erraron solos por tierras nunca holladas, buscando a lo lejos y a lo ancho refugios secretos e inquebrantables; porque los dos se sentían llamados a prepararse para un día aciago, y a planear una retirada, por si Morgoth irrumpiera desde Angband y destruyera los ejércitos del norte.

Ahora bien, en una ocasión Finrod y Galadriel, su hermana, eran huéspedes de Thingol, su pariente en Doriath. Finrod quedó colmado de asombro ante la fuerza y la majestad de Menegroth, con sus tesoros y armerías y salas de piedra de múltiples pilares; y quiso en su corazón construir amplias salas con puertas siempre guardadas, en algún sitio profundo y secreto bajo las colinas. Por tanto, abrió su corazón a Thingol, confiándole sus sueños; y Thingol le habló de la profunda garganta del Río Narog, y de las cavernas bajo las Altas Faroth en la empinada orilla occidental, y cuando Finrod partió, le procuró unos guías que lo conducirían hasta el sitio que pocos conocían aún. Así llegó Finrod a las Cavernas del Narog, y empezó a construir allí profundas salas y armerías modeladas sobre las mansiones de Menegroth; y esta fortaleza fue llamada Nargothrond. En esa tarea Finrod tuvo la ayuda de los Enanos de las Montañas Azules; y éstos recibieron una buena recompensa, pues Finrod había traído consigo más tesoros de Tirion que ninguno de los príncipes de los Noldor. Y en ese tiempo se labró para él el Nauglamír, el Collar de los Enanos, la obra más renombrada de las que hicieron en los Días Antiguos. Era una cadena de oro con un engarce de innumerables gemas de Valinor; pero tenía un poder que la volvía tan ligera como una hebra de lino, para quien la llevaba encima, y cualquier cuello sobre el que se cerrara tenía siempre gracia y encanto.

Allí, en Nargothrond, Finrod hizo su morada junto con muchos de los suyos, y recibió en la lengua de los Enanos el nombre de Felagund, Excavador de Cuevas; y ese nombre llevó en adelante hasta el fin. Pero Finrod Felagund no fue el primero en habitar en las cavernas junto al Río Narog.

Galadriel, su hermana, no fue con él a Nargothrond, porque en Doriath vivía Celeborn, pariente de Thingol, y un gran amor los unía. Por ello permaneció en el Reino Escondido y vivió con Melian, y de ella aprendió mucha ciencia y sabiduría acerca de la Tierra Media.

Pero Turgon recordó la ciudad levantada sobre una colina, Tirion la bella con su torre y su árbol, y no encontró lo que buscaba, de modo que regresó a Nevrast y se quedó en paz en Vinyamar junto a las orillas del mar. Y al año siguiente Ulmo mismo se le apareció y le ordenó que fuera otra vez solo al Valle del Sirion; y Turgon fue, y siguiendo las indicaciones de Ulmo descubrió el valle escondido de Tumladen en las Montañas Circundantes, en medio del cual había una colina rocosa. De esto no habló con nadie entonces, y regresó una vez más a Nevrast, y allí en reuniones secretas empezó a planear la ciudad modelada sobre Tirion sobre Túna, por la que su corazón sentía nostalgia en el exilio.

Ahora bien, Morgoth, creyendo a sus espías, que le comunicaron que los Señores de los Noldor andaban errantes sin pensar en la guerra, decidió poner a prueba la fortaleza y la vigilancia de sus enemigos. Una vez más, sin advertencia previa, recurrió a sus poderes, y de pronto hubo terremotos en el norte, y salió fuego de fisuras abiertas en la tierra, y las Montañas de Hierro vomitaron llamaradas; y los Orcos atravesaron la llanura de Ard-galen. Desde allí descendieron por el Paso del Sirion al oeste, y al este irrumpieron en la tierra de Maglor, por la hondonada que corre entre las colinas de Maedhros y los macizos de las Montañas Azules. Pero Fingolfin y Maedhros no dormían, y mientras otros perseguían a los Orcos dispersos que erraban por Beleriand haciendo gran daño, ellos se precipitaron desde ambos flancos sobre el ejército principal, que atacaba entonces a Dorthonion; y derrotaron a los siervos de Morgoth, y yendo tras ellos por Ard-galen los destruyeron por completo, hasta el último y el menor, a la vista de los portales de Angband. Ésa fue la tercera gran batalla de las Guerras de Beleriand, y se la llamó Dagor Aglareb, la Batalla Gloriosa.

Fue una victoria, pero también una advertencia; y los príncipes la tuvieron en cuenta, y fortalecieron la alianza y pusieron más centinelas, e iniciaron el Sitio de Angband, que duró casi cuatrocientos años del Sol. Por largo tiempo, después de la Dagor Aglareb, ninguno de los siervos de Morgoth se aventuró fuera de los portales, pues temían a los Señores de los Noldor; y Fingolfin se jactó de que sólo por causa de una traición entre las filas de los propios Eldar podría Morgoth volver a romper su asedio, o sorprenderlos inadvertidos. Pero los Noldor no pudieron apoderarse de Angband, ni recuperar los Silmarils; y la guerra nunca cesó por completo en todos esos años del Sitio, pues Morgoth concebía nuevos males, y de vez en cuando ponía a prueba a los sitiadores. Tampoco era posible mantener la fortaleza de Morgoth rodeada por completo; porque las Montañas de Hierro, en cuyas enormes laderas curvas se alzaban las torres de Thangorodrim, la defendían por ambos lados y eran impenetrables para los Noldor a causa del hielo y la nieve. Por tanto, en la retaguardia y en el norte Morgoth no tenía enemigos, y por ese camino los espías salían a veces y llegaban por tortuosos caminos a Beleriand. Y deseando por encima de todo sembrar el miedo y la desunión entre los Eldar, ordenaba a los Orcos que atraparan vivo a cualquiera de ellos y lo llevaran encadenado a Angband; y a algunos el terror de los ojos de Morgoth les intimidaba de tal manera que no necesitaban cadenas, y andaban siempre atemorizados, y cumpliendo su voluntad dondequiera que estuviesen. De este modo se enteró Morgoth de mucho de lo que había sucedido desde la rebelión de Fëanor, y se regocijó viendo allí la semilla de muchas disensiones entre los Eldar.

Cuando casi cien años habían transcurrido desde la Dagor Aglareb, Morgoth intentó sorprender a Fingolfin (porque tenía conocimiento de la vigilancia de Maedhros); y envió un ejército al norte blanco, y las tropas se volvieron hacia el oeste, y luego hacia el sur, y arribaron a las costas del Estuario de Drengist por la ruta que Fingolfin había seguido desde el Hielo Crujiente. De ese modo penetrarían en el reino de Hithlum desde el oeste; pero fueron descubiertos a tiempo y Fingon cayó sobre ellos entre las colinas, en el nacimiento del Estuario, y la mayor parte de los Orcos fueron arrojados al mar. No se la consideró una de las grandes batallas, pues las tropas de los Orcos habían sido poco numerosas, y sólo una parte del pueblo de Hithlum luchó allí. Pero luego hubo paz durante muchos años, y Angband no atacó nunca abiertamente, porque advertía Morgoth que los Orcos por sí solos no eran rivales para los Noldor; y buscó en su corazón nuevo consejo.

Una vez más, al cabo de cien años, Glaurung, el primero de entre los Urulóki, los dragones de fuego del norte, salió una noche por las puertas de Angband. Era joven y aún no se había desarrollado del todo, porque larga y lenta es la vida de los dragones, pero los Elfos huyeron acongojados hacia Ered Wethrin y Dorthonion, y él corrompió los campos de Ardgalen. Entonces, Fingon, príncipe de Hithlum, cabalgó al

encuentro del dragón junto con arqueros montados y lo rodeó con un anillo de rápidos jinetes; y Glaurung no pudo
soportar los dardos, pues era aún débil de armadura, y huyó
de vuelta a Angband y no volvió a salir de allí en mucho
tiempo. Fingon ganó grandes alabanzas y los Noldor se regocijaron; porque pocos entendieron el significado y la amenaza de esta nueva criatura. Pero a Morgoth le disgustaba que
Glaurung se hubiera manifestado demasiado pronto; y a su
derrota siguió la Larga Paz de casi doscientos años. En todo
ese tiempo sólo hubo refriegas en las fronteras, y toda Beleriand prosperó y se enriqueció. Detrás de la guardia de los
ejércitos los Noldor levantaron torres y edificios, y muchas
otras cosas hermosas hicieron en aquel entonces, y poemas e
historias y libros de sabiduría. En gran parte de la tierra los
Noldor y los Sindar se fundieron en un solo pueblo y hablaron la misma lengua; pero esta diferencia siguió habiendo
entre ellos: los Noldor eran más poderosos de mente y cuerpo, y más grandes guerreros y más sabios, y edificaban con
piedra y amaban las pendientes de las colinas y las tierras
abiertas, pero los Sindar tenían una voz más hermosa, y eran
más hábiles en la música, exceptuando a Maglor hijo de Fëanor; y amaban los bosques y las orillas de los ríos; y algunos
de los Elfos Grises erraban aún sin morada fija por sitios remotos, e iban siempre cantando.

14

DE BELERIAND Y SUS REINOS

Ahora se hablará de la forma de las tierras a las que llegaron los Noldor, al norte de las regiones occidentales de la Tierra Media, en los días antiguos; también se cuenta aquí cómo los jefes de los Eldar mantuvieron sus tierras y el asedio a Morgoth después de la Dagor Aglareb, la tercera batalla de las Guerras de Beleriand.

En el norte del mundo, Melkor había levantado tiempo atrás Ered Engrin, las Montañas de Hierro, como cerca defensiva de la ciudadela de Utumno; y se erguían sobre los límites de esas regiones de frío sempiterno, en una gran curva desde el este al oeste. Tras los muros de Ered Engrin al oeste, donde retroceden hacia el norte, Melkor edificó otra fortaleza contra posibles ataques desde Valinor; y cuando regresó a la Tierra Media, como se ha dicho, habitó en las infinitas mazmorras de Angband, los Infiernos de Hierro, porque en la Guerra de los Poderes, los Valar, en su prisa por aniquilarlo en la gran fortaleza de Utumno, no destruyeron totalmente Angband ni exploraron los más profundos recovecos. Bajo Ered Engrin, Morgoth cavó un gran túnel que salía al sur de las montañas;

y allí levantó unas puertas poderosas. Pero por encima de estas puertas y aun detrás de ellas hasta las montañas, apiló las torres tronantes de Thangorodrim, hechas con las cenizas y la escoria de los hornos subterráneos, y los sustanciosos residuos de la excavación de los túneles. Eran negras y desoladas y sumamente altas; y de sus cimas salía un humo oscuro y hediondo, que manchaba el cielo septentrional. Ante las puertas de Angband, una desolación de inmundicias se extendía muchas millas hacia el sur por la ancha planicie de Ard-galen; pero tras la llegada del Sol, creció allí una abundante hierba, y mientras duró el sitio de Angband y las puertas permanecieron cerradas, asomaron allí plantas verdes, aun entre los pozos y las rocas quebradas delante de las puertas del infierno.

Al oeste de Thangorodrim se encontraba Hísilómë, la Tierra de la Niebla, pues así se la llamó en la lengua de los Noldor a causa de las nubes que Morgoth había enviado allí cuando acamparon por vez primera; en la lengua de los Sindar, que moraban en aquellas regiones, se la llamó Hithlum. Fue una tierra hermosa mientras duró el Sitio de Angband, aunque el aire era fresco y el invierno, frío. El límite oeste era Ered Lómin, las Montañas del Eco, no lejos del mar; en el este y el sur, en la gran curva de Ered Wethrin, se alzaban las Montañas de la Sombra, frente a Ard-galen y el Valle del Sirion.

Fingolfin y su hijo Fingon dominaban Hithlum, y la mayor parte del pueblo de Fingolfin moraba en Mithrim, a orillas del gran lago; a Fingon se le asignó Dor-lómin, que estaba al oeste de las Montañas de Mithrim. Pero la fortaleza principal se levantaba en Eithel Sirion, al este de Ered Wethrin, desde donde vigilaban Ard-galen; y la caballería de Fingolfin cabalgaba por esa llanura aun hasta la sombra de Thangorodrim; pues los pocos caballos con los que habían empezado se

habían multiplicado con rapidez, y las hierbas de Ard-galen eran ricas y verdes. Muchos de los progenitores de esos caballos provenían de Valinor, y eran un regalo de Maedhros como compensación por las pérdidas de Fingolfin, y habían sido transportados en barco a Losgar.

Al oeste de Dor-lómin, más allá de las Montañas del Eco, que al sur del Estuario de Drengist se adentran en la tierra, se encontraba Nevrast, que en lengua sindarin significa Costa de Aquende. Ese nombre se dio en un principio a todas las costas al sur del Estuario, pero luego sólo a aquellas que se extendían entre Drengist y el Monte Taras. Allí, por mucho tiempo, estuvo el reino de Turgon el Sabio, hijo de Fingolfin, bordeado por el mar y por Ered Lómin, y por las colinas que continuaban los muros de Ered Wethrin hacia el oeste, desde Ivrin al Monte Taras, que se levantaba sobre un promontorio. Sostuvieron algunos que Nevrast pertenecía a Beleriand y no a Hithlum, pues era una tierra más amena, regada por los aires húmedos del mar y protegida de los vientos fríos del norte que soplaban sobre Hithlum. Nevrast se alzaba en una hondonada, entre los grandes acantilados de las costas, más elevados que las llanuras de detrás, y no fluía allí río alguno; y había una gran laguna en medio de Nevrast, sin orillas precisas, pues estaba rodeada de anchos marjales. Linaewen era el nombre de esa laguna, por causa de la gran abundancia de aves que allí vivían, especies que amaban los juncos altos y los vados. A la llegada de los Noldor, muchos de los Elfos Grises moraban en Nevrast, cerca de las costas, y en especial en torno al Monte Taras, al suroeste; pues a ese sitio Ulmo y Ossë solían ir en los días de antaño. Todo ese pueblo tenía a Turgon por su señor, y la mezcla entre los Noldor y los Sindar se dio allí antes que en ningún sitio; y Turgon habitó largo tiempo en esas salas que él llamó Vinyamar, bajo el Monte Taras, a orillas del océano.

Al sur de Ard-galen, las grandes tierras elevadas llamadas Dorthonion abarcaban sesenta leguas de oeste a este; y había en ellas grandes bosques de pinos, especialmente al oeste y al norte. Levantándose poco a poco desde la llanura, llegaba a convertirse en una tierra lóbrega y alta, donde había muchas lagunas entre peñascos desnudos cuyas cimas eran más elevadas que las de Ered Wethrin; pero al sur, en dirección a Doriath, se precipitaba de pronto en abismos terribles. Desde las cuestas septentrionales de Dorthonion, Angrod y Aegnor, hijos de Finarfin, dominaban los campos de Ard-galen, y eran vasallos de su hermano Finrod, señor de Nargothrond; vivía allí poca gente, pues la tierra era yerma, y las altas tierras de detrás eran consideradas un baluarte que Morgoth no intentaría cruzar a la ligera.

Entre Dorthonion y las Montañas Sombrías había un valle angosto con laderas abruptas vestidas de pinos; pero el valle mismo era verde, pues por él corría el Río Sirion, que se apresuraba hacia Beleriand. Finrod dominaba el Paso del Sirion, y en la isla de Tol Sirion levantó en medio del río una poderosa torre de vigilancia, Minas Tirith; pero una vez construida Nargothrond dejó que Orodreth, su hermano, se ocupara de esa fortaleza la mayor parte del tiempo.

Ahora bien, las vastas y hermosas tierras de Beleriand se extendían a ambos lados del poderoso Río Sirion, de gran renombre en las canciones, que nacía en Eithel Sirion y bordeaba el filo de Ard-galen antes de precipitarse por el paso, cada vez más caudaloso con las aguas de las montañas. Desde allí fluía hacia el sur a lo largo de ciento treinta leguas, recogiendo las aguas de muchos afluentes, hasta que la corriente poderosa desembocaba en un delta arenoso de la Bahía de Balar. Y siguiendo el Sirion de norte a sur, a orilla derecha, en Beleriand Occidental, se encontraba el Bosque de Brethil entre el

Sirion y el Teiglin, y luego el reino de Nargothrond, entre el Teiglin y el Narog. Y el Río Narog nacía en las Cataratas de Ivrin al sur de Dor-lómin, y fluía unas ochenta leguas antes de unirse al Sirion en Nan-tathren, la Tierra de los Sauces. Al sur de Nan-tathren había una región de prados floridos donde los habitantes eran escasos; y más allá se extendían los marjales y las islas de juncos en torno a las Bocas del Sirion, y en las arenas del delta no vivía ninguna criatura, excepto los pájaros del mar.

Pero el reino de Nargothrond llegaba también al oeste del Narog hasta el Río Nenning, que desembocaba en el mar en Eglarest, y Finrod fue con el tiempo el señor supremo de todos los Elfos de Beleriand entre el Sirion y el mar, salvo sólo las Falas. Allí vivían los Sindar que aún amaban los barcos, y Círdan, el Carpintero de Barcos, era el señor de todos ellos; pero entre Círdan y Finrod había amistad y alianza, y con ayuda de los Noldor se reconstruyeron los puertos de Brithombar y Eglarest. Detrás de los amplios muros se edificaron hermosas ciudades y desembarcaderos con muelles y malecones de piedra. Sobre el cabo al oeste de Eglarest, Finrod levantó la torre de Barad Nimras para vigilar el Mar Occidental, aunque innecesariamente, como se vio luego; porque en ningún momento intentó Morgoth construir barcos o hacer la guerra por mar. El agua intimidaba mucho a sus sirvientes, y ninguno se acercaba a ella de buen grado, salvo que una dura necesidad lo exigiera. Con ayuda de los Elfos de los Puertos, algunos de los habitantes de Nargothrond construyeron nuevos barcos, y emprendieron largos viajes y exploraron la gran Isla de Balar, con intención de edificar allí un último refugio, si algún mal sobrevenía; pero el destino no los llevó a vivir allí.

Por tanto, el reino de Finrod era, con mucho, el más grande, aunque él fuera el más joven de los grandes Señores de los

Noldor, Fingolfin, Fingon y Maedhros, y Finrod Felagund. Pero se tuvo a Fingolfin como señor supremo de todos los Noldor, y Fingon tras él, aunque no tenían otro reino que la tierra septentrional de Hithlum; no obstante, estos pueblos eran los más osados y valientes, los que más temían los Orcos y más odiaba Morgoth.

A mano izquierda del Sirion se extendía Beleriand Oriental; tenía una anchura de cien leguas desde el Sirion hasta el Gelion y los límites de Ossiriand; y antes, entre el Sirion y el Mindeb, se encontraba la tierra baldía de Dimbar bajo los picos de las Crissaegrim, morada de las águilas. La tierra de nadie de Nan Dungortheb separaba el Mindeb de las aguas superiores del Esgalduin; y había terror en esa región, porque a uno de sus lados el poder de Melian guardaba la frontera norte de Doriath, pero al otro los desnudos precipicios de Ered Gorgoroth, las Montañas del Terror, caían a pique desde lo alto de Dorthonion. Allí, como ya se dijo, había huido Ungoliant de los látigos de los Balrogs, y allí moró por un tiempo ocupando los barrancos con su mortal lobreguez, y allí todavía, después de que ella partiera, su prole inmunda acechaba y tejía grandes redes malignas; y las escasas aguas vertidas desde Ered Gorgoroth se contaminaban y era peligroso beberlas, pues las sombras de la locura y la desesperación invadían el corazón de aquellos que las probaban. Toda criatura viviente evitaba esa tierra, y los Noldor sólo atravesaban Nan Dungortheb si los acuciaba una gran necesidad, por senderos cercanos a los límites de Doriath, lo más lejos posible de las montañas malignas. Ese camino había sido construido mucho antes de que Morgoth hubiera vuelto a la Tierra Media; y el que viajara por él llegaría hacia el este al Esgalduin, donde en los días del Sitio todavía se levantaba el puente de piedra de Iant Iaur. De allí avanzaría por Dor Dínen, la Tierra Silenciosa, y cruzando los Arossiach (que significa los Vados del Aros), llegaría a las fronteras septentrionales de Beleriand, donde moraban los hijos de Fëanor.

Hacia el sur se extendían los bosques guardados de Doriath, morada de Thingol, el Rey Escondido, a cuyo reino nadie entraba, salvo que él lo quisiera. La parte septentrional, la menor, el Bosque de Neldoreth, estaba limitada al este y al sur por el oscuro Río Esgalduin, que se curvaba hacia el oeste internándose en la tierra; y entre el Aros y el Esgalduin se alzaban los bosques más densos y más grandes de Region. En la orilla austral del Esgalduin, donde éste se desviaba al oeste hacia el Sirion, se encontraban las Cavernas de Menegroth; y toda Doriath estaba al este del Sirion, salvo una estrecha región boscosa entre el encuentro del Teiglin y del Sirion y las Lagunas del Crepúsculo. Los habitantes de Doriath llamaban a este bosque Nivrim, la Frontera Occidental; grandes robles crecían allí, y también dentro de la Cintura de Melian, de modo que cierta parte del Sirion, que ella amaba por reverencia a Ulmo, estaba enteramente bajo el poder de Thingol.

Al sureste de Doriath, en donde el Aros une sus aguas con el Sirion, había grandes marjales y lagunas a ambos lados del río, que detenía allí su curso y se perdía en múltiples canales. Esa región se llamaba Aelin-uial, las Lagunas del Crepúsculo, porque estaba envuelta en neblinas, y el encantamiento de Doriath pendía sobre ella. Ahora bien, toda la parte septentrional de Beleriand descendía hacia el sur hasta este punto y luego era plana, durante un trecho, y el flujo del Sirion se demoraba. Pero al sur de Aelin-uial la tierra descendía de súbito en una pronunciada pendiente; y todos los campos bajos del Sirion quedaban separados de los más altos por esta caída; y quien mirara desde el sur hacia el norte, creería ver una interminable cadena de colinas que venía desde el Eglarest, más allá del Narog al oeste, hacia Amon Ereb al este, que se alcanzaba a ver desde el Gelion. El Narog avanzaba entre estas colinas por una profunda garganta y fluía en rápidos, pero sin cascadas, y en la orilla oeste se alzaban las vastas y boscosas tierras altas de Taur-en-Faroth. En el lado occidental de esta garganta, donde la pequeña corriente espumosa del Ringwil se precipitaba en el Narog desde las Altas Faroth, Finrod estableció Nargothrond. Pero a unas veinticinco leguas al este de la garganta de Nargothrond, el Sirion caía desde el norte en una poderosa catarata bajo las Lagunas, y luego se hundía súbitamente en múltiples canales subterráneos excavados por el paso de las aguas; y surgía otra vez a tres leguas hacia el sur con gran estrépito y vapores, y atravesaba los arcos rocosos al pie de las colinas llamadas las Puertas del Sirion.

Ese desnivel divisorio recibió el nombre de Andram, la Muralla Larga, desde Nargothrond hasta Ramdal, el Fin de la Muralla, en Beleriand Oriental. Pero al este se iba haciendo cada vez menos abrupta, pues el Valle del Gelion descendía poco a poco hacia el sur, y en todo el curso del Gelion no había corrientes impetuosas ni cascadas, pero era siempre más rápido que el Sirion. Entre Ramdal y el Gelion se levantaba una única colina de gran extensión y pendientes suaves, pero parecía más poderosa de lo que era, porque se encontraba sola; y a esa colina se la llamó Amon Ereb. En Amon Ereb murió Denethor, señor de los Nandor que habitaban en Ossiriand; ellos fueron los que acudieron en ayuda de Thingol contra Morgoth cuando los Orcos descendieron por primera vez en gran número y quebraron la paz de Beleriand, iluminada por las estrellas; y en esa colina habitó Maedhros después de la gran derrota. Pero al sur de la Andram, entre el Sirion y el Gelion, la tierra era salvaje, y estaba cubierta de

enmarañados bosques, en los que nadie vivía, salvo aquí y
allí algunos de los errantes Elfos Oscuros; se la llamó
Taur-im-Duinath, el Bosque entre los Ríos.

El Gelion era un gran río; nacía en dos fuentes y tuvo en un
principio dos brazos: el Gelion Menor, que venía de la Colina
de Himring, y el Gelion Mayor, que venía del Monte Rerir. A
partir del encuentro de los dos brazos, fluía hacia el sur a lo
largo de cuarenta leguas antes de toparse con sus afluentes; y
ya cerca del mar era dos veces más largo que el Sirion, aunque
menos ancho y caudaloso, pues llovía menos en el este que en
Hithlum y Dorthonion, de donde recibía el Sirion sus aguas.
Desde Ered Luin bajaban los seis afluentes del Gelion: Ascar
(que se llamó después Rathlóriel), Thalos, Legolin, Brilthor,
Duilwen y Adurant, rápidas corrientes turbulentas que se precipitan desde empinadas montañas; y entre el Ascar al norte y
el Adurant al sur, y entre el Gelion y Ered Luin, se extendía la
lejana tierra verde de Ossiriand, la Tierra de los Siete Ríos.
Ahora bien, hacia la mitad del curso del Adurant, la corriente
se dividía para luego volver a unirse; y la isla que las aguas
cercaban se llamó Tol Galen, la Isla Verde. Allí moraron Beren y Lúthien después de su retorno.

En Ossiriand moraban los Elfos Verdes, protegidos por
sus ríos, porque después del Sirion, Ulmo amaba al Gelion
por encima de todas las aguas del mundo occidental. Tal era
la habilidad de los Elfos de Ossiriand para fundirse con el
bosque, que un forastero podría atravesar estas tierras de extremo a extremo sin haber visto a uno solo. Vestían de verde
en primavera y verano, y el sonido de sus cantos alcanzaba a
oírse aun a través de las aguas del Gelion; por lo que los Noldor llamaron a esa tierra Lindon, la tierra de la música; y a las

montañas de más allá las llamaron Ered Lindon, porque las vieron por primera vez desde Ossiriand.

Al este de Dorthonion las fronteras de Beleriand estaban más expuestas a ataques, y sólo unas colinas de poca altura guardaban el Valle del Gelion desde el norte. En esa región, en la Frontera de Maedhros y en las tierras de más atrás, vivían los hijos de Fëanor con mucha gente; y sus jinetes cabalgaban a menudo por la planicie septentrional, Lothlann, vasta y desierta, al este de Ard-galen, temiendo que Morgoth intentara atacar Beleriand Oriental. La principal ciudadela de Maedhros se levantaba en la Colina de Himring, la Siempre Fría; y era ancha, desprovista de árboles, plana en la cumbre y rodeada de múltiples colinas menores. Entre Himring y Dorthonion había un paso tremendamente empinado hacia el oeste, y era ése el Paso de Aglon, una puerta que llevaba a Doriath; y era atravesado por un viento crudo que siempre soplaba desde el norte. Pero Celegorm y Curufin fortificaron Aglon y lo sostuvieron con gran vigor, y también las tierras de Himlad al sur, entre el Río Aros que nacía en Dorthonion y su afluente el Celon, que venía de Himring.

Entre los brazos del Gelion se encontraba el fuerte de Maglor, y aquí las colinas desaparecían por completo; por allí entraron los Orcos en Beleriand Oriental antes de la Tercera Batalla. Por tanto, los Noldor guardaban con fuerzas de caballería las llanuras de ese sitio; y el pueblo de Caranthir fortificó las montañas al este de la Brecha de Maglor. Allí el Monte Rerir, y muchas montañas menores alrededor, se destacaban de la cadena principal de Ered Lindon hacia el oeste; y en el ángulo de Rerir con Ered Lindon había un lago sombreado por montañas desde todos los lados, salvo el sur. Era ése el

Lago Helevorn, profundo y oscuro, y junto a él moraba Caranthir; pero a todas las vastas tierras entre el Gelion y las montañas, y entre Rerir y el Río Ascar, los Noldor las llamaron Thargelion, que significa la Tierra de más allá del Gelion, o Dor Caranthir, la Tierra de Caranthir; y allí fue donde los Noldor encontraron por primera vez a los Enanos. Pero Thargelion fue llamada antes por los Elfos Grises Talath Rhúnen, el Valle Oriental.

Así pues, los hijos de Fëanor bajo la égida de Maedhros eran los señores de Beleriand Oriental, pero su pueblo en ese tiempo se encontraba sobre todo al norte de la tierra, y hacia el sur sólo cabalgaban para cazar en los bosques verdes. Pero allí moraban Amrod y Amras, y no fueron mucho al norte mientras duró el Sitio; y también por allí cabalgaban a veces otros señores de los Elfos, aun recorriendo largas distancias, porque la tierra era salvaje, pero muy hermosa. De ellos Finrod Felagund era quien lo hacía con mayor frecuencia, pues amaba ir de un lado a otro, y llegaba aun a Ossiriand, y se ganó la amistad de los Elfos Verdes. Pero ninguno de los Noldor fue nunca a Ered Lindon mientras el reino se sostuvo, y las noticias de lo que pasaba en las regiones del este eran escasas y llegaban tarde a Beleriand.

15

DE LOS NOLDOR EN BELERIAND

Se dijo que, con la guía de Ulmo, Turgon de Nevrast descubrió el valle escondido de Tumladen, que se extendía al este de las aguas superiores del Sirion (como se supo luego), en un anillo de montañas altas y escarpadas, y ninguna criatura llegaba allí salvo las águilas de Thorondor. Pero había un camino profundo que discurría bajo las montañas, excavado en la oscuridad del mundo por las aguas que iban a reunirse con las corrientes del Sirion; y este camino encontró Turgon, y así llegó a la llanura verde en medio de las montañas, y vio la colina-isla que se levantaba allí de piedra lisa y dura; pues el valle había sido un gran lago en días antiguos. Entonces Turgon supo que había encontrado el lugar que deseaba, y decidió edificar allí una hermosa ciudad en memoria de Tirion sobre Túna; pero regresó a Nevrast, y permaneció allí en paz, aunque siempre meditaba en cómo podría llevar a cabo lo que se había propuesto.

Ahora bien, después de la Dagor Aglareb, a Turgon le volvió la inquietud que Ulmo le había puesto en el corazón, y convocó a muchos de los más osados y hábiles de los suyos, y los condujo en secreto al valle escondido, y allí empezaron la construcción de la ciudad que había concebido Turgon; y montaron guardia alrededor para que nadie los sorprendiese desde fuera, y el poder de Ulmo en el Sirion los protegía. Pero Turgon continuó residiendo en Nevrast, hasta que por fin la ciudad estuvo por completo edificada, al cabo de cincuenta y dos años de trabajos ocultos. Se dice que Turgon había decidido llamarla Ondolindë en la lengua de los Elfos de Valinor, la Roca de la Música de las Aguas, pues había fuentes en la colina; pero en la lengua sindarin el nombre cambió, y se convirtió en Gondolin, la Roca Escondida. Entonces Turgon se preparó a partir de Nevrast y abandonar los recintos de Vinyamar junto al mar; y allí Ulmo se le presentó otra vez, y le habló, y dijo:

—Irás ahora por fin a Gondolin, Turgon; y mantendré yo mi poder en el Valle del Sirion, y en todas las aguas que allí hay, de modo tal que nadie advierta tu marcha, ni nadie encuentre la entrada escondida si tú no lo quieres. Gondolin soportará la presión de Melkor por más tiempo que cualquier otro reino de los Eldalië. Pero no ames con exceso la obra de tus manos y las concepciones de tu corazón; y recuerda que la verdadera esperanza de los Noldor está en el Occidente y viene del Mar.

Y Ulmo advirtió a Turgon que también él estaba sometido a la Maldición de Mandos, y que no tenía poder para anularla. Dijo:

—Puede que el Hado de los Noldor te alcance también a ti antes del fin, y que la traición despierte dentro de tus muros. Entonces habrá peligro de fuego. Pero si este peligro acecha en verdad, entonces vendrá a alertarte uno de Nevrast, y de él, más allá de la ruina y del fuego, recibiréis esperanzas los Elfos y los Hombres. Por tanto, deja en esta casa una armadura y una espada para que él las encuentre, y de ese modo lo conocerás y no serás engañado.

Y Ulmo le declaró a Turgon de qué especie y tamaño tenían que ser el yelmo y la cota de malla y la espada que dejaría en la ciudad.

Entonces Ulmo volvió al mar, y Turgon reunió a todos los suyos, aun a una tercera parte de los Noldor de Fingolfin, y a una hueste todavía mayor de los Sindar; y compañía tras compañía se alejaron en secreto bajo las sombras de Ered Wethrin, y llegaron sin ser vistos a Gondolin, y nadie supo a dónde habían ido. Y por último Turgon se puso también en camino, y fue con los de su casa en silencio por entre las colinas, y pasó por las puertas de las montañas, que se cerraron tras él.

Por muchos largos años nadie entró por allí salvo sólo Húrin y Huor; y las huestes de Turgon no volvieron a aparecer hasta el Año de la Lamentación, después de transcurridos trescientos cincuenta años y más todavía. Pero detrás del círculo de las montañas el pueblo de Turgon creció y prosperó, y trabajó sin descanso, de modo que Gondolin de Amon Gwareth llegó a ser realmente hermosa y digna de compararse aun con Tirion de los Elfos, más allá del mar. Elevados y blancos eran los muros, y pulidas las escaleras, y alta y poderosa la Torre del Rey. Allí refulgían las fuentes y en los patios de Turgon se alzaban imágenes de los Árboles de antaño, que el mismo Turgon talló con élfica artesanía; y el Árbol que hizo de oro se llamó Glingal, y el Árbol cuyas flores hizo de plata se llamó Belthil. Pero más hermosa que todas las maravillas de Gondolin era Idril, la hija de Turgon, que fue llamada Celebrindal, la de los Pies de Plata, y sus cabellos eran como el oro de Laurelin antes de la llegada de Melkor. Así vivió largo tiempo Turgon en serena felicidad, pero en la desolada Nevrast nadie habitó hasta la ruina de Beleriand.

Ahora bien, mientras la ciudad de Gondolin se construía en secreto, Finrod Felagund trabajaba en los sitios profundos de Nargothrond; pero Galadriel, su hermana, moraba como se dijo en el reino de Thingol en Doriath. Y a veces Melian y Galadriel hablaban juntas de Valinor y de la dicha de antaño; pero los relatos de Galadriel no iban nunca más allá de la hora oscura de la muerte de los Árboles. Y Melian dijo en una ocasión:

—Hay una pena secreta en ti y en los tuyos. Eso puedo verlo, pero todo lo demás está oculto para mí; porque ni con visiones ni con pensamientos veo nada de lo que sucedió o sucede en el Oeste: una sombra pende sobre toda la tierra de Aman, que se extiende hasta el océano. ¿Por qué no me dices más?

—Porque esa pena pertenece al pasado —dijo Galadriel—, y acepto de buen grado cualquier alegría que haya aquí, sin recuerdos que me perturben. Y quizá nos aguardan otras pesadumbres, aunque parezca que aún brilla la esperanza.

Entonces Melian la miró a los ojos y le dijo:

—No creo que los Noldor vinieran como mensajeros de los Valar, como se dijo al principio: no, aunque llegaran a la hora precisa de nuestra necesidad. Porque no hablan nunca de los Valar, ni ninguno de esos altos señores han traído mensaje alguno a Thingol, ni de Manwë ni de Ulmo, ni siquiera de Olwë, el hermano del Rey, y de su propio pueblo que se hizo a la mar. ¿Por qué motivo, Galadriel, las altas gentes de los Noldor fueron expulsadas de Aman como exiliados? O ¿qué mal pesa sobre los hijos de Fëanor, para que se muestren tan altivos y feroces? ¿No me acerco a la verdad?

—Te acercas —dijo Galadriel—, pero no fuimos expulsados, y partimos porque así lo quisimos nosotros, y en contra de la voluntad de los Valar. Y aunque con gran peligro y a

Sin título (Nargothrond)

pesar de los Valar, con este propósito vinimos: para vengarnos de Morgoth y recuperar lo que se robó.

Entonces habló Galadriel a Melian de los Silmarils, y del asesinato del Rey Finwë en Formenos; aunque no dijo una palabra acerca del Juramento, ni de la Matanza de los Parientes, ni del incendio de las naves en Losgar. Pero Melian dijo:

—Mucho me dices ahora y, sin embargo, adivino más todavía. Una sombra arrojas sobre el largo camino desde Tirion, pero veo allí un mal del que Thingol tendría que estar enterado.

—Quizá —repuso Galadriel—, pero no por mí.

Y Melian ya no siguió hablando de estas cosas con Galadriel; pero contó al Rey Thingol lo que había oído acerca de los Silmarils.

—Éste es asunto de gran importancia —dijo—, más todavía de lo que sospechan los Noldor; pues la Luz de Aman y el destino de Arda están encerrados ahora en esos artificios de Fëanor, que se ha ido. Y presagio que no serán recuperados por poder alguno de los Eldar; y las batallas devastarán el mundo antes de que le sean arrebatados a Morgoth. ¡Tenlo en cuenta! Han matado a Fëanor y a muchos otros, sospecho; pero antes que ninguna otra muerte provocada por Morgoth, ahora o en el futuro, ocurrió la de Finwë, tu amigo. Morgoth lo mató antes de que partiera de Aman.

Entonces Thingol guardó silencio, lleno de dolor y malos presagios; pero luego dijo:

—Entiendo al fin ahora lo que tanto me había intrigado: por qué vinieron los Noldor desde el Oeste. No acudieron en nuestra ayuda (salvo por azar); porque a aquellos que permanecen en la Tierra Media, los Valar dejarán actuar como quieran, hasta que se presente un momento de extrema necesidad. Para vengarse y recuperar lo robado han venido los Noldor. Y sin embargo, y por la misma razón, tendrían que ser nuestros aliados más seguros, pues a nadie se le ocurriría que lleguen a pactar con Morgoth.

Pero Melian dijo:

—En verdad, por esas causas han venido; pero también por otras. ¡Cuídate de los hijos de Fëanor! La sombra de la ira de los Valar pende sobre ellos; y han hecho daño, según entiendo, tanto en Aman como contra los de su propio linaje. Hay un dolor, aunque ahora esté adormecido, entre todos los príncipes de los Noldor.

Y Thingol respondió:

—No sé si eso me concierne. Sólo conozco a Fëanor por lo que me han contado de él, y todos lo engrandecen mucho. Y de los hijos de Fëanor poco oigo que me complazca; no obstante, es probable que sean los más mortales enemigos de nuestro común enemigo.

—Las espadas y los consejos de los Noldor serán siempre de doble filo —dijo Melian; y ya no hablaron más de este asunto.

No transcurrió mucho antes de que los Sindar empezaran a hablar en voz baja entre ellos de los hechos de los Noldor antes de que llegaran a Beleriand. Sobre el origen de estos rumores no cabe ninguna duda, y la cruda verdad fue disfrazada y envenenada con engaños, pero los Sindar eran todavía inocentes y confiaban en las palabras, y (como bien puede entenderse) por ello Morgoth los escogió como primeras víctimas de su malicia. Y Círdan, al escuchar estos relatos sombríos, se sintió perturbado; pues era de buen juicio, y comprendió en seguida que, verdaderos o falsos, era la malicia quien en aquel momento los difundía, aunque la atribuyó a los celos que separaban a las distintas casas de los Noldor. Por tanto, envió mensajeros a Thingol para comunicarle lo que había oído.

Ocurrió que por ese entonces los hijos de Finarfin eran otra vez huéspedes de Thingol, pues deseaban ver a la hermana de ellos, Galadriel. Entonces Thingol, muy agitado, le habló con enfado a Finrod diciendo:

—Has obrado mal conmigo, hermano, al ocultarme asuntos de tanta importancia. Pues acabo de enterarme de todas las malas acciones de los Noldor.

Pero Finrod respondió:

—¿De qué modo he obrado mal contigo? ¿Y qué daño te han hecho los Noldor que tanto te apena? Nunca pensaron o hicieron nada malo, ni contra ti ni contra nadie de tu pueblo.

—¡Me maravilla, hijo de Eärwen —replicó Thingol—, que te hayas acercado así a la mesa de un hombre de tu linaje, con manos enrojecidas por la sangre de tus hermanos maternos, sin adelantar alguna defensa o buscar el perdón!

Entonces Finrod se sintió grandemente perturbado, pero guardó silencio, pues no podía defenderse, excepto acusando a otros príncipes de los Noldor; y era reacio a hacer algo semejante delante de Thingol. Pero en el corazón de Angrod el recuerdo de las palabras de Caranthir creció en amargura, y exclamó:

—Señor, no sé qué mentiras habrás escuchado, ni por boca de quién; pero no hemos venido con las manos enrojecidas. Sin culpa hemos venido, salvo quizá de locura, a escuchar las palabras del feroz Fëanor, que nos embotaron, como si un vino nos hubiera embriagado momentáneamente. Ningún mal cometimos en el camino, pero en cambio lo sufrimos nosotros; y lo perdonamos. Por esto se nos acusa de haber venido con cuentos, y de haber traicionado a los Noldor: falsamente como lo sabes, porque debido a nuestra lealtad no te hemos hablado, y de ese modo nos hemos ganado tu enojo. Pero ahora ya no es posible soportar estas acusaciones y sabrás la verdad.

Entonces Angrod habló con amargura contra los hijos de Fëanor, de la sangre derramada en Alqualondë, y de la Maldición de Mandos, y del incendio de las naves en Losgar. Y exclamó:

—¿Por qué a nosotros, que soportamos el Hielo Crujiente, han de llamarnos traidores y asesinos de hermanos?

—No obstante, la sombra de Mandos pesa también sobre vosotros —dijo Melian. Pero Thingol calló largo tiempo antes de hablar.

—¡Marchaos ahora! —dijo—. Pues tengo un peso en el corazón. Más tarde podréis regresar si queréis; porque no os cerraré mis puertas para siempre, ya que fuisteis atraídos a la trampa de un mal que no buscasteis. No me apartaré tampoco del pueblo de Fingolfin, pues han expiado con amargura el mal que cometieron. Y nuestro odio al Poder que provocó toda esta aflicción apagará todas las quejas. Pero ¡escuchad mis palabras! ¡Nunca quiero volver a oír la lengua de los que mataron a mi gente en Alqualondë! Ni nadie la hablará abiertamente en mi reino, mientras dure mi Poder. Esta orden alcanzará a todos los Sindar: no hablarán la lengua de los Noldor, ni responderán a ella cuando la oigan. Y todos los que la empleen serán considerados asesinos y traidores impenitentes de hermanos.

Entonces los hijos de Finarfin se alejaron de Menegroth con el corazón apesadumbrado, pues entendieron que las palabras de Mandos serían siempre ciertas, y que los Noldor que habían seguido a Fëanor no podían escapar de la sombra que pendía sobre él y sus hijos. Y ocurrió justo lo que había dicho Thingol; pues los Sindar que lo oyeron rechazaron desde entonces en todo Beleriand la lengua de los Noldor, y evitaban a quienes la hablaban en voz alta; los Exiliados adoptaron la lengua sindarin en la vida cotidiana, y la alta lengua del Oeste sólo fue hablada por los Señores de los Noldor y entre ellos. No obstante, esa lengua sobrevivió siempre como el lenguaje del conocimiento, en cualquier lugar donde habitara algún Noldo.

Sucedió al fin que Nargothrond estuvo del todo edificada (y Turgon vivía aún en los recintos de Vinyamar), y los hijos de Finarfin se reunieron allí para celebrar una fiesta; y Galadriel vino de Doriath y permaneció un tiempo en Nargothrond. Ahora bien, el Rey Finrod Felagund no tenía esposa, y Galadriel le preguntó por qué; pero Finrod tuvo una premonición mientras ella hablaba y respondió:

—También yo haré un juramento, y he de ser libre para cumplirlo y adentrarme en las tinieblas. Nada perdurará en mi reino que un hijo pueda heredar.

Pero se dice que esos pensamientos helados no lo habían dominado hasta entonces, pues en verdad él había amado a Amarië de los Vanyar, quien no lo acompañó al exilio.

16

DE MAEGLIN

Aredhel Ar-Feiniel, la Blanca Señora de los Noldor, hija de Fingolfin, vivía en Nevrast con su hermano Turgon, y fue con él al Reino Escondido. Pero se cansó de la ciudad guardada de Gondolin, deseando más que nunca volver a cabalgar en las vastas tierras y caminar por los bosques, tal como había sido su costumbre en Valinor; y doscientos años después de la terminación de los trabajos de construcción de Gondolin, habló con Turgon y le pidió autorización para marcharse. Turgon se resistía a que ella se fuera, y durante mucho tiempo no lo consintió, pero por fin cedió, diciendo:

—Ve, si ésa es tu voluntad, aunque se oponga a lo que me dicta mi buen juicio, y preveo que será para mal de los dos. Pero irás sólo en busca de Fingon, nuestro hermano; y los que envío contigo deberán volver a Gondolin tan de prisa como les sea posible.

Pero Aredhel dijo:

—Soy tu hermana y no tu sirvienta, y más allá de tus confines iré tal como me parezca conveniente. Y si me escatimas una escolta, iré sola.

Entonces Turgon le respondió:

—No te escatimo nada de lo que tengo. Empero, no deseo que nadie que viva fuera de mis muros conozca el camino hacia aquí; confío en ti, hermana mía, pero no en que otros mantengan la boca cerrada.

Y Turgon designó a tres señores de su casa para que cabalgaran junto con Aredhel, y les pidió que la llevaran al encuentro de Fingon, en Hithlum, si podían convencerla.

—Y sed precavidos —les dijo—, porque aunque Morgoth esté aún confinado en el Norte, hay peligros en la Tierra Media que la Señora no conoce.

Entonces Aredhel abandonó Gondolin y el corazón de Turgon quedó apesadumbrado. Pero cuando ella llegó al Vado de Brithiach en el Río Sirion, dijo a sus compañeros:

—Doblad ahora hacia el sur, no hacia el norte, porque no iré a Hithlum; mi corazón prefiere ir al encuentro de los hijos de Fëanor, mis amigos de antaño.

Y como no pudieron disuadirla, doblaron hacia el sur, como ella lo ordenaba, e intentaron ser admitidos en Doriath. Pero los guardianes de la frontera se opusieron; porque Thingol no quería que nadie de los Noldor salvo las gentes de la casa de Finarfin cruzara la Cintura, y menos aún algún amigo de los hijos de Fëanor. Por este motivo los guardianes de la frontera le dijeron a Aredhel:

—Para llegar a la tierra de Celegorm, a la que ahora vais, Señora, no podéis de ninguna manera atravesar el reino del Rey Thingol; tenéis que cabalgar más allá de la Cintura de Melian, hacia el sur o hacia el norte. El camino más rápido es por los senderos que conducen al este desde Brithiach a través de Dimbar y a lo largo de la frontera septentrional de este reino, y que después de cruzar el Puente de Esgalduin y los Vados del Aros entran en las tierras de más allá de la Colina de Himring. Allí viven, según lo creemos, Celegorm y Curufin, y puede que los encontréis, pero el camino es difícil.

Entonces Aredhel se volvió y buscó el peligroso camino entre los valles encantados de Ered Gorgoroth y los cercados septentrionales de Doriath; y mientras se acercaban a la región maligna de Nan Dungortheb, unas sombras envolvieron a los jinetes, y Aredhel perdió de vista a sus compañeros y se extravió. Durante mucho tiempo la buscaron en vano, temiendo que hubiera caído en una trampa o hubiera bebido de las corrientes envenenadas de esa región; pero las criaturas salvajes de Ungoliant que moraban en los barrancos los persiguieron y apenas pudieron escapar con vida. Cuando por fin regresaron y contaron su historia, hubo gran dolor en Gondolin; y Turgon pasó largo tiempo solo, soportando en silencio la congoja y la cólera.

Pero Aredhel, después de haber buscado en vano a sus compañeros, siguió adelante, pues no tenía miedo y era de corazón animoso, como todos los hijos de Finwë; y sin desviarse del camino cruzó el Esgalduin y el Aros, y llegó a la tierra de Himlad entre el Aros y el Celon, donde vivían Celegorm y Curufin en aquellos días, antes de romperse el Sitio de Angband. No estaban allí en ese momento y cabalgaban con Caranthir hacia el este, en Thargelion; pero las gentes de Celegorm la recibieron con grandes honores y la invitaron a habitar entre ellos hasta el regreso del señor. Por un tiempo estuvo allí contenta, y disfrutaba paseando libremente por los bosques; pero conforme el año se prolongaba y Celegorm no regresaba, se sintió inquieta otra vez, y tomó como costumbre cabalgar sola, siempre más lejos, en busca de nuevos senderos y claros inexplorados. Así fue cómo, al menguar el año, Aredhel llegó al sur de Himlad y cruzó el Celon; y antes de que se diera cuenta estaba atrapada en Nan Elmoth.

En ese bosque, en edades remotas, Melian caminaba por el crepúsculo de la Tierra Media, cuando los árboles eran jóvenes

Sin título (Friso de árboles)

y todo parecía aún envuelto en un encantamiento. Pero ahora los árboles de Nan Elmoth eran los más altos y los más oscuros de toda Beleriand, y allí nunca llegaba el sol; y allí moraba Eöl, a quien llamaban el Elfo Oscuro. Era pariente de Thingol, pero se había sentido inquieto e incómodo en Doriath, y cuando la Cintura de Melian rodeó el Bosque de Region, donde él vivía, escapó a Nan Elmoth. Allí habitó en la sombra profunda, enamorado de la noche y del crepúsculo bajo las estrellas. Evitaba a los Noldor, pues los tenía por culpables del regreso de Morgoth, que había perturbado la quietud de Beleriand; pero le agradaban los Enanos, más que a ningún otro de los Elfos de antaño. Por él se enteraron los Enanos de muchas cosas que ocurrían en las tierras de los Eldar.

Ahora bien, el comercio de los Enanos que bajaban de las Montañas Azules seguía dos caminos a través de Beleriand Oriental, y el camino septentrional, que conducía a los Vados del Aros, pasaba cerca de Nan Elmoth; y allí Eöl solía encontrarse con los Naugrim para hablar con ellos; y cuando la amistad creció entre ellos, iba a veces invitado como huésped a las profundas mansiones de Nogrod o Belegost. Allí aprendió mucho sobre los trabajos en metal, en los que llegó a ser hábil en extremo, e inventó un metal tan duro como el acero de los Enanos, pero tan maleable que podía hacerlo delgado y flexible; y sin embargo seguía siendo resistente a todas las espadas y dardos. Lo llamó *galvorn*, porque era negro y brillante como el azabache, y se vestía con él cada vez que salía. Pero Eöl, aunque encorvado por sus trabajos de herrero, de ningún modo era un Enano, sino un Elfo de elevada estatura, de la alta estirpe de los Teleri, noble aunque ceñudo de cara; y con ojos capaces de traspasar las honduras de las sombras y los lugares oscuros. Y sucedió que vio a Aredhel Ar-Feiniel extraviada entre los árboles altos cerca de los bordes de Nan Elmoth, un resplandor blanco en la tierra en penumbra. Muy bella le pareció, y la deseó; y le lanzó un encantamiento para que no le fuera posible encontrar el camino de salida y se acercara cada vez más a donde él moraba, en las profundidades del bosque. Allí tenía su herrería y sus estancias oscuras y sus sirvientes, silenciosos y callados como él. Y cuando Aredhel, fatigada de errar, llegó por fin a las puertas de la casa de Eöl, él se le apareció y le dio la bienvenida y la hizo entrar en la casa. Y allí se quedó; porque Eöl la tomó como esposa; y transcurrió mucho tiempo antes de que algún pariente de Aredhel volviera a saber de ella.

No se dice que Aredhel fuera completamente reacia a quedarse, ni que durante muchos años la vida en Nan Elmoth le fuera odiosa. Porque, aunque por orden de Eöl tuviera que evitar la luz del sol, erraban juntos muy lejos bajo las estrellas o a la luz de la luna menguante; también podía pasearse sola por donde quisiera, aunque Eöl le había prohibido que buscara a los hijos de Fëanor o a ningún otro de los Noldor. Y Aredhel tuvo un hijo de Eöl en las sombras de Nan Elmoth, y le puso un nombre secreto en la lengua prohibida de los Noldor, Lómion, que significa Hijo del Crepúsculo; pero el padre no le dio ningún nombre hasta que tuvo doce años. Lo llamó entonces Maeglin, que significa Mirada Aguda, pues advirtió que los ojos de su hijo eran más penetrantes que los suyos, y que era capaz de leer los secretos de los corazones más allá de la niebla de las palabras.

A medida que Maeglin crecía, tenía cada vez más la cara y talla de los Noldor, pero en temple y mente era el hijo de su padre. Parco en palabras, hablaba únicamente cuando los asuntos le tocaban de cerca, y entonces su voz tenía el poder de convocar a quienes lo escuchaban y de derribar a quienes se le oponían.

Era alto y de cabellos negros, y de ojos oscuros pero brillantes y profundos como los ojos de los Noldor, y tenía la piel blanca. A menudo iba con Eöl a las ciudades de los Enanos al este de Ered Lindon, y allí aprendía lo que estuvieran dispuestos a enseñarle, y sobre todo el arte de descubrir las vetas de los metales en las montañas.

Sin embargo, se cuenta que Maeglin amaba más a su madre, y que si Eöl salía, se quedaba sentado largo tiempo junto a ella, y escuchaba todo cuanto pudiera contarle de las gentes de su casa, y de las hazañas que habían llevado a cabo en Eldamar, y del poderío y el valor de los príncipes de la Casa de Fingolfin. Todas estas cosas guardaba celosamente en el corazón, pero sobre todo lo que oía de Turgon, y de que no había heredero; pues su esposa, Elenwë, había muerto en la travesía del Helcaraxë, y no le quedaba otro hijo que la joven Idril Celebrindal.

Mientras contaba estas historias, se despertó en Aredhel el deseo de volver a ver a los suyos; y se maravilló de que se hubiera cansado de la luz de Gondolin, y de las fuentes al sol y las verdes hierbas de Tumladen bajo los cielos ventosos de la primavera; además, a menudo se sentía sola en las sombras cuando el hijo y el marido se ausentaban. De esas historias nacieron también las primeras disputas entre Maeglin y Eöl. Porque de ningún modo quiso Aredhel revelar a Maeglin dónde habitaba Turgon, ni cómo se podía llegar allí, y él decidió esperar, confiando en que algún día le sonsacaría el secreto, o quizá pudiera leerle la mente desprevenida; pero antes que nada deseaba ver a los Noldor y conversar con los hijos de Fëanor, sus parientes, que no vivían lejos. Pero cuando declaró sus propósitos, Eöl montó en cólera.

—Tú perteneces a la casa de Eöl, Maeglin, hijo mío —le dijo—, y no a la de los Golodhrim. Toda esta tierra es la tierra de los Teleri, y no tendré trato ni permitiré que mi hijo tenga trato con los asesinos de nuestros hermanos, los invasores y los usurpadores de nuestros hogares. En esto me obedecerás o te pondré en prisión.

Y Maeglin no le contestó, pero se mantuvo frío y silencioso, y ya no salió con Eöl; y Eöl desconfiaba de él.

Sucedió que, en pleno estío, los Enanos, como era su costumbre, invitaron a Eöl a una fiesta que se celebraría en Nogrod; y él se ausentó. Maeglin y su madre fueron libres por un tiempo de ir a donde se les antojara, y a menudo cabalgaron hasta los extremos del bosque en busca de la luz del sol; y en el corazón de Maeglin se encendió el deseo de abandonar Nan Elmoth para siempre. Por tanto, dijo a Aredhel:

—Señora, partamos mientras podamos. ¿Qué esperanza hay en el bosque para vos y para mí? Estamos aquí prisioneros, y no encontraré en este sitio beneficio alguno; porque he aprendido todo lo que sabe mi padre, o lo que puedan revelarme los Naugrim. ¿No iremos a Gondolin? ¡Vos seréis mi guía, y yo vuestro guardián!

Entonces Aredhel se sintió complacida y contempló con orgullo a su hijo; y diciendo a los sirvientes de Eöl que iban en busca de los hijos de Fëanor, partieron y cabalgaron hacia el confín septentrional de Nan Elmoth. Allí cruzaron la estrecha corriente del Celon a la tierra de Himlad y cabalgaron hacia los Vados de Aros, y luego hacia el oeste a lo largo de los cercados de Doriath.

Ahora bien, Eöl volvió del este más pronto de lo previsto por Maeglin, y descubrió que su esposa y su hijo habían partido sólo dos días atrás; y tan grande fue su cólera, que corrió tras ellos aun a la luz del día. Al entrar en Himlad, se dominó y fue más cauteloso, recordando el peligro que corría, pues Celegorm y Curufin eran poderosos señores que no amaban a Eöl, y Curufin, además, era de peligroso temple; pero los exploradores de Aglon habían descubierto la cabalgata de Maeglin y Aredhel hacia los Vados del Aros, y Curufin, advirtiendo que se avecinaban acontecimientos extraños, marchó hacia el sur desde el Paso y acampó cerca de los Vados. Y antes de que Eöl se hubiera internado mucho en Himlad fue abordado por unos jinetes, y llevado luego ante el Señor Curufin.

Entonces dijo Curufin a Eöl:

—¿Qué os trae a mis tierras, Elfo Oscuro? Un asunto urgente, quizá, que expone a la luz del día a alguien que tanto esquiva el sol.

Y Eöl, consciente del peligro en que se encontraba, retuvo las amargas palabras que le nacían en la mente.

—He sabido, Señor Curufin —dijo—, que mi hijo y mi esposa, la Blanca Señora de Gondolin, han ido a visitaros mientras yo me encontraba ausente de mi casa; y me pareció adecuado unirme a ellos en este cometido.

Entonces Curufin se rió de Eöl y dijo:

—Quizás habrían encontrado la bienvenida menos cálida de lo esperado si vos los hubierais acompañado; pero no tiene importancia, porque no venían aquí. Hace dos días que han cruzado los Arossiach, y de allí cabalgaron rápidamente hacia el oeste. Parece que queréis engañarme; a no ser en verdad que vos mismo seáis el engañado.

Y Eöl respondió:

—Entonces, Señor, quizá me deis permiso para partir, y descubrir la verdad en este asunto.

—Tenéis mi permiso, pero no mi amor —dijo Curufin—. Cuanto antes abandonéis esta tierra, tanto más estaré complacido.

Entonces Eöl montó su caballo diciendo:

—Es afortunado, Señor Curufin, encontrar a un pariente tan amable en momentos de necesidad. Lo recordaré cuando regrese. —Entonces Curufin miró sombrío a Eöl—. No ostentéis el título de vuestra esposa ante mí —dijo—. Porque los que roban a las hijas de los Noldor y las desposan sin dote o autorización no ganan parentesco con los Noldor. Os doy permiso para partir. Aprovechadlo e idos. De acuerdo con las leyes de los Eldar, no puedo mataros en esta ocasión. Y este consejo añado: volved a vuestra morada en la oscuridad de Nan Elmoth; pues me advierte el corazón que, si perseguís ahora a los que ya no os aman, nunca volveréis.

Entonces Eöl se alejó cabalgando de prisa, y lleno de odio por todos los Noldor, pues comprendía ahora que Maeglin y Aredhel huían a Gondolin. Y llevado por la ira y la vergüenza de su humillación, cruzó los Vados del Aros y se precipitó por el camino que ellos habían recorrido antes; pero aunque no sabían que él los seguía, montado en el corcel más rápido, Eöl no consiguió verlos antes de que llegaran al Brithiach y dejaran allí los caballos. Los traicionó entonces la mala suerte, porque los caballos relincharon con fuerza, y el corcel de Eöl los oyó, y se apresuró hacia ellos; y Eöl vio desde lejos el blanco vestido de Aredhel y observó que iba en busca del sendero secreto en las montañas.

Ahora bien, Aredhel y Maeglin llegaron al Portal Exterior de Gondolin y la Guardia Oscura bajo las montañas; y allí ella fue recibida con alegría, y pasando por las Siete Puertas llegó con Maeglin ante Turgon sobre Amon Gwareth. Entonces el Rey escuchó maravillado todo lo que Aredhel tenía que contar; y miró con agrado a Maeglin, el hijo de su hermana, viendo en él a un príncipe digno de contarse entre los Noldor.

—Me alegro, en verdad, de que Ar-Feiniel haya regresado a Gondolin —dijo—, y ahora mi ciudad parecerá otra vez más hermosa que en los días en que daba a mi hermana por perdida. Y Maeglin tendrá los más grandes honores de mi reino.

Entonces Maeglin le hizo una profunda reverencia y tuvo a Turgon por rey y señor, jurándole fidelidad; pero se mantuvo silencioso y alerta, porque la dicha y el esplendor de Gondolin sobrepasaban todo lo que había imaginado por las historias de su madre, y estaba asombrado ante la fortaleza de la ciudad y de los ejércitos, y las muchas cosas extrañas y hermosas que contemplaba. Sin embargo, nada atraía tanto su mirada como Idril, la hija del Rey, que estaba sentada junto a él; porque era dorada como los Vanyar, el linaje de su madre, y se parecía al sol, del que el palacio entero del rey recibía la luz.

Pero Eöl, siguiendo los pasos de Aredhel, encontró el Río Seco y el sendero secreto y así, arrastrándose sigiloso, llegó a la Guardia, y fue atrapado e interrogado. Y cuando la Guardia oyó que reclamaba a Aredhel como esposa, se sorprendió y envió un rápido mensajero a la Ciudad; y fue a la estancia del Rey.

—Señor —exclamó—, la Guardia ha hecho prisionero a uno que ha llegado encubierto ante el Portal Oscuro. Dice llamarse Eöl, y es un Elfo de alta talla, oscuro y ceñudo, del linaje de los Sindar; no obstante, reclama a la Señora Aredhel como esposa, y pide que lo traigan ante vos. Es grande su cólera, y cuesta contenerlo; pero no lo hemos matado, tal como vuestra ley lo exige.

Entonces Aredhel dijo:

—¡Ay! Eöl nos ha seguido, como me temía. Pero lo ha hecho con gran cuidado, pues no vimos ni oímos nada al entrar en el Camino Escondido.

Luego dijo al mensajero:

—No ha dicho sino la verdad. Él es Eöl y yo soy su esposa, y él es el padre de mi hijo. No lo matéis, sino traedlo ante el juicio del Rey, si éste así lo dispone.

Y así se hizo; y Eöl fue llevado al palacio, y se mantuvo en pie ante el alto trono de Turgon, con una expresión torva y orgullosa. Aunque no estaba menos asombrado que su hijo ante todo cuanto veía, más le pesaban en el corazón la ira y el odio que sentía por los Noldor. Pero Turgon lo trató con honores y se puso de pie y quiso tomarle la mano; y le dijo:

—Bienvenido, mi pariente, pues por tal os tengo. Aquí moraréis a vuestro gusto, pero no abandonaréis mi reino; porque es mi ley que quien encuentre el camino a mi morada ya no podrá irse.

Pero Eöl retiró la mano.

—No reconozco yo tu ley —dijo—. Ni vos ni ninguno de vuestro linaje tenéis derecho en esta tierra a apoderaros de reinos o poner límites en sitio alguno. Ésta es la tierra de los Teleri, a quienes traéis guerra e inquietud, y a los que tratáis siempre con orgullo e injusticia. Nada me importa de vuestros secretos y no vine a espiaros, sino a reclamar lo mío: mi esposa y mi hijo. No obstante, si cierto derecho tenéis sobre Aredhel, vuestra hermana, que ella se quede; que el pájaro vuelva a la jaula, donde pronto volverá a enfermar, como ya enfermó antes. Pero no Maeglin. A mi hijo no lo retendréis. ¡Ven, Maeglin hijo de Eöl! Tu padre te lo ordena. ¡Abandona la casa de los enemigos y los asesinos de mis gentes, o seas maldito!

Pero Maeglin no respondió.

Entonces Turgon se sentó en su alto trono sosteniendo el cetro del juicio y habló con voz severa:

—No discutiré con vos, Elfo Oscuro. Sólo las espadas de los Noldor defienden vuestros bosques sin sol. La libertad que allí tenéis de errar libremente se la debéis a mi gente; si no fuera por ellos, hace ya tiempo que trabajaríais esclavizado en las mazmorras de Angband. Y aquí yo soy el Rey; y lo queráis o no, mi juicio es inapelable. Sólo tenéis esta alternativa: vivir aquí o morir aquí; y lo mismo en lo que se refiere a tu hijo.

Entonces Eöl miró al Rey Turgon a los ojos y no se intimidó, y permaneció erguido largo rato sin decir una palabra, y completamente inmóvil, mientras un profundo silencio se hacía en la estancia; y Aredhel sintió miedo, pues sabía que Eöl era peligroso. De pronto, rápido como una víbora, Eöl sacó una jabalina que llevaba oculta debajo de la capa y se la arrojó a Maeglin exclamando:

—¡Elijo la segunda opción y también para mi hijo! ¡No retendréis aquello que me pertenece!

Pero Aredhel saltó delante del dardo, que la hirió en el hombro; y Eöl fue sometido por muchos, y encadenado, y llevado afuera, mientras otros asistían a Aredhel. Pero Maeglin observaba a su padre en silencio.

Se decidió que Eöl fuera llevado al día siguiente ante el Rey para ser juzgado; y Aredhel e Idril convencieron al Rey de mostrar clemencia. Pero al caer la tarde, Aredhel enfermó, aunque la herida no había parecido grave, y se hundió en la oscuridad, y a la noche murió; porque la punta de la jabalina estaba envenenada, aunque nadie lo supo hasta que fue demasiado tarde.

Por tanto, cuando Eöl fue llevado ante Turgon, no encontró clemencia; y lo condujeron al Caragdûr, un precipicio de piedra negra sobre la ladera norte de la colina de Gondolin, para arrojarlo desde los muros escarpados de la ciudad. Y Maeglin se encontraba allí y no decía nada; pero por fin Eöl gritó:

—¡Así pues, abandonas a tu padre y a tu gente, hijo mal nacido! Aquí fracasarán todas tus esperanzas, y puede que aquí tengas la misma muerte que yo.

Entonces arrojaron a Eöl por el Caragdûr, y así perdió la vida, y a todos en Gondolin les pareció justo; pero Idril se sintió perturbada y desde ese día desconfió de Maeglin. Pero Maeglin prosperó y se engrandeció entre los Gondolindrim, alabado por todos y alto en la estima de Turgon; porque si bien aprendía con ansiedad y rapidez todo cuanto estaba a su alcance, también tenía mucho que enseñar. Y reunió a su alrededor a todos los que se interesaban por la herrería y la minería; y exploró las Echoriath (que son las Montañas Circundantes) y encontró ricos filones de metales diversos. Por encima de todo apreció el duro hierro extraído de la mina de Anghabar al norte de las Echoriath, y de allí obtuvo gran riqueza en acero y metal forjado, de modo que las armas de los Gondolindrim se hacían cada vez más fuertes y afiladas; y eso les valió de mucho en los días por venir. Maeglin era de buen juicio, y precavido; y sin embargo también osado y valiente en la hora de la necesidad. Y eso se vio en días posteriores: porque cuando en el año terrible de las Nirnaeth Arnoediad, Turgon salió de su cerco y fue en ayuda de Fingon al norte, Maeglin no quiso quedarse en Gondolin como regente del Rey, y marchó a la guerra y luchó junto a Turgon y se mostró feroz y temerario en la batalla.

De manera que todo parecía favorecer la fortuna de Maeglin, que había llegado a ser poderoso entre los príncipes de los Noldor, y el más grande, excepto uno solo, entre los de mayor renombre en los reinos. Sin embargo, no revelaba lo que guardaba en el corazón; y aunque no todo iba como él lo había querido, lo soportaba en silencio, ocultando su mente de manera que pocos podían leer en ella, salvo Idril Celebrindal. Porque desde que llegara a Gondolin, Maeglin tenía una pena que se le hacía cada vez más dura y lo privaba de toda alegría: amaba la belleza de Idril y la deseaba sin esperanzas.

Los Eldar no se desposaban con parientes tan cercanos, ni tampoco nadie lo había deseado antes. Pero sea como fuere, Idril no quería a Maeglin; y conociendo sus sentimientos por ella, lo quería todavía menos. Porque le parecía una cosa extraña y perversa en él, como en verdad siempre en adelante pareció a los Eldar: un fruto maligno de la Matanza de los Parientes, por la que la sombra de la Maldición de Mandos cayó sobre la última esperanza de los Noldor. Pero pasaban los años y Maeglin continuaba observando a Idril, y aguardaba, y el amor se le ennegreció en el corazón. Y tanto más intentaba imponerse en otros asuntos, sin esquivar fatiga ni carga, si de ese modo ganaba en poder.

Así sucedía en Gondolin; y en medio de toda la dicha de ese reino, en días todavía de gloria, se había sembrado allí una oscura semilla maligna.

17

DE LA LLEGADA DE LOS HOMBRES AL OESTE

Cuando trescientos años y aún más hubieron transcurrido desde la llegada de los Noldor a Beleriand, en los días de la Larga Paz, Finrod Felagund, señor de Nargothrond, viajó al este del Sirion y fue de caza con Maglor y Maedhros, hijos de Fëanor. Pero se cansó de la caza y se encaminó solo a las montañas de Ered Lindon, que vio resplandecer a lo lejos, y, tomando el Camino de los Enanos, cruzó el Gelion por el vado de Sarn Athrad, se volvió hacia el sur por encima de las corrientes superiores del Ascar, y llegó al norte de Ossiriand.

En un valle al pie de las montañas, bajo las fuentes del Thalos, vio luces en la noche, y oyó en la distancia el sonido de una canción. Esto le sorprendió, pues los Elfos Verdes de esa tierra no encendían hogueras ni cantaban en la oscuridad. En un principio temió que una incursión de Orcos hubiera traspasado el cerco desde el norte, pero al acercarse vio que no era así; porque aquellas gentes cantaban en una lengua que nunca había escuchado antes y no era la de los Enanos ni la de los Orcos. Entonces Felagund, silencioso en la sombra nocturna de los árboles, miró hacia abajo donde estaba el campamento y vio un pueblo extraño.

Ahora bien, era éste parte del linaje y de los seguidores de Bëor el Viejo, como se lo llamó después, un cacique de Hombres. Al cabo de muchas vidas de errar desde el Este, los había conducido por fin por encima de las Montañas Azules, los primeros de la raza de los Hombres en penetrar en Beleriand; y cantaban porque estaban alegres y creían haber escapado a todos los peligros y llegado por fin a una tierra donde no existía el miedo.

Durante mucho tiempo los observó Felagund, y un amor por ellos se le encendió en el corazón; pero permaneció oculto entre los árboles hasta que todos se quedaron dormidos. Entonces fue entre ellos y se sentó junto al fuego mortecino donde nadie vigilaba; y tomó un arpa rústica que Bëor había dejado a un lado, y tocó en ella una música tal como nunca la habían escuchado los oídos de los Hombres; porque en este arte no habían tenido hasta entonces maestros, salvo los Elfos Oscuros en las tierras salvajes.

Entonces los Hombres despertaron y escucharon a Felagund que tocaba el arpa y cantaba, y cada cual creyó que estaba en un hermoso sueño, hasta que vio que los demás estaban también despiertos junto a Felagund; pero no hablaron ni se movieron mientras él tocaba, a causa de la belleza de la música y la maravilla de la canción. Había sabiduría en las palabras del Rey Elfo, y los corazones que lo escuchaban se volvían a su vez más sabios; porque las cosas que cantaba, sobre la creación de Arda y la bienaventuranza de Aman más allá del mar, aparecían como claras visiones delante de los ojos de los Hombres, y cada uno de ellos interpretaba el lenguaje élfico de acuerdo con su propia medida.

Así fue que los Hombres llamaron al Rey Felagund, el primero que conocieron de todos los Eldar, Nóm, esto es, Sabiduría en la lengua de ese pueblo, y a las gentes del Rey les dieron el nombre de Nómin, los Sabios. En verdad, creyeron en un principio que Felagund era uno de los Valar, de quienes habían oído decir que vivían lejos en el Oeste; y que esto (decían algunos) era la causa de que hicieran tantos viajes. Pero Felagund se quedó a vivir con los Hombres y les enseñó conocimientos de la verdad, y ellos lo amaron, y lo tomaron por señor, y fueron siempre fieles a la casa de Finarfin.

Ahora bien, los Eldar, más que ningún otro pueblo, eran hábiles para las lenguas; y Felagund descubrió también que podía leer en las mentes de los Hombres los pensamientos que deseaban revelar en el discurso, de modo que interpretaba fácilmente todo lo que ellos decían. También se cuenta que estos Hombres tenían trato desde hacía ya mucho con los Elfos Oscuros, al este de las montañas, y que de ellos habían aprendido gran parte de la lengua élfica; y como todas las lenguas de los Quendi tenían un único origen, la lengua de Bëor y de su gente se asemejaba a la élfica en muchas palabras y modos. Por tanto, no pasó mucho tiempo antes de que Felagund pudiera conversar sin dificultad con Bëor; y mientras habitó con él hablaron mucho juntos. Pero cuando lo interrogó acerca del despertar de los Hombres y de los viajes que habían hecho, Bëor dijo muy poco; y en verdad poco era lo que sabía, porque los más viejos de entre ellos nunca habían contado historias del pasado, y un silencio había caído sobre la memoria de los Hombres.

—Hay una oscuridad detrás de nosotros —dijo Bëor—, y le hemos dado la espalda, y no deseamos volver allí ni siquiera con el pensamiento. Al Oeste se han vuelto nuestros corazones, y creemos que allí encontraremos la Luz.

Pero se dijo después entre los Eldar que cuando los Hombres despertaron en Hildórien al levantarse el Sol, los espías de Morgoth vigilaban, y no tardaron en llevarle las nuevas, y esto le pareció asunto de tanta importancia, que abandonó en secreto Angband al abrigo de las sombras y se dirigió a la Tierra Media, dejando a Sauron el mando de la Guerra. De los tratos de él con los Hombres nada sabían por ese entonces los Eldar, y de poco se enteraron después; pero que había una oscuridad en el corazón de los Hombres (como la sombra de la Matanza de los Parientes y la Maldición de Mandos que pesaba sobre los Noldor) lo advirtieron claramente aun en el pueblo de los Amigos de los Elfos, que fueron los primeros que conocieron. Corromper o destruir todo lo que apareciese nuevo y hermoso fue siempre el principal deseo de Morgoth; y sin duda esto era lo que se proponía: por el miedo y la mentira hacer de los Hombres los enemigos de los Eldar, y llevarlos desde el Este contra Beleriand. Pero este plan maduró lentamente, y nunca fue llevado a cabo por entero, pues los Hombres (se dice) eran al principio muy escasos en número, mientras que Morgoth temía el creciente poder y la unión de los Eldar y volvió a Angband, dejando atrás en esa ocasión a unos pocos servidores, y los de menos poder y astucia.

Gracias a Bëor supo Felagund que había otros muchos Hombres de mente parecida que también viajaban hacia el oeste.

—Otros de mi propio linaje han cruzado las Montañas —dijo— y yerran no muy lejos; y los Haladin, un pueblo del que estamos divididos por la lengua, están todavía en los valles de las laderas orientales, a la espera de novedades antes de aventurarse más. Hay también otros Hombres cuya lengua se parece más a la nuestra, con los que mantenemos trato en ocasiones. Se nos habían adelantado en la marcha hacia el oeste, pero al fin los dejamos atrás; porque son un pueblo numeroso, pero se mantienen unidos y avanzan lentamente, y a todos los rige un único cacique, al que llaman Marach.

Ahora bien, la llegada de los Hombres perturbó a los Elfos Verdes de Ossiriand, y cuando oyeron que un señor de los Eldar de más allá del Mar se encontraba con ellos, enviaron mensajeros a Felagund.

—Señor —le dijeron—, si tenéis poder sobre estos recién llegados, decidles que vuelvan por el camino que los trajo aquí, o de lo contrario que sigan adelante. Porque en esta tierra no queremos forasteros que quebranten la paz en que vivimos. Y esa gente son taladores de árboles y cazadores de animales; por tanto, no somos amigos, y si no parten, les haremos todo el daño que podamos.

Entonces, por consejo de Felagund, Bëor reunió a todas las familias errantes de su pueblo, y cruzaron el Gelion, y eligieron por morada las tierras de Amrod y Amras, en las orillas orientales del Celon, al sur de Nan Elmoth, cerca de los confines de Doriath; y el nombre de esa tierra fue en adelante Estolad, el Campamento. Pero cuando hubo transcurrido un año, Felagund deseó volver a su propio país y Bëor le pidió permiso para acompañarle; y permaneció al servicio del Rey de Nargothrond mientras vivió. De este modo obtuvo el nombre de Bëor, aunque antes lo habían llamado Balan; porque Bëor significa «Vasallo» en su propia lengua. El gobierno de su pueblo lo encomendó a su hijo mayor, Baran; y no regresó nunca a Estolad.

Poco después de la partida de Felagund, los otros Hombres de los que había hablado Bëor también llegaron a Beleriand. Primero vinieron los Haladin; pero al toparse con la hostilidad de los Elfos Verdes, se dirigieron al norte y vivieron en Thargelion, en el país de Caranthir hijo de Fëanor; allí tuvieron paz por un tiempo, y el pueblo de Caranthir les prestaba escasa atención. Al año siguiente Marach condujo a su pueblo hasta el otro lado de las montañas; eran gente de gran estatura y aspecto guerrero, que marchaba en compañías ordenadas, y los Elfos de Ossiriand se escondieron sin tenderles emboscadas. Pero Marach, al oír que el pueblo de Bëor moraba en una tierra verde y fértil, descendió por el Camino de los Enanos, y se asentó en el país al sur y al este de la morada de Baran hijo de Bëor; y hubo una gran amistad entre esos pueblos.

Felagund, por su parte, volvió con frecuencia a visitar a los Hombres; y muchos otros Elfos de las tierras occidentales, tanto Noldor como Sindar, viajaron a Estolad, pues estaban ansiosos por ver a los Edain, cuya llegada se había predicho hacía ya mucho tiempo. Ahora bien, Atani, el Segundo Pueblo, era el nombre que habían dado a los Hombres en Valinor, en las historias que hablaban de su llegada; pero en la lengua de Beleriand se los llamó Edain, y allí se lo empleó sólo para designar a los tres linajes de los Amigos de los Elfos.

Fingolfin, como Rey de todos los Noldor, les envió mensajeros de bienvenida; y entonces muchos de los hombres de los Edain, jóvenes y ansiosos, fueron y se pusieron al servicio de los reyes y los señores de los Eldar. Entre ellos se encontraba Malach hijo de Marach, y vivió en Hithlum durante catorce años; y aprendió la lengua élfica y se le dio el nombre de Aradan.

Los Edain no vivieron mucho tiempo contentos en Estolad, pues muchos deseaban continuar avanzando hacia el oeste; aunque no conocían el camino. Ante ellos se extendía la cerca de Doriath, y hacia el sur estaba el Sirion, de marjales impenetrables. Por tanto, los reyes de las tres casas de los Noldor, viendo esperanzas de fuerza en los hijos de los Hombres, les comunicaron que cualquiera de los Edain que lo deseara podía ir a vivir con los Noldor. Así se inició la migración de los Edain: en un principio, poco a poco, pero luego entre familias y casas se pusieron en camino y abandonaron Estolad, hasta que al cabo de unos cincuenta años muchos millares habían penetrado en las tierras de los reyes. La mayoría de ellos tomaron el largo camino hacia el norte, hasta que conocieron bien todas las sendas. El pueblo de Bëor llegó a Dorthonion y vivió en las tierras regidas por la casa de Finarfin. La mayor parte del pueblo de Aradan (pues Marach, el padre, se quedó en Estolad hasta su muerte) marchó hacia el oeste; y algunos llegaron a Hithlum, pero Magor hijo de Aradan y muchos del pueblo fueron por el Sirion abajo hasta Beleriand y vivieron un tiempo en los valles de las laderas al sur de Ered Wethrin.

Se dice que, en relación con todos estos asuntos, nadie, excepto Finrod Felagund, consultó con el Rey Thingol, y éste se sintió insatisfecho por esta razón y también porque tenía malos sueños acerca de la llegada de los Hombres, aun antes de que se supiera algo de ellos. Por tanto, ordenó que los Hombres no dispusiesen de tierras para vivir, excepto en el norte, y que los príncipes a los que servían serían responsables de todo lo que los Hombres hicieran; y dijo:

—En Doriath no entrará Hombre alguno mientras dure mi reino, ni siquiera aquellos de la casa de Bëor que sirven a Finrod, el bienamado.

Melian no dijo nada en esa ocasión, pero más tarde habló a Galadriel:

—Ahora el mundo gira rápidamente al encuentro de grandes nuevas. Y uno de los Hombres, y además de la casa de Bëor, sí vendrá, y la Cintura de Melian no lo estorbará, pues lo enviará un hado más grande que mi poder; y los cantos que nazcan de esa venida sobrevivirán aun cuando la Tierra Media haya cambiado.

Pero muchos Hombres permanecieron en Estolad, y durante muchos años hubo un pueblo de distintas gentes viviendo allí, hasta que fueron aplastados en la ruina de Beleriand o huyeron de nuevo hacia el este. Porque además de los viejos que creían haber dejado atrás los años de migración, había no pocos que deseaban seguir su propio camino, y temían a los Eldar de ojos fulgurantes; y hubo entonces disensiones entre los Edain, en las que se advierte la sombra de Morgoth, porque está fuera de toda duda que estaba enterado de la llegada de los Hombres a Beleriand y de la creciente amistad que tenían con los Elfos.

Los que encabezaban el descontento eran Bereg de la casa de Bëor, y Amlach, nieto de Marach; y decían abiertamente:

—Emprendimos largos caminos deseando escapar de los peligros de la Tierra Media y las oscuras criaturas que allí habitan; porque habíamos oído que había Luz en el Oeste. Pero nos dicen ahora que la Luz está más allá del Mar. No nos es posible llegar allí, donde moran dichosos los Dioses. Salvo uno; porque el Señor de la Oscuridad está aquí delante de nosotros; y también los Eldar, sabios aunque fieros, que libran contra él una guerra infinita. Mora en el Norte, dicen; y allí encontraríamos otra vez el dolor y la muerte de los que hemos huido. No iremos en esa dirección.

Entonces se convocó un consejo y una asamblea de Hombres que acudieron en gran número. Y los Amigos de los Elfos respondieron a Bereg diciendo:

—En verdad, del Rey Oscuro vienen los males de los que huimos; pero él pretende dominar toda la Tierra Media y ¿dónde podríamos ir sin que nos persiga? La alternativa es vencerlo aquí mismo, o al menos mantenerlo sitiado. Sólo el valor de los Eldar lo retiene, y quizá fue con este propósito, para ayudarlos en esta necesidad, que fuimos traídos aquí.

A esto respondió Bereg:

—¡Dejemos que los Eldar se ocupen de ello! Ya bastante cortas son nuestras vidas.

Pero entonces se puso en pie uno que a todos pareció Amlach hijo de Imlach, pronunciando palabras coléricas que conmovieron a cuantos lo escuchaban:

—Todo esto son sólo historias de los Elfos, cuentos para seducir a quienes llegan aquí desprevenidos. El Mar no tiene costa alguna. No hay Luz en el Oeste. ¡Habéis seguido un fuego fatuo de los Elfos hasta el fin del mundo! ¿Quién de vosotros ha visto al menor de los Dioses? ¿Quién ha contemplado al Rey Oscuro en el Norte? Los que intentan dominar la Tierra Media son los Eldar. Codiciosos de riqueza han cavado la tierra en busca de secretos y han despertado la cólera de las criaturas que viven debajo, como siempre lo han hecho y siempre lo harán. Que los Orcos dispongan del reino que les pertenece y nosotros tendremos el nuestro. ¡Hay sitio en el mundo si los Eldar nos dejan en paz!

Entonces quienes lo escucharon se quedaron inmóviles y desconcertados, y una sombra de miedo les ganó el corazón; y decidieron alejarse de las tierras de los Eldar. Pero luego Amlach volvió entre ellos y negó haber estado presente en el debate o haber pronunciado las palabras que le atribuían, y los Hombres se vieron afligidos por las dudas y la confusión. Entonces los Amigos de los Elfos dijeron:

—Ahora al menos creeréis esto: sí hay un Señor Oscuro, y sus espías y emisarios están entre nosotros; porque nos teme; teme la fuerza que podamos prestar a sus enemigos.

Pero otros replicaron:

— Más bien nos odia, y nos odiará más si nos demoramos aquí, interfiriendo en sus querellas con los Reyes de los Eldar, sin beneficio alguno para nosotros.

Muchos de los que permanecían todavía en Estolad se prepararon entonces para la partida; y Bereg condujo hacia el sur a un millar de los hombres de Bëor, y desaparecieron de las canciones de aquellos días. Pero Amlach se arrepintió, diciendo:

—Tengo ahora mi propia querella con el Amo de las Mentiras, que durará hasta el día de mi muerte.

Y marchó hacia el Norte y entró al servicio de Maedhros. Pero aquellos de los de su pueblo que pensaban como Bereg, eligieron un nuevo jefe, y cruzando las montañas volvieron a Eriador, y han quedado olvidados.

Durante este tiempo los Haladin permanecieron en Thargelion y estuvieron contentos. Pero Morgoth, al ver que las mentiras y engaños no eran suficientes para terminar de separar a los Elfos de los Hombres, montó en cólera y procuró dañar a los Hombres tanto como pudiera. Envió por tanto una fuerza de Orcos, y dirigiéndose hacia el este, ésta esquivó el cerco y volvió sigilosa por sobre Ered Lindon por los pasos del Camino de los Enanos, y cayó sobre los Haladin en los bosques del sur de la tierra de Caranthir.

Ahora bien, los Haladin no vivían bajo la égida de señores, ni en grupos numerosos, sino que cada casa estaba apartada de las demás y se ocupaba de sus propios asuntos, y tardaron mucho en unirse. Pero había entre ellos un hombre de muchos recursos llamado Haldad, quien tenía autoridad y no conocía el miedo; y él reunió a todos los hombres valientes que encontró, y retrocedió al rincón de tierra formado por el Ascar y el Gelion, y en el ángulo extremo levantó una empalizada que iba de corriente a corriente; y detrás de ella llevaron a todas las mujeres y los niños que pudieron salvar. Allí fueron sitiados, hasta que se les acabaron los alimentos.

Haldad tenía hijos mellizos: Haleth, su hija, y Haldar, su hijo; y ambos eran valientes en la defensa, porque Haleth era mujer de gran fuerza y corazón. Pero Haldad fue muerto en una salida contra los Orcos; y Haldar, que se precipitó para salvar el cuerpo de su padre de la carnicería, murió junto a él. Entonces Haleth mantuvo unido al pueblo, aunque no tenían esperanzas; y algunos se arrojaron a los ríos y se ahogaron. Pero siete días más tarde, cuando los Orcos se habían lanzado al último ataque y ya habían roto la empalizada, se oyó de súbito una música de trompetas, y el ejército de Caranthir llegó desde el norte y empujó a los Orcos a los ríos.

Entonces Caranthir miró con bondad a los Hombres; y ofreció compensar de algún modo las muertes del padre y del hermano de Haleth, y le rindió grandes honores. Y descubriendo demasiado tarde el valor con que contaban los Edain, le dijo:

—Si queréis partir y marchar hacia el norte, allí tendréis la amistad y la protección de los Eldar, y tierras de las que podréis disponer con toda libertad.

Pero Haleth era orgullosa y no quería que se la guiara o se la gobernara, y la mayor parte de los Haladin eran de temple semejante. Por tanto, agradeció a Caranthir, pero le dijo:

—Estoy decidida, señor, a abandonar la sombra de las montañas e ir hacia el oeste, adonde ya han ido algunos de los nuestros.

Así fue que cuando los Haladin hubieron reunido a todos los que quedaban con vida, y que habían huido a los bosques delante de los Orcos, juntaron lo que quedaba de sus pertenencias en las casas quemadas, y escogieron a Haleth como jefa; y ella los condujo por fin a Estolad y allí permanecieron por un tiempo.

Pero fueron un pueblo que se mantuvo aparte, y desde entonces los Elfos y los Hombres lo conocieron como el Pueblo de Haleth. Haleth siguió encabezando a su pueblo hasta el fin de sus días, pero no se casó, y el mando pasó luego a Haldan hijo de Haldar, su hermano. Pronto, sin embargo, Haleth deseó marchar otra vez hacia el oeste; y aunque la mayor parte del pueblo era contrario a esta medida, ella los guió una vez más; y avanzaron sin ayuda ni guía de los Eldar, y cruzando el Celon y el Aros viajaron por las peligrosas tierras que se extienden entre las Montañas del Terror y la Cintura de Melian. En esa tierra no había entonces tanta malignidad como se conoció después, pero no era camino que Hombres mortales pudiesen tomar sin ayuda, y Haleth los condujo por ella a costa de muchas penurias y pérdidas, obligándolos a seguir adelante, imponiendo su voluntad. Por fin cruzaron el Brithiach, y muchos se arrepintieron amargamente de haber emprendido el viaje; pero no había ahora modo de regresar. Por lo tanto, en las nuevas tierras volvieron a su anterior vida lo mejor que pudieron; y allí habitaron en granjas independientes en los bosques de Talath Dirnen más allá del Teiglin, y algunos se internaron profundamente en el Reino de Nargothrond. Pero había muchos que amaban a la Señora Haleth y deseaban ir a donde ella fuese, y someterse a su égida; y a éstos ella los condujo al Bosque de Brethil, entre el Teiglin y el Sirion. Allí, en los luctuosos días que siguieron, regresaron muchas de las gentes de Haleth, que se habían desperdigado.

Ahora bien, Brethil era considerado por el Rey Thingol como parte de su propio reino, aunque no se encontraba dentro de la Cintura de Melian, y se lo habría negado a Haleth; pero Felagund, que contaba con la amistad de Thingol, al oír lo que había sucedido al Pueblo de Haleth, obtuvo esta gracia para ella: que pudiera vivir libremente en Brethil, con la sola condición de que montara guardia en los Cruces del Teiglin contra todos los enemigos de los Eldar, y no permitiera que los Orcos entraran en los bosques. A esto Haleth contestó:

—¿Dónde están Haldad, mi padre, y Haldar, mi hermano? Si el Rey de Doriath teme una amistad entre Haleth y quienes han devorado a su familia, entonces los Hombres no entienden los pensamientos de los Eldar.

Y Haleth habitó en Brethil hasta que murió; y su pueblo levantó un montículo verde en las alturas del bosque, Tûr Haretha, el Túmulo de la Señora, Haudh-en-Arwen en lengua sindarin.

Así los Edain habitaron en las tierras de los Eldar, algunos aquí, otros allá, algunos errantes, otros asentados en tribus o poblados pequeños; y la mayor parte de ellos no tardó en aprender la lengua de los Elfos Grises, como habla común, y también porque había muchos que deseaban aprender la ciencia de los Elfos. Pero al cabo de un tiempo, los reyes de los Elfos, advirtiendo que no era bueno que los Elfos y los Hombres vivieran entremezclados sin orden, y que los Hombres necesitaban señores de su propia especie, buscaron regiones apartadas donde los Hombres pudieran vivir su propia vida, y designaron caciques que rigieran libremente estas tierras. Eran aliados de los Elfos en la guerra, pero obedecían a sus propios jefes. No obstante, muchos de los Edain disfrutaban de la amistad de los Elfos, y vivieron entre ellos tanto como les fue permitido; muchos hombres jóvenes llegaban a servir por un tiempo en los ejércitos de los reyes.

Ahora bien, Hador Lórindol, hijo de Hathol, hijo de Magor, hijo de Malach Aradan, se unió a la casa de Fingolfin cuando aún era joven, y fue amado por el Rey. Fingolfin, por tanto, le concedió el señorío de Dor-lómin, y en esa tierra reunió a la mayor parte de los suyos, y se convirtió en el cacique más poderoso de los Edain. En la casa de Hador sólo se hablaba la lengua élfica; pero no olvidaron la lengua que les era propia, y de ella provino el habla común de Númenor. Pero en Dorthonion, el señorío del pueblo de Bëor y el del país de Ladros fueron concedidos a Boromir hijo de Boron, que era el nieto de Bëor el Viejo.

Los hijos de Hador fueron Galdor y Gundor; y los hijos de Galdor fueron Húrin y Huor; y el hijo de Húrin fue Túrin, la Ruina de Glaurung; y el hijo de Huor fue Tuor, padre de Eärendil el Bendito. El hijo de Boromir fue Bregor, cuyos hijos fueron Bregolas y Barahir; y los hijos de Bregolas fueron Baragund y Belegund. La hija de Baragund fue Morwen, la madre de Túrin, y la hija de Belegund fue Rían, la madre de Tuor. Pero el hijo de Barahir fue Beren el Manco, que ganó el amor de Lúthien hija de Thingol, y regresó de entre los muertos; de ellos descendieron Elwing, la esposa de Eärendil, y todos los Reyes de Númenor.

Todos ellos vivieron atrapados en la red del Hado de los Noldor; e hicieron grandes hazañas que los Eldar recuerdan todavía en las historias de los Reyes de antaño. Y en aquellos días la fuerza de los Hombres se sumó al poder de los Noldor y todos ellos tenían grandes esperanzas; y Morgoth estaba estrechamente cercado, porque el pueblo de Hador, capaz de soportar el frío y los largos viajes, no temía en ocasiones avanzar lejos hacia el norte, para allí vigilar estrechamente los movimientos del Enemigo. Los Hombres de las Tres Casas medraron y se multiplicaron, pero la más grande entre ellas fue la casa de Hador Cabeza de Oro, compañero de los Señores Elfos. La gente de Hador era fuerte y de gran estatura, listos de mente, resistentes y audaces, rápidos para el enfado y la risa, poderosos entre los Hijos de Ilúvatar en la juventud de los Hombres. Eran casi todos de cabellos amarillos, y de ojos azules; pero no así Túrin, cuya madre era Morwen, de la casa de Bëor. Los hombres de esa casa tenían cabellos oscuros o castaños y ojos grises; y de todos los Hombres eran los más parecidos a los Noldor y los más amados por ellos; porque tenían mentes inquietas, manos hábiles, entendimiento rápido, memoria larga, y estaban más inclinados a la piedad que a la risa. Semejante a ellos era el Pueblo de Haleth, que habitaba en los bosques, aunque más bajos de talla, y menos curiosos. Utilizaban pocas palabras y no se sentían atraídos por las grandes aglomeraciones de hombres; y muchos de entre ellos se deleitaban en la soledad y erraban libres por los bosques verdes mientras la maravilla de la tierra de los Eldar era todavía una novedad para ellos. Pero en los reinos del Occidente estuvieron poco tiempo, y fueron desdichados.

Según las cuentas de los Hombres, los años de los Edain se prolongaron después de su llegada a Beleriand; pero al final Bëor el Viejo murió; había vivido noventa y tres años, y cuarenta y cuatro de ellos estuvo al servicio del Rey Felagund. Y cuando yació muerto, no de herida ni de pena, sino vencido por la edad, los Eldar vieron por primera vez la rápida mengua de la vida de los Hombres, y la muerte por cansancio, que ellos no conocían; y lloraron mucho la pérdida de sus amigos. Pero en sus últimos momentos Bëor había abandonado la vida de buen grado, y falleció en paz; y los Eldar se asombraron sobremanera del extraño destino de los Hombres, porque no había nada en su ciencia que lo explicara, y no les había sido revelada su finalidad.

No obstante, los Edain de antaño aprendieron de prisa de los Eldar todos los conocimientos y artes que estuvieron a su alcance, y sus hijos crecieron en habilidad y sabiduría, hasta dejar muy atrás a todos los otros miembros de los Hombres, que moraban todavía al este de las montañas y no habían visto a los Eldar ni mirado las caras de los que habían contemplado la Luz de Valinor.

18

DE LA RUINA DE BELERIAND Y LA CAÍDA DE FINGOLFIN

Ahora bien, Fingolfin, Rey del Norte y Alto Rey de los Noldor, al ver que su pueblo se había hecho numeroso y fuerte y que los Hombres aliados suyos eran muchos y valerosos, pensó una vez más en atacar Angband; porque sabía que vivían en peligro mientras no completaran el círculo del asedio, y Morgoth pudiera trabajar libremente en sus profundas minas, inventando males que nadie era capaz de adivinar antes de que él los revelara. Este propósito era pertinente de acuerdo con lo que él sabía; porque los Noldor no comprendían todavía el alcance del poder de Morgoth, ni entendían que si libraban solos una guerra contra él no había la menor esperanza de triunfo, ni atacando rápido ni demorándolo. Pero porque la tierra era hermosa y sus reinos vastos, la mayor parte de los Noldor estaban satisfechos con las cosas tal como eran, confiando en que la situación no cambiaría, y eran reacios a iniciar un ataque en el que sin duda morirían muchos, fuera en la victoria o en la derrota. Por tanto, estaban poco dispuestos a escuchar a Fingolfin, y los hijos de Fëanor, por aquel tiempo, menos que nadie. Entre los jefes de los Noldor, sólo Angrod y Aegnor pensaban como el Rey; porque vivían en regiones desde donde podía verse Thangorodrim, y nunca olvidaban la amenaza de Morgoth. De este modo, los planes de Fingolfin no llegaron a nada, y la tierra aún tuvo paz por un tiempo.

Pero cuando la sexta generación de Hombres después de Bëor y Marach no había alcanzado todavía la plenitud de la madurez, habiendo transcurrido por entonces cuatrocientos cincuenta y cinco años desde la llegada de Fingolfin, sucedió el mal que por tanto tiempo habían temido, pero más terrible y repentino todavía que en sus miedos más oscuros. Porque Morgoth había preparado su fuerza en secreto y durante largo tiempo, mientras la malicia de su corazón no dejaba de aumentar y su odio por los Noldor se hacía más amargo; y deseaba no sólo acabar con sus enemigos, sino también destruir y mancillar las tierras que habían tomado y embellecido. Y se dice que su odio pudo más que su prudencia, de modo que si sólo hubiera aguardado un tiempo más, hasta estar bien preparado, los Noldor habrían sido aniquilados por completo. Pero tomó demasiado a la ligera el valor de los Elfos, y a los Hombres no daba todavía ninguna importancia.

Llegó el tiempo del invierno, cuando la noche era oscura y sin luna; y la amplia llanura de Ard-galen se extendía en la sombra bajo las frías estrellas, desde los fuertes en las colinas de los Noldor hasta el pie de Thangorodrim. Las hogueras de los escasos guardianes ardían con llamas débiles; pocos velaban en los campamentos de los jinetes de Hithlum. Entonces, de pronto, Morgoth envió desde Thangorodrim caudalosos ríos de llamas que más rápidos que Balrogs se esparcieron por la llanura; y las Montañas de Hierro eructaban fuegos venenosos de muchos colores y el apestoso humo infestaba el aire, y era mortal. Ése fue el final de Ard-galen; las hierbas fueron devoradas por el fuego y se convirtió en un baldío quemado y desolado, de aire polvoriento y sofocante, yermo y sin vida. Desde entonces cambió de nombre y se llamó Anfauglith, el Polvo Asfixiante. Allí muchos huesos chamuscados descansaban en tumbas abiertas; porque en ese incendio perecieron muchos de los Noldor que no pudieron llegar a las colinas y fueron atrapados por la precipitación de las llamas. Las alturas de Dorthonion y Ered Wethrin detuvieron los fogosos torrentes, pero los bosques sobre las laderas que miraban a Angband ardieron todos, y el humo confundió a los defensores. Así empezó la cuarta de las grandes batallas, Dagor Bragollach, la Batalla de la Llama Súbita.

Al frente de ese fuego avanzó Glaurung el dorado, Padre de los Dragones, en la plenitud de su poder, y a su estela había Balrogs; y detrás de ellos venían los ejércitos negros de los Orcos, en multitudes que los Noldor no habían visto ni imaginado jamás. Y atacaron las fortalezas de los Noldor y quebrantaron el sitio en torno a Angband y mataban a los Noldor y a sus aliados, los Elfos Grises y los Hombres, allá donde los encontrasen. Muchos de los más vigorosos de los enemigos de Morgoth fueron destruidos en los primeros días de combate, sorprendidos y dispersos e incapaces de unir sus fuerzas. Desde entonces la guerra nunca cesó del todo en Beleriand; pero la Batalla de la Llama Súbita se dio por concluida con la llegada de la primavera, cuando disminuyó la feroz embestida de Morgoth.

De este modo terminó el Sitio de Angband; y los enemigos de Morgoth fueron dispersados y separados los unos de los otros. La mayor parte de los Elfos Grises huyó hacia el sur y abandonó la guerra del norte; muchos fueron recibidos en Doriath, y el reino y la fuerza de Thingol se hicieron más grandes en ese tiempo, pues el poder de la Reina Melian envolvía sus fronteras y el mal no podía penetrar aún en ese reino escondido. Otros se refugiaron en las fortalezas junto al mar, y en Nargothrond; y algunos huyeron y se ocultaron en Ossiriand, o atravesaron las montañas, errando desamparados por tierras inhóspitas. Y el rumor de la guerra y del quebrantamiento del Sitio llegó a oídos de los Hombres en el este de la Tierra Media.

Los hijos de Finarfin fueron los que más sintieron la pujanza del ataque, y Angrod y Aegnor murieron allí, y junto a ellos cayeron Bregolas, señor de la casa de Bëor, y gran parte de los guerreros de ese pueblo. Pero Barahir, el hermano de Bregolas, estaba en una batalla que se libraba más hacia el oeste, cerca del Paso del Sirion. Allí el Rey Finrod Felagund, que se apresuraba desde el sur, quedó separado de su gente con unos pocos de los suyos y fue rodeado en el Marjal de Serech; y habría sido muerto o tomado prisionero, pero acudió Barahir con los más valientes de sus hombres y lo rescató levantando un muro de lanzas alrededor; y se abrieron paso entre las tropas enemigas, y abandonaron el campo de batalla, aunque con grandes pérdidas. Así escapó Felagund, y volvió a su profunda fortaleza de Nargothrond; pero hizo un juramento de amistad eterna y de ayuda en toda necesidad a Barahir y a su gente, y como prenda del juramento le dio su anillo. Barahir era ahora por derecho señor de la casa de Bëor, y regresó a Dorthonion; pero la mayor parte del pueblo escapó y se refugió, abandonando sus hogares, en la fortaleza de Hithlum.

Tan grande fue la embestida de Morgoth, que Fingolfin y Fingon no pudieron acudir en ayuda de los hijos de Finarfin; y los ejércitos de Hithlum fueron rechazados con grandes pérdidas hasta las fortalezas de Ered Wethrin, y apenas consiguieron defenderlas de los ataques de los Orcos. Ante los muros de Eithel Sirion cayó Hador, el de Cabellos Dorados,

en la defensa de la retaguardia del señor Fingolfin, a la edad
de sesenta y seis años; y con él cayó Gundor, su hijo menor,
atravesado por muchas flechas; y fueron llorados por los Elfos. Entonces Galdor el Alto sucedió como señor a su padre.
Y gracias a la fortaleza y la altura de las Montañas Sombrías,
que resistieron el torrente de fuego, y al valor de los Elfos y de
los Hombres del Norte, que ni Orcos ni Balrogs pudieron
vencer, Hithlum no fue conquistada y siguió amenazando el
flanco del ataque de Morgoth; pero un mar de enemigos separó a Fingolfin de su gente.

Porque dura había sido la guerra para los hijos de Fëanor,
y casi todas las fronteras orientales habían sido tomadas por
asalto. El Paso de Aglon fue forzado, aunque los ejércitos de
Morgoth pagaron por ello un alto precio; y Celegorm y Curufin huyeron derrotados hacia el sur y el oeste por las fronteras de Doriath, y cuando por fin llegaron a Nargothrond,
buscaron refugio con Finrod Felagund. De este modo acre-
centaron la fuerza de Nargothrond; pero habría sido mejor,
como se vio después, que se hubieran quedado en el este junto con los de su propio linaje. Maedhros llevó a cabo hazañas
de indescriptible valor, y los Orcos huían delante de él; porque desde el tormento padecido en Thangorodrim, ardía por
dentro como una llama blanca, y era como uno que regresa
de entre los muertos. Así, la gran fortaleza sobre la Colina de
Himring no pudo ser tomada, y muchos de los más valientes
que quedaban aún, tanto del pueblo de Dorthonion como de
las fronteras orientales, se juntaron allí para ir al encuentro de
Maedhros; y durante un tiempo él cerró una vez más el Paso
de Aglon, de modo que los Orcos no pudieron penetrar en
Beleriand por ese camino. Pero desbordaron a los jinetes del
pueblo de Fëanor en Lothlann, pues hacia allí marchó
Glaurung, y pasó por la Brecha de Maglor, y destruyó todas

las tierras entre los brazos del Gelion. Y los Orcos tomaron la fortaleza de las laderas occidentales del Monte Rerir y devastaron toda Thargelion, la tierra de Caranthir; y contaminaron el Lago Helevorn. De allí cruzaron el Gelion con fuego y terror y penetraron profundamente en Beleriand Oriental. Maglor se unió a Maedhros en Himring; pero Caranthir huyó y sumó el resto de su gente al pueblo disperso de los cazadores, Amrod y Amras, y se retiraron y pasaron Ramdal en el sur. En Amon Ereb mantuvieron una guardia y algunas fuerzas de combate, y recibieron la ayuda de los Elfos Verdes; y los Orcos no entraron en Ossiriand, ni tampoco en Taur-im-Duinath y las tierras salvajes del sur.

Llegaron entonces a Hithlum las nuevas de la caída de Dorthonion y la derrota de los hijos de Finarfin y el exilio de los hijos de Fëanor, expulsados de sus tierras. Entonces vio Fingolfin lo que era para él la ruina total de los Noldor, y la derrota de sus casas más allá de toda recuperación; y lleno de desesperación y de furia, montó a Rochallor, su gran caballo, y cabalgó solo sin que nadie pudiera impedírselo. Atravesó Dor-nu-Fauglith como un viento entre el polvo, y aquellos que alcanzaban a verlo pasar huían azorados, creyendo que había llegado el mismo Oromë; porque corría dominado por una cólera enloquecida, y los ojos le brillaban como los ojos de los Valar. Así pues, llegó solo a las puertas de Angband, e hizo sonar su cuerno, y golpeó una vez más las puertas de bronce, y desafió a Morgoth a un combate singular. Y Morgoth salió.

Ésa fue la última vez durante esas guerras que Morgoth cruzó las puertas de su fortaleza, y se dice que no aceptó el desafío de buen grado porque, aunque su poder era mayor que todas las cosas de este mundo, sólo él entre los Valar conocía el miedo. Pero no podía negarse a aceptar el desafío delante de sus propios capitanes; pues la aguda música del cuerno de Fingolfin resonaba en las rocas, y su voz llegaba penetrante y clara hasta las profundidades de Angband; y Fingolfin llamó a Morgoth cobarde y señor de esclavos. Por lo tanto, Morgoth salió, subiendo lentamente desde el trono en las profundidades, y el rumor de sus pisadas sonaba como un trueno bajo tierra. Y salió vestido con una armadura negra; y se erguía ante el Rey como una torre coronada de hierro, y el vasto escudo, negro y sin blasón, arrojaba una sombra de nubes tormentosas sobre él. Pero Fingolfin brillaba debajo como una estrella; porque la cota de malla era de hilos de plata entretejidos, y en el escudo azul llevaba cristales incrustados; y desenvainó la espada, Ringil, que relució como el hielo.

Entonces Morgoth alzó bruscamente el Martillo del Inframundo, llamado Grond, y lo hizo caer como un rayo de tormenta. Pero Fingolfin saltó a un lado, y Grond abrió un gran boquete en la tierra, de donde salían humo y fuego. Muchas veces intentó Morgoth herirlo y otras tantas Fingolfin esquivó los golpes, como un relámpago lanzado desde una nube oscura; e hirió a Morgoth con siete heridas, y siete veces lanzó Morgoth un grito de angustia, y al oírlo los ejércitos de Angband caían de bruces consternados, y el eco de los gritos resonaba en las Tierras Septentrionales.

Pero al final el Rey se fatigó, y Morgoth lo abatió con el escudo. Tres veces cayó el Rey de rodillas y tres veces se volvió a levantar con el escudo roto y el yelmo mellado. Pero la tierra estaba desgarrada en boquetes a su alrededor, y el Rey tropezó y cayó de espaldas ante los pies de Morgoth; y le puso Morgoth el pie izquierdo sobre el cuello, y el peso era como el de una montaña derrumbada. No obstante, en un último y desesperado intento, Fingolfin golpeó con Ringil y le cortó el pie, y la sangre manó negra y humeante y llenó los boquetes abiertos por Grond.

De este modo pereció Fingolfin, Alto Rey de los Noldor, el más orgulloso y valiente de los reyes Elfos de antaño. Los Orcos no se jactaron de ese duelo ante las puertas; ni tampoco lo cantan los Elfos, pues tienen una pena demasiado profunda. No obstante, la historia se recuerda todavía, porque Thorondor, Rey de las Águilas, llevó la nueva a Gondolin y a Hithlum, a lo lejos. Y Morgoth levantó el cuerpo del Rey Elfo y lo quebró, y se lo habría arrojado a los lobos; pero Thorondor se precipitó desde su nido en las cumbres de Crissaegrim, se lanzó sobre Morgoth y le desfiguró la cara. La embestida de las alas de Thorondor era como el ruido de los vientos de Manwë, y aferró el cuerpo con sus garras poderosas y elevándose de súbito por encima de los dardos de los Orcos, se llevó al Rey consigo. Y lo puso sobre la cima de una montaña que miraba desde el norte sobre el valle escondido de Gondolin; y Turgon construyó un alto túmulo de piedras sobre su padre. Ningún Orco se aventuró nunca a pisar el montículo de Fingolfin ni a acercarse a la tumba, hasta que el destino de Gondolin se hubo cumplido, y la traición apareció entre los suyos. Morgoth renqueó siempre de un pie desde ese día, y el dolor de las heridas no se le curó nunca, y en la cara llevaba la cicatriz que Thorondor le había hecho.

Grande fue el duelo en Hithlum cuando se conoció la caída de Fingolfin, y Fingon, lleno de aflicción, se convirtió en señor de la casa de Fingolfin y el reino de los Noldor; pero a su joven hijo Ereinion (que se llamó luego Gil-galad) lo envió a los Puertos.

Ahora el poder de Morgoth ensombrecía las Tierras Septentrionales; pero Barahir no huía de Dorthonion y se quedó allí disputando al enemigo cada palmo de tierra. Entonces Mor-

Tol Sirion (el Valle del Sirion)

goth persiguió a muerte a las gentes de Barahir, hasta que sólo quedaron muy pocos; y todo el bosque de las laderas septentrionales de esa tierra fue convirtiéndose día a día en una región de tal lobreguez y oscuros encantamientos que ni siquiera los Orcos entraban en ella, si no era por una extrema necesidad, y se la llamó Deldúwath y Taur-nu-Fuin, el Bosque bajo la Sombra de la Noche. Los árboles que crecieron allí después del incendio eran negros y tétricos, de raíces embrolladas que amenazaban como garras en la oscuridad; y los que caminaban entre ellos se extraviaban y enceguecían, y eran estrangulados o perseguidos hasta la locura por fantasmas de terror. Por fin la situación de Barahir se hizo tan desesperada que su esposa Emeldir, la de Corazón Viril (que habría preferido luchar junto a su hijo y su marido que huir), reunió a todas las mujeres y los niños que estaban todavía con vida y dio armas a los que pudieran cargarlas; y los condujo a las montañas que se alzaban detrás, y lo hizo por caminos peligrosos, hasta que al fin llegaron con pérdida y desdicha a Brethil. Algunos fueron recibidos allí por los Haladin, pero otros cruzaron las montañas y fueron a Dor-lómin y se unieron al pueblo de Galdor, el hijo de Hador; y entre ellos estaban Rían, hija de Belegund, y Morwen, que era llamada Eledhwen, que significa Resplandor Élfico, hija de Baragund. Pero ninguna volvió a ver nunca a los hombres que habían dejado. Porque todos ellos fueron muertos uno por uno, hasta que sólo doce hombres le quedaron a Barahir: Beren, su hijo, y Baragund y Belegund, sus sobrinos, hijos de Bregolas, y nueve fieles servidores de su casa, cuyos nombres se recordaron largo tiempo en los cantos de los Noldor: eran Radhruin y Dairuin, Dagnir y Ragnor, Gildor y Gorlim el Desdichado, Arthad y Urthel, y Hathaldir el Joven. Al fin se convirtieron en proscritos sin mañana, una banda desesperada que no podía huir pero que se negaba a ceder, porque sus viviendas habían sido destruidas, y sus mujeres e hijos habían sido capturados o muertos, o habían escapado. Desde Hithlum no llegaban nuevas ni ayuda, y Barahir y sus hombres eran perseguidos como bestias salvajes; y se retiraron a las altas tierras yermas por encima de los bosques y erraron entre las lagunas y los páramos rocosos de esa región, lo más lejos posible de los espías y los hechizos de Morgoth. Tenían como cama los brezales y como techo el cielo nuboso.

Durante casi dos años después de la Dagor Bragollach siguieron los Noldor defendiendo el paso occidental en torno a las Fuentes del Sirion, porque el poder de Ulmo estaba en esas aguas, y Minas Tirith resistió a los Orcos. Pero por fin, después de la caída de Fingolfin, Sauron, el más grande y terrible de los servidores de Morgoth, que en lengua sindarin se llama Gorthaur, fue al encuentro de Orodreth, el guardián de la torre en Tol Sirion. Sauron se había convertido por ese entonces en un hechicero de espantoso poder, amo de sombras y de fantasmas, de inmunda sabiduría, de fuerza cruel, que retorcía todo cuanto tocaba, y deformaba todo cuanto regía, señor de licántropos; su dominio era el tormento. Tomó Minas Tirith por asalto, pues una oscura nube de miedo cayó sobre los defensores; y Orodreth fue expulsado y huyó a Nargothrond. Entonces Sauron la convirtió en una atalaya para Morgoth, en una fortaleza del mal y en una amenaza; y la hermosa isla de Tol Sirion quedó maldecida y se llamó Tol-in-Gaurhoth, la Isla de los Licántropos. No había criatura viviente que pudiera pasar por el valle sin que Sauron la viera desde la torre. Y Morgoth controlaba ahora el paso del oeste, y con su terror dominaba los campos y los bosques de Beleriand. Implacable, perseguía a sus enemigos más allá de Hithlum, y registraba sus escondrijos y tomaba sus fortalezas una por una. Los Orcos, cada vez más audaces, recorrían a su antojo las vastas lejanías, bajando por el Sirion en el oeste, y por el Celon en el este, y rodeaban Doriath; y asolaban las tierras de modo que animales y aves huían delante de ellos, y el silencio y la desolación se extendían con paso firme desde el Norte. A muchos de los Noldor y los Sindar tomaron cautivos y llevaron a Angband, y los esclavizaron, obligándolos a poner su capacidad y sus conocimientos al servicio de Morgoth. Y Morgoth envió espías bajo guisas falsas, con palabras engañosas; mintieron prometiendo recompensas, y con palabras astutas intentaron provocar miedo y celos entre los pueblos, acusando a los reyes y capitanes de codicia y traición mutua. Y por causa de la maldición de la Matanza de los Parientes de Alqualondë, estas mentiras a menudo se creyeron y, a medida que el tiempo oscurecía, adquirieron cierto viso de verdad, pues en Beleriand la desesperación y el miedo nublaban el corazón y la mente de los Elfos. Pero por encima de todo los Noldor siempre temían la traición de aquellos parientes que habían servido en Angband; porque Morgoth había utilizado a algunos de ellos para sus malvados propósitos, y fingiendo darles libertad, los dejaba partir, pero les había encadenado la voluntad a la suya, y sólo se alejaban para volver de nuevo a él. Por lo tanto, cuando alguno de estos cautivos conseguía escapar realmente, y volvía con su propio pueblo, no eran bien recibidos, y erraban solos, proscritos y desesperados.

De los Hombres, Morgoth fingía tener piedad, si alguien oía sus mensajes, y les decía que las aflicciones que habían caído sobre ellos se debían únicamente a su servidumbre a los rebeldes Noldor, pero que de manos del verdadero Señor de la Tierra Media recibirían en cambio honores, y si dejaban sus pretensiones de rebelión, su valor tendría una justa recompensa. Pero pocos eran los Hombres de las Tres Casas de los Edain que le prestaban oído, ni siquiera cuando se los atormentaba en Angband. Por tanto, Morgoth los persiguió con odio; y envió a sus mensajeros por encima de las montañas.

Se dice que en este tiempo llegaron por primera vez a Beleriand los Hombres Oscuros. Algunos estaban ya sojuzgados por Morgoth en secreto, y acudieron a su llamada; pero no todos, pues los rumores acerca de Beleriand, de sus tierras y sus aguas, de sus guerras y sus riquezas, habían llegado lejos, y los pies errantes de los Hombres se dirigían siempre hacia el oeste en aquellos días. Estos hombres eran de escasa talla y corpulentos, de brazos largos y fuertes, de piel oscura o de color ceniza, y de cabellos oscuros al igual que los ojos. Eran de muchas casas, y algunos preferían a los Enanos de las montañas a los Elfos. Pero Maedhros, conociendo la debilidad de los Noldor y de los Edain, mientras que los abismos de Angband parecían inagotables, colmados siempre de pertrechos renovados, estableció una alianza con estos Hombres recién venidos, y dio su amistad a los más grandes de los caciques, Bór y Ulfang. Y Morgoth se sintió complacido, pues esto era lo que había planeado. Los hijos de Bór —Borlad, Borlach y Borthand— siguieron a Maedhros y a Maglor, y frustraron las esperanzas de Morgoth, y permanecieron fieles. Los hijos de Ulfang el Negro —Ulfast y Ulwarth y Uldor el Maldito— siguieron a Caranthir y juraron mantener una alianza con él, pero no fueron leales.

No había mucha amistad entre los Edain y los Orientales y se reunían rara vez; porque los recién llegados moraron por largo tiempo en Beleriand Oriental, y el pueblo de Hador estaba encerrado en Hithlum, y poco quedaba de la casa de Bëor. El Pueblo de Haleth apenas fue afectado en un principio por la guerra, ya que vivía al sur en el Bosque de Brethil, aunque ahora libraba una batalla con los Orcos invasores, pues eran hombres de corazón valeroso y no estaban dispuestos a abandonar a la ligera los bosques que tanto amaban. Y entre las historias de las derrotas de entonces, los hechos de los Haladin se recuerdan con honor: porque tras la toma de Minas Tirith, los Orcos avanzaron por el paso occidental, y quizás habrían desolado aun las Bocas del Sirion; pero Halmir, señor de los Haladin, envió sin demora un mensaje a Thingol, pues tenía amistad con los Elfos que guardaban las fronteras de Doriath. Entonces Beleg Arcofirme, jefe de los centinelas de Thingol, condujo a Brethil una gran fuerza de Sindar, armada con hachas; y saliendo de las profundidades del bosque, Halmir y Beleg sorprendieron a una legión de los Orcos y la destruyeron. En adelante la ola oscura que venía del norte fue contenida en esa región, y los Orcos ya no se atrevieron a cruzar el Teiglin durante muchos años. El Pueblo de Haleth vivió en una paz cautelosa en el Bosque de Brethil, y detrás de la guardia que ellos montaban, el Reino de Nargothrond tuvo sosiego, y pudo recuperar fuerzas.

En este tiempo Húrin y Huor, los hijos de Galdor de Dor-lómin, vivían con los Haladin, pues eran del mismo linaje. En los días anteriores a la Dagor Bragollach, estas dos casas de los Edain celebraron juntas una gran fiesta, cuando Galdor y Glóredhel, hijos de Hador Cabeza de Oro, se casaron con Hareth y Haldir, hijos de Halmir, señor de los Haladin. Así fue que Haldir, tío de ellos, acogió en su casa en Brethil a los hijos de Galdor, de acuerdo con las costumbres de los Hombres en aquel tiempo; y ambos fueron a la guerra contra los Orcos, incluso Huor, pues no fue posible impedírselo aunque sólo tenía trece años. Pero eran parte de una compañía que fue separada del resto, y fueron perseguidos hasta el Vado de

Brithiach, y allí habrían caído prisioneros o habrían muerto si no hubiera intervenido el poder de Ulmo, que era aún fuerte en el Sirion. Una niebla se levantó del río y los ocultó de sus enemigos, y escaparon por Brithiach a Dimbar, y erraron entre las colinas bajo los muros escarpados de las Crissaegrim, hasta que los confundieron los engaños de la tierra y ya no supieron por dónde seguir, ni cómo regresar. Allí los vio Thorondor y envió a dos de las águilas en su ayuda; y las águilas los cargaron y los llevaron más allá de las Montañas Circundantes al valle secreto de Tumladen y la ciudad escondida de Gondolin, que ningún Hombre había visto todavía.

Allí Turgon el Rey les dio la bienvenida, cuando supo de qué linaje eran; porque mensajes y sueños le habían llegado por el Sirion desde el mar, enviados por Ulmo, Señor de las Aguas, advirtiéndole sobre penas futuras, y aconsejándole tratar con bondad a los hijos de la casa de Hador, quienes lo ayudarían en momentos de necesidad. Húrin y Huor vivieron como huéspedes en casa del Rey casi por un año; y se dice que en este tiempo Húrin aprendió mucho de la ciencia de los Elfos, y algo entendió también de los juicios y los propósitos del Rey. Porque Turgon sintió gran afecto por los hijos de Galdor y conversaban mucho juntos; y en verdad deseaba retenerlos en Gondolin por amor a ellos, y no sólo por la ley que exigía que ningún forastero, fuera éste Elfo u Hombre, que encontrara el camino al reino secreto y viera la ciudad, nunca pudiera volver a irse, en tanto el Rey no abriera el cerco, y el pueblo oculto saliera.

Pero Húrin y Huor deseaban regresar, para compartir guerras y dolores con su pueblo. Y Húrin dijo a Turgon:

—Señor, sólo somos Hombres mortales, muy distintos de los Eldar. Ellos pueden aguardar muchos años la guerra contra el Enemigo, en algún día distante; pero para nosotros la vida es corta, y nuestra esperanza y nuestra fuerza pronto se marchitan. Además, nosotros no encontramos el camino a Gondolin, y no sabemos de cierto dónde está esta ciudad; pues fuimos traídos con miedo y asombro a través de los altos caminos del aire, y por misericordia nos velaron los ojos.

Entonces Turgon accedió y dijo:

—Por el camino que vinisteis, tenéis permiso para partir, si Thorondor está dispuesto. Me apena esta separación; sin embargo, en un corto tiempo, desde el punto de vista de los Eldar, puede que volvamos a encontrarnos.

Pero Maeglin, el hijo de la hermana del Rey, que era poderoso en Gondolin, no lamentó en absoluto su partida, pero estaba resentido por el favor del rey, porque no sentía amor alguno por el linaje de los Hombres; y dijo a Húrin:

—La gracia del Rey es mayor de lo que tú sospechas, y la ley se ha vuelto menos severa de lo que era antaño; de lo contrario no tendrías otra opción que vivir aquí hasta el final de tus días.

Entonces Húrin le respondió:

—Grande es en verdad la gracia del Rey; pero si nuestra palabra no basta, te haremos a ti un juramento.

Y los hermanos juraron no revelar nunca los designios de Turgon y mantener en secreto todo lo que habían visto en el reino. Entonces se despidieron, y las águilas se los llevaron por la noche, y los dejaron en Dor-lómin antes del amanecer. Las gentes se regocijaron al verlos, pues los mensajes llegados de Brethil los daban por perdidos; pero ellos no quisieron revelar ni siquiera al padre dónde habían estado, salvo que habían sido rescatados en el páramo por las águilas, que los habían transportado de vuelta. Pero Galdor preguntó:

—¿Habéis vivido un año entonces a la intemperie? ¿Acaso las águilas os albergaron en sus nidos? Pero encontrasteis

alimento y vestidos hermosos, y volvéis como jóvenes
príncipes, no como abandonados en el bosque.

Y Húrin contestó:

—Conténtate con que hayamos regresado; pues sólo por
un voto de silencio se nos permitió hacerlo.

Entonces Galdor no les hizo más preguntas, pero él y muchos otros adivinaron la verdad; y con el tiempo la extraña
fortuna de Húrin y Huor llegó a oídos de los servidores de
Morgoth.

Ahora bien, cuando Turgon supo del quebrantamiento
del Sitio de Angband, no permitió que nadie partiera a la
guerra; porque pensaba que Gondolin era fuerte, y todavía no
había llegado el momento de revelar dónde estaba. Pero creía
también que el fin del Sitio era el principio de la caída de los
Noldor, a no ser que llegara ayuda; y envió compañías de los
Gondolindrim en secreto a las Bocas del Sirion y a la Isla de
Balar. Allí, por órdenes de Turgon, construyeron embarcaciones y navegaron al extremo Occidente en busca de Valinor,
para pedir el perdón y la ayuda de los Valar; y rogaron a las
aves del mar que los guiasen. Pero los mares eran bravos y
vastos, y estaban envueltos en sombras y hechizos; y Valinor
estaba oculta. Por tanto, ninguno de los mensajeros de Turgon llegó al Occidente, y muchos se perdieron y pocos regresaron; pero el fatídico destino de Gondolin se aproximaba.

Llegó a Morgoth el rumor de estos hechos, y se sintió inquieto en medio de sus victorias; y deseó sobremanera tener
nuevas de Felagund y de Turgon. Porque nada se sabía de
ellos, y sin embargo no habían muerto; y Morgoth temía lo
que aún pudieran hacer contra él. Sí conocía el nombre de
Nargothrond, pero no sabía dónde estaba, ni la fuerza que
pudiera tener; y de Gondolin nada sabía, y sobre todo lo perturbaba pensar en Turgon. Por tanto, envió cada vez más es-

pías a Beleriand; pero ordenó que las principales huestes de
los Orcos se replegasen a Angband, pues advertía que no podía emprender aún una batalla final en tanto no reuniera nuevas fuerzas, y que no había medido con exactitud el valor de
los Noldor ni la fuerza de los Hombres armados que luchaban junto a ellos. Aunque grande había sido la victoria en la
Bragollach en años anteriores, y lamentable el daño que había
hecho a sus enemigos, sus propias pérdidas no habían sido
menos importantes; y aunque tenía en su poder a Dorthonion y el Paso del Sirion, los Eldar, que se recuperaban de su
primer desconcierto, empezaban a recobrar lo que habían
perdido. Así pues, hubo en el sur de Beleriand una apariencia
de paz por unos pocos años; pero intenso fue el trabajo en las
herrerías de Angband.

Cuando hubieron pasado siete años después de la Cuarta
Batalla, Morgoth volvió al ataque, y envió una gran fuerza contra Hithlum. Duro fue el ataque contra los pasos de las Montañas Sombrías, y en el sitio de Eithel Sirion, Galdor el Alto, Señor de Dor-lómin, fue muerto por una flecha. Defendía esa
fortaleza en nombre de Fingon, el Alto Rey; y poco antes, en el
mismo sitio, había muerto su padre, Hador Lórindol. Húrin,
su hijo, acababa de alcanzar la edad viril en ese entonces, pero
era muy fuerte, tanto de mente como de cuerpo; y arrojó a los
Orcos de Ered Wethrin en medio de una gran matanza, y los
persiguió lejos por las arenas de Anfauglith.

Pero al Rey Fingon no le fue fácil detener al ejército de
Angband que descendía desde el norte; y la batalla se libró en
las llanuras mismas de Hithlum. Allí Fingon fue superado en
número; pero los barcos de Círdan navegaban con denuedo
por el Estuario de Drengist, y en el momento de necesidad
los Elfos de las Falas cayeron sobre las huestes de Morgoth
desde el oeste. Entonces los Orcos cedieron y huyeron, y los

Eldar obtuvieron la victoria, y sus arqueros montados los persiguieron aun hasta las Montañas de Hierro.

En adelante, Húrin hijo de Galdor gobernó la casa de Hador en Dor-lómin, y sirvió a Fingon. Húrin, de menor talla que sus padres, o que su propio hijo, era sin embargo infatigable y resistente de cuerpo, ágil y rápido igual que los del linaje de su madre, Hareth de los Haladin. Tenía como esposa a Morwen Eledhwen hija de Baragund, de la casa de Bëor, la que huyó de Dorthonion con Rían hija de Belegund, y Emeldir, la madre de Beren.

En ese tiempo también los proscritos de Dorthonion fueron destruidos, como ahora se relatará; y Beren hijo de Barahir, el único que logró escapar, llegó con mucha dificultad a Doriath.

19

DE BEREN Y LÚTHIEN

Entre las historias de dolor y de ruina que nos han llegado de la oscuridad de aquellos días, hay sin embargo algunas que hablan de alegrías en medio del llanto, y de una luz que resiste bajo la sombra de la muerte. Y de estas historias la más hermosa a los oídos de los Elfos es la de Beren y Lúthien. De sus vidas se hizo la Balada de Leithian, La Liberación del Cautiverio, que es la segunda más extensa de las canciones acerca del mundo antiguo; pero aquí se cuenta la historia con menos palabras y sin canto.

Se ha dicho que Barahir se negó a abandonar Dorthonion y que allí Morgoth lo persiguió a muerte, hasta que por fin sólo quedaron con él doce compañeros. Ahora bien, el bosque de Dorthonion se extendía hacia el sur hasta los páramos montañosos; y al este de esas altas tierras había un lago, una laguna llamada Aeluin rodeada de páramos salvajes, y en esa tierra indómita no había senderos, pues ni siquiera en los días de la Larga Paz había vivido alguien allí. Sin embargo, las aguas de Aeluin eran veneradas; eran claras y azules durante el día, y parecían de noche un espejo para las estrellas; y se decía que la misma Melian había consagrado esas aguas en los días de antaño. Allí se retiraron Barahir y sus compañeros proscritos, e hicieron de ese lugar su guarida, y Morgoth no pudo descubrirlo. Pero el rumor de los hechos de Barahir y sus compañeros se extendió hasta muy lejos; y Morgoth ordenó a Sauron que los encontrara y los destruyera.

Ahora bien, entre los compañeros de Barahir estaba Gorlim hijo de Angrim. Su esposa se llamaba Eilinel, y grande era el amor que se tenían, antes de que llegara el mal. Pero Gorlim, al volver de la guerra, encontró su casa saqueada y abandonada, y su esposa había desaparecido; si muerta o raptada, él no lo sabía. Entonces acudió a Barahir, y de toda la compañía fue el más feroz y desesperado; pero la duda le roía el corazón, pensando que quizás Eilinel no estuviera muerta. A veces partía solo y en secreto y visitaba su casa, que todavía estaba en pie en medio de los campos y los bosques que otrora fueran suyos; y los servidores de Morgoth se enteraron de ello.

En un día de otoño, llegó a la casa a la caída del sol, y al acercarse le pareció ver una luz en la ventana; y avanzando con cautela miró dentro. Allí vio a Eilinel, y la cara de ella estaba devastada por el dolor y el hambre, y le pareció oír que se lamentaba de que él la hubiera abandonado. Pero cuando la llamó a grandes voces, la luz se apagó en el viento, aullaron los lobos, y de súbito sintió en los hombros las pesadas manos de los cazadores de Sauron. De este modo se le tendió la trampa a Gorlim; y llevándolo a su campamento, lo atormentaron con el propósito de averiguar el escondite de Barahir y todas sus andanzas. Pero Gorlim nada dijo. Entonces le prometieron que sería puesto en libertad y devuelto a Eilinel si cedía; y por fin, abrumado por el dolor y añorando estar con su mujer, vaciló. Entonces lo condujeron de inmediato a la espantosa presencia de Sauron; y Sauron dijo:

—Me entero ahora de que estás dispuesto a hacer trato conmigo. ¿Cuál es tu precio?

Y Gorlim respondió que quería volver a ver a Eilinel y con ella ser puesto en libertad; porque creía que también Eilinel estaba cautiva.

Entonces Sauron sonrió diciendo:

—Pequeño precio en verdad por tan gran traición. Así será entonces sin duda. ¡Habla!

Gorlim habría callado, pero intimidado por los ojos de Sauron, al final dijo todo lo que éste quería saber. Entonces Sauron rió, se burló de Gorlim y le reveló que sólo había visto a un fantasma creado por artes mágicas para atraparlo; porque Eilinel estaba muerta.

—No obstante, accederé a tu ruego —dijo Sauron—, e irás al encuentro de Eilinel y te libraré de mi servicio. —Entonces hizo que le diesen una muerte cruel.

De este modo se reveló el escondite de Barahir, y Morgoth tendió su red sobre él; y los Orcos, acercándose en las horas silenciosas de antes del alba, sorprendieron a los Hombres de Dorthonion y los mataron a todos, salvo a uno. Porque Beren, hijo de Barahir, había sido enviado por su padre en una misión peligrosa, a espiar los pasos del Enemigo, y se encontraba muy lejos cuando la guarida fue tomada. Pero mientras dormía en el bosque, ignorante de todo ello, soñó que unas aves alimentadas de carroña se apretaban como hojas en las ramas desnudas de los árboles que crecían junto a un lago, y que la sangre goteaba de sus picos. Entonces Beren vio en el sueño que una forma se le acercaba por encima del agua, y era el espectro de Gorlim; y el espectro le habló confesando su traición y su muerte, y le pidió que se diera prisa para advertírselo a su padre.

Entonces Beren despertó y se apresuró en la noche, y regresó a la guarida de los proscritos en la segunda mañana. Pero al acercarse, las aves carroñeras levantaron vuelo y se posaron en los alisos junto a la laguna de Aeluin, y graznaron burlonas.

Allí sepultó Beren los huesos de su padre y levantó sobre él un túmulo de piedras, y prometió que lo vengaría. Por tanto, persiguió primero a quienes habían matado a su padre y a los suyos, y encontró de noche el campamento de los Orcos junto a la Fuente del Rivil sobre el Marjal de Serech, y hábil como era para moverse con sigilo en los bosques, pudo acercarse sin ser visto al fuego del campamento. Allí se jactaba el capitán de sus hazañas, y levantó la mano de Barahir que había cortado para mostrársela a Sauron como señal de que la misión había sido cumplida; y el anillo de Felagund estaba en esa mano. Entonces Beren saltó desde detrás de una roca y mató al capitán, y tomando la mano y el anillo, escapó defendido por los hados; y los Orcos, desconcertados, dispararon sus flechas sin acertar.

Después, Beren erró por Dorthonion otros cuatro años como proscrito solitario; pero se hizo amigo de los pájaros y las bestias, y éstos lo ayudaron y no lo traicionaron, y en adelante no comió carne ni mató a ninguna criatura que no estuviera al servicio de Morgoth. No temía la muerte, sino sólo el cautiverio, y como era audaz y estaba desesperado, escapó no sólo de la muerte, sino también de las prisiones; y las hazañas de su solitario atrevimiento fueron comentadas en toda Beleriand, y las noticias de las mismas llegaron aun a Doriath. Por fin Morgoth puso a su cabeza un precio no menor al precio de la cabeza de Fingon, Alto Rey de los Noldor; pero cuando los Orcos se enteraban de que Beren andaba cerca, preferían huir a perseguirlo. Por tanto, se envió contra él un ejército al mando de Sauron; y Sauron llevó consigo licántropos, bestias salvajes habitadas por espíritus espantosos que él había encerrado en sus cuerpos.

Toda esa tierra rebosaba ahora de mal, y todas las criaturas limpias la evitaban; y Beren fue tan presionado, que se vio forzado a huir de Dorthonion. En tiempos de invierno y de nieve abandonó la tierra y la tumba de su padre, y subiendo a las altas regiones de Gorgoroth, las Montañas del Terror, divisó la tierra de Doriath. Allí le dijo el corazón que debería descender al Reino Escondido, no hollado todavía por pie mortal.

Terrible fue su viaje hacia el sur. Los precipicios de Ered Gorgoroth eran escarpados, y debajo había sombras que habían sido puestas allí antes de la primera aparición de la Luna. Más allá se encontraba la región salvaje de Dungortheb, donde la hechicería de Sauron y el poder de Melian chocaban, y el horror y la locura andaban sueltos. Allí habitaban las arañas de la raza feroz de Ungoliant, tejiendo las telas invisibles en las que quedaban atrapadas todas las criaturas; y allí erraban monstruos nacidos durante la larga oscuridad, antes del nacimiento del Sol, cazando en silencio con muchos ojos. No había alimento para Elfos ni Hombres en esa tierra maldita, sino sólo muerte. Ese viaje no fue la menor de las grandes hazañas de Beren, pero después él nunca se refirió a él, para no recordar el horror; y nadie sabe cómo pudo encontrar el camino, pero llegó a las fronteras de Doriath por senderos que ningún Hombre o Elfo se había atrevido a hollar hasta entonces. Y atravesó los laberintos que Melian había tejido en torno al reino de Thingol, como ella lo había previsto; porque una gran maldición pesaba sobre él.

Se dice en la Balada de Leithian que Beren llegó tambaleándose a Doriath, ceniciento y cabizbajo como si estuviera afligido por muchos años de sufrimiento, tanto había sido el tormento del camino. Pero errando en el verano por los bosques de Neldoreth, se encontró con Lúthien, hija de Thingol y Melian, a la hora del atardecer bajo una luna en ascenso, mientras ella bailaba sobre las hierbas perennes de las vegas junto al Esgalduin. Entonces todo recuerdo de su dolor lo abandonó, y cayó bajo un encantamiento; porque Lúthien era la más hermosa de todos los Hijos de Ilúvatar. Llevaba un vestido azul como el cielo sin nubes, pero sus ojos eran grises como la noche iluminada de estrellas; estaba el manto bordado con flores de oro, pero sus cabellos eran oscuros como las sombras del crepúsculo. Como la luz que brilla en las hojas de los árboles, como la voz de las aguas claras, como las estrellas sobre la niebla del mundo, así eran la gloria y la belleza de Lúthien; y tenía en la cara una luz resplandeciente.

Pero ella desapareció de súbito; y él se quedó sin voz, como presa de un hechizo, y durante mucho tiempo erró por los bosques, asilvestrado y precavido como un animal, buscándola. La llamó en su corazón Tinúviel, que significa Ruiseñor, hija del crepúsculo, en la lengua de los Elfos Grises, pues no conocía otro nombre para ella. Y la vio a lo lejos como las hojas en los vientos de otoño, y en invierno como una estrella sobre una colina, pero una cadena le aprisionaba los miembros.

En la víspera de la primavera, poco antes del alba, Lúthien bailó en una colina verde; y de pronto se puso a cantar. Era un canto penetrante que traspasaba el corazón como el canto de la alondra que se alza desde los portones de la noche y se vierte entre las estrellas agonizantes, cuando el sol asoma tras las murallas del mundo; y el canto de Lúthien desató las ligaduras del invierno, y las aguas congeladas hablaron, y las flores brotaron desde la tierra fría que sus pies habían tocado al pasar.

En ese momento Beren fue liberado del hechizo de silencio, y la llamó, gritando Tinúviel; y los bosques devolvieron el eco del nombre. Entonces ella se detuvo asombrada y no huyó más, y Beren se le aproximó. Pero cuando Tinúviel lo miró, la mano del destino cayó sobre ella, y lo amó; no obstante, se deslizó de entre los brazos de Beren y desapareció en el momento en que rompía el alba. Entonces Beren se echó al suelo aturdido, como quien ha sido herido a la vez por el dolor y la felicidad, y cayó dormido como en un abismo de sombra; y al despertar estaba frío como la piedra, y sentía el corazón árido y desamparado. Y con la mente errante andaba a tientas como quien ha sido de repente desprovisto de la vista, y trata de atrapar con las manos la luz desvanecida. Y así empezó a pagar el precio de la angustia, por el destino que le había sido impuesto; y en este destino estaba atrapada Lúthien, y siendo inmortal compartió la mortalidad de Beren, y siendo libre se ató con las cadenas de Beren; y ninguna Eldalië había conocido una angustia mayor.

Sin que Beren lo esperara, ella regresó al sitio donde él estaba sentado en la oscuridad, y en aquellos tiempos lejanos en el Reino Escondido puso su mano en la de él. En adelante vino a verlo con frecuencia, y se paseaban secretamente por los bosques desde la primavera hasta el verano; y ningún otro de los Hijos de Ilúvatar tuvo alegría tan grande, aunque el tiempo fue breve.

Pero Daeron el Bardo también amaba a Lúthien y descubrió sus encuentros con Beren, y los denunció a Thingol. Entonces el rey se llenó de enojo, porque amaba a Lúthien más que a ninguna otra cosa, poniéndola por encima de todos los príncipes de los Elfos; mientras que a los Hombres mortales ni siquiera los tomaba como sirvientes. Por tanto, habló a Lúthien con pena y asombro, pero ella no quiso revelarle nada, hasta que él le juró que ni daría muerte a Beren ni lo tomaría prisionero. Pero envió a unos sirvientes para detenerlo y conducirlo a Menegroth como a un malhechor; y Lúthien se anticipó, y llevó ella misma a Beren ante el trono de Thingol como si fuera un huésped honorable.

Entonces Thingol miró a Beren con desprecio y enfado;
pero Melian guardaba silencio.

—¿Quién eres —preguntó el rey—, que llegas aquí como
un ladrón y te aproximas a mi trono sin ser invitado?

Pero Beren, atemorizado, porque el esplendor de Menegroth y la majestad de Thingol eran muy grandes, nada respondió. Por tanto, Lúthien habló y dijo:

—Él es Beren hijo de Barahir, señor de los Hombres, poderoso enemigo de Morgoth; la historia de sus hazañas se
canta aun entre los Elfos.

—¡Que sea Beren quien hable! —exclamó Thingol—.
¿Qué quieres, desdichado mortal, y por qué motivo has abandonado tu tierra para entrar aquí, lo que está prohibido a tus
iguales? ¿Puedes dar una razón por la que no deba hacer uso de
mi poder e imponerte severo castigo por tu insolencia y locura?

Entonces Beren, levantando la cabeza, contempló los ojos
de Lúthien y luego miró también a Melian; y le pareció que le
ponían palabras en la boca. Perdió el miedo y recuperó el orgullo de la más antigua casa de los Hombres; y dijo:

—Mi destino, oh Rey, me condujo aquí, a través de peligros
que aun pocos de entre los Elfos se atreverían a afrontar. Y he
encontrado aquí lo que en verdad no buscaba, pero que ahora
quiero tener para siempre. Porque está por encima de la plata y
el oro, y ninguna joya se le iguala. Ni la roca, ni el acero, ni los
fuegos de Morgoth, ni todos los poderes de los reinos de los Elfos me separarán del tesoro de mis deseos. Porque Lúthien, tu
hija, es la más bella de todas las Criaturas del Mundo.

Entonces la sala se sumió en el silencio, porque los que allí
se encontraban estaban asombrados y asustados, y creyeron que
Beren sería muerto. Pero Thingol habló con lentitud diciendo:

—Con esas palabras te has ganado la muerte; y la muerte
encontrarías en seguida, si yo no hubiera hecho un juramento

Nargothrond (II)

apresurado; de lo que estoy arrepentido, mortal cuna humilde que has aprendido a arrastrarte secretamente como los espías y esclavos de Morgoth.

Entonces respondió Beren:

—La muerte podéis darme, la haya yo ganado o no; pero no soportaré que me llaméis de cuna humilde, ni espía, ni esclavo. Por el anillo de Felagund, que él mismo dio a Barahir, mi padre, en el campo de batalla del Norte, mi casa no se ha ganado epítetos tales de Elfo alguno, sea él rey o no.

Las palabras de Beren eran orgullosas y todas las miradas se fijaron en el anillo; porque lo sostenía en alto, y en él resplandecían las joyas verdes que los Noldor habían inventado en Valinor. Porque este anillo era como dos serpientes gemelas con ojos de esmeralda, y encima de las cabezas había una corona de flores de oro, que una de ellas sostenía y la otra devoraba; ésa era la insignia de la casa de Finarfin. Entonces Melian se inclinó hacia Thingol, y en un susurro le aconsejó que se tranquilizara.

—Porque no serás tú —le dijo— quien dé muerte a Beren; y al final lejos y libre irá guiado por el destino; no obstante, ese destino está unido al tuyo. ¡Ándate con cuidado!

Pero Thingol miró en silencio a Lúthien, y pensó en su corazón:

«Hombres desdichados, hijos de pequeños señores y reyes de corta vida, ¿ha de poner alguien semejante las manos en ti, y sin embargo seguir con vida?». Entonces, rompiendo el silencio, dijo:

—Veo el anillo, hijo de Barahir, y entiendo que eres orgulloso y crees tener mucho poder. Pero las hazañas de un padre, aun cuando estuviera a mi servicio, no bastan para ganar a la hija de Thingol y Melian. ¡Escucha ahora! También yo deseo un tesoro al que no tengo acceso. Porque roca y acero y los fuegos de Morgoth protegen la joya que querría poseer contra todos los poderes de los reinos de los Elfos. No obstante, dices que tales impedimentos no te amilanan. ¡Haz pues como lo propones! Tráeme en la mano uno de los Silmarils de la corona de Morgoth; y entonces, si así lo desea ella, Lúthien podrá poner su mano en la tuya. De ese modo tendrás mi joya; y aunque el destino de Arda esté ligado a los Silmarils, me tendrás por generoso.

De esta manera forjó el destino aciago de Doriath y quedó atrapado en la Maldición de Mandos. Y quienes lo escucharon advirtieron que Thingol no iba a tener que cumplir con su palabra, ya que mandaría a Beren a su muerte, pues sabían que todo el poder de los Noldor, antes de que se quebrantara el Sitio, no había valido ni siquiera para ver desde lejos los relumbrantes Silmarils de Fëanor. Pues habían sido engarzados en la Corona de Hierro, y en Angband se estimaban por encima de toda riqueza; alrededor de ellos había Balrogs, e innumerables espadas, y fuertes rejas, y muros inexpugnables, y la oscura majestad de Morgoth.

Pero Beren rió.

—Por bajo precio —dijo— venden a sus hijas los reyes de los Elfos; por gemas y por obras de artesanía. Pero si ésta es vuestra voluntad, Thingol, la cumpliré. Y cuando volvamos a encontrarnos, mi mano sostendrá un Silmaril de la Corona de Hierro; porque no es ésta la última vez que veréis a Beren hijo de Barahir.

Entonces miró los ojos de Melian, que nada dijo; y se despidió de Lúthien Tinúviel, e inclinándose ante Thingol y Melian, apartó a los guardianes que lo rodeaban y partió solo de Menegroth.

Entonces, por fin habló Melian, y dijo a Thingol:

—Oh, Rey, has concebido un plan astuto. Pero si mis ojos no han perdido la vista, será para tu mal, fracase o triunfe Beren en su cometido. Porque o bien has condenado a tu hija o bien te has condenado a ti mismo. Y ahora Doriath está sometida a los hados de un reino más poderoso.

Pero Thingol contestó:

—No vendo a Hombres o Elfos lo que amo y estimo por encima de todos los tesoros. Y si hubiera esperanza o temor de que Beren volviera vivo a Menegroth, no habría vuelto a ver la luz del cielo, aunque yo lo haya jurado.

Pero Lúthien calló, y desde esa hora no volvió a cantar en Doriath. Un silencio profundo se hizo en los bosques, y las sombras se alargaron en el reino de Thingol.

Se dice en la Balada de Leithian que Beren pasó por Doriath sin ser molestado, y llegó por fin a la región de las Lagunas del Crepúsculo y los Marjales del Sirion; y dejando atrás la tierra de Thingol, trepó las colinas sobre las Cataratas del Sirion, donde las aguas se precipitan bajo tierra con gran estrépito. Desde allí miró hacia el oeste, y a través de la niebla y las lluvias que bañaban esas colinas vio Talath Dirnen, la Planicie Guardada, que se extendía entre el Sirion y el Narog; y, más allá, divisó las tierras altas de Taur-en-Faroth que se levantaban sobre Nargothrond. Y estando desamparado, sin esperanza ni designio, volvió hacia allí sus pasos.

En toda aquella planicie, los Elfos de Nargothrond mantenían una vigilancia incesante; y en las cimas de todas las colinas de las fronteras había torres ocultas, en todos los bosques y campos del reino patrullaban en secreto arqueros de gran habilidad. Sus flechas llegaban seguras a destino y eran mortales, y nada entraba allí furtivamente si ellos no lo deseaban. Por tanto, antes de que Beren hubiera avanzado mucho, supieron que andaba por el bosque, y su muerte estaba próxima. Pero conociendo el peligro en que se encontraba, Beren llevaba siempre en alto el anillo de Felagund; y aunque no veía a nadie a causa de la cautela de los cazadores, se sentía vigilado y a menudo exclamaba en voz alta:

—Soy Beren hijo de Barahir, amigo de Felagund. ¡Llevadme ante el Rey!

Por esta razón los cazadores no lo mataron, sino que le salieron juntos al paso y le ordenaron que se detuviera. Pero al ver el anillo, se inclinaron ante él, aunque Beren pareciera un hombre salvaje y abandonado, en un estado lamentable; y lo condujeron hacia el norte y hacia el oeste, avanzando de noche para que nadie descubriera el camino que seguían. Porque en aquellos tiempos no había vado ni puente sobre el torrente del Narog ante las Puertas de Nargothrond; pero más hacia el norte, allí donde el Ginglith se unía con el Narog, el caudal disminuía, y cruzando por allí y volviéndose otra vez hacia el sur, los Elfos llevaron a Beren bajo la luz de la luna hacia las oscuras puertas de sus salas escondidas.

De ese modo Beren llegó ante el Rey Finrod Felagund; y Felagund supo quién era, pues no necesitaba el anillo para reconocer a la gente de Bëor y de Barahir. Se reunieron a puertas cerradas, y Beren habló de la muerte de Barahir, y de todo lo que le había ocurrido en Doriath; y lloró recordando a Lúthien y la alegría que habían sentido juntos. Pero Felagund escuchó la historia con asombro e inquietud; y supo que el juramento que había hecho era su propia sentencia de muerte, como mucho antes se lo había predicho a Galadriel. Habló entonces a Beren con pesadumbre en el corazón.

—Es evidente que Thingol desea tu muerte; pero parece que esta condena va más allá de sus designios, y que el Juramento de Fëanor está otra vez actuando. Porque los Silmarils están malditos, por un juramento de odio; y basta con nombrarlos con deseo para despertar un gran poder de su letargo; y los hijos de Fëanor preferirían llevar a todos los reinos de los Elfos a la ruina antes que consentir que otro gane o posea un Silmaril, porque los impulsa el Juramento. Y ahora Celegorm y Curufin habitan en mis estancias; y aunque yo, hijo de Finarfin, soy Rey, ellos han ganado gran poder en el reino y gobiernan a muchos de los suyos. Me han demostrado amistad cada vez que lo he necesitado, pero me temo que no te mostrarían amor ni clemencia si tu cometido se supiera. No obstante, mi propio juramento se mantiene; y de ese modo todos estamos atrapados.

Entonces el Rey Felagund habló ante el pueblo recordando las hazañas de Barahir, y su voto: y declaró que pesaba sobre sus espaldas la obligación de ayudar al hijo de Barahir, y buscó el apoyo de los capitanes. Entonces Celegorm se alzó de entre la multitud, y desenvainando la espada gritó:

—Sea amigo o enemigo, demonio de Morgoth, Elfo o hijo de Hombres o cualquier otra criatura viviente de Arda, no habrá ley, ni amor, ni alianza del infierno, ni poder de los Valar, ni magia de ningún tipo que lo defienda del odio sempiterno de los hijos de Fëanor si toma o encuentra un Silmaril y lo guarda. Porque a los Silmarils sólo nosotros tenemos derecho hasta que termine el mundo.

Muchas otras palabras pronunció, tan poderosas como lo habían sido mucho antes en Tirion las palabras de su padre, que por primera vez inflamaron la rebelión de los Noldor. Y después de Celegorm, habló Curufin, con mayor gentileza, pero no con menor poder, conjurando en la mente de los Elfos una visión de guerra y la ruina de Nargothrond. Tan grande fue el miedo que puso en los corazones que, desde entonces y hasta el tiempo de Túrin, ningún Elfo de ese reino quiso ir nunca a una batalla campal sino que, con cautela y emboscadas, con hechicería y dardos emponzoñados, persiguieron a todos los forasteros olvidando los vínculos de linaje. De este modo perdieron el valor y la libertad de los Elfos de antaño, y hubo oscuridad en aquellas tierras.

Y murmuraron entonces que el hijo de Finarfin no era un Vala como para darles órdenes, y apartaron de él los ojos. Pero la Maldición de Mandos cayó sobre los hermanos, y en ellos brotaron oscuros pensamientos, y pensaron enviar a Felagund solo a la muerte, y usurpar, si era posible, el trono de Nargothrond; porque eran del linaje más antiguo de los príncipes de los Noldor.

Y Felagund, viendo que lo abandonaban, se quitó de la cabeza la corona de plata de Nargothrond y la arrojó a los pies de los hermanos diciendo:

—Vosotros podéis romper vuestros juramentos de fidelidad, pero yo he de cumplir con mi obligación. No obstante, si hay alguien sobre el que no haya caído aún la sombra de nuestra maldición, me gustaría que al menos algunos me acompañaran, para no tener que irme de aquí como un mendigo que ha sido echado del palacio.

Hubo diez que se mantuvieron a su lado; y el jefe de ellos, que se llamaba Edrahil, inclinándose, recogió la corona y pidió que se lo dieran a un senescal hasta el regreso de Felagund.

—Porque vos seguís siendo mi rey y el de ellos —dijo—, no importa lo que ocurra.

Entonces Felagund entregó la corona de Nargothrond a Orodreth, su hermano, para que gobernara en su lugar; y Celegorm y Curufin nada dijeron, pero sonrieron y abandonaron la sala.

Una tarde de otoño Felagund y Beren abandonaron Nargothrond con sus diez compañeros; y viajaron juntos a orillas del Narog hasta su fuente en las Cataratas de Ivrin. Bajo las Montañas de la Sombra descubrieron una compañía de Orcos y los mataron a todos por la noche en su campamento; y se llevaron los pertrechos y las armas. Por las artes de Felagund cambiaron de forma y de rostro hasta que parecieron Orcos; y así disfrazados llegaron lejos por el camino del norte y se aventuraron por el paso hacia el oeste, entre Ered Wethrin y las tierras altas de Taur-nu-Fuin. Pero Sauron los vio desde su torre, y dudó; porque iban de prisa y no se detuvieron a dar cuenta de sus actos, como estaban obligados a hacer los sirvientes de Morgoth que fueran por ese camino. Por tanto, mandó detenerlos y conducirlos ante él.

De este modo se libró la contienda entre Sauron y Felagund que alcanzó tanto renombre. Porque Felagund luchó contra Sauron con cantos de poder, y el Rey era muy poderoso; sin embargo, fue Sauron quien se impuso, como se cuenta en la Balada de Leithian:

> *Un conjuro entonó en cantos,*
> *Penetrando, flagrante, en perfidias*
> *Revelaciones y desvelos, de traición.*
> *Mas Felagund presto a su vaivén*
> *Su réplica firme cantó en melodía,*
> *En lucha contra el poder resistía,*
> *Cual atalaya su fuerza, de secretos que escondía,*
> *de confianza sin brecha, libertad, de huida;*
> *cambiante la figura convertida,*
> *de emboscadas fallidas, rotas trampas;*
> *las prisiones abiertas, las cadenas partidas.*
>
> *Retrocedían y avanzaban oscilando en sinfonías.*
> *De baile y remolino, naufragando, crecía*

Amplio el canto, más Felagund se batía
Suma magia y poder infundía
De la Tierra de los Elfos a su palabra atraída.
Oyeron las aves en suavidad penumbra
De Nargothrond sus cantos a distancia
El suspiro del mar más allá en lontananza
Allende el mundo al oeste, de arena
De la arena perla del País de los Elfos.

Y se unió la sombra; creciente en tiniebla
A Valinor, su cauce sangrante en color
Junto al mar, donde los Noldor
Dieron muerte a los jinetes de la espuma; privados
De sus níveas naves de velas blancas
En puertos de lucernas. Y lloran los vientos,
Entona un lobo el aullido. Vuelan su huida los cuervos.
En las bocas del Mar murmuran los hielos.
Lamentan cautivos de Angband su pena.
Brama el trueno, ardiente materia
Y ante el trono, Finrod se entrega.

Entonces Sauron los despojó de los disfraces, y ellos aparecieron allí ante él, desnudos y asustados. Y aunque así se reveló lo que eran, no pudo descubrir Sauron cómo se llamaban ni qué se proponían.

Los arrojó por tanto a un foso profundo, oscuro y silencioso, y los amenazó con una muerte atroz a menos que uno de ellos le confesara la verdad. De vez en cuando veían dos ojos que ardían en la negrura; y un licántropo devoró a uno de los compañeros; pero ninguno traicionó a su señor.

En el momento en que Sauron arrojó a Beren al foso, un abismo de horror se abrió en el corazón de Lúthien; y cuando acudió a Melian en busca de consejo, se enteró de que Beren estaba en las mazmorras de Tol-in-Gaurhoth sin esperanza de salvación. Entonces Lúthien, al ver que no tendría ayuda de nadie sobre la tierra, decidió escapar de Doriath y ayudar ella misma a Beren; pero buscó el apoyo de Daeron, quien delató al Rey lo que ella pretendía. Entonces Thingol sintió miedo y asombro; y porque no quiso privar a Lúthien de las luces del cielo para que no desfalleciera y se desvaneciera, pero al mismo tiempo quería impedir que partiese, hizo construir una casa de la que no podría escapar. No lejos de las puertas de Menegroth se erguía el más alto de todos los árboles del Bosque de Neldoreth, un bosque de hayas que constituía la mitad norte del reino. Esta haya poderosa se llamaba Hírilorn, y tenía tres troncos extremadamente altos, de igual grosor y corteza tersa; y las primeras ramas estaban muy lejos del suelo. Bien arriba, entre los tallos de Hírilorn, se construyó una casa de madera, y allí se hizo morar a Lúthien; y las escaleras se retiraron y se guardaron, excepto sólo cuando los sirvientes de Thingol le traían lo que ella necesitaba.

Se cuenta en la Balada de Leithian cómo ella escapó de la casa de Hírilorn; porque recurrió a sus artes de encantamiento e hizo que los cabellos le crecieran muy largos, y con ellos tejió un vestido oscuro que la cubría como una sombra, y que estaba cargado con un hechizo de sueño. Con las hebras que quedaban trenzó una cuerda y la dejó caer desde la ventana; y cuando el extremo se meció sobre los guardianes que estaban sentados bajo el árbol, éstos cayeron en un profundo sopor. Entonces Lúthien abandonó aquella cárcel, y envuelta en la capa de sombras escapó a todas las miradas y desapareció de Doriath.

Dio la casualidad que Celegorm y Curufin habían ido de caza a la Planicie Guardada; y esto hicieron porque Sauron, lleno de sospechas, envió muchos lobos a las tierras de los Elfos.

Así que los hermanos salieron cabalgando, acompañados de sus perros, pensando que antes de regresar también tendrían nuevas del Rey Felagund. Ahora bien, el principal de los perros lobo que seguían a Celegorm se llamaba Huan. No había nacido en la Tierra Media, sino que venía del Reino Bendecido; pues Oromë se lo había dado a Celegorm en Valinor hacía mucho tiempo, y allí había seguido el cuerno de Celegorm, antes de la llegada del mal. Huan siguió a Celegorm en el exilio y le era fiel; y de ese modo también él quedó sometido a la maldición de dolor que pesaba sobre los Noldor; y se decretó que se encontraría con la muerte, aunque no antes de toparse con el lobo más poderoso que hubiera andado por el mundo.

Fue entonces que Huan halló a Lúthien, que huía como una sombra sorprendida por la luz bajo los árboles, cuando Celegorm y Curufin descansaban por un momento cerca de los confines occidentales de Doriath; porque nada escapaba a la vista y el olfato de Huan, ni lo detenía ningún encantamiento, y no dormía ni de noche ni de día. La llevó a Celegorm, y Lúthien, al enterarse de que él era un príncipe de los Noldor y enemigo de Morgoth, se alegró; y reveló quién era dejando caer la capa. Tan grande fue la repentina belleza revelada bajo el sol, que Celegorm se enamoró de ella; pero le habló con tino, y le prometió que encontraría ayuda, si volvía con él a Nargothrond. No dio ninguna señal de que ya sabía de Beren y de su cometido, a los que ella se refirió, ni tampoco de que el asunto le interesaba de cerca.

Así pues, interrumpieron la cacería y volvieron a Nargothrond, y Lúthien fue traicionada; porque la retuvieron y le quitaron la capa y no se le permitió salir de las salas ni hablar con nadie, salvo con los hermanos, Celegorm y Curufin. Porque ahora, creyendo que Beren y Felagund habían caído prisioneros y nada ni nadie podía rescatarlos, se propusieron dejar morir al

Rey y retener a Lúthien y obligar a Thingol a conceder la mano de ella a Celegorm. De este modo crecerían en poder y se convertirían en los más poderosos príncipes de los Noldor. Y no tenían intención de recuperar los Silmarils por arte o por guerra, ni permitir que nadie más lo hiciese, hasta que no dominaran todos los reinos élficos y pudieran hacer uso de su poder. Orodreth no tenía poder para resistírseles, pues ellos gobernaban los corazones del pueblo de Nargothrond; y Celegorm envió mensajeros a Thingol con su apremiante petición.

Pero Huan, el perro, era de corazón fiel, y amaba a Lúthien desde el momento en que la había encontrado, y el cautiverio de ella lo apenaba. Por tanto, iba a menudo a la cámara de Lúthien, y a la noche se echaba delante de su puerta; pues sentía que el mal había llegado a Nargothrond. Lúthien se sentía sola y hablaba a menudo con Huan, y le contaba de Beren, que era amigo de todos los pájaros y las bestias que no servían a Morgoth; y Huan entendía todo lo que decía. Porque comprendía el lenguaje de todas las criaturas dotadas de voz; pero sólo le estaba permitido hablar con palabras tres veces antes de morir.

Ahora bien, Huan concibió un plan de ayuda para Lúthien; y llegada la noche, le llevó su capa y por primera vez le habló dándole consejo. Entonces, por caminos secretos, la condujo fuera de Nargothrond, y huyeron juntos hacia el norte; y él se humilló y permitió que ella lo cabalgara a modo de corcel, como hacían a veces los Orcos sobre los grandes lobos. Y así avanzaron muy de prisa, pues Huan era rápido e infatigable.

En los fosos de Sauron yacían Beren y Felagund, y todos sus compañeros habían muerto ya; pero Sauron se proponía mantener con vida a Felagund hasta el final, porque entendía que era un Noldo de gran poder y sabiduría, y creía que era él quien guardaba el secreto de la misión de los Elfos. Pero cuando el lobo vino en busca de Beren, Felagund recurrió a todo su poderío y rompió las ligaduras; y luchó con el licántropo y lo mató con dientes y manos; no obstante, él mismo quedó herido de muerte. Entonces dijo a Beren:

—Me voy ahora a mi largo descanso en las estancias intemporales de más allá de las aguas y las Montañas de Aman. Pasará mucho tiempo antes de que vuelva a ser visto entre los Noldor; y puede que no nos encontremos una segunda vez en la vida o en la muerte, porque los destinos de nuestras gentes se apartan. ¡Adiós!

—Así murió Felagund en la oscuridad de Tol-in-Gaurhoth, cuya gran torre él mismo había construido. De esta manera el Rey Finrod Felagund, el más hermoso y el más amado de la casa de Finwë, cumplió su juramento; pero Beren se lamentó desesperado junto a él.

A esa hora llegó Lúthien, y erguida sobre el puente que conducía a la isla de Sauron, cantó un canto que ningún muro de piedra podía detener. Beren la oyó y pensó que soñaba; pues arriba brillaban las estrellas y en los árboles cantaban los ruiseñores. Y como respuesta entonó un canto de desafío que él había compuesto en alabanza de las Siete Estrellas, la Hoz de los Valar que Varda había colgado sobre el Norte como signo de la caída de Morgoth. Luego le fallaron las fuerzas y se desmoronó en la oscuridad.

Pero Lúthien oyó la voz que le había contestado y entonó entonces un canto de gran poder. Los lobos aullaron y la isla tembló. Sauron se encontraba en la alta torre envuelto en negros pensamientos; pero sonrió al oír la voz, porque sabía que era de la hija de Melian. Hacía ya mucho que la fama de la belleza y la maravillosa voz de Lúthien había traspasado los muros de Doriath; y Sauron pensó que podía capturar a Lúthien y entregarla al poder de Morgoth, pues la recompensa sería grande.

Por tanto, envió a un lobo al puente. Pero Huan le dio muerte en silencio. Sauron continuó enviando lobos, uno a uno; y uno a uno Huan los aferraba por el pescuezo y los mataba. Entonces Sauron envió a Draugluin, una bestia espantosa, veterana en las artes del mal, señor y padre de los licántropos de Angband. Tenía un gran poder; y la batalla entre Huan y Draugluin fue larga y feroz. No obstante, por fin Draugluin escapó y volviendo a la torre murió a los pies de Sauron; y al morir le dijo:

—¡Huan está allí!

Ahora bien, Sauron conocía perfectamente, como todos en esa tierra, el hado que le estaba decretado al perro de Valinor; y se le ocurrió que él mismo lo cumpliría. Por tanto, tomó la forma de un licántropo, el más poderoso que hubiera andado por el mundo, y corrió a ganar el paso del puente.

Tan grande fue el espanto de la llegada de Sauron, que Huan saltó a un lado. Entonces Sauron se abalanzó sobre Lúthien, que se desvaneció ante la amenaza del espíritu maligno que veía en los ojos del lobo y los inmundos vapores que le salían por la boca. Pero antes de caer le arrojó a los ojos un pliegue de su capa oscura, y él se tambaleó, dominado por una súbita somnolencia. En ese momento saltó Huan, y así empezó la contienda entre Huan y Sauron el Lobo, y los aullidos y bramidos resonaron en las colinas, y más allá del valle, los guardianes de los muros de Ered Wethrin los oyeron a la distancia y quedaron consternados.

Pero ni la brujería ni el hechizo, ni el colmillo ni el veneno, ni la habilidad demoníaca ni la fuerza bestial podían superar a Huan de Valinor; y apresó a su enemigo por el cuello y lo aplastó contra el suelo. Entonces Sauron mudó de aspecto: de lobo se convirtió en serpiente, y de monstruo volvió a su forma habitual; pero no podía zafarse de Huan sin abandonar el cuerpo por completo. Antes de que el espíritu horrible de Sauron dejara su oscura morada, Lúthien se le acercó y anunció que le quitarían las vestiduras carnales, y que el fantasma tembloroso sería devuelto a Morgoth; y le dijo: —Allí por siempre jamás, así desnudado, soportarás el desprecio de Morgoth, que te traspasará con la mirada a menos que me cedas ahora la posesión de tu torre. —Entonces Sauron se rindió, y Lúthien tomó posesión de la isla y de todo cuanto allí se encontraba; y Huan lo soltó. Y en seguida Sauron tomó la forma de un vampiro, grande como una nube oscura sobre la luna, y huyó, con la sangre de su cuello manchando los árboles, y llegó a Taurnu-Fuin, y vivió allí, llenando todo de horror.

Entonces Lúthien se irguió sobre el puente y declaró su poder: y el encantamiento que unía piedra con piedra se deshizo, y los portones se derrumbaron, y los muros se abrieron, y los fosos quedaron expuestos; y muchos esclavos y cautivos salieron con asombro y congoja, protegiéndose los ojos de la pálida luz de la luna, pues habían pasado mucho tiempo sumidos en la oscuridad de Sauron. Pero Beren no salió. Por tanto, Huan y Lúthien lo buscaron en la isla; y Lúthien lo encontró junto a Felagund, lamentando su muerte. Beren estaba tan angustiado que no se movió y no oyó los pasos de ella. Entonces, creyéndolo ya muerto, Lúthien lo abrazó y cayó en un negro olvido. Pero Beren, saliendo a la luz desde los abismos de la desesperación, la levantó, y volvieron a mirarse; y el día que se elevaba sobre las colinas oscuras brilló sobre ellos.

Sepultaron el cuerpo de Felagund en la colina de su propia isla, que estuvo limpia otra vez; y la tumba verde de Finrod hijo de Finarfin, el más hermoso de todos los príncipes de los Elfos, permaneció inviolada, hasta que la tierra cambió y se quebró y se hundió bajo mares destructores. Pero Finrod pasea con su padre bajo los árboles de Eldamar.

Ahora bien, Beren y Lúthien Tinúviel estaban otra vez libres y juntos recorrían los bosques, recobrada por un tiempo la alegría; y aunque llegó el invierno, a ellos no los dañó, porque las flores no se marchitaban por donde andaba Lúthien, y los pájaros cantaban al pie de las colinas vestidas de nieve. Pero Huan, que era fiel, volvió a la casa de Celegorm, su amo; sin embargo, el amor que los unía ya no fue tan grande.

Hubo un tumulto en Nargothrond. Porque allí volvieron muchos Elfos que habían sido prisioneros en la isla de Sauron; y se levantó un clamor que las palabras de Celegorm no lograron apaciguar. Lamentaban amargamente la caída del Rey Felagund, y decían que una doncella había conseguido lo que no se habían atrevido a hacer los hijos de Fëanor; pero muchos advirtieron que era la traición antes que el miedo lo que había guiado a Celegorm y Curufin. Así ocurrió que los habitantes de Nargothrond ya no se sintieron obligados a obedecerles, y volvieron otra vez a la casa de Finarfin; y sirvieron a Orodreth. Pero él no permitió que dieran muerte a los hermanos, como deseaban algunos, porque el derramamiento de la sangre de parientes por parientes haría que la Maldición de Mandos pesara aún más sobre todos ellos. No obstante, ni pan ni descanso concedió a Celegorm y a Curufin dentro del reino, y juró que en adelante habría poco amor entre Nargothrond y los hijos de Fëanor.

—¡Así sea! —dijo Celegorm, y hubo una luz de amenaza en sus ojos; pero Curufin sonrió. Entonces montaron a caballo y se alejaron de prisa como el fuego, al encuentro, si les era posible, de sus hermanos del este. Pero nadie quiso acompañarlos, ni siquiera los que eran de su propio linaje; porque todos advirtieron que la Maldición pesaba sobre los hermanos, y que el mal los seguía. En ese tiempo Celebrimbor, el hijo de Curufin, repudió las acciones de su padre, y se quedó en Nargothrond; pero Huan aún seguía el caballo de Celegorm, su amo.

Cabalgaron hacia el norte, pues estaban impacientes y querían pasar a través de Dimbar y a lo largo de las fronteras septentrionales de Doriath, en busca del camino más rápido a Himring, donde vivía Maedhros, el hermano de ellos; y tenían aún la esperanza de ir por ese camino, pues estaba cerca de las fronteras de Doriath, y así podrían evitar Nan Dungortheb y la lejana amenaza de las Montañas del Terror.

Ahora bien, se dice que los pasos de Beren y Lúthien los llevaron al Bosque de Brethil, y se acercaron por fin a los confines de Doriath. Entonces Beren recordó el juramento; y a pesar de sus verdaderos deseos resolvió que cuando Lúthien llegara otra vez a la seguridad de su propia tierra, él se pondría de nuevo en camino. Pero ella no estaba dispuesta a volver a separarse, y dijo:

—Tienes que elegir, Beren, entre dos cosas: abandonar la misión y tu juramento y llevar una vida errante sobre la faz de la tierra, o mantener tu palabra y desafiar el poder entronizado de la oscuridad. Pero por cualquiera de esos caminos yo te seguiré, y nuestra suerte será la misma.

Mientras conversaban juntos de estas cosas, andando sin hacer caso de nada más, Celegorm y Curufin llegaron de prisa cabalgando por el bosque; y los hermanos los vieron y los reconocieron desde lejos. Entonces Celegorm dio media vuelta y espoleó el caballo hacia Beren, con la intención de atropellarlo; pero Curufin se volvió de pronto, e inclinándose alzó a Lúthien sobre la montura, pues era un jinete fuerte y hábil. Entonces Beren saltó de delante de Celegorm al caballo de Curufin, que pasaba rápido junto a él; y el Salto de Beren alcanzó renombre entre Hombres y Elfos. Aferró a Curufin por la garganta desde atrás, y echándose de espaldas cayeron juntos al suelo. El caballo se encabritó y cayó, pero Lúthien fue arrojada a un lado sobre la hierba.

Entonces Beren empezó a estrangular a Curufin, pero la muerte se le acercaba, pues Celegorm cabalgaba hacia él con una espada en alto. En ese momento Huan olvidó que servía a Celegorm y le saltó encima, de modo que el caballo se volvió y no quiso acercarse a Beren por miedo al gran perro de caza. Celegorm maldijo al perro y al caballo, pero Huan no cedió. Entonces Lúthien se incorporó y prohibió la muerte de Curufin; Beren, sin embargo, lo despojó de pertrechos y armas y le sacó el cuchillo Angrist, que le colgaba sin vaina a un costado. Ese cuchillo había sido forjado por Telchar de Nogrod, y atravesaba el hierro como si fuera madera verde. Entonces Beren, alzando a Curufin, lo empujó lejos, y le ordenó que volviera a reunirse con su noble linaje, y quizás allí podrían enseñarle a poner su valor al servicio de empresas más honorables.

—Me quedo con tu caballo —le dijo— para servicio de Lúthien, y puede considerarse dichoso de librarse de amo semejante.

Entonces Curufin maldijo a Beren bajo las nubes y el cielo.

—Vete de aquí —le dijo— y que encuentres una muerte pronta y amarga.

Celegorm lo puso junto a él sobre la montura, y los hermanos se prepararon para alejarse; y Beren se volvió y no les prestó atención. Pero Curufin, lleno de vergüenza y malicia, tomó el arco de Celegorm y disparó mientras avanzaban; y la flecha estaba destinada a Lúthien. Huan saltó y la atrapó con la boca; pero Curufin disparó otra vez, y Beren saltó delante de Lúthien, y el dardo lo hirió en el pecho.

Se cuenta que Huan persiguió a los hijos de Fëanor y que ellos huyeron atemorizados; y al volver trajo a Lúthien una hierba del bosque. Y con esa hoja ella restañó la herida de Beren, y por medio de sus artes y de su amor lo curó; y así, por fin, volvieron a Doriath. Allí Beren, con el corazón dividido entre el juramento y su amor, y sabiendo que ahora Lúthien estaba a salvo, se levantó una mañana antes de que el sol asomara, y la encomendó al cuidado de Huan; luego partió con gran angustia mientras ella aún dormía sobre la hierba.

Cabalgó rápido otra vez hacia el norte, hacia el Paso del Sirion, y al llegar a las lindes de Taur-nu-Fuin, miró a través del yermo de Anfauglith y vio a lo lejos los picos de Thangorodrim. Allí soltó al caballo de Curufin y le dijo que abandonara miedo y servidumbre y que corriera libre por la hierba verde en las tierras del Sirion. Entonces, encontrándose solo y en el umbral del último peligro, compuso la Canción de la Partida en alabanza de Lúthien y de las luces del cielo; porque creía que había llegado el momento de despedirse del amor y de la luz. De esa canción forman parte estas palabras:

> *Dulce tierra y del norte el cielo ¡adiós!;*
> *la eternidad benditos, pues aquí yació*
> *y aquí, grácil y esbelta en figura transcurrió;*
> *bajo la Luna, bajo el Sol Lúthien Tinúviel*
> *tan bella que no hay lengua mortal que la pronuncie.*
> *Y aunque el mundo entero cayera en ruinas*
> *y disuelto fuera, hacia atrás lanzado, deshecho,*
> *a su abismo anciano habría sido su hechura un bien*
> *—el crepúsculo, el alba, la tierra, la mar—*
> *para que Lúthien fuera por un tiempo.*

Y cantó en alta voz, sin cuidarse de que alguien pudiera oírlo, pues estaba desesperado y no se guardaba las espaldas.

Pero Lúthien escuchó la canción, y respondió cantando mientras avanzaba por los bosques sin que él lo esperase. Porque Huan, consintiendo una vez más en que ella lo cabalgase, la había llevado tras el rastro de Beren con rapidez y certeza. Mucho había meditado Huan sobre lo que podía hacer para aliviar el peligro de esos dos a quienes amaba. Se desvió por tanto ante la isla de Sauron, mientras corrían otra vez hacia el norte, y tomó desde entonces la forma del espantoso licántropo Draugluin, y ella la del horrendo murciélago Thuringwethil, el mensajero de Sauron, que acostumbraba volar a Angband con forma de vampiro; y los dedos que sostenían las grandes alas membranosas terminaban en garras de hierro. Vestidos con estos horribles atavíos, Huan y Lúthien atravesaron Taur-nu-Fuin a la carrera, y no había criatura que no huyera ante ellos.

Cuando Beren vio que se aproximaban, se sintió consternado; y se asombró, pues había oído la voz de Tinúviel, y pensó que era un espectro, y que le estaban tendiendo una trampa. Pero ellos se detuvieron y se quitaron los disfraces, y Lúthien corrió hacia él. Así fue cómo Beren y Lúthien volvieron a encontrarse entre el desierto y el bosque. Por un momento él calló, y se sintió contento; pero al cabo de un rato le rogó una vez más a Lúthien que interrumpiera el viaje.

—Tres veces maldigo ahora lo que juré a Thingol —dijo—, y preferiría que me hubiera dado muerte en Menegroth antes que conducirte a la sombra de Morgoth.

Entonces, por segunda vez, Huan habló con palabras; y aconsejó a Beren diciendo:

—Ya no puedes salvar a Lúthien de la sombra de la muerte, porque por amor se ha sometido a ella. Quizá quieras apartarte de tu destino y llevarla al exilio, buscando en vano la paz mientras te dure la vida. Pero si no reniegas de tu destino entonces por fuerza Lúthien o bien habrá de morir sola, si la abandonas, o bien desafiará contigo el destino que te aguarda, desesperanzado pero no definido. No tengo más consejos para ti, ni tampoco he de seguir tu camino. Pero mi corazón predice que lo que encuentres delante de la Puerta, yo también lo veré. Todo lo demás me resulta oscuro; no obstante, puede que nuestros tres caminos nos lleven de vuelta a Doriath, y que volvamos a vernos antes del fin.

Entonces Beren advirtió que Lúthien no podía ser apartada del destino que se les había impuesto, y ya no trató de disuadirla. Por consejo de Huan y las artes de Lúthien tomó entonces la forma de Draugluin, y ella la del horror alado de Thuringwethil. Beren tenía todo el aspecto de un licántropo, excepto los ojos, en los que brillaba un espíritu adusto pero limpio; y hubo horror en su mirada cuando vio junto a él a una criatura semejante a un murciélago que se le aferraba al lomo con unas alas arrugadas. Entonces, aullando bajo la luna descendió a saltos por la colina, y el murciélago giraba y revoloteaba sobre él.

Pasaron por todos los peligros hasta que tras el largo y fatigoso camino llegaron cubiertos de polvo al valle terrible que se extiende ante las Puertas de Angband; junto al camino se abrían unas grietas negras por donde salían criaturas parecidas a serpientes que se retorcían. Los acantilados se levantaban a un lado y a otro como muros fortificados y sobre ellos se posaban aves carroñeras que lanzaban horribles gritos. Ante ellos estaba la inexpugnable Puerta, un arco ancho y oscuro al pie de la montaña; por encima de ella se alzaba un precipicio de mil pies de altura.

Allí los ganó el desánimo, pues ante las puertas había un guardián, del que no habían tenido hasta entonces ninguna noticia. A Morgoth le habían llegado rumores desde el exterior sobre no sabía qué designios de los príncipes de los Elfos, y siempre se oían por las veredas del bosque los aullidos de Huan, el gran perro de guerra, que hacía mucho habían soltado los Valar. Entonces Morgoth recordó el Hado de Huan, y escogió a uno de los cachorros de la raza de Draugluin; y lo alimentó de su propia mano con carne viviente, y puso en él su poder. El lobo creció de prisa, hasta que no pudo arrastrarse dentro de ningún cubil, y yacía enorme y hambriento a los pies de Morgoth. Allí el fuego y la angustia del infierno entraron en él, y se llenó de un espíritu devorador, atormentado, terrible, y fuerte. Carcharoth, Fauces Rojas, se lo llamó en las historias de aquellos días, y Anfauglir, las Quijadas de la Sed. Y Morgoth lo tenía despierto a las Puertas de Angband por temor de que Huan viniera.

Ahora bien, Carcharoth los vio a lo lejos y titubeó, porque la noticia de la muerte de Draugluin había llegado a Angband hacía ya mucho tiempo. Por eso, cuando se acercaron les cerró el paso, y les ordenó que se detuvieran; y se les acercó con aire amenazante, oliendo algo extraño en el aire de alrededor. Pero de pronto, algún poder ancestral, heredado de sus antiguos ancestros divinos, poseyó a Lúthien, y despojándose del inmundo disfraz, avanzó, pequeña ante el poderoso Carcharoth pero radiante y terrible. Levantó la mano, y le ordenó que durmiera diciendo:

—Oh, espíritu engendrado del dolor, cae ahora en un sueño oscuro y olvida por un momento el espantoso destino de la vida. —Y Carcharoth cayó como si lo hubiese abatido un rayo.

Entonces Beren y Lúthien atravesaron la Puerta y descendieron las escaleras laberínticas; y juntos llevaron a cabo la más grande de las hazañas jamás intentada por Hombre o por Elfo alguno. Porque llegaron hasta el trono de Morgoth en la más profunda de sus salas, sostenida por el horror, iluminada por el fuego, y repleta de armas de tormento y muerte. Allí Beren se escabulló en forma de lobo bajo el trono; pero Lúthien perdió el disfraz por voluntad de Morgoth, que le clavó la mirada. Y ella no se amilanó, le dio su nombre y ofreció cantar ante él a la manera de un trovador. Entonces Morgoth, al ver la belleza de Lúthien, concibió pensamientos de una malvada lujuria, y un designio más oscuro que ninguno que hubiese albergado en el corazón desde que huyera de Valinor. Así fue burlado por su propia malicia, porque la observaba, dejándola libre por un rato, recreándose secretamente en sus propios pensamientos. Entonces de súbito ella escapó a los ojos de Morgoth, y empezó a cantar desde las sombras una canción de tan sobrecogedora belleza y de un poder tan eneguecedor que él no pudo dejar de escucharla, y quedó cegado, y volvía los ojos a un lado y a otro buscando a Lúthien.

Toda la corte yacía ahora adormilada y todos los fuegos vacilaron y se extinguieron; pero los Silmarils en la corona de Morgoth refulgieron de pronto como radiantes llamas blancas; y el peso de la corona y de las joyas le dobló el cuello, como si sobre la cabeza llevara el mundo entero, cargado con un peso de preocupación, de dolor y de deseo que ni siquiera la voluntad de Morgoth podía soportar. Entonces Lúthien, recogiendo el vestido alado, saltó al aire y su voz descendió como la lluvia sobre estanques profundos y oscuros. Echó la capa sobre los ojos de Morgoth y lo sumió en un sueño, tenebroso como el Vacío Exterior por el que una vez él había caminado solo. De pronto Morgoth cayó, como un monte que se derrumba, y arrojado como un rayo fuera del trono quedó postrado boca abajo sobre los suelos del infierno. La corona se le deslizó de la cabeza y rodó retumbando. Todo estaba quieto alrededor.

Como una bestia muerta Beren yacía en el suelo; pero Lúthien lo despertó tocándolo con la mano, y él se quitó el disfraz de lobo; y esgrimió el cuchillo Angrist; y de las garras de hierro que lo sostenían, tomó uno de los Silmarils.

Cuando lo tuvo en la mano cerrada, el resplandor le atravesó la carne, y la mano se le convirtió en una lámpara encendida, pero la joya no se resistió y no le hizo daño. A Beren se le ocurrió entonces que iría más allá de lo exigido por el juramento, y que se llevaría de Angband las tres Joyas de Fëanor; pero no era ése el destino de los Silmarils. El cuchillo Angrist se partió, y un fragmento de la hoja hirió a Morgoth en la mejilla. Morgoth gruñó y se agitó, y todas las huestes de Angband se movieron en sueños.

Entonces el terror poseyó a Beren y a Lúthien, y huyeron, despavoridos y sin disfraces, sólo deseando ver la luz una vez más. No fueron estorbados ni perseguidos, pero la Puerta estaba guardada para prevenir que se escapasen; porque Carcharoth había despertado y estaba ahora erguido de cólera sobre el umbral de Angband. Antes de que se dieran cuenta, él los vio y les saltó encima mientras corrían.

Lúthien estaba agotada, y no tuvo tiempo ni fuerza para rechazar al lobo. Pero Beren la cubrió con el cuerpo, y en la mano derecha sostuvo en alto el Silmaril. Carcharoth se detuvo y por un instante tuvo miedo.

—¡Vete y corre! —gritó Beren—, porque he aquí un fuego que te consumirá, y junto a ti a todas las criaturas malvadas. —Y puso el Silmaril ante los ojos del lobo.

Pero Carcharoth miró la joya sagrada y no se acobardó, y el espíritu devorador que tenía dentro despertó en un fuego súbito; y abriendo las fauces mordió de pronto la mano de Beren y la arrancó de la muñeca. En ese momento una llama de angustia le llenó las entrañas, y el Silmaril le quemó la carne maldita. Aullando huyó delante de ellos, y los muros del valle de la Puerta retumbaron con el clamor atormentado de

Carcharoth. Tan terrible se volvió en su locura, que todas las criaturas de Morgoth que moraban en ese valle, o que andaban por los caminos que allí conducen, huyeron lejos; porque mataba a toda criatura viviente con que tropezara, e irrumpió desde el Norte llevando la ruina sobre el mundo. De todos los terrores llegados a Beleriand antes de la caída de Angband, la locura de Carcharoth fue el más espantoso; porque el poder del Silmaril estaba escondido en él.

Ahora bien, Beren yacía desmayado junto a la peligrosa Puerta, y la muerte se le acercaba, porque había veneno en los colmillos del lobo. Lúthien extrajo con los labios el veneno, y aun agotada intentó restañar la espantosa herida. Pero detrás de ella, en los abismos de Angband, crecía el rumor de una gran cólera. Las huestes de Morgoth habían despertado.

De este modo, la búsqueda del Silmaril pudo haber terminado en ruina y desesperación; pero entonces aparecieron sobre los muros del valle tres aves poderosas; volaban hacia el norte, con alas más rápidas que el viento. Todas las bestias y aves tenían noticia del viaje y del apuro de Beren, y el mismo Huan había pedido a todas las criaturas que estuvieran atentas, para poder ayudarlo. Muy alto sobre el reino de Morgoth volaron Thorondor y las otras águilas, y al ver la locura del lobo y la caída de Beren descendieron de prisa, al tiempo que los poderes de Angband despertaban de las redes del sueño.

Entonces alzaron a Lúthien y a Beren de la tierra y los llevaron allá arriba entre las nubes. Bajo ellos de pronto retumbó el trueno, saltaron los rayos hacia arriba y temblaron las montañas. Thangorodrim echó fuego y humo, y unas centellas llameantes fueron arrojadas muy lejos, y cayeron arruinando los campos; y los Noldor en Hithlum se estremecieron. Pero Thorondor seguía un camino muy alto sobre la tierra en busca de los senderos celestes, donde el sol brilla todo el día sin velos, y la luna se mueve en medio de estrellas sin nubes. De este modo pasaron rápidos sobre Dor-nu-Fauglith y sobre Taur-nu-Fuin, y llegaron al valle escondido de Tumladen. No había allí nubes ni niebla, y mirando hacia abajo, Lúthien vio a lo lejos, como una luz blanca despedida por una joya verde, el resplandor de Gondolin la bella, donde moraba Turgon. Pero lloró, porque pensó que Beren moriría sin duda, pues no hablaba, ni abría los ojos, y nada sabría de este vuelo. Y por fin las águilas los depositaron en las fronteras de Doriath; y llegaron al mismo valle pequeño del que Beren había partido a escondidas y desesperado, mientras Lúthien dormía.

Allí las águilas la dejaron al lado de Beren, y volvieron a las cimas de Crissaegrim con sus altos nidos; pero Huan vino en ayuda de Lúthien, y juntos asistieron a Beren, como antes le curara ella la herida abierta por Curufin. Pero esta herida era terrible y emponzoñada. Durante mucho tiempo yació Beren, y su espíritu erraba por los oscuros límites de la muerte, sintiendo siempre una angustia que lo perseguía de sueño en sueño. Entonces, de pronto, cuando la esperanza de Lúthien casi se había agotado, Beren despertó, y al mirar hacia arriba, vio hojas recortando el cielo; y oyó bajo las hojas a Lúthien Tinúviel cantar junto a él con una voz suave y lenta. Y era primavera otra vez.

En adelante Beren fue llamado Erchamion, que significa el Manco; y llevaba el sufrimiento grabado en la cara. Pero por fin fue devuelto a la vida por el amor de Lúthien, y se puso en pie, y juntos recorrieron los bosques una vez más. Y no se apresuraron a abandonar ese sitio, porque les parecía bello. Lúthien en verdad deseaba errar al aire libre y no regresar nunca, olvidada de la casa y la gente, y de la gloria de los reinos de los Elfos, y entonces Beren se sintió feliz; pero durante mucho tiempo no pudo olvidar el juramento de que volvería a Menegroth y que no siempre tendría apartada a Lúthien de Thingol. Porque se atenía a la ley de los Hombres, y creía peligroso hacer caso omiso de la voluntad del padre, salvo en extrema necesidad; y le parecía también inadecuado que alguien de tan real linaje y hermosura como Lúthien viviera siempre en los bosques, como los rudos cazadores entre los Hombres, sin casa, ni honor, ni las cosas bellas que deleitan a las reinas de los Eldalië. Por tanto, al cabo de un tiempo la persuadió, y abandonó aquellas tierras sin moradas, y llegó a Doriath conduciendo a Lúthien de vuelta al hogar. Así lo quería el destino.

En Doriath habían vivido días de pesadumbre. La pena y el silencio habían ganado a todos cuando Lúthien se perdió. Mucho tiempo la buscaron en vano. Y se dice que por entonces Daeron, el bardo de Thingol, desapareció de la ciudad y no fue visto nunca más. Él era el que hacía la música de la danza y el canto de Lúthien antes de que Beren viniera a Doriath; y él la había amado y había puesto todos sus pensamientos de amor en la música. Así llegó a ser el más grande de los bardos de los Elfos al este del Mar, aun de mayor renombre que Maglor hijo de Fëanor. Pero en busca de Lúthien, desesperado, erró por caminos extraños, y pasando sobre las montañas bajó al este de la Tierra Media, donde por muchas edades lamentó junto a las aguas oscuras la suerte de Lúthien hija de Thingol, la más bella de todas las criaturas.

En esos tiempos Thingol recurrió a Melian; pero ella no quiso aconsejarle más, y dijo que el destino que él había concebido tenía que obrar hasta el fin, y que ahora debía esperar que llegara el tiempo. Pero Thingol se enteró de que Lúthien se había ido muy lejos de Doriath, porque llegaron en secreto mensajeros de Celegorm, como ya se ha dicho, diciendo que Felagund había muerto, y que Beren había muerto, pero que

Lúthien estaba en Nargothrond, y que Celegorm la desposaría. Entonces Thingol montó en cólera y envió espías con intención de combatir contra Nargothrond; y así se enteró de que Lúthien había huido otra vez, y que Celegorm y Curufin habían sido expulsados de Nargothrond. Entonces dudó de sus propios propósitos, pues no tenía fuerzas suficientes para atacar a los siete hijos de Fëanor; pero envió mensajeros a Himring solicitando ayuda en la busca de Lúthien, ya que Celegorm no la había enviado a la casa de su padre ni había logrado retenerla en sitio seguro.

Pero en el norte del reino los mensajeros se toparon con un peligro súbito e insospechado: la embestida de Carcharoth, el lobo de Angband. En su locura había venido furioso desde el norte, y pasando por el lado oriental de Taur-nu-Fuin descendió desde las Fuentes del Esgalduin como un fuego destructor. Nada lo estorbaba, y el poder de Melian en los límites de la tierra no lo detuvo; porque lo empujaba el destino, y el poder del Silmaril que lo atormentaba dentro. Así irrumpió en los bosques inviolados de Doriath, y todos huyeron aterrados. De los mensajeros sólo escapó Mablung, principal capitán del Rey, y fue él quien llevó las terribles nuevas a Thingol.

A esa hora oscura volvían Beren y Lúthien, apresurados desde el oeste, y la noticia de que ellos se acercaban les precedía como el sonido de una música que el viento arrastra hacia las casas sombrías, donde los hombres están acongojados. Llegaron por fin a las puertas de Menegroth y una gran multitud los seguía. Entonces Beren condujo a Lúthien ante el trono de Thingol, su padre; y Thingol miró asombrado a Beren, a quien creía muerto; pero no lo amaba, a causa de los dolores que había traído a Doriath. Pero Beren se arrodilló ante él y dijo:

—Vuelvo según la palabra dada. Vengo a reclamar lo mío.

Y Thingol respondió:

—¿Qué es de tu cometido y de tu voto?

Beren contestó:

—He cumplido con él. Tengo en este mismo momento un Silmaril en la mano.

Entonces Thingol dijo:

—¡Muéstramelo!

Y Beren tendió la mano izquierda abriendo lentamente los dedos; pero estaba vacía. Luego levantó el brazo derecho; y desde ese momento él mismo se dio el nombre de Camlost, la Mano Vacía.

Entonces el ánimo de Thingol fue apaciguado; y Beren se sentó ante el trono a la izquierda, y Lúthien a la derecha, y contaron la historia de la Misión mientras todos escuchaban y estaban asombrados. Y pareció a Thingol que este Hombre no se parecía a ningún otro Hombre mortal, y que se contaba entre los grandes de Arda, y que el amor de Lúthien era algo nuevo y extraño; y entendió que el destino de ambos no podría ser estorbado por ningún poder en el mundo. Por eso cedió, y Beren tomó la mano de Lúthien ante el trono de su padre.

Entonces una sombra cayó sobre la alegría de Doriath, que celebraba el regreso de Lúthien la bella; porque al enterarse de la causa de la locura de Carcharoth, la gente tuvo aún más miedo, advirtiendo que el peligro estaba cargado de terrible poder por causa de la joya sagrada, y que difícilmente podría ser evitado. Y Beren, al enterarse de la embestida del lobo, comprendió que no había cumplido aún su cometido.

Por tanto, como Carcharoth se acercaba cada día más a Menegroth, se prepararon para la Caza del Lobo; de todas las persecuciones de bestias que aparecen en los cuentos, la más peligrosa. A esa cacería fueron Huan, el Perro de Valinor, y

Mablung, el de la Mano Pesada, y Beleg Arcofirme, y Beren Erchamion, y Thingol, Rey de Doriath. Cabalgaron en la mañana y cruzaron el Río Esgalduin; pero Lúthien se quedó atrás a las puertas de Menegroth. Una sombra oscura la cubrió, y le pareció que el sol había enfermado y se había vuelto negro.

Los cazadores giraron hacia el este y luego hacia el norte, y siguiendo el curso del río encontraron por fin a Carcharoth el Lobo en un valle oscuro, bajo el lado norte de la empinada cascada del Esgalduin. Carcharoth bebía al pie de la cascada apaciguando una sed devoradora, y aulló, y así lo descubrieron. Pero él, aunque vio que se acercaban, no se dio prisa en atacarlos. Quizás una astucia demoníaca había despertado en él, cuando las dulces aguas del Esgalduin le aliviaron el dolor por un momento; y mientras los cazadores venían cabalgando, se escabulló en un profundo matorral, y allí se quedó escondido. Pero ellos montaron guardia todo alrededor, y esperaron, y las sombras se alargaron en el bosque.

Beren esperaba junto al Rey Thingol, y de pronto advirtieron que Huan ya no estaba con ellos. Entonces un gran bramido se oyó en la espesura; porque Huan, impaciente y con deseos de ver al lobo, se había adelantado a buscarlo. Pero Carcharoth lo evitó, e irrumpiendo de entre los espinos se abalanzó sobre Thingol. Rápidamente Beren avanzó ante él con una lanza, pero Carcharoth lo hizo a un lado y lo derribó mordiéndolo en el pecho. En ese instante Huan saltó desde la espesura sobre el lomo del lobo, y cayeron juntos luchando ferozmente; y nunca hubo batalla entre perro y lobo que igualara a ésta, porque en los aullidos de Huan se oía la voz de los cuernos de Oromë y la ira de los Valar, y en los alaridos del lobo estaban el odio de Morgoth y una malicia más cruel que dientes de acero; y las rocas se partieron por el clamor y cayeron desde lo alto y frenaron las aguas de las cascadas del

Esgalduin. Allí lucharon a muerte; pero Thingol no hacía ningún caso, porque se había arrodillado junto a Beren al ver que estaba malherido.

En ese momento Huan mató a Carcharoth; pero allí, en los bosques entrelazados de Doriath, se cumplió su propio destino desde tanto atrás pronunciado, porque estaba herido mortalmente, y el veneno de Morgoth entró en él. Entonces se acercó, y cayendo junto a Beren habló por tercera vez con palabras; y dijo adiós a Beren antes de morir. Beren no habló, pero puso su mano sobre la cabeza del perro, y así se despidieron.

Mablung y Beleg acudieron de prisa en ayuda del Rey, pero cuando vieron lo sucedido, arrojaron a un lado las lanzas y lloraron. Luego Mablung sacó un cuchillo y abrió el vientre del lobo; y por dentro parecía todo consumido, como si hubiera sido abrasado con fuego; aunque la mano de Beren que sostenía la joya estaba todavía intacta. Pero cuando Mablung iba a tocarla, la mano desapareció, y el Silmaril estaba allí desnudo, y las sombras del bosque retrocedían ante la luz. Entonces Mablung, rápido y con miedo, la tomó, y la puso en la mano viva de Beren; y Beren se reanimó con el contacto del Silmaril, y lo sostuvo en alto, y le pidió a Thingol que lo recibiera.

—Ahora —dijo— mi misión está cumplida, y mi destino ha sido forjado. —Y ya no habló nada más.

Cargaron a Beren Camlost hijo de Barahir sobre una litera de ramas con Huan el perro lobo a su lado; y cayó la noche antes de que hubieran regresado a Menegroth. A los pies de Híri-lorn, la gran haya, Lúthien les salió al encuentro andando lentamente, y algunos llevaban antorchas junto a la litera. Allí abrazó a Beren, y lo besó, pidiéndole que la esperara más allá del Mar Occidental; y él la miró a los ojos antes de que el espíritu lo abandonara. Pero la luz de las estrellas desapareció, y la oscuridad cayó aun sobre Lúthien Tinúviel. Así terminó la Búsqueda del Silmaril; mas la Balada de Leithian, Liberación del Cautiverio, no termina.

Porque el espíritu de Beren, a requerimiento de Lúthien, se demoró en las Estancias de Mandos, resistiéndose a abandonar el mundo mientras ella no fuera a decir un último adiós a las lóbregas costas del Mar Exterior, en el que se internan los Hombres que mueren para no volver nunca más. Pero el espíritu de Lúthien se oscureció, y por último se marchó, y su cuerpo quedó tendido sobre la hierba como una flor tronchada de súbito, y que por un tiempo no se marchita.

Entonces descendió sobre Thingol un invierno, como si fuera la edad cana de los Hombres mortales. Pero Lúthien llegó a las Estancias de Mandos, donde están los sitios designados para los Eldalië, más allá de las mansiones del Occidente en los confines del mundo. Allí los que esperan se sientan a la sombra de su propio pensamiento. Pero la belleza de Lúthien era mayor que la de ellos, y su dolor era más profundo; y se arrodilló ante Mandos y le cantó.

La canción de Lúthien ante Mandos fue la más hermosa jamás compuesta con palabras, y la más triste que nadie haya escuchado nunca. Inalterada, imperecedera, se la canta todavía en Valinor más allá de los oídos del mundo, y al escucharla los Valar se entristecen. Porque Lúthien compuso dos temas: el dolor de los Elfos y la congoja de los Hombres, los Dos Linajes que hizo Ilúvatar para que morasen en Arda, el Reino de la Tierra, en medio de las estrellas innumerables. Y cuando Lúthien se arrodilló delante de Mandos, sus lágrimas cayeron sobre sus pies como la lluvia sobre la piedra, y Mandos se conmovió, como nunca antes se hubiera conmovido, y no fue nunca tan conmovido después.

Por tanto, Mandos convocó a Beren, y como Lúthien le había dicho a la hora de la muerte, volvieron a encontrarse más allá del Mar Occidental. Pero Mandos no tenía poder para retener a los espíritus de los Hombres muertos dentro de los confines del mundo, después de su tiempo de espera; ni podía cambiar el destino de los Hijos de Ilúvatar. Por eso fue ante Manwë, Señor de los Valar, que gobernaba el mundo bajo la égida de Ilúvatar; y Manwë buscó consejo en lo más íntimo de su propio pensamiento, donde se revelaba la voluntad de Ilúvatar.

Éstas fueron las alternativas que ofreció a Lúthien. Por causa de sus fatigas y sus dolores, podría abandonar Mandos, e ir a Valinor, para morar allí hasta el fin del mundo entre los Valar, y olvidar todas las penas. Allí no la seguiría Beren. Porque no estaba permitido a los Valar evitarle la Muerte, que es el don de Ilúvatar a los Hombres. Pero la otra elección posible era la que sigue: regresar a la Tierra Media y llevar consigo a Beren para morar allí otra vez, mas sin ninguna seguridad de vida o de alegría. Ella se volvería entonces mortal, y estaría sometida a una segunda muerte, lo mismo que él; y poco después abandonaría el mundo para siempre, y su belleza no sería más que un recuerdo en el canto.

Este destino eligió Lúthien, renunciando al Reino Bendecido, y olvidando todo parentesco con los que allí moran; para que así, fuera cual fuese el dolor que tuvieran por delante, los destinos de Beren y Lúthien pudieran unirse, y sus caminos se extendiesen juntos más allá de los confines del mundo. Así fue que sólo ella de entre todos los Eldalië murió realmente, y dejó el mundo mucho tiempo atrás. No obstante, con su elección los Dos Linajes se unieron; y aunque el mundo haya cambiado, ella fue la precursora de muchos en quienes los Eldar ven todavía la imagen de Lúthien, la amada, a quien han perdido.

20

DE LA QUINTA BATALLA: NIRNAETH ARNOEDIAD

Se dice que Beren y Lúthien volvieron a la parte septentrio-nal de la Tierra Media y vivos moraron allí juntos por un tiempo, como hombre y mujer, y adoptaron nuevamente la forma mortal en Doriath. Quienes los vieron sintieron a la vez alegría y miedo; y Lúthien fue a Menegroth y curó el invierno de Thingol tocándolo con la mano. Pero Melian le miró los ojos y leyó el destino que en ellos estaba escrito, y apartó la mirada; porque sabía que una separación más allá del fin del mundo se interponía entre ellas, y no hubo dolor de pérdida más hondo que el dolor de Melian la Maia en aquel momento. Entonces Beren y Lúthien se marcharon solos sin temor a pa-sar hambre o sed; y fueron más allá del Río Gelion a Ossi-riand, y vivieron allí en Tol Galen, la isla verde, en medio del Adurant, hasta que no hubo más noticias acerca de ellos. Los Eldar llamaron luego a ese país Dor Firn-i-Guinar, la Tierra de los Muertos que Viven; y allí nació Dior Aranel el Hermoso, que fue luego conocido como Dior Eluchíl, el Heredero de Thingol. Ningún Hombre mortal volvió a hablar con Beren hijo de Barahir; y nadie vio a Beren o a Lúthien abandonar el mundo, ni supo dónde reposaron por última vez.

En aquellos días se animó el corazón de Maedhros hijo de Fëanor al advertir que Morgoth no era inatacable; porque los hechos de Beren y Lúthien se cantaron en muchos cantos por toda Beleriand. Sin embargo, Morgoth los destruiría a todos, uno por uno, si no llegaban a unirse otra vez en una nueva alianza y un consejo común; y Maedhros puso en marcha los planes con que se acrecentaría la fortuna de los Eldar, y que hoy se conocen como la Unión de Maedhros.

Pero el Juramento de Fëanor y las malas acciones que había obrado dañaron los designios de Maedhros, y no tuvo toda la ayuda esperada. Orodreth no se marcharía por indicación de hijo alguno de Fëanor, a causa de la conducta de Celegorm y Curufin; y los Elfos de Nargothrond confiaban todavía en poder defender la fortaleza oculta por medio del secreto y el sigilo. Desde allí acudió tan sólo una pequeña compañía que seguía a Gwindor hijo de Guilin, un príncipe muy valiente; y en contra de la voluntad de Orodreth fue a la guerra del norte, porque lamentaba la pérdida de su hermano Gelmir en la Dagor Bragollach. Adoptaron la insignia de la casa de Fingolfin y marcharon tras los estandartes de Fingon; y nunca regresaron, salvo uno. De Doriath tuvieron escasa ayuda. Porque Maedhros y sus hermanos, obligados por el juramento, habían enviado mensajeros con altivas palabras, exigiendo a Thingol la entrega del Silmaril, o la enemistad. Melian aconsejó ceder; pero las palabras de los hijos de Fëanor eran orgullosas y amenazantes, y Thingol se enfadó mucho pensando en la angustia de Lúthien, y en la sangre de Beren con que la joya había sido ganada, a pesar de la malicia de Celegorm y Curufin. Y toda vez que contemplaba el Silmaril, mayor deseo tenía de guardarlo para siempre; porque tal era el poder de la joya. Por ese motivo despidió a los mensajeros con palabras de desprecio. Maedhros no dio respuesta, porque por entonces había empezado a concebir la alianza y la unión de los Elfos; pero Celegorm y Curufin juraron abiertamente dar muerte a Thingol y destruir a su pueblo, si volvían victoriosos de la guerra, y la joya no les era devuelta de buen grado. Entonces Thingol fortificó las fronteras del reino y no acudió a la guerra, como tampoco lo hizo ningún otro elfo de Doriath, salvo Mablung y Beleg, que no estaban dispuestos a no participar en estos grandes hechos. Thingol les dio permiso para ir, con tal de que no sirvieran a los hijos de Fëanor; y ellos se unieron a la hueste de Fingon.

Pero Maedhros tuvo la ayuda de los Naugrim, quienes le proporcionaron tanto apoyo de tropas como suministro de armamentos; y las herrerías de Nogrod y de Belegost estuvieron muy ocupadas en esos días. Y él reunió otra vez a todos los hermanos y a todas las gentes dispuestas a seguirlo; y los Hombres de Bór y de Ulfang fueron armados y recibieron instrucción militar, y éstos convocaron aún a más miembros de sus parientes del Este. Además, en el oeste, Fingon, siempre amigo de Maedhros, pidió consejo en Himring, y en Hithlum los Noldor y los Hombres de la casa de Hador se prepararon para la guerra. En el Bosque de Brethil, Halmir, señor del Pueblo de Haleth, reunió a sus hombres y les ordenó que afilaran las hachas; pero Halmir murió antes de que la guerra comenzase, y su hijo Haldir gobernó a esa gente. Y también a Gondolin llegaron las nuevas, a Turgon, el rey escondido.

Pero Maedhros puso a prueba su fuerza demasiado pronto, antes de que los planes estuvieran completos, y aunque los Orcos fueron expulsados de todas las regiones septentrionales de Beleriand, e incluso Dorthonion fue liberada por un tiempo, Morgoth quedó advertido del levantamiento de los Eldar y de los Amigos de los Elfos, y se preparó; y envió entre ellos a muchos espías y traidores, cosa que le era más fácil ahora, pues los Hombres desleales que le servían en secreto estaban aún bien enterados de lo que pensaban los hijos de Fëanor.

Por fin Maedhros, después de haber reunido todas las fuerzas de Elfos y Hombres y Enanos que le fue posible, decidió atacar Angband desde el este y desde el oeste; y se propuso marchar abiertamente con los estandartes desplegados sobre Anfauglith. Según el plan, cuando consiguiera hacer salir a los ejércitos de Morgoth, Fingon avanzaría por los pasos de Hithlum; de este modo pensaban atrapar a la fuerza de Morgoth entre el yunque y el martillo, y romperla en pedazos. Y la señal para hacerlo sería la luz de un fanal en Dorthonion.

El día señalado, la mañana del solsticio de verano, las trompetas de los Eldar saludaron la salida del sol; y en el este se izó el estandarte de los hijos de Fëanor, y en el oeste el estandarte de Fingon, Alto Rey de los Noldor. Entonces Fingon miró desde los muros de Eithel Sirion, y el ejército estaba en orden de batalla en los valles y los bosques al este de Ered Wethrin, perfectamente oculto a los ojos del Enemigo; aunque él sabía que era muy numeroso. Porque allí se habían reunido todos los Noldor de Hithlum, junto con los Elfos de las Falas y la compañía de Gwindor venida de Nargothrond, y contaba también con una gran fuerza de Hombres; a la derecha estaban las huestes de Dor-lómin, y todo el coraje de Húrin y de su hermano Huor, y a ellos se había sumado Haldir de Brethil con muchos Hombres del Bosque.

Entonces Fingon miró hacia Thangorodrim y había una nube oscura alrededor, y un humo negro ascendía; y supo que la ira de Morgoth había despertado, y que él había aceptado el reto. Una sombra de duda cayó sobre el corazón de Fingon; y miró hacia el este, intentando ver con vista élfica el polvo de Anfauglith, que se levantaba bajo las huestes de Maedhros.

No sabía que la marcha de Maedhros había sido impedida por la astucia de Uldor el Maldito, que lo engañó con falsas advertencias de ataque desde Angband.

Pero cundió entonces un grito que avanzó con el viento desde el sur de valle en valle, y los Elfos y los Hombres alzaron sus voces con asombro y alegría. Porque, aunque nadie lo había llamado y nadie lo esperaba, Turgon había abierto el cerco de Gondolin, y avanzaba con un ejército de diez mil soldados, con brillantes cotas de malla y largas espadas y lanzas como un bosque. Entonces, cuando Fingon oyó desde lejos la gran trompeta de su hermano Turgon, la sombra se fue, y a Fingon se le reanimó el corazón, y gritó con voz fuerte:

—*Utúlie'n aurë! Aiya Eldalië ar Atanatári, utúlie'n aurë!* ¡El día ha llegado! Mirad, Pueblo de los Elfos y Padres de los Hombres: ¡el día ha llegado!

Y todos los que oyeron el eco de su poderosa voz en las colinas respondieron gritando:

—*Auta i lómë!* ¡Ya la noche ha pasado!

Ahora bien, Morgoth, que sabía mucho de lo que hacía y se proponía el enemigo, escogió esta hora, y confiando en que los sirvientes traidores podrían detener a Maedhros e impedir que los atacantes se uniesen, envió a Hithlum una fuerza grande en apariencia (y, sin embargo, nada más que una parte de la que tenía aprontada); y estaban vestidos con ropas pardas, y no mostraban ningún acero desnudo, y de este modo ya habían avanzado mucho por las arenas de Anfauglith antes de que fueran vistos.

Entonces los corazones de los Noldor se enardecieron, y sus capitanes desearon atacar al enemigo en la llanura; pero Húrin se opuso, y les pidió que se cuidaran de la astucia de Morgoth, que siempre aparentaba tener pocas fuerzas, y un propósito que no era el verdadero. Y aunque no llegaba la señal de que Maedhros se acercaba, y las huestes se ponían impacientes, Húrin les instó todavía a esperar, y a dejar que los Orcos iniciasen el ataque a las colinas.

Pero al capitán de Morgoth en el oeste se le había ordenado que hiciese salir prontamente a Fingon de las colinas, por cualquier medio. Por tanto, continuó avanzando hasta que el frente del ejército estuvo apostado delante de las corrientes del Sirion, desde los muros de la fortaleza de Eithel Sirion hasta las bocas del Rivil en el Marjal de Serech; y las avanzadas de Fingon podían ver los ojos de los enemigos. Pero no hubo respuesta al desafío del capitán, y la provocación de los Orcos perdió firmeza cuando vieron los muros silenciosos y la amenaza oculta de las colinas. Entonces el capitán de Morgoth envió jinetes con señales de parlamento y cabalgaron hasta la obra exterior de la Barad Eithel. Con ellos llevaban a Gelmir hijo de Guilin, el señor de Nargothrond a quien habían capturado en la Bragollach, y al que habían cegado. Entonces los heraldos de Angband lo mostraron dando gritos:

—Tenemos a otros como éste en nuestra morada, pero tenéis que daros prisa si queréis encontrarlos; porque cuando regresemos haremos con ellos de este modo.

Y cortaron las manos y los pies de Gelmir, y por último la cabeza, a la vista de los Elfos, y lo dejaron allí.

La mala fortuna quiso que allí en los baluartes estuviese Gwindor de Nargothrond, el hermano de Gelmir. Y la ira se le encendió en locura, y avanzó de un salto sobre su montura y muchos jinetes lo acompañaron; y persiguieron a los heraldos y los mataron y se internaron profundamente en el cuerpo principal del ejército. Y al ver esto, todas las huestes de los Noldor se inflamaron, y Fingon se puso el yelmo blanco y ordenó que sonaran las trompetas, y las huestes de Hithlum saltaron todas desde las colinas en súbita embestida. La luz de las espadas desenvainadas de los Noldor era como un fuego en un campo de juncos; y tan fiera y rápida fue la arremetida, que los designios de Morgoth casi fracasaron. Antes de que pudiera fortalecerse, el ejército que había enviado al oeste fue barrido en el combate, y los estandartes de Fingon atravesaron Anfauglith y fueron izados ante los muros de Angband. Siempre al frente de la batalla iban Gwindor y los Elfos de Nargothrond, y ni siquiera ahora pudieron ser contenidos; e irrumpieron a través de la Puerta, y mataron a los guardianes en las mismas escaleras de Angband, y Morgoth tembló en su trono profundo cuando oyó los golpes en las puertas. Pero estaban atrapados allí y los mataron a todos, salvo a Gwindor, que fue capturado vivo; porque Fingon no pudo ir en su ayuda. Por muchas puertas secretas en Thangorodrim, Morgoth había hecho salir al grueso de sus ejércitos que mantenía oculto, y Fingon fue rechazado de los muros con grandes pérdidas.

Entonces, en la llanura de Anfauglith, el cuarto día de la guerra, empezaron las Nirnaeth Arnoediad, las Lágrimas Innumerables, pues no hay canto ni historia que pueda contener tanto dolor. El ejército de Fingon se replegó por las arenas, y Haldir señor de los Haladin fue muerto en la retaguardia; con él cayó la mayor parte de los Hombres de Brethil, y nunca volvieron a los bosques. Pero en el anochecer del quinto día, y estando todavía lejos de Ered Wethrin, los Orcos rodearon a las huestes de Hithlum, y lucharon hasta llegar el día, acosándolas y cada vez más cerca. Con la mañana llegó la esperanza, cuando se oyeron las trompetas de Turgon, que avanzaba con el principal ejército de Gondolin; porque habían estado apostados en el sur, montando guardia en el Paso del Sirion, y Turgon evitó que la mayor parte de los suyos intervinieran en la frenética embestida. Ahora se apresuraba a ir en ayuda de su hermano; y los Gondolindrim eran fuertes y estaban vestidos de cota de malla, y avanzaban en columnas resplandecientes como ríos de acero al sol.

Entonces la falange de la guardia del Rey irrumpió en las filas de los Orcos, y Turgon se abrió paso con la espada para llegar junto a su hermano; y se dice que el encuentro entre Turgon y Húrin, que estaba al lado de Fingon, fue dichoso en medio de la batalla. Entonces la esperanza renació en el corazón de los Elfos; y en ese preciso instante, a la tercera hora de la mañana, se oyeron las trompetas de Maedhros que venía por fin desde el este, y los hijos de Fëanor, con sus estandartes desplegados, atacaron al enemigo por la retaguardia. Han dicho algunos que aun entonces los Eldar habrían podido salir victoriosos, si todas sus huestes se hubieran mantenido fieles; porque los Orcos vacilaron y fueron contenidos, y algunos ya se volvían para huir. Pero cuando la vanguardia de Maedhros llegó junto a los Orcos, Morgoth llamó a sus últimas fuerzas, y Angband quedó vacía. Llegaron lobos y jinetes de lobos, y llegaron Balrogs y dragones y Glaurung, Padre de los Dragones. La fuerza y el terror del Gran Gusano eran ahora tremendos, y los Elfos y los Hombres se amilanaron delante de él; y Glaurung se interpuso entre las huestes de Maedhros y de Fingon y las separó.

Sin embargo, ni por lobo, ni por Balrog, ni por dragón alguno habría Morgoth alcanzado su propósito, si no hubiese sido por la traición de los Hombres. En ese momento se revelaron las maquinaciones de Ulfang. Muchos de los Orientales se volvieron y huyeron, con los corazones llenos de miedo y de mentiras; pero los hijos de Ulfang se volvieron de pronto hacia Morgoth y atacaron la retaguardia de los hijos de Fëanor, y en medio de la confusión que crearon llegaron cerca del estandarte de Maedhros. No cosecharon la recompensa que Morgoth les prometiera, porque Maglor mató a Uldor el

Maldito, el cabeza de la traición, y los hijos de Bór mataron a Ulfast y a Ulwarth antes de morir ellos mismos. Pero llegaron más fuerzas de hombres malvados que Uldor había convocado y escondido en las colinas del este, y el ejército de Maedhros, atacado por tres lados, se deshizo y se dispersó aquí y allí. Sin embargo, el destino salvó a los hijos de Fëanor pues, aunque todos fueron heridos, no murió ninguno, porque se unieron, y rodeados del resto de los Noldor y los Naugrim se abrieron paso fuera de la batalla y escaparon lejos, hacia el Monte Dolmed, en el este.

La última de las fuerzas orientales que se mantuvo firme fue el ejército de Enanos de Belegost, y así ganaron renombre. Porque los Naugrim resistían mejor el fuego que los Hombres o los Elfos, y además tenían por costumbre en las batallas llevar grandes máscaras de espantosa apariencia; y les fueron de provecho frente a los dragones. Y si no hubiera sido por ellos, Glaurung y su prole habrían quemado a todos los que quedaban de los Noldor. Pero los Naugrim hicieron un círculo alrededor del dragón cuando se les echó encima, y ni siquiera la poderosa armadura le sirvió contra los golpes de las grandes hachas; y cuando se volvió y furioso derribó a Azaghâl Señor de Belegost, y se precipitó sobre él, Azaghâl hizo un último esfuerzo y le hundió un cuchillo en el vientre, infligiéndole tal herida que Glaurung escapó del campo, y las bestias de Angband lo siguieron acongojadas. Entonces los Enanos levantaron el cuerpo de Azaghâl y se lo llevaron; y caminaron lentamente detrás, entonando un canto fúnebre con sus profundas voces, como si fuera un funeral en su propio país; y ya no hicieron caso de sus enemigos; y nadie se atrevió a molestarlos.

Pero entonces, en la batalla occidental, Fingon y Turgon fueron atacados por una ola de enemigos tres veces mayor que todas las fuerzas que les quedaban. Había llegado Gothmog

Señor de los Balrogs, alto capitán de Angband; y metió una oscura cuña en medio de las huestes de los Elfos, rodeando al Rey Fingon, y apartando a Turgon y a Húrin hacia el Marjal de Serech. Luego se volvió hacia Fingon. Fue ése un amargo encuentro.

Por fin Fingon quedó solo con los guardias muertos a sus pies; y luchó contra Gothmog, hasta que otro Balrog vino por detrás y lo atrapó con un látigo de fuego. Entonces Gothmog lo golpeó con el hacha negra, y una llama blanca brotó del yelmo hendido de Fingon. Así cayó el Alto Rey de los Noldor; y lo golpearon contra el polvo con las mazas; y pisotearon el estandarte azul y plata en el barro empapado en su sangre.

La batalla estaba perdida; pero todavía Húrin y Huor y el resto de la casa de Hador se mantenían firmes junto a Turgon de Gondolin, y las huestes de Morgoth aún no habían ganado el Paso del Sirion. Entonces Húrin habló a Turgon, diciendo:

—Idos ahora, señor, mientras todavía es posible. Porque en vos vive la última esperanza de los Eldar, y si Gondolin se mantiene erguida, en el corazón de Morgoth habrá siempre miedo.

Pero Turgon le respondió:

—No por mucho tiempo puede Gondolin permanecer oculta; y cuando sea descubierta, por fuerza ha de caer.

Entonces Huor habló y le dijo:

—Pero si resiste un corto tiempo, de allí vendrá la esperanza de los Elfos y de los Hombres. Esto os digo, señor, con la mirada de la muerte: aunque nos separemos aquí para siempre y yo no vuelva a ver vuestros muros blancos, de vos y de mí se levantará una nueva estrella. ¡Adiós!

Y Maeglin, el hijo de la hermana de Turgon, que estaba allí presente, escuchó estas palabras y no las olvidó; pero no dijo nada.

Entonces Turgon siguió el consejo de Húrin y de Huor, y convocó lo que quedaba de las huestes de Gondolin y lo que pudo reunir del pueblo de Fingon, y se retiró hacia el Paso del Sirion; y sus capitanes Ecthelion y Glorfindel guardaban los flancos de la derecha y la izquierda, para que el enemigo no se acercase. Pero los Hombres de Dor-lómin protegían la retaguardia, como lo deseaban Húrin y Huor; porque no querían en verdad abandonar las Tierras del Norte, y si no podían volver a sus hogares, allí resistirían hasta el fin. Así se enderezó la traición de Uldor; y de todas las hazañas de guerra que los Padres de los Hombres llevaron a cabo en beneficio de los Eldar, la última resistencia de los Hombres de Dor-lómin es la que obtuvo más renombre.

De este modo Turgon se abrió camino hacia el sur luchando, hasta que protegido por la guardia de Húrin y Huor cruzó el Sirion y escapó; y desapareció en las montañas y quedó oculto a los ojos de Morgoth. Pero los hermanos reunieron al resto de los Hombres, y palmo a palmo se retiraron hasta ponerse detrás del Marjal de Serech y delante de las costas del Rivil. Allí resistieron, y ya no cedieron.

Entonces todas las huestes de Angband los rodearon como un enjambre, e hicieron con los muertos un puente sobre el río, y trazaron un círculo en derredor del resto de Hithlum como la marea que crece sobre una roca. Allí, al ponerse el sol el sexto día y oscurecerse la sombra de Ered Wethrin, Huor cayó con el ojo horadado por una flecha envenenada, y los cadáveres de todos los Hombres valientes de Hador fueron apilados alrededor de él; y los Orcos les cortaron las cabezas y las apilaron como un montículo de oro en el crepúsculo.

Por último, sólo Húrin continuó resistiendo. Al fin arrojó el escudo y esgrimió con ambas manos el hacha; y se canta que el hacha humeó con la sangre negra de los trolls de Gothmog hasta aniquilarlos a todos, y cada vez que asestaba un golpe, Húrin gritaba:

—*Aurë entuluva!* ¡Ya se hará de nuevo el día! —Setenta veces lanzó ese grito, pero al cabo lo atraparon vivo, por orden de Morgoth, pues los Orcos se aferraban a él, y las manos seguían agarrándolo aunque les cortara los brazos; y siempre el caudal de enemigos se renovaba, hasta que por último cayó sepultado debajo de ellos. Entonces Gothmog lo encadenó y lo arrastró a Angband, burlándose.

Así terminó la Nirnaeth Arnoediad, al descender el sol más allá del mar. Se hizo la noche en Hithlum, y del Oeste vino una gran tormenta de viento.

Grande fue el triunfo de Morgoth, y cumplió su propósito de modo grato a su corazón; porque los Hombres se mataron entre sí y traicionaron a los Eldar, y el miedo y el odio despertaron entre aquellos que tendrían que haber estado unidos contra él. Desde ese día los Elfos se distanciaron de los Hombres, excepto las Tres Casas de los Edain.

El reino de Fingon ya no existía; y los hijos de Fëanor erraron como hojas al viento. Habían perdido las armas y la alianza estaba rota; y vivieron una existencia salvaje en los bosques al pie de Ered Lindon, mezclándose con los Elfos Verdes de Ossiriand, despojados del poder y la gloria de antaño. En Brethil unos pocos de los Haladin vivían todavía en la protección de los bosques, y Handir hijo de Haldir era el Señor; pero de las huestes de Fingon nadie volvió nunca a Hithlum, ni tampoco ninguno de los Hombres de la casa de Hador, ni hubo nuevas de la batalla ni de la suerte corrida por sus señores. Pero Morgoth envió allí a los Orientales que lo habían servido, negándoles las ricas tierras que ellos codiciaban; y los encerró en Hithlum y les prohibió abandonarla. Ésa fue la recompensa que les dio por haber traicionado a Maedhros: saquear y vejar a los ancianos y las mujeres y los niños del pueblo de Hador. El resto de los Eldar de Hithlum fue trasladado a las minas del norte y trabajaron allí como esclavos, salvo los que lo eludieron y escaparon a las tierras salvajes y las montañas.

Los Orcos y los lobos campaban a sus anchas por todo el norte y avanzaban cada vez más hacia el sur, hacia Beleriand, aun hasta Nan-tathren, la Tierra de los Sauces, y los límites de Ossiriand, y nadie estaba a salvo en los campos ni en las tierras salvajes. Es cierto que Doriath no había caído, y los recintos de Nargothrond estaban escondidos; pero Morgoth les prestaba poca atención, bien porque supiera poco de ellos, o bien porque aún no les había llegado la hora en los oscuros designios de su propia malicia. Muchos huyeron a los Puertos y buscaron refugio tras los muros de Círdan, y los marineros recorrían las costas de arriba abajo y acosaban al enemigo en rápidos desembarcos. Pero al año siguiente, antes de que llegara el invierno, Morgoth envió grandes fuerzas sobre Hithlum y Nevrast, y descendieron por los ríos Brithon y Nenning, y asolaron todas las Falas, y sitiaron los muros de Brithombar y Eglarest. Llevaban consigo herreros y mineros y maestros del fuego, e instalaron grandes maquinarias, y aunque se les opuso una resistencia valerosa, quebrantaron por fin los muros. Entonces los Puertos quedaron en ruinas y la torre de Barad Nimras fue derribada; y la mayor parte del pueblo de Círdan fue muerta o sometida a esclavitud. Pero algunos escaparon por mar en barcos; y entre ellos estaba Ereinion Gil-galad, el hijo de Fingon, a quien su padre había enviado a los Puertos después de la Dagor Bragollach. Este vestigio del pueblo de Círdan navegó con él hacia el sur, a la

Isla de Balar, y construyeron un refugio para todo aquel que pudiera llegar hasta allí; porque se establecieron también en las Bocas del Sirion, y allí muchas naves ligeras y rápidas estaban escondidas en ensenadas y aguas donde los juncos eran densos como un bosque.

Y cuando Turgon supo de esto, envió de nuevo mensajeros a las Bocas del Sirion, y pidió ayuda a Círdan el Carpintero de Barcos. A petición de Turgon, Círdan construyó siete rápidos barcos, y navegaron hacia el Occidente; pero no hubo nunca noticias de ellos en Balar, salvo de uno, y fue el último. Los marineros de ese barco se esforzaron largo tiempo en el mar y, por último, al volver desesperados, naufragaron en una gran tormenta a la vista de las costas de la Tierra Media; pero uno de ellos fue salvado por Ulmo de la ira de Ossë, y las olas lo sostuvieron y lo arrojaron a las costas de Nevrast. Se llamaba Voronwë; y era uno de los mensajeros que Turgon había enviado desde Gondolin.

Ahora Morgoth concentraba sus pensamientos siempre en Turgon; porque Turgon se le había escapado, y de todos sus enemigos era el que más deseaba atrapar o destruir. Y ese pensamiento lo perturbaba y le empañaba la victoria, porque Turgon, de la poderosa casa de Fingolfin, era ahora por derecho el Rey de todos los Noldor; y Morgoth temía y odiaba a la casa de Fingolfin, porque ésta tenía la amistad de Ulmo, el enemigo de Angband, y por las heridas que Fingolfin le había abierto con la espada. Y al que más temía Morgoth de todos ellos era a Turgon; porque hacía ya mucho, en Valinor, se había fijado en él, y cada vez que se le acercaba una sombra le oscurecía la mente, y tenía el presagio de que, en un tiempo todavía recóndito, la ruina le vendría de Turgon.

Por tanto, Húrin fue conducido ante Morgoth, pues Morgoth sabía que era amigo del Rey de Gondolin; pero Húrin lo desafió y se burló de él. Entonces Morgoth maldijo a Húrin y a Morwen y a su prole, y les impuso una condena de oscuridad y dolor; y sacando a Húrin de la prisión lo hizo sentar en una silla de piedra en un sitio elevado de Thangorodrim. Allí estaba confinado por el poder de Morgoth, y Morgoth volvió a maldecirlo; y le dijo:

—Estáte aquí sentado; y contempla las tierras donde el mal y la desesperación desolarán a los que amas. Te has atrevido a burlarte de mí y a cuestionar el poder de Melkor, Amo de los destinos de Arda. Por lo tanto, con mis ojos verás, y con mis oídos oirás; y nunca te moverás de este sitio hasta que todo sea consumado en amargura.

Y así sucedió; pero no se dice que Húrin le pidiera nunca a Morgoth clemencia ni muerte, ni para él ni para nadie de los suyos.

Por orden de Morgoth, los Orcos recogieron con gran trabajo los cuerpos de todos los caídos en la gran batalla, y todos sus pertrechos y armas, y los apilaron en un montículo en medio de Anfauglith; y era como una colina que podía verse desde lejos. Haudh-en-Ndengin la llamaron los Elfos, el Túmulo de los Muertos, y Haudh-en-Nirnaeth, el Túmulo de las Lágrimas. Pero la hierba volvió allí, y creció de nuevo alta y verde sobre esa colina, única en el desierto que Morgoth había provocado; y ninguna criatura de Morgoth holló jamás ese suelo, donde las espadas enterradas de los Eldar y los Edain se desmenuzaban en herrumbre.

21

DE TÚRIN TURAMBAR

Rían hija de Belegund era la esposa de Huor hijo de Galdor; y se casó con Huor dos meses antes de que él fuera con su hermano Húrin a la Nirnaeth Arnoediad. Cuando no le llegaron nuevas del señor, huyó a las tierras salvajes; pero recibió la ayuda de los Elfos Grises de Mithrim, y cuando nació su hijo Tuor, ellos lo cuidaron. Entonces Rían partió de Hithlum, y yendo a la Haudh-en-Ndengin, se tendió sobre ella y murió.

Morwen hija de Baragund era la esposa de Húrin, Señor de Dor-lómin; y su hijo era Túrin, que nació el año en que Beren Erchamion encontró a Lúthien en el Bosque de Neldoreth. Tuvieron también una hija llamada Lalaith, lo que significa Risa, que fue amada de Túrin, su hermano; pero cuando tenía ella tres años, hubo una peste en Hithlum, traída por un viento maligno desde Angband, y murió.

Ahora bien, después de la Nirnaeth Arnoediad, Morwen continuó viviendo en Dor-lómin, pues Túrin sólo tenía ocho años, y ella estaba de nuevo encinta. Fueron aquellos malos tiempos, porque los Orientales que llegaron a Hithlum despreciaron al resto del pueblo de Hador, y los oprimieron, y les tomaron las tierras y los bienes y esclavizaron a sus hijos. Pero tan grandes eran la belleza y la majestad de la Señora de Dor-lómin, que los Orientales tuvieron miedo, y no osaron poner las manos en ella ni en sus posesiones; y murmuraron entre ellos llamándola bruja peligrosa, diestra en hechizos, y aliada de los Elfos. Pero ella era ahora pobre y nadie la asistía, aunque en secreto recibía el socorro de una pariente de Húrin, llamada Aerin, a quien Brodda, un Oriental, había tomado por esposa; y Morwen tenía mucho miedo de que le quitaran a Túrin y lo hicieran esclavo. Por tanto, su corazón le dijo que debía enviarlo lejos en secreto, y pedir al Rey Thingol que le diera protección, porque Beren hijo de Barahir era pariente del padre de ella, y además había sido amigo de Húrin antes de la llegada del mal. Por tanto, en el otoño del Año de la Lamentación, Morwen envió a Túrin por encima de las montañas con dos viejos sirvientes para que tratasen de encontrar la entrada del reino de Doriath. De este modo se tejió el hado de Túrin, que se cuenta por entero en el cantar *Narn i Hîn Húrin*, «La Historia de los Hijos de Húrin», y es la más larga de todos los cantares que hablan de aquellos días. Aquí esa historia se cuenta brevemente, porque está entretejida con el destino de los Silmarils y de los Elfos; y se la llama la Historia de la Congoja, porque es dolorosa, y en ella se revelan obras muy malvadas de Morgoth Bauglir.

Al empezar el año, Morwen dio a luz a una niña, hija de Húrin; y la llamó Nienor, que significa Luto; pero Túrin y sus compañeros, después de haber superado muchos peligros, llegaron por fin a los límites de Doriath; y allí fueron encontrados por Beleg Arcofirme, jefe de los guardianes de frontera del Rey Thingol, que los condujo a Menegroth. Entonces Thingol recibió a Túrin y aun lo tomó a su cuidado en honor a Húrin el Firme; porque el ánimo de Thingol ya no era el mismo en relación con las casas de los Amigos de los Elfos. Luego fueron enviados mensajeros hacia el norte, a Hithlum, pidiéndole a Morwen que abandonara Dor-lómin y volviera con ellos a Doriath; pero ella aún no quería dejar la casa en la que había vivido con Húrin. Y cuando los Elfos partieron, mandó con ellos el Yelmo-Dragón de Dor-lómin, la más grande de las reliquias heredadas de la casa de Hador.

Túrin creció hermoso y fuerte en Doriath, pero tenía un carácter triste. Durante nueve años vivió en las salas de Thingol, y en ese tiempo estuvo menos apenado; porque iban a veces mensajeros a Hithlum, y al volver traían nuevas no tan malas de Morwen y Nienor. Pero hubo un día en que los mensajeros no volvieron del norte, y Thingol ya no quiso enviar otros. Entonces Túrin sintió mucho temor por su madre y su hermana, y con el corazón endurecido fue ante el Rey y le pidió una cota de malla y una espada; y se puso el Yelmo-Dragón de Dor-lómin, y fue a la guerra en las fronteras de Doriath, y se convirtió en compañero de armas de Beleg Cúthalion.

Y tres años después, Túrin volvió de nuevo a las estancias de Menegroth; pero venía de las tierras salvajes, y con aspecto desaliñado, y tenía los pertrechos y vestidos gastados. Ahora bien, había uno en Doriath, del pueblo de los Nandor, alto en la estima del Rey; Saeros se llamaba. Desde hacía mucho tenía rencor a Túrin por el honor que le habían concedido como hijo adoptivo de Thingol; y sentado frente a él a la mesa, lo provocó diciendo:

—Si los Hombres de Hithlum son tan salvajes y feroces, ¿de qué clase son allí las mujeres? ¿Corren como los ciervos en cueros?

Entonces Túrin, con una gran cólera, tomó un vaso y se lo arrojó a Saeros, y se sintió profundamente dolido.

Al día siguiente Saeros se enfrentó a Túrin, que se disponía a regresar a las fronteras; pero Túrin pudo más, y mandó a Saeros por los bosques desnudo como un animal perseguido, y Saeros corrió aterrado delante de él hasta que cayó por la garganta de

*Parte de la «Historia de Túrin» escrita en el alfabeto de Rúmil,
escritura inventada y usada por los elfos sólo en Valinor*

un río, y el cuerpo se le quebró al dar contra una roca en el agua. Pero otros que llegaban vieron lo sucedido, y Mablung estaba entre ellos; y pidió a Túrin que regresara con él a Menegroth para someterse al juicio del Rey y pedir perdón. Pero Túrin, creyéndose ahora un proscrito y temiendo que lo guardaran en cautiverio, rechazó el pedido de Mablung y se alejó de prisa; y abandonando la Cintura de Melian, llegó a los bosques al oeste del Sirion. Allí se unió a una banda de hombres sin hogar, tan desesperados como era posible en esos desdichados días, que acechaban en las tierras salvajes, y echaban mano a todos los que se les pusieran en el camino, fueran Elfos, Hombres u Orcos.

Pero cuando todo lo que había pasado fue investigado y los hechos presentados ante Thingol, el Rey perdonó a Túrin, considerando que había sido injustamente tratado. En ese tiempo Beleg Arcofirme volvió de las fronteras septentrionales y fue a buscarlo a Menegroth; y Thingol le habló a Beleg, diciendo:

—Estoy apenado, Cúthalion; porque cuidé del hijo de Húrin como hijo mío, y seguirá siéndolo si Húrin no vuelve de las sombras a reclamar lo suyo. No quiero que nadie diga que Túrin fue expulsado injustamente, y con agrado le daría la bienvenida; porque lo quería bien.

Y Beleg respondió:

—Buscaré a Túrin hasta que lo encuentre; cuando dé con él, lo traeré de nuevo a Menegroth, si es posible; porque yo también lo quiero.

Entonces Beleg partió de Menegroth e internándose profundamente en Beleriand buscó en vano nuevas de Túrin pasando por muchos peligros.

Pero Túrin habitó largo tiempo entre los forajidos, y llegó a ser capitán de todos ellos; y se dio a sí mismo el nombre de Neithan el Agraviado. Muy cautelosos vivían en las tierras boscosas al sur del Teiglin; pero cuando hubo pasado un año desde que Túrin huyera de Doriath, Beleg llegó una noche a la guarida de los forajidos. Quiso el azar que a esa hora Túrin no se encontrara en el campamento; y los forajidos sorprendieron a Beleg y lo ataron, y lo trataron con crueldad; porque temían que fuera un espía del Rey de Doriath. Pero cuando Túrin volvió y vio lo que habían hecho, tuvo remordimiento por todas las acciones malvadas e ilegales que había llevado a cabo; y puso en libertad a Beleg, y otra vez fueron amigos; y Túrin abjuró en adelante de toda guerra o saqueo, salvo contra los sirvientes de Angband.

Entonces Beleg contó a Túrin que el Rey Thingol ya lo había perdonado, e intentó persuadirlo por todos los medios de que regresara con él a Doriath, diciendo que había gran necesidad de su fuerza y su valor en las fronteras septentrionales del reino.

—Hace poco los Orcos descubrieron una salida de Taur-nu-Fuin —dijo— y han construido un camino a través del Paso de Anach.

—No recuerdo ese lugar —dijo Túrin.

—Nosotros nunca nos alejamos tanto de las fronteras —dijo Beleg—. Pero tú has visto los picos de las Crissaegrim en la distancia, y los oscuros muros de Gorgoroth hacia el este. Anach está en el medio, por encima de las altas fuentes del Mindeb, el camino es áspero y peligroso; no obstante, muchos vienen por él, y Dimbar, que solía vivir en paz, cae ahora bajo la Mano Negra, y los Hombres de Brethil están perturbados. Nos necesitan allí.

Pero en el orgullo de su corazón Túrin rechazó el perdón del Rey, y las palabras de Beleg no consiguieron convencerlo. Y Túrin por su parte instó a Beleg a que se quedara con él en las tierras al oeste del Sirion; pero Beleg se negó, y dijo:

—Eres duro, Túrin, y terco. A mí me toca ahora. Si en verdad deseas tener contigo al Arcofirme, búscame en Dimbar; porque allí regreso.

Al día siguiente Beleg se puso en camino, y Túrin lo acompañó hasta que estuvieron a tiro de flecha del campamento; pero no dijo nada.

—Esto es el adiós, entonces, hijo de Húrin —dijo Beleg. Túrin miró hacia el oeste y vio a la distancia la gran altura de Amon Rûdh; y sin saber lo que le esperaba, respondió—: Me has dicho «búscame en Dimbar». Pero yo digo: ¡búscame en Amon Rûdh! De lo contrario, éste será nuestro último adiós.

Entonces se separaron, amigos, pero tristes.

Ahora bien, Beleg volvió a las Mil Cavernas, y presentándose ante Thingol y Melian, les contó todo lo ocurrido, excepto el maltrato que recibiera de los compañeros de Túrin. Entonces Thingol suspiró y dijo:

—¿Qué más quiere Túrin que haga?

—Dadme permiso, señor —dijo Beleg—, y yo lo protegeré y lo guiaré en la medida de mis posibilidades; ningún Hombre dirá entonces que los Elfos hablan a la ligera. No quisiera yo que un bien tan grande se perdiera en el desierto.

Entonces Thingol dio a Beleg permiso de hacer como quisiera; y dijo:

—¡Beleg Cúthalion! Por muchas acciones te has ganado mi agradecimiento; pero no es la menor de ellas haber encontrado a mi hijo adoptivo. En esta despedida, pide el don que quieras y no te lo negaré.

—Pido entonces una espada de valor —dijo Beleg— porque los Orcos vienen en un caudal demasiado denso y apretado para que baste sólo un arco, y la hoja de que dispongo nada puede contra esas armaduras.

—Elige entre todas las que tengo —le dijo Thingol—, salvo sólo Aranrúth, la mía.

Entonces Beleg eligió Anglachel; y era una espada de gran valor, y se le dio ese nombre porque fue forjada con hierro que cayó del cielo como una estrella ardiente; era capaz de penetrar el hierro excavado de la tierra. En la Tierra Media sólo otra espada podía comparársele. Esa espada no interviene en esta historia, aunque fue forjada de la misma veta por el mismo herrero; y ese herrero era Eöl, el Elfo Oscuro, que desposara a Aredhel, la hermana de Turgon. Le había dado Anglachel a Thingol como pago, que lamentó, a cambio de que se le permitiera vivir en Nan Elmoth; pero guardó la otra espada, Anguirel, hasta que se la robó su hijo Maeglin.

Pero cuando Thingol tendió la empuñadura de Anglachel a Beleg, Melian miró la hoja; y dijo:

—Hay maldad en esta espada. El corazón oscuro del herrero todavía habita en ella. No amará la mano a la que sirva; ni tampoco estará contigo mucho tiempo.

—No obstante, la esgrimiré mientras pueda —dijo Beleg.

—Otro don te daré, Cúthalion —dijo Melian—, que te será de ayuda en el desierto, y también ayudará a quienes tú escojas.

Y le dio una ración de *lembas*, el pan del camino de los Elfos, envuelto en hojas de plata, y las hebras que lo ataban estaban selladas en los nudos con el sello de la Reina, una oblea de cera blanca moldeada como la flor de Telperion; porque de acuerdo con las costumbres de los Eldalië, sólo a la reina cabía guardar o dar *lembas*. En nada mostró Melian un más grande favor a Túrin que en este regalo; porque los Eldar nunca antes habían permitido que los Hombres consumieran este pan del camino, y rara vez volvieron a hacerlo.

Entonces Beleg partió con estos regalos de Menegroth, y volvió a las fronteras septentrionales, donde tenía sus refugios

y numerosos amigos. Poco después, los Orcos fueron rechazados en Dimbar, y Anglachel se alegró de que la desenvaina-
ran; pero cuando llegó el invierno y se apaciguó la guerra, los
compañeros de Beleg notaron de pronto que ya no estaba, y
no volvió nunca más con ellos.

Ahora bien, cuando Beleg se alejó de los forajidos y volvió a
Doriath, Túrin los llevó hacia el oeste del Valle del Sirion;
pues les fatigaba esta vida sin descanso, siempre alerta y temiendo que los persiguieran, y buscaron una guarida más segura. Y quiso el azar que una noche se toparan con tres Enanos que huyeron delante de ellos; pero uno que quedó
rezagado fue atrapado y derribado, y un hombre de la banda
sacó el arco y disparó una flecha a los otros mientras desaparecían en la penumbra. Pues bien, el Enano que habían atrapado se llamaba Mîm; y pidió a Túrin que le perdonara la vida y
le ofreció como rescate conducirlos a sus salas ocultas que nadie podría encontrar nunca sin ayuda. Entonces Túrin tuvo
clemencia y no lo mató; y dijo:

—¿Dónde está tu morada?

Entonces Mîm le respondió:

—Alta sobre las tierras está la morada de Mîm, en la gran
colina; Amon Rûdh se llama ahora, pues los Elfos cambiaron
todos los nombres.

Entonces Túrin guardó silencio y se quedó largo tiempo
mirando al Enano; y por último dijo:

—Nos llevarás a ese lugar.

Al día siguiente se pusieron en marcha, siguiendo a Mîm
hacia Amon Rûdh. Ahora bien, esa colina se levantaba a las
orillas de los páramos que separan los valles del Sirion y el
Narog, y la cima se alzaba muy alta por encima del brezal pe-

dregoso; pero la empinada cabeza gris estaba desnuda, salvo por el rojo *seregon* que cubría la piedra. Y mientras los hombres de Túrin se acercaban, el sol poniente irrumpió entre las nubes e iluminó la cumbre; y el *seregon* estaba enteramente florecido. Entonces uno de ellos dijo:

—Hay sangre en la cumbre de la colina.

Pero Mîm los condujo por unos senderos secretos y así treparon las empinadas cuestas de Amon Rûdh; y ante la boca de una caverna hizo una reverencia a Túrin, diciendo:

—Entra en Bar-en-Danwedh, la Casa del Rescate, porque así se llamará ahora.

Y entonces se acercó otro Enano que portaba una luz para saludarlo, y hablaron juntos y desaparecieron rápido en la oscuridad de la caverna; pero Túrin los siguió, y llegó por fin a una cámara profunda, iluminada por pálidas lámparas que colgaban de cadenas. Allí encontró a Mîm arrodillado ante un lecho de piedra junto al muro, y se arrancaba la barba y gemía y pronunciaba un nombre incesantemente; y sobre el lecho yacía un tercero. Pero Túrin, al entrar, se acercó a Mîm y le ofreció ayuda. Entonces Mîm lo miró y le dijo:

—No puedes ayudarme. Porque éste es Khîm, mi hijo; y está muerto, atravesado por una flecha. Murió al ponerse el sol. Mi hijo Ibun me lo contó.

Entonces la piedad despertó en el corazón de Túrin, y dijo a Mîm:

—¡Ay! Haría volver esa flecha si pudiera. Ahora esta casa se llamará en verdad Bar-en-Danwedh; y si alguna vez hago fortuna, te daré una recompensa en oro por tu hijo, en señal de dolor, aunque tu corazón ya no se alegre.

Entonces Mîm se puso de pie y miró largo tiempo a Túrin.

—Te oigo —dijo—. Hablas como un Señor Enano de antaño; y eso me maravilla. Ahora mi corazón está sereno, aunque no complacido; y en esta casa puedes morar, si lo deseas; porque pagaré mi rescate.

Así empezó a vivir Túrin en la casa escondida de Mîm en Amon Rûdh; y andaba por el prado delante de la boca de la caverna, y miraba hacia el este, y el oeste, y el norte. Miraba hacia el norte cuando divisó el verde Bosque de Brethil, que trepaba alrededor de Amon Obel en su centro; y hacia allí volvió los ojos una y otra vez y no sabía por qué; pues antes el corazón se le inclinaba al noroeste, donde al cabo de muchas leguas, sobre los bordes del cielo, creía atisbar las Montañas de la Sombra, los muros de su hogar. Pero al atardecer Túrin miraba en el oeste la puesta de sol, y el sol descendía rojo entre las brumas de las costas distantes, más allá del Valle del Narog que se extendía profundo entre las sombras.

En los tiempos que siguieron, Túrin habló mucho con Mîm, y se sentaban a solas, y Mîm le contaba de la sabiduría de los Enanos y la historia de su vida. Porque Mîm provenía de los Enanos que antaño habían sido desterrados de las grandes ciudades de Enanos del este; y mucho antes del regreso de Morgoth erraron hacia el oeste hasta llegar a Beleriand; pero luego disminuyeron en estatura y en capacidad para la herrería, y comenzaron a llevar una vida furtiva, caminando encogidos de hombros, con pasos cautelosos. Antes de que los Enanos de Nogrod y Belegost llegaran al oeste atravesando las montañas, los Elfos de Beleriand no sabían quiénes eran éstos, y les daban caza y los mataban; pero luego los dejaron en paz, y recibieron el nombre de Noegyth Nibin, los Enanos Mezquinos en lengua sindarin. No tenían otro amor que ellos mismos, y si temían y odiaban a los Orcos, no menos odiaban a los Eldar, y a los Exiliados más que a nadie; porque los Noldor, decían, les habían quitado sus tierras y casas. Mucho antes de que el Rey Finrod Felagund viniera del Mar, ellos habían descubierto las cavernas de Nargothrond, y fueron ellos los que habían empezado a excavar la piedra, y bajo la corona de Amon Rûdh, la Colina Calva, las lentas manos de los Enanos Mezquinos habían horadado y ahondado las cavernas durante los largos años que allí vivieron, sin que los Elfos Grises de los bosques los molestaran. Pero ahora, por último, habían menguado y desaparecido de la Tierra Media, todos salvo Mîm y sus dos hijos; y Mîm era viejo aun para un Enano, viejo y olvidado. Y en todas sus estancias las herrerías permanecían ociosas, y las hachas llenas de herrumbre, y su nombre se recordaba tan sólo en los viejos cuentos de Doriath y Nargothrond.

Pero cuando el año ya se acercaba al solsticio de invierno, la nieve vino del norte más espesa aún que en los valles conocidos por donde corrían los ríos; y Amon Rûdh quedó cubierta bajo una profunda capa; y decían que el invierno se hacía más riguroso en Beleriand a medida que crecía el poder de Angband. Entonces sólo los más osados se atrevían a salir; y algunos enfermaron, y el hambre atormentaba a todos. Pero en el sombrío crepúsculo de un día de invierno, una figura apareció de súbito entre ellos, y parecía un hombre, de gran talla y corpulencia, de capa y capucha blancas; y en silencio avanzó hasta el fuego. Y cuando los hombres asustados se incorporaron de un salto, él se echó a reír y echó atrás la capucha, y bajo la amplia capa llevaba un gran fardo; y a la luz del fuego Túrin volvió a contemplar la cara de Beleg Cúthalion.

Así Beleg volvió a Túrin una vez más, y el encuentro fue dichoso; y Beleg traía de Dimbar el Yelmo-Dragón de Dorlómin, convencido de que podría elevar los pensamientos de Túrin por encima de esa vida en el desierto como jefe de una banda mezquina. Pero Túrin no estaba todavía dispuesto a regresar a Doriath; y Beleg, cediendo por amor y en contra de lo que indicaba el tino, se quedó con él, y no partió, y trabajó

FANGORN FOREST

Taur-na-Fuin (Bosque de Fangorn)

mucho en ese tiempo por el bien de la banda de Túrin. A los que estaban heridos o enfermos los cuidaba, y les daba el *lembas* de Melian; y se curaban pronto porque, aunque los Elfos Grises eran inferiores en habilidad y sabiduría a los Exiliados de Valinor, de los modos de la vida en la Tierra Media tenían un conocimiento que estaba más allá del alcance de los Hombres. Y como Beleg era fuerte y resistente, y tan penetrante de mente como de mirada, fue muy honrado entre los forajidos; pero el odio de Mîm por el Elfo que había llegado a Bar-en-Danwedh era cada vez mayor; y se pasaba los días escondido con su hijo Ibun en las más profundas sombras de la caverna sin hablar con nadie. Pero Túrin hacía ahora poco caso del Enano; y cuando el invierno pasó y llegó la primavera, el trabajo que tuvieron por delante fue mucho más serio.

Ahora bien, ¿quién conoce en verdad los designios de Morgoth? ¿Quién puede medir el alcance de la mente de aquel a quien llamaran Melkor, poderoso entre los Ainur de la Gran Canción, y sentado ahora como un señor oscuro en un trono oscuro del Norte, valorando con malicia todas las nuevas que recibía, y conociendo las acciones y los propósitos de los enemigos mucho mejor que incluso los más sabios de entre ellos pudieran adivinar, excepto sólo Melian la Reina? Hacia ella iba con frecuencia el pensamiento de Morgoth, pero nunca la alcanzaba.

Y ahora una vez más el poder de Angband se ponía en movimiento; y como los largos dedos de una mano que tantea, las avanzadas de Morgoth exploraban los caminos a Beleriand. Por Anach llegaron, y Dimbar fue tomada, y todas las fronteras septentrionales de Doriath. Vinieron por el antiguo camino que atraviesa el largo desfiladero del Sirion, pasaron la isla donde se había levantado Minas Tirith de Finrod, y de allí atravesaron la tierra que se extiende entre el Malduin y el

Sirion y siguieron por las lindes de Brethil hasta los Cruces del Teiglin. Desde allí el camino conducía a la Planicie Guardada, pero los Orcos no avanzaron mucho por el momento, pues en ese sitio habitaba ahora un terror oculto, y sobre la colina roja había ojos vigilantes de los que nadie les había advertido. Porque Túrin se puso otra vez el Yelmo de Hador; y a lo largo y a lo ancho de Beleriand cundió el rumor, corriendo por los bosques y sobre las corrientes y a través de los desfiladeros de las colinas, de que el Yelmo y el Arco caídos en Dimbar se habían levantado de nuevo contra toda esperanza. Entonces, muchos que habían quedado sin guía y desposeídos, pero no acobardados, cobraron nuevo ánimo, y fueron en busca de los Dos Capitanes. Dor-Cúarthol, la Tierra del Arco y el Yelmo, se llamaba en aquel tiempo la región que se extiende entre el Teiglin y la frontera occidental de Doriath; y Túrin se dio a sí mismo un nuevo nombre: Gorthol, el Yelmo Terrible, y tenía otra vez el corazón animoso. En Menegroth y en los profundos recintos de Nargothrond y aun en el reino escondido de Gondolin se oyó hablar de las grandes hazañas de los Dos Capitanes; y en Angband también se conocieron. Entonces Morgoth rió, porque por el Yelmo-Dragón volvió a revelársele el hijo de Húrin; y antes de que transcurriera mucho tiempo, Amon Rûdh estaba rodeada de espías.

Al menguar el año, Mîm el Enano y su hijo Ibun abandonaron Bar-en-Danwedh, y fueron a recoger raíces para las reservas del invierno; y cayeron en manos de los Orcos. Entonces, por segunda vez, Mîm prometió al enemigo que lo guiaría por pasajes secretos hasta su morada en Amon Rûdh; pero no obstante intentó demorar el cumplimiento de esta promesa y pidió que no mataran a Gorthol. Entonces el capitán de los Orcos se echó a reír y dijo a Mîm:

—Por cierto, no mataremos a Túrin hijo de Húrin.

Así fue Bar-en-Danwedh traicionada; pues los Orcos llegaron inadvertidos de noche, y guiados por Mîm. Allí muchos de la gente de Túrin fueron muertos mientras dormían; pero otros, huyendo por una escalera interior, salieron a la cima de Amon Rûdh, y allí lucharon hasta caer, y bañaron en sangre el *seregon* que cubría la piedra. Pero a Túrin, mientras luchaba, lo atraparon echándole una red, y lo sometieron, y se lo llevaron.

Y por fin, cuando todo estuvo en silencio otra vez, Mîm salió arrastrándose; y cuando el sol se elevó sobre las nieblas del Sirion, se puso de pie junto a los muertos en la colina. Pero advirtió que no todos los que allí yacían estaban muertos; porque uno de ellos le devolvió la mirada, y eran los ojos de Beleg el Elfo. Entonces, con un odio acumulado durante mucho tiempo, Mîm se acercó a Beleg y recogió la espada Anglachel que estaba a un lado, bajo un cuerpo caído; pero Beleg consiguió incorporarse, y le arrebató la espada al Enano y lo atacó; y Mîm, aterrado, huyó chillando de la cima de la colina. Y Beleg gritó tras él:

—¡Ya te alcanzará la venganza de la casa de Hador!

Ahora bien, Beleg estaba malherido, pero era de los más fuertes entre los Elfos de la Tierra Media, y además un maestro de la curación. No murió, por tanto, y poco a poco recuperó las fuerzas; y en vano buscó entre los muertos a Túrin para darle sepultura. Pero no lo encontró; y entonces supo que el hijo de Húrin todavía estaba vivo, y que lo habían llevado a Angband.

Beleg tenía escasas esperanzas cuando partió de Amon Rûdh y fue hacia el norte, a los Cruces del Teiglin, siguiendo las huellas de los Orcos; y cruzó el Brithiach y viajó a través de Dimbar hacia el Paso de Anach. Y ahora ya no estaba muy lejos, porque avanzaba sin descanso, mientras que ellos se habían detenido en el camino, cazando en las cercanías, y sin miedo de que alguien los siguiera hacia el norte; y ni siquiera en los espantosos bosques de Taur-nu-Fuin se desvió del rastro, pues no había nadie en toda la Tierra Media que tuviese la habilidad de Beleg. Pero al pasar en la noche por aquellos sitios malignos, encontró a alguien que yacía dormido al pie de un gran árbol muerto, y Beleg se detuvo y vio que era un Elfo. Entonces le habló y le dio *lembas*, y le preguntó qué hado lo había llevado a ese terrible lugar; y él dijo que se llamaba Gwindor hijo de Guilin.

Apenado, Beleg lo contempló; porque Gwindor no era ahora sino una macilenta sombra de la forma y el ánimo de antes, cuando en la Nirnaeth Arnoediad ese señor de Nargothrond había cabalgado con audacia y coraje hasta las mismas puertas de Angband, donde había sido atrapado. Porque pocos eran los Noldor capturados por Morgoth a los que éste daba muerte, y esto a causa de la habilidad de muchos de ellos para la herrería y la extracción de metales y gemas; y Gwindor no fue muerto, sino puesto a trabajar en las minas del Norte. Por túneles secretos que sólo ellos conocían, los Elfos de las minas conseguían escapar de vez en cuando; y así fue que Beleg lo encontró, agotado y perplejo en los laberintos de Taur-nu-Fuin.

Y Gwindor le dijo que mientras él yacía y acechaba entre los árboles, había visto a una gran compañía de Orcos que marchaban hacia el norte, y con ellos iban lobos; y llevaban a un Hombre con las manos encadenadas, y lo hacían andar a latigazos.

—Era muy alto —dijo Gwindor—, tan alto como son los Hombres de las colinas nubladas de Hithlum. —Entonces Beleg le habló de la misión que pensaba llevar a cabo en Taur-nu-Fuin; y Gwindor trató de disuadirlo, diciéndole que sólo lograría sumarse a Túrin en la desdicha que lo aguardaba. Pero Beleg de modo alguno abandonaría a Túrin, y aun desesperado despertó otra vez esperanzas en el corazón de Gwindor; y juntos fueron detrás de los Orcos hasta que salieron del bosque a las altas pendientes, que descendían hacia las dunas estériles de Anfauglith. Allí, a la vista de los picos de Thangorodrim, los Orcos habían acampado en una hondonada desnuda cuando ya la luz del día declinaba, y poniendo a lobos como centinelas todo en derredor, estaban ahora despreocupados. Una gran tormenta venía desde el oeste, y a lo lejos los relámpagos resplandecían sobre las Montañas de la Sombra, y Beleg y Gwindor se arrastraron hacia el valle.

Cuando todo el campamento estuvo dormido, Beleg tomó el arco, y disparó en la oscuridad sobre los lobos centinelas, matándolos uno a uno y en silencio. Luego, se adelantaron con gran peligro, y encontraron a Túrin encadenado de pies y manos y atado a un árbol seco; y todo a su alrededor, los cuchillos que le habían sido arrojados estaban clavados en el tronco, y él estaba inconsciente, sumido en un sueño de gran cansancio. Pero Beleg y Gwindor rompieron las ligaduras que lo sujetaban, y levantándolo se lo llevaron de la hondonada; pero no pudieron cargarlo sino más allá de una maleza de espinos algo más arriba. Allí lo depositaron; y ahora la tormenta estaba muy cerca. Beleg desenvainó la espada Anglachel, y con ella cortó las cadenas que sujetaban a Túrin; pero ese día mandaba el destino, porque una vez la hoja resbaló sobre los grillos e hirió a Túrin en el pie. Entonces Túrin despertó repentinamente, dominado por la rabia y el miedo, y al ver a alguien inclinado sobre él con una hoja desnuda, dio un gran brinco y gritó, creyendo que los Orcos habían venido otra vez a atormentarlo; y forcejeando en medio de la oscuridad se apoderó de Anglachel y mató con ella a Beleg Cúthalion, tomándolo por un enemigo.

Pero al incorporarse, encontrándose libre, y dispuesto a vender cara la vida contra enemigos imaginarios, un potente rayo cayó sobre sus cabezas; y a la luz del fulgor Túrin vio la cara de Beleg. Entonces se quedó inmóvil como una piedra, y callado, contemplando esa muerte espantosa, y se dio cuenta de lo que había hecho; y tan terrible era la cara de Túrin a la parpadeante luz de los relámpagos, que Gwindor se encogió de miedo en el suelo y no se atrevió a alzar la vista.

Pero ahora abajo en la hondonada los Orcos habían despertado, y todo el campamento estaba alborotado; porque temían el trueno que venía del oeste, creyéndolo enviado contra ellos por los grandes Enemigos de más allá del Mar. Entonces se levantó un viento y cayeron grandes lluvias y desde las alturas de Taur-nu-Fuin el agua bajó en torrente; y aunque Gwindor gritó a Túrin avisándole del extremo peligro en que se encontraban, éste no respondió, y permaneció sentado en medio de la tempestad, inmóvil y con los ojos secos junto al cuerpo de Beleg Cúthalion.

Cuando llegó la mañana, la tormenta había seguido moviéndose hacia el este sobre Lothlann, y el sol de otoño se alzaba cálido y brillante; pero creyendo que Túrin habría escapado lejos de ese sitio, y que todo rastro posible estaría borrado, los Orcos partieron de prisa sin buscar más, y a la distancia los vio Gwindor mientras se alejaban por las arenas humeantes de Anfauglith. Así fue como volvieron ante Morgoth con las manos vacías y dejaron atrás al hijo de Húrin, que estaba sentado, enloquecido y aturdido, en las laderas de Taur-nu-Fuin, soportando una carga más pesada que sus cadenas.

Entonces Gwindor llamó a Túrin para que lo ayudara a dar sepultura a Beleg, y él se incorporó como quien anda en sueños; y juntos tendieron a Beleg en una tumba poco profunda, y pusieron junto a él a Belthronding, el gran arco, que estaba hecho de madera de tejo negro. Pero Gwindor tomó la terrible espada Anglachel, diciendo que sería mejor vengarse

Glórund parte al encuentro de Túrin

con ella de los sirvientes de Morgoth antes que abandonarla inactiva bajo tierra; y tomó también el *lembas* de Melian para poder fortalecerse en las tierras salvajes.

Así llegó a su fin Beleg Arcofirme, el más fiel de los amigos, el más hábil de todos cuantos se moraron en los bosques de Beleriand en los Días Antiguos, y murió a manos de aquel a quien él más amaba; y ese dolor se grabó en la cara de Túrin y nunca más se le borró. Pero en el Elfo de Nargothrond se renovaron el coraje y la fuerza, y dejando Taur-nu-Fuin, se llevó lejos a Túrin. Ni una vez habló Túrin mientras erraron juntos por caminos penosos y largos, y caminaba como quien no tiene deseos ni propósitos, y el año menguaba y el invierno se acercaba a las tierras del norte. Pero Gwindor estaba siempre a su lado para protegerlo y guiarlo; y así se dirigieron hacia el oeste cruzando el Sirion, y llegaron después de mucho tiempo a Eithel Ivrin, las fuentes donde el Narog nacía bajo las Montañas de la Sombra. Allí Gwindor habló a Túrin diciendo:

—¡Despierta, Túrin hijo de Húrin Thalion! En el lago de Ivrin hay una risa continua. Se alimenta de fuentes cristalinas que nunca dejan de manar, y Ulmo, el Señor de las Aguas, que labró su belleza en días antiguos, cuida de que nada las manche.

Entonces Túrin se arrodilló y bebió de esas aguas; y súbitamente se echó al suelo, y sus lágrimas corrieron por fin, y fue curado de su locura.

Allí compuso un canto para Beleg, y lo llamó *Laer Cú Beleg*, el Canto del Gran Arquero, y lo cantaba en voz alta, sin importarle que alguien pudiese oírlo. Y Gwindor le puso la espada Anglachel en las manos, y Túrin supo que era pesada y fuerte y que tenía gran poder; pero la hoja era negra y opaca y estaba desafilada. Entonces Gwindor dijo:

—Ésta es una hoja extraña y no se asemeja a ninguna otra de la Tierra Media. Guarda luto por Beleg igual que tú. Pero consuélate; porque regreso a Nargothrond, de la casa de Finarfin, y tú vendrás conmigo, y te curarás y recuperarás.

—¿Quién eres tú? —preguntó Túrin.

—Un Elfo errante, un esclavo fugado, a quien Beleg encontró y consoló —dijo Gwindor—. Pero otrora fui Gwindor hijo de Guilin, señor de Nargothrond, hasta que llegué a la Nirnaeth Arnoediad, y me esclavizaron en Angband.

—¿Has visto a Húrin hijo de Galdor, el guerrero de Dor-lómin? —preguntó Túrin.

—No lo he visto —dijo Gwindor—. Pero corre el rumor en Angband de que aún desafía a Morgoth; y Morgoth lo ha maldecido, a él y a todo su linaje.

—No me cabe duda —dijo Túrin.

Y entonces se pusieron de pie y abandonando Eithel Ivrin viajaron hacia el sur a lo largo de la orilla del Río Narog, hasta que fueron atrapados por exploradores de los Elfos y llevados a la fortaleza escondida. Así fue como Túrin llegó a Nargothrond.

Al principio su propio pueblo no reconoció a Gwindor, que había partido joven y fuerte, y ahora parecía un Hombre mortal envejecido debido a sus tormentos y trabajos; pero Finduilas, hija del Rey Orodreth, lo reconoció y le dio la bienvenida, pues lo había amado antes de la Nirnaeth, y muy grande fue el amor que la belleza de Finduilas despertó en Gwindor, y la llamó Faelivrin: la luz del sol sobre los Estanques de Ivrin. Por consideración a Gwindor, Túrin fue admitido en Nargothrond, y vivió allí con honores. Pero cuando Gwindor iba a proclamar el nombre de Túrin, él se lo impidió diciendo: —Yo soy Agarwaen, el hijo de Úmarth (lo que significa Manchado de Sangre, hijo del Hado Desdichado), un cazador de los bosques. —Y los Elfos de Nargothrond no preguntaron más.

En el tiempo que siguió, Túrin se ganó la alta estima de Orodreth, y prácticamente todos los corazones en Nargothrond. Porque era joven, apenas había alcanzado la edad viril plena; y por su aspecto se notaba claramente que era el hijo de Morwen Eledhwen: de cabellos oscuros y piel clara, con ojos grises y de rostro más bello que el de ningún Hombre mortal de los Días Antiguos. Por el habla y el porte parecía del antiguo reino de Doriath, y aun entre los Elfos podría haber sido tomado por alguien de una casa importante de los Noldor. Así fue como muchos lo llamaron Adanedhel, el Hombre-Elfo. La espada Anglachel fue forjada de nuevo para él por hábiles herreros de Nargothrond, y aunque continuó siendo negra, un fuego pálido brillaba ahora en el filo de la hoja; y él la llamó Gurthang, Hierro de la Muerte. Tan grandes fueron en verdad las proezas y la habilidad de Túrin combatiendo en los confines de la Planicie Guardada, que él mismo llegó a ser conocido como Mormegil, la Espada Negra; y los Elfos decían:

—No es posible dar muerte a Mormegil, salvo que así lo quiera la suerte adversa, o una flecha maligna disparada desde lejos.

Por tanto, le dieron una cota de malla fabricada por Enanos para protegerlo; y buscó con ánimo sombrío en los arsenales y encontró también una máscara de los Enanos, enteramente dorada, y se la ponía antes de la batalla, y el enemigo huía ante el rostro de Túrin.

Entonces el corazón de Finduilas se apartó de Gwindor, y a pesar de ella misma amó a Túrin; pero Túrin no advirtió lo que había sucedido. Y como tenía el corazón desgarrado, Finduilas fue desdichada; y se volvió lánguida y silenciosa. Pero Gwindor tenía ahora pensamientos sombríos; y en una ocasión habló a Finduilas diciendo:

—Hija de la casa de Finarfin, que no haya sombra entre nosotros, porque aunque Morgoth ha hecho una ruina de mi vida, yo todavía te amo. Ve a donde el amor te conduce; pero ¡cuidado! No es conveniente que los Hijos Mayores de Ilúvatar amemos a los Menores; ni es tampoco de buen tino, pues tienen vidas cortas, y pronto pasan dejándonos en duelo mientras dure el mundo. Ni lo aceptarán los hados, salvo una o dos veces solamente, por alguna gran causa que nosotros no entendemos. Pero este Hombre no es Beren. Un destino en verdad pesa sobre él, como puede verlo cualquiera que lo mire, pero un destino sombrío. ¡No te metas en ese destino! Y si ésa es tu voluntad, tu amor te llevará a la amargura y a la muerte. Porque, ¡escúchame! Es cierto que es *agarwaen* hijo de *úmarth*, pero su verdadero nombre es Túrin hijo de Húrin, a quien retienen en Angband y cuyo linaje Morgoth ha maldecido. ¡No pongas en duda el poder de Morgoth Bauglir! ¿No está escrito en mí acaso?

Entonces Finduilas quedó largo rato pensativa, y por fin dijo tan sólo:

—Túrin hijo de Húrin no me ama; ni tampoco me amará.

Ahora bien, cuando Túrin supo esto por Finduilas se encolerizó y dijo a Gwindor: —Te tengo amor por haberme rescatado y protegido. Pero ahora me perjudicas, amigo, por haber delatado mi verdadero nombre, y has echado sobre mí el destino del que quería ocultarme.

Pero Gwindor le contestó:

—Tu destino está en ti mismo, no en tu nombre.

Cuando supo Orodreth que Mormegil era en verdad el hijo de Húrin Thalion, le rindió grandes honores, y Túrin llegó a ser poderoso entre los habitantes de Nargothrond. Pero a él no le gustaba el estilo guerrero de emboscada furtiva y flecha secreta, y anhelaba el golpe valiente y la batalla a campo abierto; y sus continuos consejos pesaban en el Rey cada vez más. En esos días los Elfos de Nargothrond dejaron de ocultarse y acudieron a la batalla abiertamente, y almacenaron muchas armas; y por consejo de Túrin los Noldor construyeron un puente poderoso sobre el Narog y desde las Puertas de Felagund, para el transporte más rápido de las armas. Entonces los sirvientes de Angband fueron expulsados de toda la tierra entre el Narog y el Sirion al este, y hasta el Nenning y las desoladas Falas al oeste; y aunque Gwindor hablaba siempre contra Túrin en el consejo del Rey, considerando que patrocinaba una mala política, cayó en deshonra y nadie hizo caso de él, pues tenía poca fuerza y ya no era audaz en el uso de las armas. De este modo Nargothrond fue revelada a la ira y el odio de Morgoth; pero Túrin mismo pidió que su verdadero nombre no fuera pronunciado, y aunque la fama de sus hechos llegó a Doriath y a los oídos de Thingol, el rumor hablaba tan sólo de la Espada Negra de Nargothrond.

En ese tiempo de respiro y esperanza, cuando las hazañas de Mormegil detuvieron el poder de Morgoth al oeste del Sirion, Morwen huyó por fin de Dor-lómin con su hija Nienor, y se aventuró en el largo viaje a los recintos de Thingol. Allí una nueva pena la aguardaba, pues descubrió que Túrin se había ido, y a Doriath no había llegado nueva alguna desde que el Yelmo-Dragón desapareciera de las tierras al oeste del Sirion; pero Morwen se quedó en Doriath con Nienor, como huéspedes de Thingol y Melian, y fueron tratadas con honores.

Ahora bien, sucedió que cuando hubieron transcurrido cuatrocientos noventa y cinco años desde el nacimiento de la Luna, en la primavera del año, llegaron a Nargothrond dos Elfos llamados Gelmir y Arminas; pertenecían al pueblo de Angrod, pero desde la Dagor Bragollach vivían al sur con Círdan el Carpintero de Barcos. De sus largos viajes traían la noticia de una gran multitud de Orcos y criaturas malignas bajo los picos de Ered Wethrin y en el Paso del Sirion; y contaron también que Ulmo se había presentado ante Círdan y le había advertido de que un gran peligro se cernía sobre Nargothrond.

—¡Escuchad las palabras del Señor de las Aguas! —dijeron al Rey—. Así le habló a Círdan el Carpintero de Barcos: «El Mal del Norte ha manchado las Fuentes del Sirion, y mi poder se retira de los dedos de las aguas que fluyen. Pero algo peor ha de suceder todavía. Decid por tanto al Señor de Nargothrond: Cerrad las puertas de la fortaleza y no salgáis. Arrojad las piedras de vuestro orgullo al río sonoro, que el mal reptante no encuentre las puertas».

A Orodreth lo perturbaron las sombrías palabras de los mensajeros, pero Túrin no quiso de ningún modo dar oídos a estos consejos, y estaba aún menos dispuesto a soportar que derrumbaran el puente; porque se había vuelto orgulloso e inflexible, y todo lo ordenaba a su antojo.

Poco después cayó muerto Handir Señor de Brethil, pues los Orcos invadieron sus tierras y Handir les presentó batalla; pero los Hombres de Brethil fueron derrotados y obligados a retirarse a sus bosques. Y en el otoño del año, Morgoth, que esperaba el momento apropiado, lanzó sobre el pueblo del Narog las grandes huestes que tanto tiempo había preparado; y Glaurung el Urulóki atravesó Anfauglith y desde allí fue a los valles septentrionales del Sirion donde hizo mucho daño. Bajo las sombras de Ered Wethrin contaminó las Eithel Ivrin y desde allí pasó al reino de Nargothrond, y quemó la Talath Dirnen, la Planicie Guardada, entre el Narog y el Teiglin.

Entonces salieron los guerreros de Nargothrond, y alto y terrible lucía aquel día Túrin, y los corazones de todos se in-

flamaron cuando él avanzó cabalgando a la derecha de Orodreth. Pero ningún explorador había dicho que las huestes de
Morgoth fueran tan numerosas, y nadie excepto Túrin, defendido por la máscara de los Enanos, podía resistir el avance de
Glaurung; y los Elfos fueron rechazados por los Orcos y em-
pujados hasta el campo de Tumhalad, y fueron acorralados
entre el Ginglith y el Narog. Ese día todo el orgullo y el ejército de Nargothrond se marchitaron; y Orodreth fue muerto
en el frente de batalla, y Gwindor hijo de Guilin fue herido
de muerte. Pero Túrin acudió a ayudarlo, y todos huyeron
delante de él; y llevó a Gwindor fuera del combate, y escapando a un bosque lo depositó sobre la hierba.

Entonces Gwindor dijo a Túrin:

—¡Que este rescate sea la compensación por el otro! Pero
desventurado fue el mío y vano el tuyo; porque mi cuerpo
está dañado más allá de la cura, y he de abandonar la Tierra
Media. Y aunque te amo, hijo de Húrin, lamento el día en
que te arrebaté a los Orcos. Si no fuera por tu bravura y tu
orgullo, aún gozaría de la vida y el amor, y Nargothrond aún
se mantendría un tiempo en pie. Ahora, si me amas, ¡déjame!
Ve de prisa a Nargothrond y salva a Finduilas. Y esto último
te digo: sólo ella se interpone entre tú y tu destino. Si a ella le
fallas, él no tardará en encontrarte. ¡Adiós!

Entonces Túrin volvió de prisa a Nargothrond, llamando a
su lado a todos los que huían en desorden y encontró en el camino; y mientras avanzaba, un fuerte viento arrancaba las hojas
de los árboles, porque el otoño cedía ante un invierno implacable. Pero el ejército de los Orcos y Glaurung el Dragón estuvieron allí antes que él, y llegaron de repente, antes de que los que
habían quedado de guardia supieran lo que había ocurrido en
el campo de Tumhalad. Ese día se probó que el puente sobre el
Narog era un mal; de enorme tamaño y poderosamente cons-

truido, no podían destruirlo con rapidez, y el enemigo cruzó fácilmente el río profundo, y Glaurung lanzó todo su fuego contra las Puertas de Felagund, y las derribó y entró.

Y cuando Túrin llegó, casi había terminado ya el espantoso saqueo de Nargothrond. Los Orcos habían dado muerte o habían expulsado a todos los que todavía portaban armas, y aún estaban saqueando todas las grandes salas y cámaras, desvalijando y destruyendo; pero las mujeres y doncellas a quienes no habían matado o quemado, habían sido llevadas como un rebaño a las terrazas ante las puertas, para ser sometidas al vasallaje de Morgoth. A esta ruina y pesadumbre llegó Túrin, y nadie pudo resistírsele; o no estuvo dispuesto a hacerlo, incluso cuando derribaba a todos los que se le ponían por delante, y se abría camino con la espada hacia las cautivas.

Y ahora estaba solo, porque los pocos que le seguían habían escapado. Pero en ese momento salió Glaurung por las puertas abiertas y se interpuso entre Túrin y el puente. Entonces por el mal espíritu que lo habitaba habló de pronto y dijo:

—Salve, hijo de Húrin. ¡Bien hallado!

Entonces Túrin se dio la vuelta de un salto y avanzó sobre él, y los filos de Gurthang brillaban como una llama; pero Glaurung contuvo su fuego, y abrió muy grandes los ojos de serpiente y los clavó en Túrin. Sin temor los miró Túrin mientras alzaba la espada, y en seguida cayó bajo el paralizante hechizo que venía de los ojos sin párpados del dragón, y se detuvo inmovilizado. Por largo tiempo permaneció como esculpido en piedra; y los dos estaban solos, silenciosos ante las Puertas de Nargothrond. Pero Glaurung habló otra vez, provocando a Túrin, y dijo:

—Malas han sido todas tus acciones, hijo de Húrin. Hijo adoptivo desagradecido, forajido, matador de tu amigo, ladrón, usurpador de Nargothrond, capitán imprudente y desertor de tu familia. Sometidas viven tu madre y tu hermana en Dor-lómin, sufriendo miseria y necesidades. Tú llevas las galas de un príncipe, pero ellas están en harapos; y penan por ti, pero a ti eso no te importa. Contento se pondrá tu padre al enterarse de que tiene semejante hijo, porque se va a enterar.

Y Túrin, bajo el hechizo de Glaurung, escuchó estas palabras, y se vio como en un espejo deformado por la malicia, y aborreció lo que veía.

Y mientras los ojos del dragón le ataban la mente a estos tormentos y no le era posible moverse, los Orcos se llevaban el hato de cautivas, y pasaron cerca de Túrin y cruzaron el puente. Entre ellas estaba Finduilas, y llamó a Túrin al pasar; pero Glaurung no lo dejó libre hasta que los gritos y los lamentos de las cautivas se perdieron por el camino del norte, y Túrin no podía taparse los oídos para apagar esa voz que lo perseguiría después.

Entonces de pronto apartó Glaurung la mirada y esperó; y Túrin se movió lentamente como quien despierta de un sueño espantoso. De pronto volvió en sí, y saltó sobre el dragón lanzando un grito. Pero Glaurung rió diciendo:

—Si quieres morir, de buen grado te mataré. Pero poco servirá eso a Morwen y a Nienor. No hiciste caso de los gritos de la mujer Elfo. ¿Negarás también los vínculos de la sangre?

Pero Túrin, alzando la espada intentó clavarla en los ojos del dragón; y Glaurung retrocedió y se alzó sobre él como una torre y dijo:

—¡Vaya! Al menos eres valiente; más que cualquiera con quien me haya topado. Y mienten quienes dicen que nosotros no honramos el valor de los enemigos. Pues ¡mira! Te ofrezco la libertad. Ve al encuentro de tus parientes, si puedes. ¡Vete! Y si queda Elfo u Hombre para contar la historia de estos días, sin duda te nombrarán con desprecio, si desdeñas este regalo.

Entonces Túrin, todavía aturdido por los ojos del dragón, como si tratara con un enemigo capaz de piedad, creyó las palabras de Glaurung; y volviéndose se precipitó a la carrera por el puente. Pero mientras se iba, Glaurung habló detrás de él diciendo con fiera voz:

—¡Ve ahora de prisa, hijo de Húrin, a Dor-lómin! O quizá los Orcos lleguen otra vez antes que tú. Y si te demoras a causa de Finduilas, nunca volverás a ver a Morwen, tampoco volverás a ver a Nienor, tu hermana; y ellas te maldecirán.

Pero Túrin se alejó por el camino del norte, y Glaurung rió una vez más, pues había cumplido la misión que le encomendaran. Entonces volvió a recrearse en sus propios placeres, y descargó fuego alrededor, y lo quemó todo. Pero echó a todos los Orcos que continuaban el saqueo, y les negó hasta el último objeto de valor de su botín. Luego destruyó el puente y lo arrojó a las espumas del Narog; y estando de ese modo seguro, reunió todo el tesoro y las riquezas de Felagund y las amontonó, y se tendió sobre ellas en el recinto más recóndito, y descansó por un tiempo.

Y Túrin se apresuraba por los senderos que llevaban al norte, a través de las tierras ahora desoladas entre el Narog y el Teiglin, y el Fiero Invierno le salió al encuentro; porque ese año nevó antes de que terminara el otoño, y la primavera llegó tardía y fría. Siempre le parecía al avanzar que escuchaba los gritos de Finduilas, que lo llamaba en bosques y colinas, y su angustia era grande; pero tenía el corazón inflamado por las mentiras de Glaurung, e imaginando que los Orcos quemaban la casa de Húrin o que daban tormento a Morwen y a Nienor, seguía adelante sin apartarse nunca del camino.

Por fin, agotado por la prisa y el largo camino (pues había andado sin descanso cuarenta leguas y más) llegó con las primeras heladas del invierno a los Estanques de Ivrin, donde antes había sido curado. Pero ahora no eran más que lodo helado, y no le fue posible beber allí.

Así atravesó con penuria los pasos de Dor-lómin, a través de las crudas nieves del norte, y regresó a la tierra de su infancia. Desnuda y lóbrega la encontró; y Morwen se había ido. La casa estaba vacía, desmoronada y fría; y no había ningún ser vivo por allí cerca. De modo que Túrin partió y fue a la casa de Brodda el Oriental, el que había desposado a Aerin, pariente de Húrin; y supo allí por un viejo sirviente que Morwen se había ido hacía ya mucho tiempo, pues había escapado con Nienor de Dor-lómin; sólo Aerin sabía adónde.

Entonces Túrin se acercó a la mesa de Brodda, y aferrándolo desenvainó la espada y le exigió que le dijera adónde había ido Morwen; y Aerin declaró que había ido a Doriath en busca de su hijo.

—Pues las tierras habían sido libradas del mal en ese entonces —dijo— por la Espada Negra del sur, caída ahora, según dicen.

Entonces Túrin entendió, y las últimas hebras del hechizo de Glaurung se le desprendieron de los ojos, y por angustia y furia ante las mentiras que lo habían engañado, y por odio a los opresores de Morwen, una cólera negra lo dominó, y mató a Brodda en su estancia y a otros Orientales que eran sus huéspedes. Luego, hombre perseguido, se lanzó al encuentro del invierno; pero recibió la ayuda de algunos supervivientes del pueblo de Hador y conoció la vida en las tierras salvajes, y con ellos escapó bajo la nieve y llegó a un refugio de forajidos en las montañas australes de Dor-lómin. Desde allí Túrin abandonó otra vez la tierra de su infancia, y regresó al Valle del Sirion. Había amargura en su corazón porque sólo había llevado más pesadumbre a los que quedaban de su pueblo en Dor-lómin, y se alegraron de verlo partir. Su único consuelo era que, por las proezas de la Espada Negra, el camino a Doriath le había sido abierto a Morwen. Y dijo en sus pensamientos:

—Pues entonces esos hechos no llevaron el mal a todos. Y ¿dónde mejor habría yo albergado a mi familia, aun cuando hubiera llegado antes? Porque si la Cintura de Melian se quebrara, entonces desaparecería la última esperanza. No, en verdad es mejor así, ya que arrojo una sombra dondequiera que vaya. ¡Que Melian las guarde! Y por un tiempo las dejaré en paz sin sombra que las oscurezca.

Ahora Túrin, descendiendo de Ered Wethrin, buscó en vano a Finduilas, errando por los bosques bajo las montañas, salvaje y cauteloso como un animal; y vigiló todos los caminos que conducían al norte hacia el Paso del Sirion. Pero llegó demasiado tarde; porque todos los rastros habían envejecido, o los había borrado el invierno. Pero sucedió que yendo hacia el sur siguiendo el curso del Teiglin, se topó con algunos de los Hombres de Brethil rodeados de Orcos; y los liberó; porque los Orcos huyeron de Gurthang. Se presentó a sí mismo como el Salvaje de los Bosques, y le rogaron que fuera a vivir con ellos; pero él dijo que aún tenía que cumplir un cometido: buscar a Finduilas, la hija de Orodreth de Nargothrond. Entonces Dorlas, el jefe de esos habitantes del bosque, le dio la penosa noticia de que ella había muerto. Porque los Hombres de Brethil habían acechado en los Cruces del Teiglin a las huestes de los Orcos que llevaban a las cautivas de Nargothrond, con la esperanza de rescatarlas; pero los Orcos en seguida mataron cruelmente a las prisioneras, y a Finduilas la clavaron a un árbol con una lanza. Así murió ella, y dijo al final:

—Decid a Mormegil que Finduilas está aquí.

Por lo tanto, la pusieron sobre un montículo cerca de ese sitio, y lo llamaron Haudh-en-Elleth, el Túmulo de la Doncella Elfa.

Túrin les pidió que le mostraran el sitio, y allí cayó en una penumbra de dolor que lo acercó a la muerte. Entonces Dorlas, al ver la espada negra, cuya fama había llegado aun a las profundidades de Brethil, y porque buscaba a la hija del Rey, supo que este Salvaje era en verdad Mormegil de Nargothrond, hijo de Húrin de Dor-lómin según se decía. Entonces los habitantes del bosque lo alzaron y lo llevaron a sus moradas. Ahora bien, éstas se encontraban en el interior de una empalizada sobre una altura del bosque, Ephel Brandir sobre Amon Obel; porque el Pueblo de Haleth había menguado por causa de la guerra, y el hombre que los gobernaba, Brandir hijo de Handir, era de dulce temple, y también tullido desde la infancia, y más confiaba en el ocultamiento que en las hazañas de guerra para salvarse del poder del Norte. Por tanto, las nuevas que Dorlas le llevaba le dieron miedo, y cuando contempló la cara de Túrin, que yacía en la parihuela, una nube de presagios agoreros le ensombreció el corazón. Sin embargo, conmovido por la desgracia de Túrin, lo condujo a su propia casa y cuidó de él, pues tenía habilidad para curar. Y con la llegada de la primavera Túrin salió de la oscuridad, y recuperó la robustez; y se levantó, y pensó que se quedaría en Brethil escondido, y dejaría atrás su sombra abandonando el pasado. Así que adoptó un nuevo nombre, Turambar, que en alto élfico significa Amo del Destino; y rogó a los habitantes del bosque que olvidaran que era un forastero y que había llevado otro nombre. No obstante, nunca abandonó por completo las acciones de guerra; porque no podía soportar que los Orcos fueran a los Cruces del Teiglin o se acercaran a Haudh-en-Elleth, y lo convirtió en un sitio temible para ellos, de modo que lo evitaron. Pero abandonó la espada negra, y utilizó el arco y la lanza.

Ahora bien, nuevas noticias llegaron a Doriath sobre Nargothrond, porque algunos que habían escapado de la derrota y el saqueo, y que habían sobrevivido al Fiero Invierno en la intemperie, acudieron por fin a Thingol en busca de refugio; y los guardianes de la frontera los llevaron ante el Rey. Y algunos dijeron que todos los enemigos se habían retirado hacia el norte, y otros que Glaurung moraba todavía en las estancias de Felagund; y algunos dijeron que Mormegil había muerto y otros que había sido hechizado por el dragón y se encontraba allí todavía, como convertido en piedra. Pero todos declararon lo que muchos sabían en Nargothrond antes del fin, que Mormegil no era otro que Túrin hijo de Húrin de Dor-lómin.

Entonces Morwen, enloquecida y rechazando los consejos de Melian, cabalgó sola por los campos en busca de su hijo o de alguna noticia valedera. Por tanto, Thingol envió a Mablung en pos de Morwen, con muchos escuderos valientes, para que la encontraran y la protegieran, y para enterarse de las nuevas que pudieran oír; pero a Nienor se le ordenó que se quedara. Pero ella era tan intrépida como todos los suyos, y en muy mala hora, esperando que Morwen volviese cuando viera a su hija dispuesta a acompañarla al peligro, Nienor se disfrazó con las ropas de un soldado de Thingol, y se sumó a la malhadada cabalgata.

Alcanzaron a Morwen a orillas del Sirion, y Mablung le rogó que volviera a Menegroth, pero ella parecía enajenada, y no se dejó persuadir. Entonces se reveló también que Nienor era de la compañía, y a pesar de que Morwen se lo ordenó, se negó a volver atrás; y Mablung, por fuerza, tuvo que conducirlas a los embarcaderos escondidos en las Lagunas del Crepúsculo, y cruzaron el Sirion. Y al cabo de tres jornadas llegaron a Amon Ethir, la Colina de los Centinelas, que mucho tiempo atrás Felagund había hecho levantar con gran trabajo, a una legua de las Puertas de Nargothrond. Allí Mablung puso una guardia de jinetes en torno de Morwen y su hija, y les prohibió seguir adelante. Pero él, al ver desde la colina que no había señales de los enemigos, descendió con sus exploradores al Narog, con tanta cautela como pudieron.

Pero Glaurung tenía conocimiento de todo cuanto hacían, y salió con el calor de la rabia, y se tendió en el río; y se alzaron entonces unos vastos vapores y unas inmundas emanaciones en las que Mablung y su compañía quedaron enceguecidos y se perdieron. Entonces Glaurung cruzó al este por el Narog.

Al ver la arremetida del dragón, los guardias que estaban en Amon Ethir intentaron alejar a Morwen y Nienor, y huir con ellas rápidamente de vuelta hacia el este; pero el viento trajo más nieblas blanquecinas, y los caballos enloquecieron con el hedor del dragón, y se desbocaron, y corrieron de aquí para allá, de modo que algunos jinetes fueron lanzados contra los árboles y se mataron y otros fueron transportados muy lejos. De este modo las señoras se perdieron, y de Morwen, en verdad, ninguna noticia segura llegó nunca a Doriath. Pero Nienor, desmontada por el corcel aunque ilesa, encontró el camino de regreso a Amon Ethir para esperar allí a Mablung, y de ese modo subió a la luz del sol fuera del alcance de las emanaciones; y al mirar hacia el oeste, clavó los ojos en los de Glaurung, cuya cabeza se apoyaba en lo alto de la colina.

La voluntad de Nienor luchó por un rato con el dragón, pero él se valió del poder que tenía, y enterado de quién era ella la obligó a que fijara los ojos en los suyos, y le impuso un hechizo de completa oscuridad y olvido, para que no pudiera recordar nada de lo que le había pasado, ni su propio nombre, ni el nombre de cosa alguna; y por muchos días no le fue posible oír, ni ver, ni moverse libremente. Entonces Glaurung la dejó de pie y sola en Amon Ethir, y regresó a Nargothrond.

Ahora bien, Mablung, que con gran temeridad había explorado las salas de Felagund cuando Glaurung los abandonó, huyó de ellas al aproximarse el dragón, y volvió a Amon Ethir. El sol se ponía y caía la noche cuando trepó por la colina, y no encontró a nadie allí, salvo a Nienor, de pie y sola bajo las estrellas como una figura de piedra. No hablaba ni oía, pero le seguía si él la llevaba de la mano. Por tanto, con enorme pena se la llevó de allí, aunque en vano según le parecía; pues era probable que ambos perecieran sin asistencia en las tierras desiertas.

Pero fueron encontrados por tres de los compañeros de Mablung, y lentamente viajaron hacia el norte y hacia el este hacia la frontera de la tierra de Doriath, más allá del Sirion, y al puente guardado cerca de la afluencia del Esgalduin. Lentamente Nienor recuperaba sus fuerzas a medida que se aproximaban a Doriath, pero todavía no podía hablar ni oír, y caminaba a ciegas por donde la llevaban. Pero al acercarse a la frontera, cerró por fin los ojos que antes miraban fijamente y quiso dormir; y ellos la pusieron en el suelo y descansaron también, sin ninguna precaución, pues estaban completamente agotados. Allí fueron atacados por una banda de Orcos, que solían acercarse por entonces a los cercos de Doriath, tanto como se atrevían. Pero Nienor en ese momento recobró la vista y el oído, y los gritos de los Orcos la despertaron, y saltó horrorizada, y huyó antes de que pudieran acercársele.

Entonces los Orcos la persiguieron y los Elfos corrieron detrás; y los alcanzaron y les dieron muerte antes de que pudieran hacerle daño, pero Nienor escapó. Porque huía aterrorizada más rápida que un ciervo, y se desgarró los vestidos mientras corría, hasta quedar desnuda; y se perdió de vista huyendo hacia el norte, y aunque la buscaron largo tiempo no pudieron encontrarla, ni tampoco descubrieron ningún rastro. Y por último Mablung regresó desesperado a Menegroth y comunicó las nuevas. Entonces Thingol y Melian sintieron una profunda tristeza; pero Mablung partió y durante mucho tiempo buscó en vano noticias de Morwen y Nienor.

Pero Nienor se internó corriendo en los bosques hasta quedar agotada, y entonces cayó, y se durmió, y despertó; y era una mañana de sol, y ella se regocijó con la luz como si fuera algo nuevo, y todas las cosas que veía le parecían recientes y extrañas, porque no tenían nombres. De nada se acordaba, salvo de una oscuridad que la seguía, una sombra de miedo; por eso iba con cuidado como un animal perseguido, y pasó hambre, pues no tenía alimentos y no sabía cómo procurárselos. Pero cuando por fin llegó a los Cruces del Teiglin, pasó al otro lado buscando el amparo de los grandes árboles de Brethil, porque estaba asustada, y le parecía que la oscuridad de la que había escapado la ganaba otra vez.

Pero hubo una gran tormenta de truenos venida del sur, y Nienor se arrojó aterrada sobre el túmulo de Haudh-en-Elleth, tapándose los oídos para detener el trueno; pero la lluvia la hería y la empapaba, y yació como un animal salvaje que agoniza. Allí la encontró Turambar mientras iba a los Cruces del Teiglin, pues había oído el rumor de que los Orcos merodeaban cerca; y al ver en el resplandor de un relámpago el cuerpo de lo que parecía una doncella muerta sobre el túmulo de Finduilas, se le sobrecogió el corazón. Pero los habitantes del bosque la alzaron y Turambar la cubrió con su capa, y la llevaron a una cabaña de caza que había en las cercanías, y le dieron calor y comida. Y no bien vio ella a Turambar, se sintió consolada, porque le pareció que por fin había encontrado algo que antes buscara en la oscuridad; y no quiso separarse de él. Pero cuando él le preguntó por su nombre y su linaje y su infortunio, se perturbó como una niña que entiende que algo se le exige, pero no qué pueda ser; y se echó a llorar. Por tanto, Turambar le dijo:

—No te alteres. La historia puede esperar. Pero te daré un nombre, y te llamaré Níniel, la Doncella de las Lágrimas. —Y al oír ese nombre sacudió ella la cabeza, pero dijo: —Níniel.

Ésa fue la primera palabra que pronunció después de la oscuridad, y ése siguió siendo para siempre su nombre entre los habitantes del bosque.

Al día siguiente la llevaron a Ephel Brandir, pero cuando llegaron a Dimrost, la Escalera Lluviosa, donde la corriente del Celebros se vierte sobre el Teiglin, un estremecimiento la sacudió, por lo que ese lugar se llamó después Nen Girith, el Agua Estremecida. Antes de llegar a la morada de los habitantes del bosque, en Amon Obel, enfermó de fiebre; y mucho tiempo yació atendida por las mujeres de Brethil, que le enseñaron la lengua como a un niño. Pero antes de que llegara el otoño, gracias a la habilidad de Brandir se curó de la enfermedad, y era capaz de hablar; pero nada recordaba del tiempo transcurrido antes de que Turambar la encontrara en el túmulo de Haudh-en-Elleth. Y Brandir la amó; pero ella ya había dado su corazón a Turambar.

En ese tiempo los Orcos no molestaban a los habitantes del bosque, y Turambar no iba a la guerra, y había paz en Brethil. Y el corazón de él se volvió hacia Níniel, y la pidió en matrimonio; pero por ese tiempo demoró ella la respuesta, a pesar del amor que le tenía. Porque Brandir presagiaba no sabía qué, y trató de disuadirla, por ella antes que por él mismo o por rivalidad con Turambar; y le reveló que Turambar era Túrin hijo de Húrin, y aunque ella no reconoció el nombre, una sombra le oscureció el corazón.

Pero cuando habían transcurrido tres años desde el saqueo de Nargothrond, volvió Turambar a pedir a Níniel en matrimonio, jurando esta vez que se casaría con ella, o volvería a la guerra en las tierras salvajes. Y Níniel lo aceptó con alegría, y se casaron en mitad del verano, y los habitantes de Brethil hicieron una gran fiesta. Pero antes de que terminara el año, Glaurung envió Orcos de su dominio a Brethil; y Turambar se quedó en su casa inactivo, porque había prometido a Níniel que iría a la guerra sólo si sus hogares eran atacados. Pero los habitantes de los bosques fueron derrotados, y Dorlas le reprochó que no ayudara al pueblo que había hecho suyo. Entonces Turambar se puso de pie y tomó de nuevo su negra espada, y reunió una gran compañía de Hombres de Brethil, y derrotaron a los Orcos por completo. Pero Glaurung oyó la nueva de que la Espada Negra se encontraba en Brethil, y meditó sobre lo que había oído, y proyectó nuevos males.

En la primavera del año siguiente Níniel concibió; y se volvió macilenta y triste; y al mismo tiempo llegaron a Ephel Brandir los primeros rumores de que Glaurung había salido de Nargothrond. Entonces Turambar envió exploradores lejos, porque ahora era él quien mandaba, y pocos hacían caso de Brandir. Y al aproximarse el verano, Glaurung arribó a los confines de Brethil, y se tendió cerca de las orillas occidentales del Teiglin; y entonces hubo un gran temor entre los habitantes del bosque, porque era ahora evidente que el Gran Gusano los atacaría y asolaría la tierra, y no seguiría de largo, camino de Angband, como habían esperado. Por eso pidieron el consejo de Turambar; y él les dijo que era inútil ir en contra de Glaurung con todas las fuerzas de que disponían, pues sólo era posible vencerlo mediante la astucia y la buena suerte. En consecuencia, se ofreció a ir él mismo en busca del dragón en las fronteras del bosque, y ordenó que el resto se quedara en Ephel Brandir, preparados para huir. Porque si Glaurung triunfaba, sería el primero en llegar a las casas del bosque para destruirlas, y era inútil pensar que pudieran resistirlo; pero si se diseminaban a lo largo y a lo ancho, muchos podrían escapar, porque Glaurung no moraría en Brethil, y pronto volvería a Nargothrond.

Entonces Turambar pidió que algunos lo acompañaran dispuestos a asistirlo en el peligro; y Dorlas se ofreció, pero ningún otro. Por tanto, Dorlas riñó a la gente, y habló con desprecio de Brandir, que no podía desempeñar el papel de heredero de la casa de Haleth; y Brandir se avergonzó ante el pueblo y hubo amargura en su corazón. Pero Hunthor, pariente de Brandir, le pidió permiso para ir él en su lugar. Entonces Turambar dijo adiós a Níniel, y ella tuvo miedo y aciagos presagios, y la separación fue dolorosa; pero Turambar se puso en camino con sus dos compañeros y fue a Nen Girith.

Entonces Níniel, incapaz de soportar el miedo y negándose a esperar en el Ephel noticias de la fortuna de Turambar, se puso en camino tras él, y una gran compañía iba con ella. Sintió entonces Brandir más temor que nunca, e intentó persuadir a Níniel y a los que estaban dispuestos a acompañarla de que no cometieran esa imprudencia, pero no le hicieron caso. Así que renunció a su señorío y a todo el amor por el pueblo que lo había desdeñado, y no quedándole nada, salvo el amor que sentía por Níniel, él mismo se ciñó una espada y fue tras ella, pero como era cojo quedó muy atrás.

Ahora bien, Turambar llegó a Nen Girith al ponerse el sol, y allí se enteró de que Glaurung estaba posado en el borde de las empinadas orillas del Teiglin, y que probablemente se movería de allí con la llegada de la noche. Estas noticias le parecieron buenas entonces; porque el dragón yacía en Cabed-en-Aras, donde el río corría por una profunda y estrecha garganta que un ciervo perseguido podría cruzar de un salto, y Turambar pensó que aprovecharía la oportunidad e intentaría cruzar la garganta. Por tanto, se propuso ponerse en camino al atardecer y descender al desfiladero protegido por la noche, y cruzar las aguas turbulentas; y trepar luego el acantilado de la otra orilla y llegar así al dragón desprevenido.

Este designio adoptó, pero el corazón flaqueó a Dorlas cuando llegaron en la oscuridad a los rápidos del Teiglin, y no se atrevió a cruzar, y retrocedió, y merodeó por los bosques preso de la vergüenza. Turambar y Hunthor, empero, lograron cruzar sanos y salvos, pues los altos bramidos de las aguas apagaban todo otro sonido, y Glaurung dormía. Pero antes de la media noche el dragón despertó, y con gran ruido y arrojando fuego echó la parte anterior del cuerpo por encima del precipicio, y luego empezó a arrastrar el tronco. Turambar y Hunthor casi sucumbieron con el calor y el hedor mientras buscaban de prisa un camino para llegar a Glaurung; y Hunthor fue muerto por una gran piedra desprendida desde lo alto por el paso del dragón; la piedra le golpeó la cabeza, y él cayó al río. Así terminó el no menos valiente de la casa de Haleth.

Entonces Turambar reunió todo su coraje y fuerza de voluntad, y trepó solo por el acantilado y llegó bajo el dragón. Desenvainó a Gurthang, y con todo el poder de su brazo y de su odio la hundió en el blando vientre del Gusano hasta la misma empuñadura. Pero cuando Glaurung sintió la angustia mortal, gritó, y preso de un terrible dolor empujó el bulto de su cuerpo y se arrojó por el precipicio, y allí quedó revolcándose y retorciéndose en agonía. Y lo abrasó todo alrededor, y lo aplastó dejándolo en ruinas, hasta que sus últimos fuegos se apagaron, y yació inmóvil.

Ahora bien, Gurthang había sido arrancada de la mano de Turambar en la agonía de Glaurung, y quedó clavada en el vientre del dragón. Por tanto, Turambar cruzó las aguas una vez más, deseando recuperar la espada y ver a su enemigo; y lo encontró extendido todo a lo largo, y vuelto de lado, y la empuñadura de Gurthang le asomaba en el vientre. Entonces Turambar aferró la empuñadura y puso el pie sobre el vientre, y exclamó burlándose del dragón y de sus palabras en Nargothrond:

—¡Salve, Gusano de Morgoth! ¡Bien hallado, otra vez! ¡Muere ahora y que te lleve la oscuridad! Así queda vengado Túrin hijo de Húrin.

Entonces arrancó la espada, pero un chorro de sangre negra la siguió, y le bañó la mano, y el veneno se la quemó. Y entonces Glaurung abrió los ojos y miró a Turambar con tal malicia que lo hirió como una estocada; y por causa de esa estocada y de la angustia del veneno, Turambar cayó en un oscuro desmayo, y yació como muerto, y la espada quedó debajo de él.

Los gritos de Glaurung resonaron en los bosques y llegaron a oídos de la gente que esperaba en Nen Girith; y cuando los que estaban atentos los oyeron, y vieron a lo lejos la ruina y los despojos del incendio provocados por el dragón, creyeron que éste había triunfado y que estaba destruyendo a quienes lo atacaban. Y Níniel se sentó y se estremeció junto a las aguas que caían, y al oír la voz de Glaurung, la oscuridad la invadió otra vez, de modo que no podía moverse sola.

Así la encontró Brandir, pues por fin llegó a Nen Girith cojeando y fatigado; y cuando oyó que el dragón había cruzado las aguas y había aplastado a sus enemigos, sintió pena y nostalgia por Níniel. No obstante, también pensó: «Turambar ha muerto, pero Níniel vive. Puede que por fin venga a mí, y yo la llevaré lejos y así escaparemos juntos del dragón». Al cabo de un rato, por tanto, se acercó a Níniel y dijo:

—¡Ven! Es tiempo de partir. Si quieres, yo te llevaré. —Y le tomó la mano, y ella se incorporó en silencio y lo siguió, y nadie los vio alejarse en la oscuridad.

Pero al descender por el sendero hacia los Cruces, se elevó la luna, y arrojó una luz gris sobre la tierra, y Níniel dijo:

—¿Es éste el camino? —Y Brandir respondió que él no conocía camino alguno, salvo el que les permitiera huir como les fuera posible de Glaurung y escapar al campo. Pero Níniel dijo:

—La Espada Negra era mi amado y mi marido. Sólo en su busca voy. ¿Qué otra cosa pretendes?

Y se apresuró dejándolo atrás. Así llegó a los Cruces del Teiglin y vio Haudh-en-Elleth a la blanca luz de la luna y le sobrecogió un gran temor. Entonces lanzó un grito y se volvió dejando caer la capa, y huyó hacia el sur a lo largo del río, y el vestido blanco le relucía a la luz de la luna.

Así la vio Brandir desde la ladera de la colina, y se volvió para salirle al encuentro, pero estaba todavía muy atrás cuando ella llegó a la ruina de Glaurung cerca del borde de Cabed-en-Aras. Allí vio tendido al dragón, pero no hizo caso de él, porque un hombre yacía a su lado; y corrió hacia Turambar y en vano lo llamó. Entonces, al verle la mano quemada, la bañó con lágrimas y la vendó con un trozo de su vestido, y lo besó y le gritó que despertara. En ese momento Glaurung se sacudió por última vez antes de morir, y habló con un último aliento, diciendo:

—¡Salve, Nienor hija de Húrin! Nos encontramos de nuevo antes del final. Te ofrezco la alegría de que por fin hayas encontrado a tu hermano. Y lo conocerás ahora: ¡el que apuñala en la oscuridad, traidor de sus enemigos, infiel a sus amigos y maldición de sus hermanos, Túrin hijo de Húrin! Pero la peor de todas sus acciones la sentirás dentro de ti.

Entonces Glaurung murió, y el velo de su malicia le fue quitado a Níniel, y recordó toda su vida pasada. Mirando a Túrin gritó:

—¡Adiós, amado dos veces! *A Túrin Turambar turun ambartanen:* ¡amo del destino por el destino dominado! ¡Feliz de ti, que estás muerto!

Entonces Brandir, que lo había oído todo, paralizado al borde de la ruina, se le acercó de prisa; pero ella escapó de él, enloquecida de horror y de angustia, y al llegar al borde de

Cabed-en-Aras, se arrojó por el precipicio y desapareció en las aguas tumultuosas.

Entonces Brandir se acercó y miró y apartó la mirada horrorizado; y aunque ya no deseaba seguir viviendo, no le fue posible buscar la muerte en las aguas que rugían. Y en adelante nadie volvió a mirar Cabed-en-Aras, ni ave ni bestia se le acercó, ni árbol alguno le creció al lado; y se la llamó Cabed Naeramarth, el Salto del Destino Espantoso.

Pero Brandir volvió a Nen Girith para llevarles las nuevas a la gente, y se encontró con Dorlas en los bosques, y le dio muerte: primera sangre que derramaba, y última. Y entró en Nen Girith, y los hombres le gritaron:

—¿La has visto? Porque Níniel se ha ido.

Y él respondió:

—Níniel se ha ido para siempre. El dragón está muerto, y Turambar está muerto; y ésas son buenas nuevas.

La gente se puso a murmurar al oír esas palabras, diciendo que se había vuelto loco; pero Brandir dijo:

—¡Escuchadme hasta el final! Níniel la bienamada también ha muerto. Se arrojó al Teiglin, pues ya no deseaba seguir con vida; porque se enteró que no era otra que Nienor hija de Húrin de Dor-lómin antes de que el olvido la ganara, y que Turambar era su hermano, Túrin hijo de Húrin.

Pero cuando dejó de hablar y la gente lloraba, Túrin mismo apareció ante ellos. Porque cuando el dragón murió, salió del desmayo, y cayó en un profundo sueño de fatiga. Pero el frío de la noche lo perturbó, la empuñadura de Gurthang le empujó el costado, y despertó. Entonces vio que alguien le había curado la mano, y se asombró mucho de que lo hubiese dejado tendido sobre el suelo frío; y dio voces, y al no oír respuesta fue en busca de ayuda, porque se sentía cansado y enfermo. Pero cuando la gente lo vio, retro-

cedió amedrentada, creyendo que era un espíritu desasose-
gado; y él dijo:

—No, alegraos; porque el dragón está muerto y yo vivo.
Pero ¿por qué habéis desdeñado mi consejo y os habéis acercado? ¿Y dónde está Níniel? Porque a ella quisiera verla. ¿Entiendo
que no la habréis traído con vosotros sacándola de su casa?

Entonces Brandir le dijo que así era en verdad, y que Níniel había muerto. Pero la esposa de Dorlas exclamó:

—No, señor, se ha vuelto loco. Porque vino aquí diciendo que
estabais muerto y llamó a eso una buena nueva. Pero vos vivís.

Entonces Turambar montó en cólera y creyó que todo lo
que Brandir decía o hacía era dictado por malicia hacia él y
hacia Níniel, despechado por el amor que había entre ellos, e
insultó a Brandir, llamándolo Pata de palo. Entonces Brandir
le contó todo lo que había oído, y a Níniel la llamó Nienor
hija de Húrin, y le gritó a Turambar, repitiendo las últimas
palabras de Glaurung, que era una maldición para su familia
y para aquellos que le daban cobijo.

Entonces Turambar se enfureció, porque en esas palabras
oyó los pasos del destino que lo alcanzaban; y acusó a Brandir
de haber conducido a Níniel a la muerte, y de deleitarse en
repetir las mentiras de Glaurung, si en verdad él mismo no las
había inventado. Luego maldijo a Brandir y le dio muerte; y
huyó y se internó en los bosques. Pero al cabo de un tiempo
se le pasó la locura, y llegó a Haudh-en-Elleth, y allí se sentó y
meditó sobre todos sus actos. Y le pidió a voces a Finduilas
que le aconsejase; porque no sabía si no haría más daño yendo a Doriath en busca de los suyos, o abandonándolos para
siempre y buscando la muerte en la batalla.

Y mientras aún estaba allí sentado llegó Mablung con una
compañía de Elfos Grises a los Cruces del Teiglin, y reconoció a
Túrin, y lo saludó, y se alegró realmente de encontrarlo todavía

con vida; porque se había enterado de la salida de Glaurung y de que iba hacia Brethil, y había oído también que la Espada Negra de Nargothrond vivía ahora allí. Por tanto, iba a advertir a Túrin, y a ayudarlo de ser necesario; pero Túrin dijo:

—Venís demasiado tarde. El dragón está muerto.

Entonces todos se maravillaron y le hicieron grandes alabanzas; pero nada de eso interesaba a Túrin, y dijo:

—Esto pregunto solamente: dadme noticias de mis hermanos, pues en Dor-lómin supe que habían ido al Reino Escondido.

Entonces Mablung se afligió, pero por fuerza tuvo que decirle a Túrin que Morwen se había perdido, y que Nienor había caído bajo un hechizo de mudo olvido, y se les había escapado en las fronteras de Doriath, huyendo hacia el norte. Entonces supo Túrin por fin que el destino le había dado alcance, y que había matado a Brandir injustamente, para que así las palabras de Glaurung se cumplieran. Y se echó a reír como un loco, gritando:

—¡Es ésta una broma amarga, en verdad! —Pero le pidió a Mablung que se fuera y volviera a Doriath con una maldición sobre ella.— ¡Y una maldición también sobre tu cometido! —gritó—. Sólo esto faltaba. Ahora llega la noche.

Entonces escapó como el viento, y ellos se quedaron asombrados, preguntándose qué locura le habría poseído; y lo siguieron. Pero Túrin corrió dejándolos muy atrás; y llegó a Cabed-en-Aras, y oyó el rugido de las aguas, y vio que todas las hojas caían marchitas de los árboles como si hubiera llegado el invierno. Desenvainó allí la espada, lo único que le quedaba de todas sus posesiones, y dijo:

—¡Salve, Gurthang! No conoces otro amo o lealtad que la mano que te esgrime. No retrocedes ante la sangre de nadie. Por tanto, ¿tomarás la de Túrin Turambar? ¿Me darás una muerte rápida?

Y en la hoja resonó una voz fría que le respondió:

—Sí, de buen grado beberé tu sangre, para olvidar así la sangre de Beleg, mi amo, y la sangre de Brandir, muerto injustamente. Te daré una muerte rápida.

Entonces Túrin aseguró la empuñadura en el suelo y se arrojó sobre la punta de Gurthang, y la hoja negra le quitó la vida. Pero Mablung y los Elfos llegaron y contemplaron la figura de Glaurung, que yacía muerto, y el cadáver de Túrin, y se afligieron; y cuando vinieron los Hombres de Brethil y se enteraron de la razón de la locura de Túrin y de su muerte, quedaron espantados; y Mablung dijo con amargura:

—También yo he quedado enredado en el destino de los Hijos de Húrin, y así con mis nuevas ha muerto uno al que yo amaba.

Entonces alzaron a Túrin y vieron que Gurthang se había partido. Pero los Elfos y los Hombres recogieron allí abundante leña e hicieron una gran hoguera, y el dragón se consumió hasta quedar convertido en cenizas. A Túrin lo depositaron sobre un gran túmulo levantado en el sitio donde había caído, y le pusieron al lado los pedazos de Gurthang. Y cuando todo estuvo hecho, los Elfos cantaron un lamento por los Hijos de Húrin, y sobre el túmulo colocaron una gran piedra gris en la que estaban grabadas las runas de Doriath:

TÚRIN TURAMBAR DAGNIR GLAURUNGA

y debajo escribieron también:

NIENOR NÍNIEL

Pero ella no estaba allí, y nunca se supo dónde se la habían llevado las frías aguas del Teiglin.

22

DE LA RUINA DE DORIATH

Así concluyó la historia de Túrin Turambar; sin embargo,
Morgoth no dormía ni dejaba de hacer el mal, y aún no
había terminado con la casa de Hador. Sus ganas de hacerles el
mal aún no estaban colmadas, aunque nunca perdía de vista a
Húrin, y Morwen erraba enloquecida por las tierras salvajes.

Desdichada era la suerte de Húrin; porque todo lo que
sabía Morgoth de los efectos de su propia malicia, también lo
sabía Húrin, pero las mentiras se confundían con la verdad, y
todo lo bueno se ocultaba o se tergiversaba. Morgoth intentaba echar de cualquier modo una luz maligna sobre las cosas
que Thingol y Melian habían hecho, porque los odiaba y los
temía. Por lo tanto, cuando creyó que el momento era oportuno, dejó en libertad a Húrin, diciéndole que fuera donde
quisiera, como si compadeciera a un enemigo por completo
derrotado. Pero mentía, y sólo deseaba que Húrin sintiera todavía más odio por Elfos y Hombres antes de morir.

Entonces, aunque poco confiaba en las palabras de Morgoth, pues sabía perfectamente que no conocía la piedad,
Húrin aceptó su libertad y se alejó dolorido, amargado por las
palabras del Señor Oscuro; y había transcurrido un año desde
la muerte de su hijo Túrin. Durante veintiocho años había

permanecido cautivo en Angband, y tenía un aspecto tétrico. Llevaba los cabellos y la barba largos y encanecidos, pero caminaba erguido, apoyándose en un gran cayado negro; y ceñía una espada. Así llegó a Hithlum, y los cabecillas de los Orientales se enteraron de que había un gran movimiento de capitanes y de soldados negros de Angband por las arenas de Anfauglith, y de que con ellos venía un anciano tratado con altos honores. Por ello no levantaron la mano contra Húrin y lo dejaron andar libremente por aquellas tierras; en lo que se mostraron prudentes, porque la gente que aún quedaba del pueblo de Húrin lo evitó, pues llegaba de Angband como un aliado honrado de Morgoth.

Así pues, la libertad acrecentaba todavía más la amargura del corazón de Húrin; y abandonó la tierra de Hithlum y subió a las montañas. Desde allí divisó a lo lejos en medio de las nubes los picos de las Crissaegrim, y se acordó de Turgon; y deseó volver al reino escondido de Gondolin. Descendió por tanto de Ered Wethrin, y no sabía que las criaturas de Morgoth lo vigilaban; y cruzando el Brithiach, entró en Dimbar, y llegó al oscuro pie de las Echoriath. Toda la tierra estaba desolada y fría, y miró alrededor con pocas esperanzas, erguido junto a una gran cantidad de rocas caídas al pie de una pared escarpada, y no sabía que eso era todo lo que podía verse del antiguo Camino de Huida: el Río Seco estaba bloqueado y el portal arqueado estaba bajo tierra. Y Húrin miró el cielo gris, creyendo que quizá viera nuevamente a las águilas, como hacía ya mucho, en su juventud; pero sólo vio las sombras venidas del este, y las nubes que rodeaban los picos inaccesibles, y sólo oyó el silbido del viento sobre las piedras.

Pero la vigilancia de las grandes águilas había sido redoblada, y pronto descubrieron a Húrin, allá abajo, abandonado a la luz declinante; y en seguida el mismo Thorondor, pues la

noticia parecía de importancia, llevó el mensaje a Turgon.
Pero Turgon le dijo:

—¿Acaso Morgoth duerme? Te equivocas.

—No es así —le dijo Thorondor—. Si las Águilas de
Manwë acostumbraran errar de esta manera, hace ya tiempo,
señor, que vuestro escondite habría sido inútil.

—Entonces no hay duda de que tus palabras auguran el
mal —dijo Turgon—, pues sólo pueden tener un significado.
Aun Húrin Thalion se ha sometido a la voluntad de Morgoth.
Mi corazón se ha cerrado.

Pero cuando Thorondor hubo partido, Turgon se quedó
largo tiempo meditando, y recordó perturbado los hechos de
Húrin de Dor-lómin; y abrió su corazón, y pidió a las águilas
que buscaran a Húrin, e intentaran traerlo a Gondolin. Pero
era demasiado tarde, y no lo vieron más, ni a la luz ni a la
sombra.

Porque Húrin estaba entonces desesperado mirando los
riscos silenciosos de las Echoriath; y el sol poniente horadó las
nubes y le tiñó de rojo los cabellos blancos. Entonces gritó en
el desierto, sin importarle que nadie lo escuchara, y maldijo la
tierra implacable; y de pie sobre una roca elevada miró por
último hacia Gondolin y llamó en voz alta:

—¡Turgon, Turgon, recuerda el Marjal de Serech! ¡Oh,
Turgon! ¿No me oyes en tus estancias ocultas? —Pero no había otro sonido que el del viento en las hierbas secas.— Así
silbaban en Serech al ponerse el sol —dijo; y mientras hablaba el sol se puso tras las Montañas de la Sombra, y una oscuridad cayó alrededor, y el viento cesó, y hubo silencio en el
yermo.

Pero había oídos que captaron las palabras pronunciadas
por Húrin, y el mensaje no tardó en alcanzar el Trono Oscuro del norte; y Morgoth sonrió, porque ahora sabía clara-

mente en qué región moraba Turgon, aunque por causa de las águilas no había podido mandar ningún espía a que observara aquellas tierras, detrás de las Montañas Circundantes. Éste fue el primer mal que la libertad de Húrin trajo al mundo.

Cuando se hizo la oscuridad, Húrin resbaló de la roca y cayó en un pesado sueño de dolor. Pero en el sueño oyó la voz de Morwen que se lamentaba y que lo llamaba una y otra vez; y le pareció que la voz venía de Brethil. Por tanto, cuando despertó, junto con la venida del día, se puso de pie y regresó al Brithiach; y avanzando a lo largo de las lindes de Brethil llegó en la noche a los Cruces del Teiglin. Los centinelas nocturnos lo vieron, pero se sintieron atemorizados, pues creían ver a un fantasma salido de un viejo túmulo de guerra, y que ahora andaba en la oscuridad; y por eso Húrin no fue detenido, y al fin llegó al sitio en que Glaurung había sido quemado, y vio la piedra alta, erguida a orillas de Cabed Naeramarth.

Pero Húrin no miró la piedra, pues sabía lo que allí estaba escrito; y además había descubierto que no se encontraba solo. Sentada a la sombra de la piedra había una mujer, inclinada y de rodillas; y mientras Húrin la miraba en silencio, ella echó atrás la andrajosa capucha y levantó la cara; tenía el pelo canoso y era vieja; pero de pronto las miradas de los dos se encontraron, y él la reconoció porque, aunque había miedo y frenesí en los ojos de ella, aún conservaban la luz que mucho tiempo atrás le había ganado el nombre de Eledhwen, la más orgullosa y bella entre las mujeres mortales de antaño.

—Has venido por fin —dijo ella—. He esperado demasiado.

—El camino era oscuro. Vine como me fue posible —respondió él.

—Pero has llegado demasiado tarde —le dijo Morwen—.
Se han perdido.

—Lo sé —dijo él—. Pero tú no.

Pero Morwen dijo:

—Casi. Estoy agotada. Me iré con el sol. Queda poco
tiempo ahora: si lo sabes, ¡dímelo! ¿Cómo llegó ella a encontrarlo?

Pero Húrin no respondió, y se sentaron junto a la piedra y
no volvieron a hablar; y cuando el sol se puso, Morwen suspiró y le tomó la mano, y se quedó quieta; y Húrin supo que
había muerto. La miró en el crepúsculo, y le pareció que las
líneas trazadas por el dolor y las crueles penurias se habían
borrado en el rostro de Eledhwen.

—Nunca fue vencida —dijo; y le cerró los ojos y permaneció sentado e inmóvil junto a ella mientras la noche continuaba avanzando. Las aguas de Cabed Naeramarth rugían
próximas, pero él no oía nada, y no veía nada, y no sentía
nada, porque su corazón se había petrificado. Pero llegó un
viento helado que le llevaba lluvia a la cara, y lo despertó, y la
ira se levantó en él como un humo que le oscurecía el juicio,
de modo que ahora no deseaba otra cosa que vengarse por los
daños que habían sufrido él y los suyos, acusando en su angustia a todos los que habían tenido algún trato con ellos.
Entonces se incorporó e hizo una tumba para Morwen sobre
Cabed Naeramarth al lado oeste de la piedra; y sobre ella grabó estas palabras: *Aquí yace también Morwen Eledhwen.*

Se dice que un vidente y arpista de Brethil llamado Glir-
huin compuso un canto en el que decía que la Piedra de los
Desventurados nunca sería mancillada por Morgoth, ni nunca caería, aunque el mar anegara la tierra, como en verdad
más tarde acaeció; y todavía Tol Morwen se yergue sola en el
agua más allá de las costas que se formaron en los días de la

cólera de los Valar. Pero Húrin no yace allí, pues el destino lo llevó a otro sitio, y la Sombra aún iba detrás de él.

Ahora bien, Húrin cruzó el Teiglin y fue hacia el sur por el antiguo camino que conducía a Nargothrond; y vio a lo lejos hacia el este la elevación solitaria de Amon Rûdh, y supo lo que allí había sucedido. Por fin llegó a las orillas del Narog, y se aventuró a cruzar las aguas precipitadas pisando las piedras caídas del puente, como lo había hecho Mablung de Doriath antes que él; y llegó a las quebradas Puertas de Felagund, apoyado en su vara.

Es necesario contar aquí que después de la partida de Glaurung, Mîm el Enano Mezquino había encontrado el camino a Nargothrond y se había deslizado dentro de los recintos en ruinas; y había tomado posesión de ellos, y estaba allí acariciando los objetos de oro y las gemas, dejando que se deslizaran entre sus dedos sin parar, pues nadie se acercaba a quitárselo, por miedo al espíritu de Glaurung y por el mero recuerdo de él. Pero ahora alguien había venido y estaba en el umbral; y Mîm salió y exigió saber con qué fin había venido. Pero Húrin le dijo:

—¿Quién eres tú, que pretendes impedirme la entrada a la casa de Finrod Felagund?

Entonces el Enano respondió:

—Soy Mîm; y antes que los orgullosos llegaran desde el Mar, los Enanos excavaron las salas de Nulukkizdîn. No he venido sino a tomar lo que es mío; porque soy el último de mi pueblo.

—Pues entonces ya no seguirás gozando de tu herencia —dijo Húrin—; porque yo soy Húrin hijo de Galdor, vuelto de Angband, y mi hijo era Túrin Turambar, a quien no has olvidado; y él fue quien dio muerte a Glaurung el Dragón, el que arruinó las salas en que estás ahora; y aquel que traicionó al Yelmo-Dragón de Dor-lómin no me es desconocido.

Entonces Mîm, muy atemorizado, le rogó a Húrin que tomara lo que quisiera, y que le perdonara la vida; pero Húrin desoyó sus súplicas, y lo mató allí ante las Puertas de Nargothrond. Luego entró y se demoró un rato en aquel espantoso lugar, donde los tesoros de Valinor estaban esparcidos por los suelos en medio de la oscuridad y el deterioro; pero se dice que cuando Húrin salió de las ruinas de Nargothrond y estuvo de nuevo bajo el cielo, de todo ese tesoro se había llevado tan sólo una cosa.

Ahora Húrin se encaminó hacia el este y llegó a las Lagunas del Crepúsculo sobre las Cataratas del Sirion; y allí fue detenido por los Elfos que vigilaban las fronteras occidentales de Doriath, y llevado ante el Rey Thingol en las Mil Cavernas. Entonces Thingol sintió gran dolor y pena cuando lo miró y reconoció en ese hombre lóbrego y envejecido a Húrin Thalion, el cautivo de Morgoth; pero lo saludó amablemente y le rindió honores. Húrin no respondió al Rey, sino que sacó de debajo de la capa la única cosa que había traído de Nargothrond; y era nada menos que el Nauglamír, el Collar de los Enanos, hecho para Finrod Felagund hacía ya mucho tiempo por los artesanos de Nogrod y Belegost, la más afamada de todas sus obras de los Días Antiguos, y la más apreciada por Finrod mientras vivió, de entre todos los tesoros de Nargothrond. Y Húrin lo arrojó a los pies de Thingol con furiosas y amargas palabras.

—¡Recibe la paga —exclamó— por lo bien que has cuidado de mis hijos y mi esposa! Porque éste es el Nauglamír, cuyo nombre es conocido de muchos entre los Elfos y los Hombres; y te lo traigo desde la oscuridad de Nargothrond, donde Fin-

rod, tu pariente, lo dejó cuando partió con Beren hijo de Barahir, para cumplir el cometido de Thingol de Doriath.

Entonces Thingol miró el gran tesoro, y reconoció el Nauglamír, y comprendió en seguida las intenciones de Húrin;
pero movido por la compasión, se contuvo, y soportó el desprecio de Húrin. Y por último Melian habló y dijo:

—Húrin Thalion, Morgoth te ha embrujado; porque
quien ve por los ojos de Morgoth, quiéralo o no, ve las cosas
torcidas. Mucho tiempo tu hijo Túrin fue cuidado en las estancias de Menegroth, y recibió amor y honores como hijo
del Rey; y no fue por voluntad del Rey ni por la mía que no
volvió nunca a Doriath. Y después tu esposa y tu hija fueron
albergadas aquí con honor y buena voluntad; e hicimos todo
lo posible por apartarlas del camino a Nargothrond. Con la
voz de Morgoth reprochas ahora a tus amigos.

Y al escuchar estas palabras de Melian, Húrin se quedó
inmóvil y miró largamente a la reina en los ojos; y allí, en Menegroth, defendida todavía por la Cintura de Melian de la
oscuridad del Enemigo, leyó la verdad de todo cuanto había
sido hecho, y conoció por fin la plenitud del daño que para él
había concebido Morgoth Bauglir. Y no habló más del pasado, e inclinándose levantó el Nauglamír de donde estaba delante del trono de Thingol, y se lo entregó diciendo:

—Recibid, señor, el Collar de los Enanos; sea éste regalo
de uno que no tiene nada y un recuerdo de Húrin de Dor-lómin. Porque ahora mi destino está cumplido, y también el
propósito de Morgoth, pero ya no soy esclavo de él.

Entonces se dio media vuelta y abandonó las Mil Cavernas, y todos los que lo veían retrocedían al verle la cara; y nadie intentó impedir que partiese, ni nadie supo dónde iba.
Pero se dice que Húrin ya no quiso seguir viviendo; despojado de todo deseo y de todo propósito se arrojó por fin al Mar

Occidental; y así terminó el más poderoso de los guerreros de
los Hombres mortales.

Pero cuando Húrin se hubo marchado de Menegroth, Thingol permaneció largo tiempo en silencio mirando el gran tesoro que descansaba sobre sus rodillas; y pensó que tenía que
ser rehecho, y que en él había que engarzar el Silmaril. Porque
con el paso de los años el pensamiento de Thingol había vuelto una y otra vez a la joya de Fëanor, y al fin se apegó a ella, y
no le gustaba dejarla, ni siquiera tras las puertas de su cámara
más profunda, y ahora estaba decidido a llevarla siempre consigo, despierto y dormido.

En aquellos días los Enanos viajaban todavía a Beleriand
desde las mansiones de Ered Lindon, y cruzando el Gelion
en Sarn Athrad, el Vado de Piedras, tomaban el viejo camino
a Doriath; pues eran muy hábiles para el trabajo de los metales y las piedras, y se los necesitaba a menudo en las estancias
de Menegroth. Pero ya no venían en grupos reducidos como
antes, sino en grandes compañías bien armadas para protegerse en las peligrosas tierras que se extienden entre el Aros y
el Gelion; y en esas ocasiones se alojaban en Menegroth en
cámaras y herrerías reservadas para ellos. Y precisamente
en ese tiempo habían llegado a Doriath grandes artífices de
Nogrod; y por tanto el Rey los convocó y les dijo qué deseaba, y que si no les faltaba habilidad tenían que rehacer el
Nauglamír y engarzar el Silmaril. Entonces los Enanos miraron la obra de sus padres, y contemplaron maravillados la
joya refulgente de Fëanor; y sintieron un gran deseo de apoderarse de los dos tesoros y llevárselos a sus lejanas moradas
en las montañas. Pero disimularon estos pensamientos y
aceptaron la tarea.

Larga fue la tarea; y Thingol bajaba solo a las profundas herrerías y se sentaba entre ellos mientras trabajaban. Con el tiempo el deseo de Thingol quedó cumplido, y las obras más grandes de los Elfos y los Enanos se unieron y se hicieron una; y era de una extremada belleza; porque ahora las incontables joyas del Nauglamír reflejaban y expandían alrededor con maravillosos matices la luz del Silmaril. Entonces Thingol, estando solo entre ellos, hizo ademán de levantarlo y de ponérselo al cuello; pero en ese momento los Enanos lo retuvieron y exigieron que se lo cediera, preguntando:

—¿Con qué derecho reclama el rey Elfo el Nauglamír, hecho por nuestros padres para Finrod Felagund, que ya ha muerto? Sólo lo tiene de manos de Húrin, el Hombre de Dor-lómin, que lo tomó como un ladrón de la oscuridad de Nargothrond.

Pero Thingol leyó en los corazones de los Enanos y vio que en realidad querían el Silmaril, y buscaban una excusa legítima para ocultar su deseo de obtenerlo; e iracundo y orgulloso no hizo caso del peligro en que se encontraba, y les habló con desprecio diciendo:

—¿Cómo os atrevéis, tosca raza, a exigir nada de mí, Elu Thingol, Señor de Beleriand, cuya vida empezó junto a las aguas de Cuiviénen incontables años antes de que despertaran los padres del pueblo menguado? —E irguiéndose alto y orgulloso entre ellos les ordenó con palabras humillantes que abandonaran Doriath sin que fueran recompensados.

Entonces la codicia de los Enanos se convirtió en rabia por las palabras del Rey; y lo rodearon, y le pusieron las manos encima, y lo mataron. De este modo Elwë Singollo, el Rey de Doriath, el único de los Hijos de Ilúvatar que desposara a una de las Ainur, y el único de los Elfos Abandonados que había visto la luz de los Árboles de Valinor, murió en las profundidades de Menegroth, con una última mirada posada en el Silmaril.

Entonces los Enanos recogieron el Nauglamír y abandonaron Menegroth, y huyeron hacia el este a través de Region. Pero la noticia corrió rauda por el bosque, y pocos de esa compañía llegaron al Aros, pues fueron perseguidos a muerte mientras buscaban el camino del este; y el Nauglamír fue recuperado y llevado con amarga pena a Melian la Reina. No obstante, dos fueron los asesinos de Thingol que escaparon a la persecución por las fronteras del este, y volvieron por fin a la ciudad lejana de las Montañas Azules; y allí en Nogrod contaron en parte lo sucedido, diciendo que los Enanos habían sido muertos en Doriath por orden del rey Elfo para no darles así la prometida recompensa.

Entonces muy grandes fueron la ira y las lamentaciones de los Enanos de Nogrod por la muerte de sus hermanos y de sus grandes artífices, y se mesaron las barbas y gimieron; y durante mucho tiempo meditaron vengarse. Se dice que pidieron la ayuda de Belegost, que les fue negada, y que los Enanos de Belegost intentaron disuadirlos; pero de nada les valió este consejo, y no tardaron en preparar un gran ejército que partió de Nogrod, y cruzando el Gelion marchó hacia el oeste a través de Beleriand.

Una gran pesadumbre había descendido sobre Doriath. Melian se quedaba largo rato sentada en silencio junto a Thingol el Rey, recordando los años iluminados por las estrellas y la primera vez que se encontraran entre los ruiseñores de Nan Elmoth en edades anteriores; y sabía que la despedida de Thingol anunciaba una despedida todavía mayor, y que el destino de Doriath estaba próximo a cumplirse. Porque Melian era de la raza divina de los Valar, una Maia de gran poder y sabiduría; aunque por amor a Elwë Singollo había adoptado la forma de los Hijos Mayores de Ilúvatar; y con esa unión quedó atada por las cadenas y trabas de la carne de Arda. En esa forma concibió para él a Lúthien Tinúviel; y en esa forma ganó poder sobre la sustancia de Arda, y gracias a la Cintura de Melian defendió a Doriath durante largas edades de los males exteriores. Pero ahora Thingol yacía muerto, y su espíritu había entrado en las Estancias de Mandos; y esta muerte había traído un cambio también a Melian. Fue así como el poder de ella se retiró por ese tiempo de los bosques de Neldoreth y Region; y el Esgalduin, el río encantado, habló con una voz diferente, y Doriath quedó abierta a los enemigos.

En adelante Melian habló sólo con Mablung, pidiéndole que cuidara del Silmaril, y transmitiera sin demora la nueva a Beren y Lúthien en Ossiriand; y desapareció de la Tierra Media y pasó a la tierra de los Valar, más allá del Mar Occidental, para llorar su dolor en los jardines de Lórien, de donde había venido, y en esta historia nada más se dice de ella.

Así fue como el ejército de los Naugrim, cruzando el Aros, penetró sin ser oposición alguna en los bosques de Doriath; y nadie les hizo frente, pues eran muchos y feroces, y los capitanes de los Elfos Grises titubearon y se desesperaron, y fueron de aquí para allá sin objeto alguno. Pero los Enanos siguieron adelante, y cruzaron el gran puente y penetraron en Menegroth; y allí ocurrió uno de los hechos más dolorosos de los Días Antiguos. Porque se libró una batalla en las Mil Cavernas, y muchos Enanos y Elfos murieron; y esto no se olvidó. Pero vencieron los Enanos, que saquearon y vaciaron las estancias de Thingol. Allí cayó Mablung el de la Mano Pesada, ante las puertas del tesoro donde estaba el Nauglamír; y el Silmaril fue tomado.

En ese tiempo Beren y Lúthien vivían todavía en Tol Galen, la Isla Verde, en el Río Adurant, la más austral de las corrientes que descendiendo de Ered Lindon iban al encuentro del Gelion; y su hijo Dior Eluchíl tenía por esposa a Nimloth, pariente de Celeborn, príncipe de Doriath, que estaba desposado con la Dama Galadriel. Los hijos de Dior y Nimloth fueron Eluréd y Elurín; y también tuvieron una hija, y se llamaba Elwing, que significa Rocío de Estrellas, porque nació en una noche poblada de estrellas y su luz resplandecía en el rocío de la cascada de Lanthir Lamath junto a la casa de su padre.

Ahora bien, pronto se supo entre los Elfos de Ossiriand que una gran hueste de Enanos con pertrechos de guerra había descendido de las montañas y había cruzado el Gelion por el Vado de Piedras. Estas nuevas no tardaron en llegar a Beren y Lúthien; y en ese tiempo arribó también un mensajero de Doriath que les contó lo que allí había ocurrido. Entonces Beren se puso de pie y abandonó Tol Galen; y llamó a Dior, su hijo, y se encaminaron al norte hacia el Río Ascar; y junto con ellos fueron muchos Elfos Verdes de Ossiriand.

Así ocurrió que cuando los Enanos de Nogrod, que volvían de Menegroth con huestes disminuidas, llegaron nuevamente a Sarn Athrad, fueron atacados por enemigos invisibles; porque mientras subían por las orillas del Gelion cargados del botín de Doriath, los cuernos de los Elfos resonaron de pronto en los bosques de alrededor y de todos lados llovieron lanzas sobre los Enanos. Allí muchos de ellos murieron en el primer ataque; pero algunos consiguieron escapar de la emboscada y se mantuvieron unidos, y huyeron hacia el este a las montañas. Y mientras escalaban las pendientes del Monte Dolmed, los Pastores de Árboles cayeron sobre los Enanos y los expulsaron hasta los bosques sombríos de Ered

Lindon; se dice que de allí ninguno volvió a escalar los altos pasos que conducían a sus moradas.

En esa batalla junto a Sarn Athrad, Beren luchó por última vez, y él fue quien mató al Señor de Nogrod, y le arrancó el Collar de los Enanos; pero el Señor de Nogrod murió maldiciendo el tesoro. Entonces Beren miró con asombro la joya de Fëanor que él había cortado de la corona de hierro de Morgoth, y que ahora refulgía en medio de oro y gemas, engarzadas por la destreza de los Enanos; y le quitó la sangre en las aguas del río. Y cuando todo hubo terminado, el tesoro de Doriath se hundió en el Río Ascar, y desde ese momento el río tuvo nuevo nombre: Rathlóriel, el Lecho de Oro; pero Beren tomó el Nauglamír y volvió a Tol Galen. Poco alivió la pena de Lúthien enterarse de que el Señor de Nogrod había muerto y con él muchos Enanos; pero se dice y se canta que Lúthien, engalanada con el collar y la joya inmortal, era la visión más bella y gloriosa que se hubiera contemplado alguna vez fuera del reino de Valinor; y por un breve tiempo, la Tierra de los Muertos que Viven pareció una visión de la tierra de los Valar, y desde entonces ningún sitio fue tan hermoso, tan fértil y tan lleno de luz.

Ahora bien, Dior, el heredero de Thingol, se despidió de Beren y de Lúthien, y abandonando Lanthir Lamath con su esposa Nimloth fue a Menegroth e hizo allí su morada; y con ellos fueron sus jóvenes hijos Eluréd y Elurín, y su hija Elwing. Entonces los Sindar los recibieron con alegría, y salieron de la oscuridad de su pena por el Rey y pariente caído y por la partida de Melian; y Dior Eluchíl se propuso devolver la gloria al reino de Doriath.

Una noche de otoño, ya tarde, alguien llegó y llamó a las puertas de Menegroth pidiendo ser admitido ante el Rey. Era

un señor de los Elfos Verdes que venía apresurado de Ossiriand, y los guardianes lo condujeron a la cámara donde Dior
se encontraba solo; y allí, en silencio, el Elfo dio al Rey un
cofre y se despidió. Pero ese cofre guardaba el Collar de los
Enanos en que estaba engarzado el Silmaril; y al verlo Dior
reconoció el signo de que Beren Erchamion y Lúthien Tinúviel habían muerto en verdad, y habían ido a donde va la raza
de los Hombres, a un destino más allá del mundo.

Durante mucho tiempo contempló Dior el Silmaril, que
más allá de toda esperanza su padre y su madre habían traído
del terror de Morgoth; y mucho se dolió de que la muerte los
hubiera sorprendido tan temprano. Pero dicen los sabios que
el Silmaril apresuró su fin; porque la llama de la belleza de
Lúthien era demasiado brillante para tierras mortales.

Entonces Dior se puso en pie y se prendió el Nauglamír
en torno al cuello; y era ahora el más hermoso de todos los
hijos del mundo de las tres razas: la de los Edain, y la de los
Eldar, y la de los Maiar del Reino Bendecido.

Pero cundió el rumor entre los Elfos dispersos de Beleriand
de que Dior, el heredero de Thingol, llevaba el Nauglamír, y
dijeron:

—Un Silmaril de Fëanor arde de nuevo en los bosques de
Doriath.

Y el juramento de los hijos de Fëanor despertó otra vez.
Porque mientras Lúthien llevaba el Collar de los Enanos, ningún Elfo se habría atrevido a atacarla; pero ahora, al enterarse
de la renovación de Doriath y del orgullo de Dior, los siete
Elfos abandonaron la vida errante y volvieron a reunirse; y
enviaron mensajeros a Dior reclamando la posesión del Silmaril.

Pero Dior no dio respuesta a los hijos de Fëanor; y Celegorm instó a sus hermanos a que atacaran Doriath. Llegaron inadvertidos en pleno invierno, y lucharon con Dior en las Mil Cavernas; y así ocurrió la segunda matanza de Elfos por Elfos. Allí cayó Celegorm a manos de Dior, y allí cayeron Curufin y el oscuro Caranthir, pero Dior fue también muerto, y Nimloth, su esposa; y los crueles sirvientes de Celegorm se apoderaron de los jóvenes hijos y los dejaron abandonados en el bosque para que murieran de hambre. De esto, en verdad, se arrepintió Maedhros, y los buscó largo tiempo en los bosques de Doriath; pero de nada le valió la búsqueda; y del hado de Eluréd y de Elurín no se cuenta ninguna historia.

Así fue destruida Doriath y nunca volvió a levantarse. Pero los hijos de Fëanor no obtuvieron lo que buscaban; porque un resto del pueblo huyó ante ellos, y con él iba Elwing hija de Dior, y escaparon, y llevando consigo el Silmaril llegaron con el tiempo a las Bocas del Sirion, junto al mar.

23

DE TUOR Y LA CAÍDA
DE GONDOLIN

Se dijo que Huor, el hermano de Húrin, fue muerto en la Batalla de las Lágrimas Innumerables; y en el invierno de ese año su esposa Rían parió un niño en las tierras salvajes de Mithrim, y lo llamaron Tuor, y fue criado por Annael, de los Elfos Grises, que vivía aún en esas colinas. Ahora bien, cuando Tuor contaba dieciséis años, los Elfos decidieron abandonar las cavernas de Androth donde moraban entonces e ir en secreto a los Puertos del Sirion en el lejano sur; pero fueron atacados por Orcos y Orientales antes de que consiguieran ponerse a salvo, y Tuor fue hecho prisionero y esclavizado por Lorgan, jefe de los Orientales de Hithlum. Durante tres años soportó esa servidumbre, pero al cabo de ese tiempo escapó; y regresando a las cavernas de Androth, vivió allí solo, e hizo tanto daño a los Orientales que Lorgan puso precio a la cabeza de Tuor.

Pero cuando Tuor llevaba cuatro años viviendo así en la soledad del proscrito, Ulmo le puso en el corazón el deseo de abandonar la tierra paterna, pues había escogido a Tuor como instrumento de sus designios; y dejando una vez más las cavernas de Androth, Tuor se dirigió hacia el oeste a través de

Dor-lómin, y encontró Annon-in-Gelydh, la Puerta de los Noldor, que el pueblo de Turgon había construido cuando habitaban en Nevrast muchos años atrás. Desde allí un túnel oscuro avanzaba por debajo de las montañas y salía a Cirith Ninniach, la Grieta del Arco Iris, por la que unas aguas turbulentas se precipitaban hacia el Mar Occidental. De este modo la huida de Tuor de Hithlum no fue advertida por Hombre ni Orco alguno, y nada de todo esto llegó a oídos de Morgoth.

Y Tuor llegó a Nevrast, y al contemplar el Belegaer, el Gran Mar, se enamoró de él, y llevó siempre en el corazón y en el oído el sonido y la nostalgia del mar, y una inquietud despertó en él que lo arrastró por fin a las profundidades de los reinos de Ulmo. Entonces vivió solo en Nevrast, y el verano de ese año pasó, y el destino de Nargothrond estaba cumpliéndose; pero cuando llegó el otoño, vio a siete cisnes que iban volando hacia el sur, y supo que eran un signo de que se había demorado demasiado, y los siguió a lo largo de las costas del mar. Así llegó por fin a las estancias desiertas de Vinyamar bajo el Monte Taras, y entró en ellas y encontró allí el escudo y la cota y la espada y el yelmo que Turgon había dejado por orden de Ulmo hacía ya mucho tiempo; tomó esas armas y se aproximó a la costa. Pero vino del oeste una gran tormenta, y de esa tormenta, Ulmo, Señor de las Aguas, se alzó majestuosamente, y habló a Tuor, que estaba a orillas del mar. Y le ordenó que abandonara ese sitio y buscara el reino escondido de Gondolin; y le dio a Tuor una gran capa, para ocultarlo con una sombra a los ojos del enemigo.

Pero por la mañana, cuando hubo pasado la tormenta, Tuor se topó con un Elfo junto a los muros de Vinyamar; y era Voronwë hijo de Aranwë de Gondolin, que había navegado en el último barco que Turgon enviara a Occidente. Pero cuando, al volver por fin de alta mar, el barco naufragó a la vista de las costas de la Tierra Media, Ulmo lo recogió, sólo a él de entre todos los marineros, y lo arrojó a tierra cerca de Vinyamar; y al enterarse de la orden impuesta a Tuor por el Señor de las Aguas, Voronwë se asombró mucho, y aceptó guiarlo a las puertas escondidas de Gondolin. Por tanto, se pusieron juntos en marcha, y cuando el Fiero Invierno de ese año descendió sobre ellos desde el norte, se encaminaban fatigosamente hacia el este bajo los picos de las Montañas de la Sombra.

Por fin alcanzaron los Estanques de Ivrin, y miraron allí con pena la corrupción provocada por el paso de Glaurung el Dragón; pero mientras estaban mirando vieron a uno que iba de prisa hacia el norte; un Hombre alto, vestido de negro, que llevaba una espada negra. Pero no sabían quién era, ni qué había ocurrido en el sur, y pasó de largo, y no dijeron una palabra.

Y por último, mediante el poder que Ulmo había puesto en ellos, llegaron a las puertas escondidas de Gondolin, y pasando por el túnel subterráneo, alcanzaron el portón interior, y la guardia los hizo prisioneros. Fueron conducidos entonces por el poderoso desfiladero de Orfalch Echor, cerrado por siete puertas, y llevados ante Ecthelion de las Fuentes, el Guardián de la Gran Puerta al final del camino empinado, y allí Tuor dejó caer la capa, y por las armas que llevaba de Vinyamar reconocieron que era en verdad el enviado de Ulmo. Entonces Tuor contempló el hermoso valle de Tumladen, engarzado como una joya verde entre las colinas de alrededor; y a lo lejos, sobre la altura rocosa de Amon Gwareth, vio a Gondolin la grande, ciudad de siete nombres, cuya fama y gloria es mucha en el canto de todos los Elfos de las Tierras de Aquende. Por orden de Ecthelion las trompetas sonaron en las torres de la gran puerta, y las colinas devolvieron el eco; y lejano, pero claro, llegó el sonido de otras trompetas, que respondían desde los muros blancos de la ciudad, arrebolados con el alba que se extendía por la llanura.

Así fue como el hijo de Huor cabalgó a través de Tumladen y llegó a la puerta de Gondolin; y después de ascender las amplias escalinatas de la ciudad, fue por fin conducido a la Torre del Rey, y contempló las imágenes de los Árboles de Valinor. Entonces Tuor se encontró ante Turgon hijo de Fingolfin, Alto Rey de los Noldor, y a la derecha del Rey estaba de pie Maeglin, hijo de su hermana, y a la izquierda tenía sentada a su hija Idril Celebrindal; y todos los que escucharon la voz de Tuor se maravillaron, preguntándose si sería en verdad un Hombre de raza mortal, porque hablaba con las palabras del Señor de las Aguas que le venían en ese instante. Y advirtió a Turgon que la Maldición de Mandos se precipitaba ahora e iba a cumplirse, y que todas las obras de los Noldor perecerían; y le dijo que partiera y abandonara la poderosa ciudad que había construido y bajara por el Sirion al mar.

Entonces Turgon meditó un largo tiempo el consejo de Ulmo, y le vinieron a la mente las palabras que oyera en Vinyamar: «No ames demasiado la obra de tus manos y las invenciones de tu corazón; y recuerda que la verdadera esperanza de los Noldor está en el Occidente y viene del Mar». Pero Turgon se había vuelto orgulloso, y Gondolin era tan bella como un recuerdo de Tirion de los Elfos, y él confiaba todavía en su secreto y fuerza inexpugnable, aun cuando un Vala lo negara; y después de la Nirnaeth Arnoediad, el pueblo de esa ciudad no deseaba volver a mezclarse en los males de los Elfos y los Hombres de fuera, ni regresar a Occidente por el camino del miedo y del peligro. Encerrados tras sus colinas encantadas sin sendas, no toleraban que nadie entrase, aunque estuviera huyendo del odio de Morgoth; y las nuevas de las tierras de más allá les llegaban débiles y lejanas, y les prestaban poca atención. Los espías de Angband los buscaban en vano; y Gondolin era como un rumor y un secreto que nadie podía descubrir. Maeglin hablaba siempre en contra de Tuor en los consejos del rey, con palabras que parecían convincentes, en tanto respondían a los deseos de Turgon, y al final el Rey se negó al mandato de Ulmo y rechazó la advertencia. Sin embargo, en ese consejo del Vala escuchó otra vez las palabras que fueran pronunciadas en la costa de Araman mucho tiempo atrás, antes de que los Noldor partieran; y el miedo a la traición despertó en el corazón de Turgon. Cerraron por tanto las puertas escondidas de las Montañas Circundantes; y desde entonces nadie salió nunca de Gondolin en misión de paz o de guerra mientras la ciudad estuvo allí. Thorondor, el Señor de las Águilas, les anunció la caída de Nargothrond y luego trajo la noticia de la muerte de Thingol y la de Dior, el heredero, y de la ruina de Doriath; pero Turgon cerró los oídos a los males de fuera, e hizo voto de no marchar nunca al lado de ningún hijo de Fëanor; y prohibió a su pueblo que atravesara el cerco de las colinas.

Y Tuor permaneció en Gondolin, embelesado por la bienaventuranza y la belleza de esas tierras y la sabiduría de la gente; y se hizo poderoso de mente y estatura, y aprendió a fondo la ciencia de los Elfos exiliados. Entonces el corazón de Idril se volvió hacia él, y el de Tuor hacia el de ella; y el odio secreto de Maeglin fue cada vez mayor, porque por encima de todo deseaba poseer a Idril, heredera única del Rey de Gondolin. Pero tan alto estaba Tuor en la estima del Rey después de haber vivido allí siete años, que Turgon ni siquiera le negó la mano de su hija porque, aunque no quería hacer caso del mandato de Ulmo, entendía que el destino de los Noldor estaba atado a

Gondolin y el valle de Tumladin desde Cristhorn

aquél a quien Ulmo había enviado; y no olvidó las palabras que Huor le había dicho antes de que el ejército de Gondolin abandonara la Batalla de las Lágrimas Innumerables.

Entonces se celebró una gran fiesta, porque Tuor se había ganado todos los corazones, excepto los de Maeglin y sus secuaces secretos; y así ocurrió la segunda unión entre Elfos y Hombres.

En la primavera del año siguiente nació en Gondolin Eärendil Medio Elfo, el hijo de Tuor e Idril Celebrindal; y habían transcurrido quinientos tres años desde la llegada de los Noldor a la Tierra Media. De sobrecogedora belleza era Eärendil, pues llevaba en la cara una luz que parecía la luz del cielo, y tenía la belleza y la sabiduría de los Eldar, y la fuerza y la audacia de los Hombres de antaño; y el mar le hablaba siempre al oído y al corazón, como a su padre Tuor.

En ese entonces los días de Gondolin eran felices y pacíficos; y nadie sabía que la región en donde estaba el Reino Escondido había sido revelada al fin a Morgoth por los gritos de Húrin, cuando había llamado desesperado a Turgon al no encontrar la entrada desde las tierras salvajes en el otro lado de las Montañas Circundantes. En adelante los pensamientos de Morgoth se volvieron incesantemente hacia la tierra montañosa que se extendía entre Anach y el curso superior de las aguas del Sirion, a donde no habían ido nunca sus sirvientes; aunque es cierto que ningún espía o criatura de Angband podía entrar allí, a causa de la vigilancia de las águilas, lo que impedía la consumación de los designios de Morgoth. Pero Idril Celebrindal era sabia y previsora, y tenía una inquietud en el corazón, y la sombra de un mal presagio descendió sobre ella como una nube. Por este motivo hizo preparar un camino subterráneo y secreto, que iría desde la ciudad por debajo de la llanura hasta más allá de los muros, al norte de Amon Gwareth; y obró de tal modo que sólo muy pocos supieran de él, y que ni siquiera un rumor sobre estas obras llegara a oídos de Maeglin.

Ahora bien, una vez, y cuando Eärendil era todavía joven, Maeglin se perdió. Porque, como ya se dijo, amaba la minería y la extracción de metales por encima de cualquier otro arte; y era amo y conductor de los Elfos que trabajaban en las montañas distantes, buscando metales con que forjarían luego instrumentos tanto para la guerra como para tiempos de paz. Pero Maeglin a menudo iba con algunos de los suyos más allá del cerco de las colinas, y el Rey no sabía de esta desobediencia; y así ocurrió, como lo quiso el destino, que Maeglin cayera en manos de los Orcos y fuera llevado a Angband. Maeglin no era ni débil ni cobarde, pero el tormento con que fue amenazado le amilanó el espíritu, y compró su vida y su libertad revelándole a Morgoth el sitio preciso de Gondolin y los caminos por los que se podía llegar a ella y atacarla. Muy grande fue la alegría de Morgoth, y a Maeglin le prometió el señorío de Gondolin en calidad de vasallo, y la posesión de Idril Celebrindal cuando la ciudad hubiera sido tomada; y en verdad el deseo de Maeglin por Idril y el odio que le tenía a Tuor lo ayudaron en esta traición, la más infame de todas en la historia de los Días Antiguos. Pero Morgoth lo envió de regreso a Gondolin, para que nadie sospechara nada sobre la traición, y para que Maeglin ayudara en el ataque desde dentro cuando llegase la hora; y Maeglin vivió en las salas del Rey con cara sonriente y maldad en el corazón mientras la oscuridad se hacía cada vez más espesa en torno a Idril.

Al final, en el año que Eärendil cumplió siete años, Morgoth estuvo preparado, y soltó sobre Gondolin a sus Balrogs y

Orcos y lobos; y con ellos iban dragones de la estirpe de Glaurung, ya crecidos en número y en terror. El ejército de Morgoth vino por las montañas septentrionales donde era mayor la altura y menos atenta la vigilancia, y llegó por la noche en un tiempo de celebración, cuando todo el pueblo de Gondolin se encontraba sobre los muros esperando el amanecer, para cantar cuando el sol se elevara en el cielo; porque al día siguiente era la gran fiesta que ellos llamaban las Puertas del Verano. Pero la luz roja tiñó las colinas del norte y no las del este; y el enemigo avanzó imparable hasta llegar a los mismos muros de Gondolin. De los hechos de valor desesperado que allí llevaron a cabo los capitanes de las casas nobles y sus guerreros, entre los que destacaba Tuor, mucho se cuenta en *La Caída de Gondolin*: la lucha de Ecthelion de las Fuentes con Gothmog Señor de los Balrogs, librada en la misma plaza del Rey, en la que se dieron muerte el uno al otro; y la defensa de la torre de Turgon por parte de sus sirvientes, hasta que fue derribada; y grandes fueron la caída y ruina de la torre, y la caída de Turgon.

Tuor intentó rescatar a Idril del pillaje de la ciudad, pero Maeglin se había apoderado de ella, y de Eärendil; y Tuor luchó con Maeglin sobre los muros, y lo arrojó lejos, y el cuerpo de Maeglin cayó e impactó tres veces contra las rocosas pendientes de Amon Gwareth antes de desaparecer entre las llamas que ardían abajo. Entonces Tuor e Idril condujeron a los pocos del pueblo de Gondolin que pudieron reunir en medio de la confusión provocada por el incendio, descendiendo por el camino secreto que Idril había preparado; y de ese pasaje los capitanes de Angband nada sabían, y no pensaron que ningún fugitivo fuera a tomar un camino hacia el norte y las cimas más altas de las montañas, más próximas a Angband. El humo del incendio y el vapor de las hermosas fuentes de

Gondolin, que se marchitaban en las llamas de los dragones del norte, descendieron sobre el valle de Tumladen en luctuosas tinieblas; y así fue favorecida la huida de Tuor y los suyos, porque aún tenían que recorrer un camino largo y descubierto desde la boca del túnel hasta el pie de las montañas. No obstante, llegaron allí y, más allá de toda esperanza, treparon con dolor y sufrimiento, porque esas altas cimas eran frías y espantosas, y tenían entre ellos muchos heridos, y mujeres y niños.

Había un pasaje terrible llamado Cirith Thoronath, la Grieta de las Águilas, donde a la sombra de los picos más altos serpenteaba un estrecho sendero; a la derecha se abría un precipicio abismal, y a la izquierda una pendiente tremenda descendía al vacío. A lo largo de ese estrecho sendero marchaban en línea, cuando cayeron en una emboscada de Orcos, pues Morgoth había montado guardia en las colinas de alrededor, y un Balrog estaba con ellos. Entonces se encontraron en un terrible aprieto, y difícilmente podría haberlos salvado el valor de Glorfindel, el de cabellos amarillos, jefe de la Casa de la Flor Dorada de Gondolin, si Thorondor no hubiera llegado en el momento oportuno.

Muchos son los cantos que se han cantado sobre el duelo de Glorfindel con el Balrog sobre una cúspide rocosa en aquel lugar alto; y ambos cayeron perdiéndose en el abismo. Pero las águilas se lanzaron sobre los Orcos, que retrocedieron chillando; y todos fueron muertos o arrojados a las profundidades, de modo que Morgoth nada supo de la huida desde Gondolin hasta mucho después. Entonces Thorondor rescató el cuerpo de Glorfindel del abismo, y lo sepultaron bajo un montículo de piedras junto al pasaje; y allí crecieron hierbas verdes, y entre las piedras yermas nacieron flores amarillas, hasta que el mundo cambió.

Así, conducidos por Tuor hijo de Huor, el resto de los habitantes de Gondolin pasó por encima de las montañas, y descendió al Valle del Sirion; y huyendo hacia el sur por fatigosas y peligrosas sendas, arribó por fin a Nan-tathren, la Tierra de los Sauces, porque el poder de Ulmo estaba aún en el gran río y alrededor. Allí descansaron un tiempo y se curaron de las heridas y el cansancio; pero del dolor no pudieron curarse. Y celebraron la memoria de Gondolin y de los Elfos que habían perecido allí, las doncellas, y las esposas, y los guerreros del Rey; y por el amado Glorfindel muchos fueron los cantos que se oyeron bajo los sauces de Nan-tathren en la declinación del año. Allí compuso Tuor una canción para su hijo Eärendil, en la que contaba la llegada de Ulmo, el Señor de las Aguas, a las costas de Nevrast en tiempo pasado; y la nostalgia por el mar despertó en el corazón de Tuor y también en el de su hijo. Por tanto, Idril y Tuor partieron de Nantathren, y se dirigieron hacia el sur, río abajo, al encuentro del mar; y vivieron allí junto a las Bocas del Sirion; y su pueblo se unió a las gentes de Elwing hija de Dior que habían huido hasta allí poco antes. Y cuando llegó a Balar la noticia de la caída de Gondolin y la muerte de Turgon, Ereinion Gil-galad, hijo de Fingon, fue designado Alto Rey de los Noldor en la Tierra Media.

Pero Morgoth pensó que su triunfo era completo, preocupándose poco de los hijos de Fëanor, y de su juramento, que a él nunca lo había dañado y le había sido siempre de gran ayuda; y rió en la negrura de su mente, sin lamentar la pérdida de uno de los Silmarils, pues le parecía que por él los últimos jirones del pueblo de los Eldar se desvanecerían de la Tierra Media y ya no la perturbarían. Si estaba enterado de los moradores a orillas del Sirion, no dio la menor señal, esperando su oportunidad y aguardando la obra del juramento y la mentira. Sin embargo, junto al Sirion y el mar creció un pueblo de Elfos, fragmentos de Doriath y Gondolin; y de Balar llegaron los marineros de Círdan y se sumaron a ellos y se dedicaron a la navegación y a la construcción de barcos, habitando siempre cerca de las costas de Arvernien bajo la sombra de la mano de Ulmo.

Y se dice que por ese tiempo Ulmo fue a Valinor desde las aguas profundas y habló allí a los Valar del apuro de los Elfos y les pidió que los perdonaran y los rescataran del abrumador poder de Morgoth y recobraran los Silmarils, pues sólo en ellos florecía ahora la luz de los Días de la Bendición, cuando los Dos Árboles brillaban todavía en Valinor. Pero Manwë no actuó; ¿y quién podría relatar qué le dictaba su corazón? Han dicho los sabios que la hora no había llegado todavía, y que sólo uno podía presentarse en persona para hablar por la causa de los Elfos y de los Hombres, y pedir perdón por sus malandanzas y piedad por sus infortunios, para alterar los propósitos de los Poderes; y quizá ni siquiera Manwë alcanzaría a desatar el Juramento de Fëanor antes de que se cumpliera, y los hijos de Fëanor renunciaran a los Silmarils, que o codiciaban con intransigencia. Porque la luz que brillaba en los Silmarils era obra de los mismos Valar.

En esos días Tuor sintió que la vejez lo acechaba, y un deseo de la alta mar era cada vez más fuerte en su corazón. Por eso construyó un gran navío y lo llamó Eärrámë, que significa Ala del Mar; y junto con Idril Celebrindal navegó hacia el poniente, y no apareció nunca más en historias o canciones. Pero en días posteriores se cantó que sólo Tuor, entre los Hombres mortales, llegó a ser miembro de la raza mayor, y se unió a los Noldor, a quienes amaba; y su destino quedó separado del destino de los Hombres.

Agua, viento y arena

24

DEL VIAJE DE EÄRENDIL
Y LA GUERRA DE LA CÓLERA

El radiante Eärendil era entonces el señor del pueblo que vivía cerca de las Bocas del Sirion; y tomó por esposa a Elwing la Bella, y ella le dio a Elrond y Elros, que fueron llamados Medio Elfos. Pero a Eärendil no le era posible descansar, y los viajes por las costas de las Tierras de Aquende no lo apaciguaban. Dos propósitos crecieron en su corazón, unidos en la nostalgia por el anchuroso mar; y se propuso navegar en busca de Tuor e Idril, quienes no volvían; y pensó que quizás encontraría la última costa, y que antes de morir llevaría el mensaje de los Elfos y de los Hombres a los Valar de Occidente, que despertaría la piedad por los dolores de la Tierra Media en sus corazones.

Ahora bien, Eärendil tenía gran amistad con Círdan el Carpintero de Barcos, que vivía en la Isla de Balar con aquellos de su pueblo que habían escapado del saqueo de los Puertos de Brithombar y Eglarest. Con ayuda de Círdan, Eärendil construyó Vingilot, la Flor de Espuma, la más hermosa de las naves afamadas, de remos dorados y maderos blancos, cortados en los bosques de abedules de Nimbrethil; y sus velas eran como la luna de plata. En la *Balada de Eärendil* muchas cosas se cantan de las aventuras de Eärendil en alta mar, y en tierras nunca antes pisadas, y en múltiples mares e islas; pero Elwing no estaba con él, y esperaba triste junto a las Bocas del Sirion.

Eärendil no encontró a Tuor ni a Idril, ni llegó en ese viaje a las costas de Valinor, derrotado por las sombras y el encantamiento, arrastrado por vientos contrarios hasta que el recuerdo de Elwing lo llevó hacia la costa de Beleriand, de vuelta al hogar. Y el corazón le ordenó que se diera prisa, pues lo había invadido un súbito temor, venido de un sueño; y los vientos con los que antes había luchado no lo llevaban ahora de regreso tan de prisa como él hubiera querido.

Ahora bien, cuando llegó a Maedhros la nueva de que Elwing todavía vivía, y que en posesión del Silmaril moraba junto a las Bocas del Sirion, decidió no intervenir, arrepentido de los hechos de Doriath. Pero con el tiempo, el recuerdo del juramento sin consumación lo atormentó otra vez, y también a sus hermanos, y abandonando los errantes senderos de la cacería, se reunieron y enviaron a los Puertos mensajes de amistad, pero también de severa exigencia. Entonces Elwing y el pueblo del Sirion no quisieron ceder la joya que Beren había ganado, y que Lúthien había llevado consigo, y por la que Dior el Hermoso había sido muerto; y menos todavía mientras el Señor Eärendil estaba de viaje por el mar, porque les parecía que la curación y la bendición que habían descendido sobre sus casas y barcos venían del Silmaril. Y así ocurrió la última y la más cruenta de las matanzas de Elfos por Elfos; y fue ése el tercero de los grandes males causados por el juramento maldito.

Porque los hijos de Fëanor que todavía vivían atacaron de improviso a los exiliados de Gondolin y a los restos de Doriath y los aniquilaron. Durante esa batalla hubo gente de los dos pueblos que se mantuvo aparte, y unos pocos se rebelaron

y fueron muertos por ayudar a Elwing contra sus propios señores (tan grandes eran el dolor y la confusión que había en el
corazón de los Eldar en aquellos días); pero Maedhros y Maglor fueron victoriosos, aunque sólo ellos quedaron de los hijos
de Fëanor, pues tanto Amrod como Amras fueron muertos. A
pesar de la premura, demasiado tarde acudieron los barcos de
Círdan y Gil-galad el Alto Rey en ayuda de los Elfos del Sirion; y Elwing había desaparecido, y también sus hijos. Entonces los pocos del pueblo que no habían perecido en el ataque se unieron a Gil-galad, y fueron con él a Balar; y dijeron
que Elros y Elrond habían sido hechos prisioneros, pero que
Elwing se había arrojado al mar con el Silmaril al pecho.

Así fue que Maedhros y Maglor no obtuvieron la joya;
pero ésta no se había perdido. Porque Ulmo levantó a Elwing
de las olas y le dio la forma de una gran ave blanca, y en su
pecho brillaba el Silmaril como una estrella; y ella voló sobre
las olas en busca de Eärendil, su bien amado. Una noche,
mientras Eärendil estaba al timón de su nave, la vio venir hacia él como una nube blanca muy veloz bajo la luna, como
una estrella sobre el mar que siguiera un curso extraño, una
pálida llama con alas de tormenta. Y las canciones dicen que
cayó ella del aire sobre los maderos de Vingilot, desfallecida,
al borde de la muerte por la velocidad que la había apremia-
do, y Eärendil la acogió en su regazo; pero por la mañana,
con ojos maravillados, contempló junto a él a su esposa, que
había recobrado su forma anterior, y cubría con sus cabellos
el rostro de Eärendil, dormida.

Grande fue el dolor de Eärendil y Elwing por la ruina de
los Puertos del Sirion y el cautiverio de sus hijos, y temían
que les dieran muerte; pero no ocurrió así. Porque Maglor
tuvo piedad de Elros y Elrond, y los cuidó, y el amor creció
luego entre ellos, aunque pocos lo hubieran imaginado antes,

pero Maglor tenía el corazón enfermo y cansado por la carga del terrible juramento.

Pero Eärendil ya no veía esperanza alguna en la Tierra Media, y puso un nuevo rumbo, preso de la desesperación, y no regresó a su casa, sino que trató de ir una vez más a Valinor, junto con Elwing. Se pasaba las horas de pie erguido en la proa de Vingilot, y sujeto en la frente llevaba el Silmaril, y la luz de la joya se iba haciendo cada vez más intensa a medida que avanzaban hacia el Oeste. Y han dicho los sabios que fue por el poder de esa joya sagrada que llegaron con el tiempo a aguas que ningún navío había conocido excepto los barcos de los Teleri, y arribaron a las Islas Encantadas y escaparon al encantamiento; y entraron en los Mares Sombríos y atravesaron las sombras, y vieron Tol Eressëa, la Isla Solitaria, y no se demoraron; y por fin echaron anclas en la Bahía de Eldamar, y los Teleri vieron la llegada del barco venido del Este y quedaron asombrados al contemplar desde lejos la luz del Silmaril, y era muy intensa. Entonces Eärendil, el primero entre los Hombres vivientes, pisó las costas inmortales; y habló allí a Elwing y a los que estaban con él, los tres marineros que habían navegado por todos los mares en su compañía: Falathar, Erellont y Aerandir. Y les dijo Eärendil: —Sólo yo he de pisar estas tierras, no sea que la cólera de los Valar se desate contra vosotros. Pues yo solo correré ese peligro, en nombre de los Dos Linajes.

Pero Elwing respondió:

—Entonces nuestros caminos se separarían; pero yo también compartiré tus peligros.

Y saltó a la espuma blanca y corrió hacia él; pero Eärendil se sintió apenado, pues temía el enojo de los Señores del Oeste contra cualquiera de la Tierra Media que osara atravesar el cerco de Aman. Y allí se despidieron de los compañeros de viaje y quedaron separados de ellos para siempre.

Entonces Eärendil habló a Elwing:

—Espérame aquí; porque no hay más que uno que pueda llevar el mensaje, y tal es mi destino. —Y avanzó solo por la tierra y llegó al Calacirya, y le pareció desierto y silencioso; porque, al igual que Morgoth y Ungoliant en edades pasadas, llegaba Eärendil ahora en tiempos de festividad, y prácticamente todo el pueblo de los Elfos había ido a Valimar o estaba reunido en las estancias de Manwë sobre Taniquetil, y pocos eran los que habían quedado de guardia sobre los muros de Tirion.

Pero algunos había allí que vieron venir de lejos a Eärendil, y la gran luz que transportaba; y fueron de prisa a Valimar. Pero Eärendil subió a la verde colina de Túna y la encontró desierta; y entró en la ciudad de Tirion, y estaba vacía; y sintió una pesadumbre en el corazón, pues temía que el mal hubiera llegado aun al Reino Bendecido. Anduvo por los caminos desiertos de Tirion, y el polvo que se le posaba sobre los vestidos y zapatos era un polvo de diamantes, y brillaba y resplandecía mientras subía por la larga escalinata blanca. Y llamó en alta voz en muchas lenguas, tanto élficas como humanas, pero no había nadie que le respondiese. Por fin se volvió hacia el mar; pero al tomar el camino de la costa, alguien lo llamó desde la colina gritando:

—¡Salve, Eärendil, de los marineros el más afamado, el buscado que llega de improviso, el añorado que viene más allá de toda esperanza! ¡Salve, Eärendil, portador de la luz de antes del Sol y de la Luna! ¡Esplendor de los Hijos de la Tierra, estrella en la oscuridad, joya en el atardecer, radiante luz del alba!

Esa voz era la voz de Eönwë, Heraldo de Manwë, y venía de Valimar, y pidió a Eärendil que se presentara ante los Poderes de Arda. Y Eärendil fue a Valinor y a las estancias de

Valimar, y nunca volvió a poner pie en las tierras de los Hombres. Entonces los Valar se reunieron en consejo, y convocaron a Ulmo desde las profundidades del mar; y Eärendil compareció ante ellos y comunicó el recado de los Dos Linajes. Pidió perdón para los Noldor y piedad por sus grandes penurias, y clemencia para los Hombres y los Elfos y socorro en sus necesidades. Y este ruego fue escuchado.

Se dice entre los Elfos que después de que Eärendil hubo partido en busca de su esposa Elwing, Mandos habló sobre el destino del Medio Elfo; y dijo:

—¿Ha de pisar Hombre mortal las Tierras Inmortales y continuar con vida?

Pero Ulmo contestó:

—Para esto nació en el mundo. Y respóndeme: ¿es Eärendil hijo de Tuor del linaje de Hador, o el hijo de Idril hija de Turgon, de la casa élfica de Finwë?

Y Mandos respondió:

—Los Noldor que se exiliaron voluntariamente tampoco pueden retornar aquí.

Pero cuando todo quedó dicho, Manwë pronunció su sentencia:

—El poder del juicio depende de mí en este asunto. El peligro en que se aventuró por amor de los Dos Linajes no caerá sobre Eärendil, ni tampoco sobre Elwing, su esposa, que se aventuró en el peligro por amor a él; pero nunca volverán a caminar entre Elfos u Hombres en las Tierras Exteriores. Y esto es lo que decreto en relación con ellos: a Eärendil y a Elwing y a sus hijos se les permitirá elegir libremente a cuál de los linajes unirán su destino y bajo qué linaje serán juzgados.

Ahora bien, después de haber transcurrido bastante tiempo desde la partida de Eärendil, Elwing se sintió sola y tuvo miedo; y errando a orillas del mar llegó cerca de Alqualondë, donde estaban las flotas Telerin. Allí los Teleri hicieron amistad con ella, y escucharon lo que contó de Doriath y Gondolin y las penurias de Beleriand, y mostraron piedad y asombro; y cuando Eärendil regresó la encontró allí, en el Puerto de los Cisnes. Pero poco después fueron convocados a Valimar; y allí se les anunció el decreto del Rey Mayor.

Entonces Eärendil dijo a Elwing:

—Elige tú, porque ahora estoy cansado del mundo. —Y Elwing eligió ser juzgada entre los Primeros Hijos de Ilúvatar a causa de Lúthien; y por ella Eärendil eligió de igual modo, aunque se sentía más unido al linaje de los Hombres y el pueblo de su padre. Entonces, por orden de los Valar, Eönwë fue a la costa de Aman, donde los compañeros de Eärendil todavía esperaban noticias; y embarcaron a los tres marineros en una nave, y los Valar los empujaron hacia el Este con un gran viento. Pero tomaron el Vingilot, y lo consagraron, y lo cargaron a través de Valinor hasta el borde exterior del mundo; y allí pasó por la Puerta de la Noche y fue levantado hasta los océanos del cielo.

Ahora bien, bella y maravillosa era la hechura de ese navío, envuelto en una llama estremecida, pura y brillante; y Eärendil el Marinero estaba al timón, y relucía con el polvo de las gemas élficas, y llevaba el Silmaril sujeto a la frente. Lejos viajaba en ese navío, aun hasta el vacío sin estrellas; pero con más frecuencia se lo veía por la mañana o el atardecer, resplandeciente al alba o en la puesta del sol, cuando volvía a Valinor después de haber viajado hasta más allá de los confines del mundo.

En esos viajes Elwing no lo acompañaba, porque no podía soportar el frío y el vacío sin senderos, y antes prefería la tierra y los dulces vientos que soplan en el mar o las colinas. Por tanto, construyeron para ella una blanca torre en el norte, a orillas de los Mares Divisorios; y allí a veces buscaban resguardo todas las aves marinas de la tierra. Y se cuenta que Elwing aprendió las lenguas de los pájaros, ella que una vez había tenido forma de ave; y le enseñaron el arte del vuelo, y tuvo alas blancas y grises como de plata. Y a veces, cuando Eärendil se acercaba de regreso a Arda, ella volaba a su encuentro, como lo había hecho mucho tiempo atrás cuando la rescataron del mar. Entonces aquellos de vista penetrante entre los Elfos que vivían en la Isla Solitaria alcanzaban a verla como un pájaro blanco, resplandeciente, teñido de rosa por el crepúsculo, cuando se elevaba dichosa para saludar el regreso a puerto de Vingilot.

Ahora bien, cuando por primera vez Vingilot se hizo a la mar del cielo, se elevó de pronto, refulgente y brillante; y la gente de la Tierra Media lo vio desde lejos y se asombró, y lo tomaron por un signo, y lo llamaron Gil-Estel, la Estrella de la Gran Esperanza. Y cuando esta nueva estrella fue vista en el crepúsculo, Maedhros habló a su hermano Maglor y le dijo:

—¿No es acaso un Silmaril, que brilla ahora en el Oeste?

Y Maglor respondió:

—Si es en verdad el Silmaril que vimos hundirse en el mar y que se eleva otra vez por el poder de los Valar, regocijémonos entonces; porque su gloria es vista ahora por muchos, y no obstante está más allá de todo mal.

Entonces los Elfos miraron hacia arriba y ya no desesperaron; pero Morgoth se llenó de duda.

Sin embargo, se dice que Morgoth no esperaba el ataque que le llegó desde el Oeste; porque tanto había crecido su orgullo que pensaba que nadie más se atrevería a librar una guerra abierta contra él. Además, imaginaba que había malquistado para siempre a los Noldor con los Señores del Oeste, y que contentos en su propio reino, los Valar ya nunca harían caso del mundo exterior; porque para aquel que no conoce la piedad, los hechos piadosos son extraños e incomprensibles. Pero el ejército de los Valar se preparaba para la batalla; y tras sus estandartes blancos marchaban los Vanyar, el pueblo de Ingwë, y aquellos de los Noldor que nunca habían abandonado Valinor, y cuyo líder era Finarfin, el hijo de Finwë. Pocos de entre los Teleri estaban dispuestos a ir a la guerra, porque recordaban la matanza en el Puerto de los Cisnes y la captura de sus navíos; pero escucharon a Elwing, que era la hija de Dior Eluchíl y del linaje de ellos, y enviaron suficientes marineros para tripular las naves que transportaban el ejército de Valinor por el mar hacia el este. No obstante, permanecieron a bordo, y ninguno de ellos puso pie en las Tierras de Aquende.

De la marcha del ejército de los Valar hacia el norte de la Tierra Media poco se dice en historia alguna; porque entre ellos no iba ninguno de los Elfos que habían vivido y sufrido en las Tierras de Aquende, y que compusieron las historias de aquel tiempo que aún se conocen; y sólo se enteraron de esos hechos mucho después, por sus hermanos de Aman. Pero al fin el poder de Valinor apareció en el Occidente, y las trompetas de Eönwë clamaron desafiantes en el cielo; y Beleriand se encendió con la gloria de sus armas, pues el ejército de los Valar se componía de figuras jóvenes y hermosas y terribles, y las montañas resonaban bajo sus pies.

El encuentro de los ejércitos del Occidente y del Norte se llamó la Gran Batalla y la Guerra de la Cólera. Allí se concentró todo el poder del Trono de Morgoth, que había crecido sin medida, de modo que Anfauglith no podía ya contenerlo; y todo el Norte ardía con la guerra.

Pero de nada le valió. Los Balrogs fueron destruidos, salvo unos pocos que huyeron y se escondieron en cuevas inaccesibles en las raíces de la tierra; y las incontables legiones de los Orcos perecieron como paja en un gran incendio, o fueron barridas como hojas marchitas delante de un viento ardiente. Durante largos años, pocos quedaron para perturbar el mundo. Y los pocos supervivientes de las tres casas de los Amigos de los Elfos, los Padres de los Hombres, lucharon de parte de los Valar; y fueron vengados en esos días por la muerte de Baragund y Barahir, de Galdor y Gundor, de Huor y Húrin, y muchos otros de sus señores. Pero la mayoría de los hijos de los Hombres del pueblo de Uldor, y otros recién llegados del este, marcharon junto con el Enemigo; y los Elfos no lo olvidan.

Entonces, al ver que sus huestes eran aniquiladas y su poder dispersado, Morgoth se amilanó, y no se atrevió él mismo a salir a la batalla. Pero lanzó sobre el enemigo el último ataque desesperado que había previsto, y de los abismos de Angband salieron los dragones alados que habían estado ocultos hasta entonces; y tan súbita y ruinosa fue la embestida de la terrible flota, que el ejército de los Valar retrocedió, porque los dragones venían junto con grandes truenos, y relámpagos, y una tormenta de fuego.

Pero llegó Eärendil, brillando con una llama blanca, y alrededor de Vingilot estaban reunidas todas las grandes aves del cielo, y las capitaneaba Thorondor, y hubo una batalla en el aire todo el día y a lo largo de una oscura noche de duda. Antes de salir el sol, Eärendil mató a Ancalagon el Negro, el más poderoso del ejército de los dragones, y lo arrojó del cielo; y cayó sobre las torres de Thangorodrim, que se quebraron junto con él. Entonces salió el sol, y el ejército de los Valar prevaleció, y casi todos los dragones fueron destruidos; y to-

dos los fosos de Morgoth quedaron desmoronados y sin techo, y el poder de los Valar descendió a las profundidades de
la tierra. Allí por fin quedó Morgoth acorralado y acobarda-
do. Huyó a la más profunda de sus minas y pidió la paz y el
perdón; pero los pies le fueron rebanados desde abajo, y fue
arrojado al suelo de bruces. Luego fue atado con la cadena
Angainor, que él había llevado en otro tiempo, y de la corona
de hierro le hicieron un collar, y le hundieron la cabeza sobre
las rodillas. Y quitaron los dos Silmarils que Morgoth conservaba en la corona, y brillaron inmaculados bajo el cielo; y
Eönwë los recogió y los guardó.

Así se puso fin al poder de Angband en el Norte, y el reino
maldito fue reducido a nada; y de las profundas prisiones una
multitud de esclavos emergió, más allá de toda esperanza, a la
luz del día, y contemplaron un mundo que había cambiado.
Porque tan grande era la furia de esos adversarios, que las regiones septentrionales del mundo occidental se habían partido, y el mar entró rugiendo por múltiples grietas, y hubo
mucha confusión y un gran estruendo; y los ríos perecieron o
buscaron nuevos cursos, y los valles se levantaron y las colinas
se derrumbaron; y el Sirion desapareció.

Entonces Eönwë, como heraldo del Rey Mayor, convocó
a los Elfos de Beleriand para abandonar la Tierra Media.
Pero Maedhros y Maglor no lo escucharon, y se prepararon,
aunque ahora con fatiga y aversión, para un intento desesperado de cumplir con el juramento; porque estaban dispuestos a luchar por los Silmarils, si no se los entregaban, aun
contra el ejército victorioso de Valinor, aunque estuvieran
solos contra todo el mundo. Y por tanto enviaron mensaje a
Eönwë, exigiendo que se les cedieran esas joyas que antaño
había hecho Fëanor, el padre de ellos, y que Morgoth le había robado.

Pero Eönwë respondió que los hijos de Fëanor no tenían ya ningún derecho a reclamar los Silmarils, y esto a causa de las muchas e impías acciones que ellos habían llevado a cabo, enceguecidos por el juramento, y sobre todo debido al asesinato de Dior y el ataque a los Puertos. La luz de los Silmarils iría ahora al Occidente, de dónde salió al principio; Maedhros y Maglor debían regresar a Valinor para someterse al juicio de los Valar; y sólo si ellos así lo decretasen cedería Eönwë las joyas que él guardaba ahora. Entonces Maglor deseó en verdad someterse, pues sentía una congoja en el corazón, y dijo:

—El juramento no exige que no aprovechemos el momento oportuno, y puede que en Valinor todo quede perdonado y olvidado, y que así al fin tengamos paz.

Pero Maedhros respondió que si volvían a Aman, y el favor de los Valar no les era concedido, el juramento continuaría siendo válido, pero su cumplimiento estaría fuera de su alcance, y preguntó:

—¿Quién puede saber a qué condena espantosa no seremos sometidos si desobedecemos a los Poderes en su propia tierra o nos proponemos llevar la guerra otra vez a su reino sagrado?

Pero Maglor aún insistió diciendo:

—¿No queda invalidado el juramento si los mismos a quienes nombramos como testigos, Manwë y Varda, se oponen a que se cumpla?

Y Maedhros le respondió:

—Pero ¿cómo llegarán nuestras voces a Ilúvatar más allá de los Círculos del Mundo? Y por Ilúvatar juramos en nuestra locura, y pedimos que la Oscuridad Sempiterna descendiera sobre nosotros si no manteníamos nuestra palabra. ¿Quién nos liberará?

—Si nadie puede liberarnos —dijo Maglor—, la Oscuridad Sempiterna será en verdad nuestra suerte, mantengamos nuestro juramento o lo quebrantemos; pero menos daño haremos quebrantándolo.

No obstante, cedió por fin a la voluntad de Maedhros, y planearon juntos cómo se adueñarían de los Silmarils. Y se disfrazaron y fueron por la noche al campamento de Eönwë, y se deslizaron al lugar donde se guardaban los Silmarils; y mataron a los guardianes, y se apoderaron de las joyas. Entonces todo el campamento se levantó contra ellos, y ellos se prepararon para defenderse y morir. Pero Eönwë no permitió la matanza de los hijos de Fëanor; y sin que nadie los molestase huyeron lejos. Cada uno de ellos llevó uno de los Silmarils, porque dijeron:

—Puesto que uno se nos ha perdido, ya sólo quedan dos, y sólo tú y yo de nuestros hermanos, por lo que la voluntad del destino es clara: quiere que compartamos las reliquias de nuestro padre.

Pero la joya quemaba la mano de Maedhros con un dolor insoportable; y entendió que era como había dicho Eönwë, y que ya no tenía derecho al Silmaril, y que el juramento no servía de nada. Y lleno de angustia y desesperación, se arrojó a una grieta abierta que despedía fuego, y así llegó a su fin; y el Silmaril que llevaba quedó sepultado en las entrañas de la Tierra.

Y se dice que Maglor no pudo resistir el dolor con el que el Silmaril lo atormentaba; y lo arrojó por fin al Mar, y que desde entonces anduvo sin rumbo por las costas cantando junto a las olas con dolor y remordimiento. Porque Maglor era grande entre los cantores de antaño, y sólo a Daeron de Doriath se nombra antes que él. Y así fue que los Silmarils encontraron unas moradas duraderas: uno en los aires del cielo, y uno en los fuegos del corazón del mundo, y uno en las aguas profundas.

En esos días construyeron muchos barcos en las costas del Mar Occidental; y desde allí numerosas flotas de los Eldar navegaron hacia el Oeste, y no regresaron nunca a las tierras del llanto y de la guerra. Y los Vanyar volvieron bajo los blancos estandartes y fueron llevados en triunfo a Valinor; pero el regocijo de la victoria estaba disminuido, pues volvían sin los Silmarils de la corona de Morgoth, y sabían que esas joyas ya nunca podrían encontrarse ni reunirse de nuevo, a no ser que el mundo se rompiera y se rehiciera.

Y cuando llegaron al Oeste, los Elfos de Beleriand vivían en Tol Eressëa, la Isla Solitaria, que mira al oeste y al este; desde donde podrían llegar aun a Valinor. Fueron admitidos nuevamente en el amor de Manwë y en el perdón de los Valar; y los Teleri olvidaron la antigua aflicción, y la maldición fue enterrada.

No obstante, no todos los Eldalië estaban dispuestos a abandonar las Tierras de Aquende, donde habían sufrido mucho y habían vivido mucho tiempo; y algunos permanecieron durante muchas edades en la Tierra Media. Entre ellos se contaban Círdan el Carpintero de Barcos, y Celeborn de Doriath, con su esposa Galadriel, única que quedaba de los que condujeron a los Noldor al exilio en Beleriand. En la Tierra Media vivía también Gil-galad el Alto Rey, y con él estaba Elrond Medio Elfo, que eligió, tal y como le fue permitido, formar parte de los Eldar; pero Elros, su hermano, eligió vivir con los Hombres. Y sólo de estos hermanos ha llegado a los Hombres la sangre de los Primeros Nacidos, y una línea de sangre de los espíritus divinos que fueron antes de Arda; porque eran los hijos de Elwing, hija de Dior, hijo de Lúthien, hija de Thingol y Melian; y Eärendil, su padre, era el hijo de Idril Celebrindal, hija de Turgon de Gondolin.

Pero a Morgoth los Valar lo arrojaron por la Puerta de la Noche, más allá de los Muros del Mundo, al Vacío Intemporal; y sobre esos muros hay siempre una guardia, y Eärendil vigila desde los bastiones del cielo. No obstante, las mentiras que Melkor el poderoso y maldito —Morgoth Bauglir, el Poder del Terror y del Odio— sembró en el corazón de los Elfos y de los Hombres son una semilla que no muere y no puede destruirse; y cada cierto tiempo germina de nuevo; y dará negro fruto aun hasta los últimos días.

Aquí concluye el SILMARILLION. Si ha pasado desde lo elevado y lo bello a la oscuridad y la ruina, ése era desde hace mucho el destino de Arda Maculada: y si sobrevendrá un cambio la injuria se remediará, Manwë y Varda lo saben; pero no lo han revelado, y no ha sido mencionado en los juicios de Mandos.

AKALLABÊTH

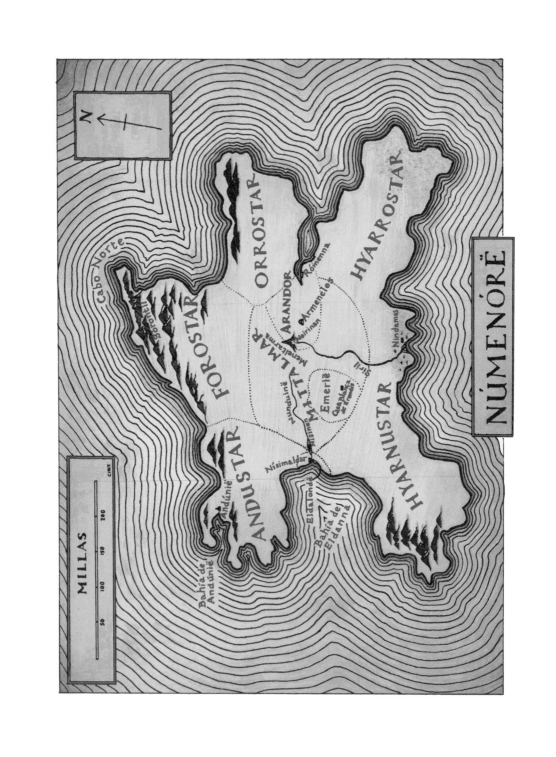

MILLAS

50 100 150 200 CIRCT

N

Cabo Norte

Gorontelli

FOROSTAR

ORROSTAR

Bahía de
Andúnië

Andúnië

ANDUSTAR

Nísimaldar

Eldalondë

Bahía de
Eldanna

Nunduinë

Nísimen

MITTALMAR

ARANDOR

Mentelcarma

Noirinan

Armenelos

Rómenna

HYARROSTAR

Emerië

Gusdamala
de Erendis

Siril

Nindamos

HYARNUSTAR

NÚMENÓRË

AKALLABÊTH

La Caída de Númenor

Dicen los Eldar que los Hombres vinieron al mundo en el tiempo de la Sombra de Morgoth, y que no tardaron en caer bajo su dominio; porque él les envió emisarios, y ellos escucharon las malvadas y astutas palabras de Morgoth, y veneraron la Oscuridad, aunque la temían. Pero algunos de ellos dieron la espalda al mal y abandonaron las tierras de sus familias, y erraron siempre hacia el oeste; porque habían oído el rumor de que en el Oeste había una luz que la Sombra no podía oscurecer. Los sirvientes de Morgoth los perseguían con odio, y los caminos que recorrían eran penosos y largos; sin embargo, llegaron por fin a las tierras que miran al Mar, y penetraron en Beleriand en los días de la Guerra de las Joyas. Se los llamó Edain en la lengua sindarin; y se hicieron amigos y aliados de los Eldar, y realizaron hazañas de mucho coraje en la guerra contra Morgoth.

De los Edain nació el Brillante Eärendil por el lado del padre; y en la *Balada de Eärendil* se cuenta cómo al fin, cuando la victoria de Morgoth era casi completa, construyó el navío Vingilot, que los Hombres llaman Rothinzil, y viajó por mares nunca navegados, siempre en busca de Valinor; porque deseaba hablar ante los Poderes en nombre de los Dos Lina-

jes, para que los Valar los compadecieran y les enviaran ayuda
en aquella extrema necesidad. Por tanto, Elfos y Hombres lo
llaman Eärendil el Bendito, porque cumplió su misión después de grandes trabajos y muchos peligros, y de Valinor llegó
el ejército de los Señores del Oeste. Pero Eärendil no volvió
nunca a las tierras que había amado.

En la Gran Batalla, cuando por fin Morgoth fue derrocado y Thangorodrim derribada, sólo los Edain de entre las tribus de los Hombres lucharon al lado de los Valar, mientras
que muchas otras lucharon al lado de Morgoth. Y después de
la victoria de los Señores del Oeste, los Hombres malvados
que no fueron destruidos escaparon de vuelta al este, donde
muchos de esa raza erraban todavía en las tierras sin cultivar,
salvajes e incivilizados, sin atender a las llamadas de los Valar,
ni tampoco a las de Morgoth. Y los Hombres malvados se
mezclaron con ellos y les echaron encima una sombra de miedo, y ellos los escogieron como reyes. Entonces los Valar
abandonaron por un tiempo a los Hombres de la Tierra Media que no habían hecho caso de sus llamadas y que habían
elegido a los amigos de Morgoth como amos; y los Hombres
habitaron en la oscuridad y fueron perturbados por muchas
criaturas malignas que Morgoth había concebido en los tiempos de su dominio: demonios, y dragones, y bestias deformes,
y los Orcos impuros, que son una perversa imitación de los
Hijos de Ilúvatar. Y la suerte de los Hombres fue desdichada.

Pero Manwë derrocó a Morgoth y lo expulsó del Mundo
al Vacío que hay fuera de él; y no puede volver al Mundo
como forma visible mientras los Señores del Oeste estén en el
poder. Pero las semillas que había plantado germinaban, y
crecían dando malos frutos, si alguien cuidaba de ellas. Porque la voluntad de Morgoth duraba aún y guiaba a sus sirvientes, impulsándolos a estorbar la voluntad de los Valar y a

destruir a aquellos que la obedecían. Esto los Señores del Oeste lo sabían muy bien. Por tanto, cuando Morgoth hubo sido expulsado, se reunieron en consejo para hablar de las edades que se sucederían luego. A los Eldar les permitieron volver al Oeste, y los que hicieron caso a la llamada vivieron en la Isla de Eressëa; y hay en esa tierra un puerto llamado Avallónë, porque de todas las ciudades es la que está más próxima a Valinor, y la torre de Avallónë es lo primero que divisa el marinero cuando por fin se acerca a las Tierras Imperecederas cruzando las leguas del Mar. A los Padres de los Hombres de las tres casas fieles también se les concedieron ricas recompensas. Eönwë fue entre ellos y los instruyó; y se les dio sabiduría y poder y una vida más larga que la de ningún otro mortal. Se hizo una tierra para que los Edain vivieran en ella, y que no era parte de la Tierra Media ni de Valinor, porque estaba separada de ellas por el ancho mar; pero estaba más cerca de Valinor. Fue levantada por Ossë de las profundidades de las Grandes Aguas, y fue fortalecida por Aulë y enriquecida por Yavanna; y los Eldar llevaron allí flores y fuentes de Tol Eressëa. A esa tierra los Valar llamaron Andor, la Tierra del Don; y la Estrella de Eärendil brilló con fuerza en el Oeste como señal de que todo estaba preparado, y como guía de navegación; y los Hombres se maravillaron al ver aquella llama plateada en los caminos del Sol.

Entonces los Edain se hicieron a la vela sobre las aguas profundas, detrás de la siguiendo la Estrella; y los Valar pusieron paz en el mar por muchos días, y mandaron que el Sol brillara, y enviaron vientos favorables, de modo que las aguas resplandecieron ante los ojos de los Edain como ondas cristalinas, y la espuma volaba como la nieve entre los mástiles de los barcos. Pero tanto brillaba Rothinzil, que aun por la mañana los Hombres podían ver cómo resplandecía en el Oeste,

y brillaba solitario en las noches sin nubes, porque nada podían las estrellas a su lado. Y navegando hacia él, los Edain
atravesaron al fin las leguas de mar y divisaron a lo lejos la
tierra que les estaba preparada, Andor, la Tierra del Don, que
resplandecía en vapores dorados. Entonces dejaron atrás el
mar, y encontraron una campiña hermosa y fértil, y se alegraron. Y llamaron a esa tierra Elenna, que significa Rumbo a la
Estrella; pero también Anadûnê, que significa Oesternesse,
Númenórë en alto eldarin.

Éste fue el principio del pueblo que en la lengua de los
Elfos Grises se llama Dúnedain: los Númenóreanos, Reyes
entre los Hombres. Pero no escaparon por ello al destino de
muerte que Ilúvatar había impuesto a toda la Humanidad, y
todavía eran mortales, aunque de años más prolongados, y no
conocían la enfermedad hasta que la sombra caía sobre ellos.
Así se volvieron sabios y gloriosos, y en todo más semejantes a
los Primeros Nacidos que ninguna otra de las tribus de los
Hombres; y eran altos, más altos que los hijos más altos de la
Tierra Media; y la luz que tenían en los ojos recordaba la luz
de las brillantes estrellas. Pero crecieron lentamente en número en aquella tierra porque, aunque tenían hijas e hijos más
bellos que sus progenitores, los vástagos eran escasos.

Antaño la ciudad principal y puerto de Númenor estaba
en la costa occidental, y se llamaba Andúnië, porque miraba
al sol poniente. Pero en medio de la tierra había una montaña
alta y escarpada, y se llamaba Meneltarma, el Pilar del Cielo,
y en lo alto de esta montaña había un lugar abierto y expuesto
al cielo, que estaba consagrado a Eru Ilúvatar, y en la tierra de
los Númenóreanos no había ningún otro templo ni santuario.
Al pie de la montaña se levantaban las tumbas de los Reyes, y
muy cerca, sobre una colina, estaba Armenelos, la más hermosa de las ciudades, y allí había una torre y una ciudadela

construidas por Elros hijo de Eärendil, a quien los Valar designaron como primer Rey de los Dúnedain.

Ahora bien, Elros y su hermano Elrond descendían de las Tres Casas de los Edain, pero en parte también de los Eldar y los Maiar; porque Idril de Gondolin y Lúthien hija de Melian fueron sus antepasadas. Los Valar no pueden en ningún caso retirar el don de la muerte, que ha sido dado a los Hombres por Ilúvatar, pero en la cuestión de los Medio Elfos, Ilúvatar decidió que los Valar juzgaran; y ellos juzgaron que a los hijos de Eärendil había que darles la libertad de que eligieran su propia suerte. Y Elrond eligió permanecer con los Primeros Nacidos, y a él se le concedió la vida de los Primeros Nacidos. Pero a Elros, que eligió ser un rey de Hombres, se le otorgó una vida muy prolongada, mucho más que la de los Hombres de la Tierra Media; y todo su linaje, los reyes y los señores de la casa real, tuvieron una larga vida, aun en relación con lo que era la norma para los Númenóreanos. Pero Elros vivió quinientos años y gobernó a los Númenóreanos durante cuatrocientos diez años.

Así transcurrieron los años, y mientras la Tierra Media retrocedía y la luz y la sabiduría menguaban, los Dúnedain vivían bajo la protección de los Valar y unidos en amistad con los Eldar, y crecían en altura, tanto de mente como de cuerpo. Porque, aunque este pueblo todavía hablaba su propio idioma, los reyes y señores conocían y hablaban también la lengua élfica, que habían aprendido en los días de la alianza, y por tanto aún conversaban con los Eldar, tanto con los de Eressëa como con los del oeste de la Tierra Media. Y los maestros de la ciencia aprendieron también la lengua alto eldarin del Reino Bendecido, en la que se preservaban muchas historias y cantos desde el principio del mundo, y aplicaron sus letras a pergaminos y libros, y en ellos escribieron muchas cosas de sabiduría y de maravilla durante el apogeo de su reino, todo lo cual está ahora olvidado. Así fue que además de sus propios nombres todos los señores de los Númenóreanos tenían también nombres eldarin; y lo mismo sucedía con las ciudades y los hermosos lugares que fundaron en Númenor y en las costas de las Tierras de Aquende.

Porque los Dúnedain se convirtieron en maestros artífices, de modo que si lo hubieran querido podrían haber sobrepasado con facilidad a los malvados reyes de la Tierra Media en estrategia de guerra y en la forja de armas; pero ahora eran hombres de paz. Por encima de todas las artes cultivaron la fabricación de barcos y la marinería, y se convirtieron en marineros como no volverán a verse desde que el mundo quedó menguado; y viajar por el ancho mar fue la hazaña y la aventura principal de esos hombres atrevidos en los días de esplendor de su juventud.

Pero los Señores de Valinor les ordenaron que no perdiesen de vista las costas de Númenor si viajaban hacia el oeste, y durante mucho tiempo los Dúnedain estuvieron contentos, aunque no comprendían del todo la finalidad de esta prohibición. Pero el designio de Manwë era que los Númenóreanos no tuvieran la tentación de buscar el Reino Bendecido, ni intentaran sobrepasar los límites de su propia bienaventuranza, para no enamorarse de la inmortalidad de los Valar y de los Eldar y las tierras en las que todo perdura.

Porque en aquellos días Valinor permanecía en el mundo visible, e Ilúvatar permitía que los Valar tuvieran en la Tierra una residencia permanente, un monumento a lo que podría haber sido si Morgoth no hubiera arrojado una sombra sobre el mundo. Esto lo sabían perfectamente los Númenóreanos; y en ocasiones, cuando el aire estaba claro y el sol en el este, miraban y avistaban allá lejos al oeste el blanco resplandor de

una ciudad en una costa distante, y un gran puerto y una torre. Porque en aquellos días los Númenóreanos tenían la vista
aguda; y aun así sólo los de ojos más penetrantes podían contemplar esta visión, desde el Meneltarma, o desde algún barco
de alta arboladura que estuviese anclado tan lejos hacia el
oeste como les estaba permitido. Porque no se atrevían a des-
obedecer la Prohibición de los Señores del Oeste. Pero los
más sabios de ellos sabían que esa tierra distante no era en
verdad el Reino Bendecido de Valinor, sino Avallónë, el puerto de los Eldar en Eressëa, el extremo oriental de las Tierras
Imperecederas. Y desde allí venían a veces los Primeros Nacidos a Númenor en naves sin remos, tan blancas como aves
que volaran desde el sol poniente. Y llevaban a Númenor
muchos regalos: aves cantoras, y flores fragantes, y hierbas de
gran virtud. Y les llevaron un vástago de Celeborn, el Árbol
Blanco que crecía en medio de Eressëa, y era a su vez vástago
de Galathilion, el Árbol de Túna, la imagen de Telperion que
Yavanna dio a los Eldar en el Reino Bendecido. Y el árbol creció y floreció en los patios del Rey en Armenelos; le dieron el
nombre de Nimloth, y las flores se abrían al atardecer, y una
fragancia llenaba las sombras de la noche.

Fue así como a causa de la Prohibición de los Valar los
Dúnedain de aquellos días navegaban siempre hacia el este y
no hacia el oeste, desde la oscuridad del norte hacia el caluro-
so sur, y más allá del sur hasta las Oscuridades Bajas; y se in-
ternaban aun en los mares interiores y viajaban alrededor de
la Tierra Media, y atisbaban desde las elevadas proas las Puertas de la Mañana en el Este. Y los Dúnedain llegaban a veces a
las costas de las Grandes Tierras, y se compadecían del mundo abandonado de la Tierra Media; y los Señores de Númenor pusieron pie otra vez en las costas occidentales en los
Años Oscuros de los Hombres, y aún nadie se atrevía a opo-

nerse a ellos. Porque bajo la Sombra, la mayor parte de los Hombres de esa época se habían vuelto débiles y temerosos. Y estando entre ellos, los Númenóreanos les enseñaron muchas cosas. Grano y vino les llevaron, e instruyeron a los Hombres en la siembra y molienda de la semilla, en la tala de árboles y la talla de la piedra, y en el ordenamiento de la vida tal como tenía que ser en tierras de muerte rápida y dicha escasa.

Entonces los Hombres de la Tierra Media encontraron consuelo, y por aquí y por allá, en las costas occidentales los bosques deshabitados retrocedieron, y los Hombres se sacudieron el yugo de los descendientes de Morgoth y olvidaron el terror a las tinieblas. Y reverenciaron la memoria de los altos Reyes del Mar, y cuando hubieron partido, los llamaron dioses con la esperanza de que regresaran; porque por aquel tiempo los Númenóreanos nunca se demoraban mucho en la Tierra Media, ni edificaban allí morada. Por fuerza tenían que navegar hacia el este, pero sus corazones se volvían siempre hacia el oeste.

Ahora bien, este anhelo crecía con los años; y los Númenóreanos empezaron a mirar con deseo la ciudad inmortal que asomaba en la distancia; y el sueño de una vida perdurable, para escapar de la muerte y del fin de la alegría, se fortaleció en ellos; y a medida que crecían en poder y en gloria, estaban más intranquilos. Y aunque los Valar habían recompensado a los Dúnedain con una larga vida, no podían quitarles la fatiga del mundo que sobreviene al fin, y morían, aun los reyes de la simiente de Eärendil; y tenían una vida breve ante los ojos de los Eldar. Así fue que una sombra cayó sobre ellos: en la que tal vez obrara la voluntad de Morgoth que aún operaba en el mundo. Y los Númenóreanos empezaron a murmurar, en secreto al principio, y luego con palabras manifiestas, en contra del destino de los Hombres, y sobre todo contra la Prohibición que les impedía navegar hacia el Oeste.

Y decían entre sí:

—¿Por qué los Señores del Oeste disfrutan de una paz imperecedera, mientras que nosotros tenemos que morir e ir a no sabemos dónde, abandonando nuestros hogares y todo cuanto hemos hecho? Y los Eldar no mueren, aun los que se rebelaron contra los Señores. Y puesto que hemos dominado todos los mares, y no hay aguas que resistan nuestros barcos, por anchas y salvajes que sean, ¿por qué no podemos ir a Avallónë y saludar allí a nuestros amigos?

Y había otros que decían:

—¿Por qué no podemos ir a Aman y saborear allí, aunque fuera solo un día, la bienaventuranza de los Poderes? ¿Acaso no somos ya importantes entre los pueblos de Arda?

Los Eldar transmitieron estas palabras a los Valar, y Manwë se entristeció, pues veía que una nube se cernía ahora sobre el mediodía de Númenor. Y envió mensajeros a los Dúnedain, que hablaron gravemente con el Rey, y a todos cuantos estaban dispuestos a escucharlos, acerca del destino y los modos del mundo.

—El Destino del Mundo —dijeron— sólo Uno puede cambiarlo, Él que lo hizo. Y si navegarais de tal manera que, burlando todos los engaños y las trampas, llegaseis en verdad a Aman, el Reino Bendecido, de escaso provecho os sería. Porque no es la tierra de Manwë lo que hace inmortal a la gente, sino que la Inmortalidad que allí habita ha santificado la tierra; y allí os marchitaríais y os fatigaríais más pronto, como las polillas bajo una luz demasiado fuerte y constante.

Pero el Rey le preguntó:

—¿Y no vive acaso Eärendil, mi antepasado? ¿O no está en la Tierra de Aman?

A lo cual ellos respondieron:

—Sabéis que tiene un destino aparte, y fue adjudicado a los Primeros Nacidos, que no mueren; pero también se ha ordenado que nunca pueda volver a las tierras mortales. Mientras que vos y vuestro pueblo no sois de los Primeros Nacidos, sino Hombres mortales, como os hizo Ilúvatar. Parece sin embargo que deseáis los bienes de ambos linajes, navegar a Valinor cuando se os antoje y volver a vuestras casas cuando os plazca. Eso no puede ser. Ni pueden los Valar quitar los dones de Ilúvatar. Los Eldar, decís, no son castigados, y ni siquiera los que se rebelaron mueren. Sin embargo, eso no es para ellos ni recompensa ni castigo, sino el cumplimiento de su ser. No pueden escapar, y están sujetos a este mundo para no abandonarlo jamás mientras dure, pues tienen su propia vida. Y vosotros sois castigados por la rebelión de los Hombres, decís, en la que poco participasteis. Pero en un principio no se pensó que eso fuera un castigo. De modo que vosotros escapáis y abandonáis el mundo y no estáis sujetos a él, con esperanza o con fatiga. ¿Quién por lo tanto tiene que envidiar a quién?

Y los Númenóreanos respondieron:

—¿Por qué no hemos de envidiar a los Valar o aun al menor de los Inmortales? Pues a nosotros se nos exige una confianza ciega y una esperanza sin garantía, y no sabemos lo que nos aguarda en el próximo instante. Pero también nosotros amamos la Tierra y no quisiéramos perderla.

Entonces los mensajeros dijeron:

—En verdad los Valar no conocen qué ha decidido Ilúvatar sobre vosotros, y él no ha revelado todas las cosas que están por venir. Pero esto sabemos de cierto: que vuestro hogar no está aquí, ni en la Tierra de Aman, ni en ningún otro sitio dentro de los Círculos del Mundo. Y el Destino de los Hombres, que han de abandonar el Mundo, fue en un principio un don de Ilúvatar. Se les convirtió en sufrimiento sólo porque los cubrió la sombra de Morgoth y les pareció que estaban rodeados por una gran oscuridad, de la que tuvieron miedo; y algunos se volvieron obstinados y orgullosos, y no estaban dispuestos a ceder, hasta que la vida les abandonara por la fuerza. Nosotros, que soportamos la carga siempre creciente de los años, no lo comprendemos claramente; pero si ese dolor ha vuelto a perturbaros, como decís, tememos que la Sombra se levante una vez más y crezca de nuevo en vuestros corazones. Por tanto, aunque seáis los Dúnedain, los más hermosos de los Hombres, que escapasteis de la Sombra de antaño y luchasteis valientemente contra ella, os decimos: ¡Cuidado! No es posible oponerse a la voluntad de Eru; y los Valar os piden gravemente mantener la confianza en aquello a que estáis llamados, no sea que pronto se convierta otra vez en una atadura y os sintáis constreñidos. Tened más bien esperanzas de que el menor de vuestros deseos dará su fruto. Ilúvatar puso en vuestros corazones el amor por Arda, y él no siembra sin propósito. No obstante, muchas edades de Hombres aún no nacidos pueden transcurrir antes de que ese propósito se dé a conocer; y a vosotros os será revelado y no a los Valar.

Estas cosas sucedieron en los días de Tar-Ciryatan el Carpintero de Barcos, y de Tar-Atanamir, su hijo; y eran hombres de mucho orgullo, y codiciosos, e impusieron tributo a los hombres de la Tierra Media, tomando ahora, antes que dando. Fue a Tar-Atanamir al que hablaron los mensajeros; y era el decimotercer Rey, y en sus días el Reino de Númenor tenía más de dos mil años y había alcanzado el cénit de la bienaventuranza, si aún no su máximo poder. Pero a Atanamir le disgustó el consejo de los Mensajeros y le hizo poco caso, y la mayor parte de su pueblo lo imitó porque deseaban escapar a la muerte mientras aún estaban con vida, sin dejar nada a la esperanza. Y Atanamir vivió hasta muy avanzada edad, aferrándose a la existencia más allá del fin de toda alegría; y fue en esto el primero de los Númenóreanos, rehusándose a partir hasta que perdió el juicio y la virilidad, y negando a su hijo la corona del reino en el tiempo adecuado. Porque los Señores de Númenor acostumbraban casarse tarde, y partían y dejaban el mandato a sus hijos cuando éstos alcanzaban la edad de la plenitud, de cuerpo y de mente.

Entonces Tar-Ancalimon, hijo de Atanamir, fue el Rey, y era de igual temple; y en sus días el pueblo de Númenor se dividió. La mayor de las dos partes fue llamada los Hombres del Rey, y eran gente orgullosa, y se apartaban de los Eldar y los Valar. Y la parte menor se llamó los Elendili, los Amigos de los Elfos, porque, aunque en verdad se mantenían fieles al Rey y a la Casa de Elros, deseaban conservar la amistad de los Eldar, y escucharon el consejo de los Señores del Oeste. No obstante, ni siquiera ellos, que se daban a sí mismos el nombre de los Fieles, escaparon por entero a la aflicción común, y la idea de la muerte los perturbaba.

De este modo la bienaventuranza de Oesternesse menguó; aunque continuó aumentando en poder y esplendor. Porque los reyes y el pueblo no habían perdido aún el buen juicio, y si ya no amaban a los Valar, al menos aún los temían; y no se atrevían a quebrantar abiertamente la Prohibición ni a navegar más allá de los límites que habían sido designados. Los altos navíos iban todavía hacia el este. Pero el miedo que tenían a la muerte era cada vez mayor, y la retrasaban por cualquier medio que estuviera a su alcance; y empezaron a construir grandes casas para los muertos, mientras que los hombres sabios trabajaban incesantemente tratando de descubrir el secreto de la recuperación de la vida, o al menos la prolongación de los días de los Hombres. No obstante, sólo alcanzaron el arte de preservar incorrupta la carne muerta de los Hombres, y llenaron toda la tierra de tumbas silenciosas en las que la idea de la muerte se confundía con la oscuridad. Pero los que vivían se volcaban con mayor ansia al placer y a las fiestas, siempre codiciando más riquezas y bienes; y después de los días de Tar-Ancalimon, la ofrenda de las primeras cosechas a Eru fue desatendida, y los hombres iban rara vez al Santuario en las alturas de Meneltarma, en medio de la tierra.

Así fue como en aquel tiempo los Númenóreanos establecieron sus primeros asentamientos en las costas occidentales de las tierras antiguas; porque su propia tierra les parecía ahora empequeñecida, y no encontraban allí reposo ni contento, y deseaban ahora las riquezas y el dominio de la Tierra Media, puesto que les era negado el Oeste. Construyeron grandes puertos, y fuertes torres, y muchos moraron en ellas, pero eran ahora señores y amos y recolectores de tributos antes que ayudantes y maestros. Los vientos llevaban a los grandes barcos de los Númenóreanos, que volvían siempre cargados, y el poder y la majestad de los reyes se acrecentaban, y bebían y celebraban fiestas y se vestían de plata y oro.

En todo esto los Amigos de los Elfos participaron muy poco. Sólo ellos iban ahora al norte y a la tierra de Gil-galad, conservando la amistad con los Elfos y ayudando en contra de Sauron; y su puerto era Pelargir, sobre las Bocas de Anduin el Grande. Pero los Hombres del Rey avanzaban muy lejos hacia el sur; y los señoríos y las fortalezas que construyeron tuvieron gran renombre en las leyendas de los Hombres.

En esta Edad, como se cuenta en otra parte, Sauron se alzó de nuevo en la Tierra Media, y creció y retomó el mal en que

Morgoth lo había criado, ganando en poder mientras lo servía. Ya en los días de Tar-Minastir, el undécimo Rey de Númenor, había fortificado la tierra de Mordor y había construido la Torre de Barad-dûr, y en adelante luchó siempre por el dominio de la Tierra Media, para convertirse en el rey de reyes y en un dios para los Hombres. Y Sauron odiaba a los Númenóreanos a causa de los hechos de sus padres y de su antigua alianza con los Elfos y su fidelidad a los Valar; tampoco olvidaba la ayuda que Tar-Minastir había prestado a Gil-galad tiempo atrás, cuando el Anillo Único fue forjado y hubo guerra entre Sauron y los Elfos en Eriador. Ahora se enteró de que el poder y el esplendor de los Reyes de Númenor habían aumentado; y los odió todavía más; y tuvo miedo de que invadieran sus territorios y le arrebataran el dominio del Este. Pero por largo tiempo no se atrevió a desafiar a los Señores del Mar, y se retiró de las costas.

Sin embargo, Sauron fue siempre taimado, y se dice que entre los que sedujo con los Nueve Anillos, tres eran grandes señores de raza númenóreana. Y cuando se levantaron los Úlairi, que eran los Espectros del Anillo, sus sirvientes, y cuando consiguió acrecentar en exceso la fuerza del terror y el dominio que tenía sobre los Hombres, emprendió el asalto de las fortalezas de los Númenóreanos en las costas del mar.

En aquellos días la Sombra se hizo más densa sobre Númenor; y las vidas de los Reyes de la Casa de Elros empezaron a menguar por causa de su rebelión, pero tanto más se les endureció el corazón en contra de los Valar. Y el vigésimo rey recibió el cetro de sus padres y ascendió al trono con el nombre de Adûnakhôr, Señor del Oeste, y abandonó las lenguas élficas y prohibió que se emplearan delante de él. No obstante, en el Pergamino de los Reyes el nombre Herunúmen se inscribió en alto élfico, por causa de una antigua costumbre que los reyes nunca quebrantaban del todo, para prevenir el infortunio. Ahora bien, este título pareció a los Fieles demasiado orgulloso, pues era el título de los Valar; y sus corazones fueron duramente puestos a prueba entre la lealtad a la Casa de Elros y la reverencia debida a los Poderes. Pero lo peor aún estaba por llegar. Porque Ar-Gimilzôr, el vigésimo tercer rey, fue el más grande de los enemigos de los Fieles. En sus días el Árbol Blanco fue desatendido y empezó a declinar; y prohibió por completo el empleo de las lenguas élficas, y castigaba a quienes daban la bienvenida a los barcos de Eressëa, que aún llegaban en secreto a las costas occidentales.

Ahora bien, los Elendili vivían principalmente en las regiones occidentales de Númenor; pero Ar-Gimilzôr ordenó a todos los que pudo descubrir de esa partida que abandonaran el oeste y fueran al este de la tierra; y allí eran vigilados. Y de este modo la principal morada de los Fieles en días posteriores estaba cerca de Rómenna; desde allí muchos navegaron a la Tierra Media en busca de las costas septentrionales, donde aún podían hablar con los Eldar en el reino de Gil-galad. Esto fue sabido por los reyes, pero no lo impidieron, en tanto los Elendili partieran de aquellas tierras y no regresaran; porque deseaban poner fin a toda amistad entre su pueblo y los Eldar de Eressëa, a quienes llamaban los Espías de los Valar, esperando así poder ocultar a los Señores del Oeste todas sus empresas y designios. Pero Manwë se enteraba siempre de lo que hacían, y los Valar estaban enojados con los Reyes de Númenor, y ya no les dieron consejo ni protección; y los barcos de Eressëa no volvieron nunca más del poniente, y los puertos de Andúnië quedaron abandonados.

Los de más alto honor después de la casa de los reyes eran los Señores de Andúnië; porque pertenecían a la estirpe de Elros, y descendían de Silmarien, hija de Tar-Elendil el cuarto

Rey de Númenor. Y estos señores eran leales a los reyes, y los reverenciaban; y el Señor de Andúnië se contaba siempre entre los principales consejeros del Cetro. No obstante, también desde un principio tuvieron un amor especial por los Eldar y reverencia por los Valar; y cuando la Sombra creció, ayudaron a los Fieles como les fue posible. Pero por mucho tiempo no se manifestaron abiertamente, sino que antes intentaron rectificar el corazón de los señores del Cetro con más atinados consejos.

Había una señora, Inzilbêth, de renombrada belleza, hija de Lindórië, hermana de Eärendur, el Señor de Andúnië en los días de Ar-Sakalthôr, padre de Ar-Gimilzôr. Gimilzôr la tomó por esposa, aunque a ella esto le fue de poco agrado, porque en verdad era uno de los Fieles, como su madre le había enseñado; pero los reyes y sus hijos se habían vuelto orgullosos y nadie podía oponerse a lo que ellos deseaban. No había amor entre Ar-Gimilzôr y su reina, ni entre sus hijos. Inziladûn, el mayor, era como su madre en mente y cuerpo; pero Gimilkhâd, el menor, imitó a su padre, aunque era aún más obstinado y orgulloso. A él Ar-Gimilzôr le habría cedido el cetro y no al hijo mayor, si las leyes se lo hubieran permitido.

Pero cuando Inziladûn recibió el cetro, se dio un título en lengua élfica como antaño, y se llamó Tar-Palantir, pues veía lejos, tanto con los ojos como con la mente, y aun aquellos que lo odiaban temían sus palabras como las de quien conoce la verdad. Dio paz por un tiempo a los Fieles; y volvió a ascender en los días señalados al Santuario de Eru en el Meneltarma, que Ar-Gimilzôr había abandonado. Al Árbol Blanco cuidó otra vez con reverencia; y profetizó diciendo que cuando el Árbol pereciese, también entonces llegaría a su fin la estirpe de los Reyes. Pero este arrepentimiento llegó demasiado tarde para que los Valar perdonaran la insolencia de los padres de Inziladûn, de la que no se arrepentía la mayor parte del pueblo. Y Gimilkhâd era fuerte y brutal, y tomó el liderazgo de los que habían sido llamados los Hombres del Rey, y a veces se oponía a la voluntad de su hermano incluso abiertamente, y aún más en secreto. De este modo, la pena oscureció los días de Tar-Palantir; y solía pasar gran parte del tiempo en el oeste, y allí a menudo subía a la antigua Torre del Rey Minastir sobre la colina de Oromet, cerca de Andúnië, desde donde miraba hacia el oeste con nostalgia, quizás esperando ver alguna vela sobre el mar. Pero ningún barco vino ya nunca desde el Oeste a Númenor, y las nubes velaban Avallónë.

Ahora bien, Gimilkhâd murió dos años antes de cumplir los doscientos (muerte temprana para alguien del linaje de Elros, incluso en su decadencia), pero esto no trajo paz al Rey. Porque Pharazôn hijo de Gimilkhâd era ahora un hombre aún más inquieto y más codicioso de riquezas y poder que su propio padre. Había estado fuera a menudo, como jefe de las guerras que los Númenóreanos libraban en las costas de la Tierra Media con la intención de extender su dominio sobre los Hombres; y de ese modo había ganado gran renombre como capitán, tanto en el mar como en la tierra. Por tanto, cuando regresó a Númenor, y la gente se enteró de la muerte de su padre, los corazones de todos se volcaron hacia Tar-Palantir; porque traía consigo grandes riquezas, y era por ese entonces pródigo en dádivas.

Y sucedió que los pesares fatigaron a Tar-Palantir, que al fin murió. No tenía hijos, sino sólo una hija, a la que había llamado Míriel en lengua élfica; y por derecho propio y por las leyes de los Númenóreanos a ella le correspondió el cetro. Pero Pharazôn la tomó por esposa contra la voluntad de ella, e hizo mal en esto, e hizo mal también porque las leyes de

Númenor no permitían el matrimonio, ni siquiera en la casa real, entre parientes más cercanos que primos en segundo grado. Y cuando se celebró la boda, él se apoderó del cetro y adoptó el título de Ar-Pharazôn (Tar-Calion en lengua élfica); y el nombre de la reina lo cambió por el de Ar-Zimraphel.

De todos cuantos tuvieron el Cetro de los Reyes del Mar desde la fundación de Númenor, el más poderoso y el más orgulloso fue Ar-Pharazôn el Dorado, y veinticuatro Reyes y Reinas habían regido a los Númenóreanos en tiempos anteriores, y dormían ahora en sus tumbas profundas bajo el monte de Meneltarma, tendidos en lechos de oro.

Y sentado en el trono tallado de la ciudad de Armenelos, en el apogeo de su poder, las oscuras cavilaciones de Ar-Pharazôn se centraban en la guerra. Porque se había enterado en la Tierra Media de la fuerza del reino de Sauron y de cómo odiaba a Oesternesse. Y acudieron a él capitanes del mar y de la tierra que regresaban del Este y le informaron de que Sauron estaba manifestando su poder y que ya acosaba las ciudades de las costas; y había adoptado ahora el título de Rey de los Hombres, y se disponía a arrojar a los Númenóreanos al mar, y aun destruir Númenor, si podía.

Grande fue la ira de Ar-Pharazôn al oír estas nuevas, y mientras meditaba largamente en secreto, se le encendió en el corazón un deseo de poder ilimitado, y de imponer su voluntad por encima de todos los demás. Y decidió sin pedir consejo a los Valar, ni recurrir a la ayuda de otra sabiduría que la propia, que él mismo reclamaría el título de Rey del Mundo, y que a Sauron lo convertiría en vasallo y sirviente; porque movido por el orgullo, Ar-Pharazôn pensaba que ningún rey había de ser tan poderoso como para rivalizar con el Heredero de Eärendil. Por tanto, empezó en ese tiempo a forjar una gran cantidad de armas, y construyó muchos barcos de guerra y los guardó junto con las armas; y cuando todo estuvo dispuesto, él mismo se hizo a la mar con su flota hacia el Este.

Y los Hombres vieron las velas que asomaban en el poniente, teñidas de escarlata, resplandecientes de rojo y de oro, y los habitantes de las costas se amedrentaron, y huyeron lejos. Pero la flota llegó por último a ese sitio llamado Umbar, donde los Númenóreanos tenían un puerto poderoso, que no era obra de ninguna mano. Desiertas y en silencio estaban todas las tierras en derredor cuando el Rey del Mar avanzó sobre la Tierra Media. Durante siete días marchó con trompetas y estandartes, y llegó a una colina y subió a ella, y levantó allí su pabellón y su trono; y se sentó en medio, y las tiendas de las huestes se ordenaron alrededor, doradas y blancas y azules como un prado de flores altas. Entonces envió heraldos, y ordenó a Sauron que se presentara ante él y le jurara fidelidad.

Y Sauron acudió. Desde su poderosa torre de Barad-dûr acudió, pero no a presentar batalla. Porque advirtió que el poder y la majestad de los Reyes del Mar sobrepasaban todos los rumores, y que ni siquiera los más grandes de sus vasallos podrían hacerles frente; y se dio cuenta de que aún no había llegado el momento de imponer su voluntad a los Dúnedain. Y era taimado, muy hábil para salirse sutilmente con la suya cuando la fuerza no le valía. Así que se humilló ante Ar-Pharazôn y pronunció dulces palabras, y los hombres se asombraron, pues todo cuanto decía parecía justo y sabio.

Pero Ar-Pharazôn de momento no se dejó engañar, y se le ocurrió que para asegurarse mejor la fidelidad de Sauron tenía que llevarlo a Númenor, y que allí viviera como rehén del Rey y de todos sus sirvientes en la Tierra Media. A esto consintió Sauron como quien está obligado, pero en secreto se sintió complacido, pues en verdad encajaba con sus deseos. Y Sauron cruzó el mar y contempló la tierra de Númenor y la ciudad de Armenelos en sus días de gloria y quedó perplejo; pero en lo íntimo de su corazón la envidia y el odio crecieron todavía más.

Sin embargo, tan astuto era de mente y de palabra, tan firmes sus propósitos ocultos, que antes de que hubieran pasado tres años se había convertido en el confidente más íntimo del Rey; pues tenía siempre en la lengua palabras dulces como la miel, y conocía muchas cosas que aún no habían sido reveladas a los Hombres. Y al advertir el trato que el Rey le dispensaba todos los consejeros empezaron a lisonjearlo, excepto uno, Amandil, Señor de Andúnië. Entonces, lentamente un cambio sobrevino en la tierra, y en el corazón de los Amigos de los Elfos hubo una gran perturbación, y muchos huyeron de miedo; y aunque quienes se quedaron se daban todavía el nombre de Fieles, sus enemigos los llamaron rebeldes. Porque ahora que Sauron tenía cerca los oídos de los Hombres, contradecía con muchos argumentos todo lo que habían enseñado los Valar; e hizo que los Hombres pensaran que, en el mundo, en el este y aun también en el oeste, había muchos mares y muchas tierras no conquistadas aún, en las que abundaban las riquezas. Y si llegaban aun al fin al extremo de esas tierras, encontrarían más allá la Antigua Oscuridad.

—Y de ella se hizo el mundo. Porque sólo la Oscuridad es digna de veneración, y el Señor Oscuro puede hacer otros mundos todavía, como dones para aquellos que lo sirven, de modo que el acrecentamiento de su poder no tendrá fin.

Ar-Pharazôn preguntó:

—¿Quién es el Señor Oscuro?

Entonces, tras las puertas cerradas Sauron habló al Rey, y mintió diciendo:

—Es aquel cuyo nombre no se pronuncia; porque los Valar os han engañado, proponiendo el nombre de Eru, un fantasma concebido en la locura de sus corazones con el fin de encadenar a los Hombres y obligarlos a que los sirvan. Porque ellos mismos son el oráculo de Eru, que sólo dice lo que ellos quieren. Pero el verdadero Señor prevalecerá, y os liberará de este fantasma; y su nombre es Melkor, Señor de Todos, Dador de la Libertad, y él os hará más fuertes todavía que ellos.

Entonces Ar-Pharazôn se volvió a la veneración de la Oscuridad, y de Melkor, el Señor Oscuro, en secreto al principio, pero abiertamente y delante de todos poco después; y la mayoría del pueblo lo siguió. No obstante, quedaba aún un resto de Fieles, como se dijo, en Rómenna y en el campo cercano, y otros había aquí y allá en la tierra. El principal de ellos, al que acudieron en busca de consejo y coraje en los días aciagos, era Amandil, consejero del Rey; y también su hijo Elendil, padre de Isildur y Anárion, jóvenes por entonces de acuerdo con las cuentas de Númenor. Amandil y Elendil eran grandes capitanes de navío; y pertenecían al linaje de Elros Tar-Minyatur, pero no a la casa regente que heredaba la corona y el trono en la ciudad de Armenelos. En los días en que ambos eran jóvenes, Amandil había sido caro a Pharazôn, y aunque se contaba entre los Amigos de los Elfos, permaneció en el consejo del Rey hasta la llegada de Sauron. Entonces fue destituido, pues Sauron lo odiaba más que a ningún otro en Númenor. Pero era tan noble y había sido un capitán de mar tan poderoso, que todavía lo honraban muchos del pueblo, y ni el Rey ni Sauron se atrevían a ponerle las manos encima.

Por tanto, Amandil se retiró a Rómenna, y a todos aquellos que parecían mantenerse fieles los convocó junto a él en secreto; porque temía que el mal creciera ahora de prisa, y que los Amigos de los Elfos estuviesen en peligro. Y así sucedió muy pronto. Porque el Meneltarma quedó totalmente desierto en aquellos días; y aunque ni siquiera Sauron se atrevía a mancillar el elevado sitio, el Rey no permitía que hombre alguno, bajo pena de muerte, lo ascendiera, ni siquiera aquellos de entre los Fieles que aún veneraban a Ilúvatar. Y Sauron instó al Rey a que cortara el Árbol Blanco, Nimloth el Bello, que crecía en el patio de la corte, porque estaba allí en recuerdo de los Eldar y de la Luz de Valinor.

En un principio el Rey no consintió, pues creía que la fortuna de la casa estaba ligada al Árbol, como lo había presagiado Tar-Palantir. Así, preso de la locura, él que ahora odiaba a los Eldar y a los Valar se aferraba en vano al último vestigio de la vieja lealtad de los Númenóreanos. Pero cuando Amandil se enteró de los malvados propósitos de Sauron, el corazón se le apenó, pues sabía que al final Sauron sin duda se saldría con la suya. Entonces habló con Elendil y con los hijos de Elendil, recordándoles la historia de los Árboles de Valinor; e Isildur no dijo nada, pero salió por la noche y llevó a cabo una hazaña por la que más tarde tuvo renombre. Porque acudió disfrazado a Armenelos y a los patios del Rey, que estaban ahora prohibidos a los Fieles; y se acercó al sitio del Árbol, que estaba prohibido a todos por orden de Sauron, cuyos guardianes vigilaban el Árbol de noche y de día. En ese tiempo Nimloth se había oscurecido y no lucía flores, pues era el final del otoño y el invierno se acercaba; e Isildur pasó entre los guardianes y tomó un fruto del Árbol, y se volvió para marcharse. Pero los guardianes se dieron cuenta, y se le echaron encima, e Isildur se abrió camino luchando, recibiendo muchas heridas, y escapó, y como estaba disfrazado no llegó a saberse quién había puesto las manos en el Árbol. Pero Isildur llegó por fin a duras penas a Rómenna, y dejó el fruto en manos de Amandil antes de que las fuerzas le faltaran. Luego el fruto se plantó en secreto, y fue bendecido por Amandil; y un vástago salió de él y brotó en la primavera. Pero cuando se abrió la primera hoja, Isildur, que había yacido mucho tiempo próximo a la muerte, se incorporó, y las heridas no lo atormentaron más.

No se hizo esto demasiado pronto; porque después del ataque, el Rey cedió ante Sauron y derribó el Árbol Blanco, y se apartó entonces por entero de la fidelidad de sus padres. Pero Sauron logró que se levantara un poderoso templo en la colina en medio de la ciudad de los Númenóreanos, Armenelos la Dorada; y tenía forma de círculo en la base con un diámetro de quinientos pies, y allí las paredes eran de cincuenta pies de espesor, y se alzaban del suelo quinientos pies, y estaban coronadas por una gran cúpula, y esa cúpula estaba techada de plata y resplandecía al sol, de modo que la luz se divisaba desde lejos; pero pronto la luz se oscureció y la plata se ennegreció. Porque había un altar de fuego en medio del templo, y en la parte más alta de la cúpula había una reja, de donde salía una espesa humareda. Y el primer fuego sobre el altar lo encendió Sauron con leños de Nimloth, y éstos crepitaron y se consumieron; pero el humo que salió asombró a los hombres, y una nube cubrió la tierra durante siete días, hasta que lentamente se trasladó hacia el oeste.

En adelante el fuego y el humo subieron de continuo; porque el poder de Sauron crecía diariamente, y en este templo, con derramamiento de sangre y tormentos y gran maldad, los hombres hacían sacrificios a Melkor para que los librara de la Muerte. Y la mayoría de sus víctimas eran de los Fieles; aunque nunca se los acusaba abiertamente de que no veneraran a Melkor, el Liberador; antes motivaban el castigo por odio al Rey y rebelión contra él, o por haber conspirado contra el pueblo inventando venenos y mentiras. Estos cargos eran casi siempre falsos; no obstante, fueron días amargos, y el odio engendra más odio.

Pero a pesar de todo esto, la Muerte no abandonaba la tierra; en lugar de ello llegaba más pronto y con mayor frecuencia, y bajo muchas espantosas guisas. Porque antes los Hombres envejecían lentamente, y por último se acostaban como para dormir, cuando al final estuviesen cansados del mundo; pero ahora en cambio eran asaltados por la enfermedad y la locura; y no obstante tenían miedo de morir y de salir a la oscuridad, el reino del señor que habían adoptado; y en su agonía se maldecían a sí mismos. Y entonces había hombres que se alzaban en armas, y se daban muerte unos a otros por una nadería; porque ahora montaban en cólera con facilidad, y Sauron y los que él había sometido iban por la tierra sembrando la discordia entre las personas, de modo que el pueblo empezó a murmurar contra el Rey y los señores, o contra cualquiera que tuviera algo que ellos no tuvieran; y la venganza de los poderosos fue cruel.

No obstante, durante mucho tiempo les pareció a los Númenóreanos que prosperaban, y si no tenían más felicidad eran al menos más fuertes, y los ricos todavía más ricos. Porque con la ayuda y el consejo de Sauron, multiplicaron sus posesiones e inventaron máquinas y construyeron barcos cada vez más grandes. Y navegaban ahora con fuerzas y pertrechos de guerra a la Tierra Media, y ya no iban llevando regalos, ni siquiera acudían como soberanos, sino como feroces guerreros. Y perseguían a los Hombres de la Tierra Media y les arrebataban los bienes y los esclavizaban, y a muchos los mataban cruelmente en sus altares. Porque levantaban en sus fortalezas templos y grandes tumbas en aquellos días; y los Hombres los temían, y el recuerdo de los bondadosos reyes de antaño se borró y fue oscurecido por muchas historias de espanto.

De este modo Ar-Pharazôn, Rey de la Tierra de la Estrella, se convirtió en el tirano más poderoso del mundo desde el reinado de Morgoth, aunque Sauron era en verdad quien gobernaba todas las cosas a la sombra del Rey. Pero los años pasaron y el Rey sintió que la sombra de la muerte se aproximaba a medida que se alargaban los días; y el miedo y la cólera se apoderaron de él. Llegaba ahora la hora que Sauron había dispuesto y que llevaba mucho tiempo esperando. Y Sauron habló al Rey diciendo que era ya tan fuerte que bien podría imponer su voluntad en todo, sin estar sometido a prohibiciones o mandatos.

Y le dijo:

—Los Valar se han apoderado de la tierra donde no hay muerte; y te mienten sobre ella, ocultándola todo lo posible, por avaricia, y porque temen que los Reyes de los Hombres les arrebaten el reino inmortal y gobiernen el mundo en su lugar. Y aunque no cabe duda de que el don de la vida interminable no es para todos, sino sólo para quienes son dignos, como hombres de poder y de orgullo y de alto linaje, este don se le ha quitado contra toda justicia al Rey de Reyes, Ar-Pharazôn, el más poderoso de los hijos de la Tierra, con quien sólo Manwë puede ser comparado, y quizá ni siquiera él. Pero los grandes reyes no toleran negativas y toman lo que se les debe.

Entonces Ar-Pharazôn, infatuado, y ya amenazado por la sombra de la muerte, pues el curso de sus días estaba acercándose al fin, escuchó a Sauron; y se puso a pensar en cómo hacer la guerra a los Valar. Dedicó mucho tiempo a la preparación de este designio, y no habló de sus planes abiertamente; no obstante, no podía ocultárselo a todos. Y Amandil, al advertir las intenciones del Rey, sintió tristeza y mucho miedo, pues sabía que los Hombres no podían vencer a los Valar, y la ruina caería sobre el mundo si esta guerra no se impedía. Por tanto, llamó a su hijo Elendil y le dijo:

—Los días se han oscurecido y ya no hay esperanzas para los Hombres, pues los Fieles son pocos. Por ello, estoy decidido a tomar el mismo rumbo que nuestro antepasado Eärendil tomó otrora, y navegaré hacia el Oeste, esté prohibido o no, y hablaré con los Valar, aun con el mismo Manwë si es posible, y le rogaré que nos ayude antes de que todo esté perdido.

—¿Traicionarías entonces al Rey? —preguntó Elendil—. Porque sabes bien que se nos acusa de traidores y espías; falso cargo hasta el día de hoy.

—Si creyera que Manwë está necesitado de un mensajero semejante —dijo Amandil—, sí traicionaría al Rey. Porque existe sólo una lealtad a la que ningún hombre ha de renunciar, por causa alguna. Pero lo que pediría es clemencia para los Hombres y que se los libere de los engaños de Sauron, pues al menos algunos se han mantenido fieles. En cuanto a la prohibición, yo solo sufriré las consecuencias, no sea que la culpa recaiga en todo mi pueblo.

—Pero ¿qué crees, padre mío, que les ocurrirá a los de tu casa cuando se sepa lo que has hecho?

—No ha de saberse —dijo Amandil—. Prepararé mi partida en secreto, y me haré a la mar hacia el este, a donde los barcos parten todos los días desde nuestros puertos; y ya allí, cuando el viento y la suerte lo permitan, volveré por el norte o por el sur hacia el oeste, y buscaré lo que pueda encontrar. Pero a ti y a los tuyos, hijo mío, os aconsejo que preparéis otros barcos, y pongáis a bordo todas aquellas cosas de las que vuestros corazones no puedan apartarse; y cuando los barcos estén preparados, os reuniréis en el puerto de Rómenna y diréis a los hombres, cuando llegue el momento oportuno, que vuestro propósito es seguirme hacia el este. Amandil ya no es tan caro a nuestro pariente en el trono como para que se lamente si intentamos partir, por una temporada o para siempre. Pero que no advierta que intentas llevar contigo un número crecido de hombres, o empezará a preocuparse a causa de la guerra que está planeando, para la que necesitará todas las fuerzas de que pueda disponer. Busca a los Fieles que son todavía sinceros y que se unan a ti en secreto si están dispuestos a partir contigo y a compartir tu misión.

—¿Y cuál será esa misión? —preguntó Elendil.

—No os mezcléis en la guerra y permaneced vigilantes —respondió Amandil—. No diré más hasta que regrese. Pero es muy probable que tengáis que huir de la Tierra de la Estrella sin estrella que os guíe; porque esa tierra está mancillada. Entonces perderéis todo lo que habéis amado, y tendréis un atisbo de la muerte en vida, mientras buscáis una tierra de exilio en otro sitio. Si en el este o en el oeste, sólo los Valar lo saben.

Entonces Amandil se despidió de todos los de su casa como quien va a morir.

—Porque —dijo— es muy posible que no volváis a verme; y que no os envíe una señal como la que Eärendil nos envió hace mucho tiempo. Pero permaneced atentos, pues el fin del mundo conocido se aproxima.

Se dice que Amandil se hizo a la mar por la noche, en una pequeña embarcación, y fue hacia el este, y luego dio media vuelta y navegó hacia el oeste. Y llevó consigo a tres sirvientes muy queridos, y nunca hubo noticia ni señal de ellos en este mundo, ni hay cuento ni conjetura sobre la suerte que corrieron. Los Hombres no podían ser salvados una segunda vez por una embajada semejante, y para la traición de Númenor no había absolución fácil.

Pero Elendil hizo todo lo que su padre le había mandado, y sus barcos permanecieron anclados en la costa oriental de la tierra; y los Fieles embarcaron a las esposas y a los hijos, y una gran cantidad de bienes. Y había entre ellos objetos bellos y poderosos, obras de los Númenóreanos realizadas en tiempos de sabiduría: vasijas y joyas, y rollos de ciencia escrita en escarlata y negro. Y también tenían Siete Piedras, regalo de los Eldar; pero en el barco de Isildur se guardaba el árbol joven, el retoño de Nimloth el Bello. Así Elendil permaneció atento, y no se mezcló en las malvadas acciones de aquellos días; y no dejaba de buscar una señal que no llegaba. Entonces navegó en secreto a las costas occidentales, y escrutaba el mar, dominado por el dolor y la nostalgia, pues tenía gran amor por su padre. Pero nada veía salvo las flotas de Ar-Pharazôn que se agrupaban en los puertos del oeste.

Ahora bien, antiguamente, en la isla de Númenor, el tiempo cambiaba de acuerdo siempre con las necesidades y el agrado de los Hombres: había lluvia en la estación oportuna y en la medida justa; y un sol resplandeciente, ora cálido, ora no tanto, y vientos que llegaban desde el mar. Y cuando el viento venía del oeste, a muchos les parecía que traía una fragancia, efímera pero dulce, que estremecía el corazón, como de flores que lucen para siempre en prados imperecederos y que no tienen nombre en las costas mortales. Pero todo esto había cambiado; porque el cielo mismo se había oscurecido y en aquellos días había tormentas de lluvia y granizo y vientos huracanados; y de vez en cuando una gran nave de los Númenóreanos naufragaba y no volvía a puerto, aunque semejante desgracia no había ocurrido hasta entonces desde el levantamiento de la Estrella. Y al atardecer venía a veces del oeste una gran nube que parecía un águila, con las puntas de las alas extendidas hacia el norte y el sur; y asomaba lentamente ocultando la puesta de sol, y entonces Númenor se sumía en la más negra de las noches. Y algunas de las águilas llevaban relámpagos bajo las alas, y el trueno resonaba entre el mar y las nubes.

Entonces los Hombres sentían miedo.

—¡Mirad las Águilas de los Señores del Oeste! —exclamaban—. ¡Las Águilas de Manwë vuelan sobre Númenor! —Y caían de bruces.

Entonces algunos se arrepentían por una temporada, pero a otros se les endurecía el corazón, y alzaban los puños al cielo diciendo:

—Los Señores del Oeste nos desafían. Son ellos los que dan el primer golpe. ¡El próximo lo daremos nosotros!

Estas palabras las pronunciaba también el Rey, pero habían sido concebidas por Sauron.

Pues bien, los relámpagos se hicieron cada vez más frecuentes, y mataban a los Hombres en las colinas, y en los campos, y en las calles de la ciudad; y un rayo ardiente cayó sobre la cúpula del Templo y la partió, y la coronó de llamas. Pero el Templo mismo quedó intacto; y erguido sobre la cúspide Sauron desafió al rayo y el rayo no lo hirió; y entonces los Hombres lo llamaron dios e hicieron todo lo que él quería. Fue así que apenas prestaron atención al último portento cuando llegó. Porque la tierra se estremeció, y un rugido como de trueno subterráneo se mezcló con los bramidos del mar, y salió humo de la cima del Meneltarma. Y Ar-Pharazôn se apresuró a preparar sus armamentos.

En ese tiempo las flotas de los Númenóreanos oscurecieron el mar hacia el occidente de la tierra y parecían un archipiélago de mil islas; los mástiles eran como un bosque sobre las montañas, y las velas como una nube amenazadora, y los estandartes eran negros y dorados. Y todas las cosas aguardaban la palabra de Ar-Pharazôn; y Sauron se retiró al círculo central del Templo, y los hombres le llevaban víctimas para ser quemadas.

Entonces las Águilas de los Señores del Oeste llegaron desde el poniente, en formación de combate, avanzando en una línea cuyo extremo disminuía hasta borrarse a lo lejos; y al acercarse dominaban el cielo extendiendo las alas cada vez más amplias. Pero el Oeste ardía rojo detrás, y ellas fulguraban por debajo, como si estuvieran inflamadas por una gran llama de ira, y toda Númenor fue iluminada como por un incendio; y los Hombres se miraban las caras, y les parecía que estaban rojas de cólera.

Entonces Ar-Pharazôn endureció el corazón y se hizo a la mar con su poderosa nave, Alcarondas, Castillo del Mar. Tenía muchos remos y muchos mástiles dorados y negros; y sobre ella estaba montado el trono del Rey. Y Ar-Pharazôn se vistió con el traje de ceremonia y la corona, y mandó que izaran el estandarte y dio la señal de levar anclas; y en ese momento las trompetas de Númenor se impusieron al sonido del trueno.

Las flotas de los Númenóreanos avanzaron entonces contra la amenaza del Oeste; y había escaso viento, pero tenían muchos remos, y muchos esclavos fuertes que remaban bajo el látigo. El sol se puso, y un gran silencio sobrevino. La oscuridad descendió sobre la tierra, y el mar estaba quieto mientras el mundo aguardaba lo que había de acaecer. Lentamente, los que miraban desde los puertos fueron perdiendo de vista a las flotas, y las luces de las naves se debilitaron, y se las tragó la noche; y por la mañana habían desaparecido. Porque se levantó un viento en el este que los empujó; y quebrantaron la Prohibición de los Valar, y navegaron por mares vedados, avanzando con intención de guerra contra los Inmortales, para arrancarles una vida eterna en los Círculos del Mundo.

Pero las flotas de Ar-Pharazôn llegaron de alta mar y rodearon Avallónë y toda la isla de Eressëa, y los Eldar se lamentaron, porque la nube de los Númenóreanos cubrió la luz del sol poniente. Y por último Ar-Pharazôn llegó al Reino Bendecido de Aman, y las costas de Valinor; y todo estaba todavía en silencio, y el hado pendía de un hilo. Porque Ar-Pharazôn titubeó en ese momento y estuvo a punto de volverse. Dudó al contemplar las costas silenciosas, y donde vio resplandecer Taniquetil, más blanco que la nieve, más frío que la muerte, silencioso, inmutable, terrible como la sombra de la luz de Ilúvatar. Pero el orgullo ya lo dominaba, y Ar-Pharazôn abandonó por fin el barco, y puso pie en la costa y reclamó esa tierra como suya si nadie se lo disputaba con armas. Y una poderosa hueste de Númenóreanos acampó alrededor de Túna, de donde todos los Eldar habían huido.

Entonces Manwë, desde su Montaña, invocó a Ilúvatar, y durante ese tiempo los Valar ya no gobernaron Arda. Pero Ilúvatar mostró su poder, y cambió la forma del mundo; y un enorme abismo se abrió en el mar entre Númenor y las Tierras Inmortales, y las aguas se precipitaron por él, y el ruido y los vapores de las cataratas se levantaron hacia el cielo, y el mundo se sacudió. Y todas las flotas de los Númenóreanos se hundieron en la sima, y se ahogaron, y fueron tragadas para siempre. Pero Ar-Pharazôn el Rey y los guerreros mortales que habían desembarcado en las tierras de Aman quedaron sepultados bajo un derrumbe de colinas: se dice que allí yacen, en las Cavernas de los Olvidados, y que allí estarán hasta la Última Batalla del Día del Juicio.

Pero las tierras de Aman y Eressëa de los Eldar fueron retiradas y llevadas para siempre más allá del alcance de los Hombres. Y Andor, la Tierra del Don, Númenor de los Reyes, Elenna de la Estrella de Eärendil, fue destruida por completo. Porque estaba al este, junto a la enorme grieta, y los cimientos se derrumbaron, y cayó y se hundió en las sombras, y ya no existe. Y no hay

ahora sobre la Tierra lugar alguno donde se preserve la memoria
de un tiempo en el que no había mal. Porque Ilúvatar hizo re-
troceder los Grandes Mares al oeste de la Tierra Media, y las
Tierras Vacías, al este, y se hicieron nuevas tierras y nuevos mares, y el mundo quedó disminuido, pues Valinor y Eressëa fueron transportadas al reino de las cosas escondidas.

En una hora que los Hombres no previeron, se consumó
este destino, el trigésimo noveno día después de la desaparición de las flotas. Entonces, un fuego súbito irrumpió desde
el Meneltarma, y sopló un viento poderoso, y hubo un tumulto en la tierra, y el cielo giró, y las colinas se deslizaron, y
Númenor se hundió en el mar, junto con todos sus niños y
esposas y doncellas y orgullosas señoras; y los jardines y salas y
torres, y las tumbas y los tesoros, y las joyas y telas y cosas
pintadas y talladas, y la risa y la alegría y la música, y la sabiduría y la ciencia de Númenor desaparecieron para siempre. Y
por último la ola creciente, verde, y fría y coronada de espuma, levantándose sobre la tierra, se llevó a la Reina Tar-Mí-
riel, más hermosa que las perlas, la plata o el marfil. Demasiado tarde trató de subir por los senderos empinados del
Meneltarma hasta el sitio sagrado, pues las aguas la alcanzaron, y el grito de ella se perdió en los bramidos del viento.

Pero sea o no verdad que Amandil llegara a Valinor, y que
Manwë escuchara su ruego, la ruina de aquel día no alcanzó
por gracia de los Valar a Elendil y a sus hijos. Porque Elendil se
había quedado en Rómenna sin responder a la llamada del Rey,
que partía para la guerra; y esquivando a los soldados de Sauron cuando quisieron prenderlo y arrastrarlo a los fuegos del
Templo, se embarcó en su nave y se apartó de la costa esperando que llegara el momento. Allí la tierra lo protegió de la gran
corriente del mar que se precipitaba arrastrando a todos al abismo, y luego de la primera furia de la tormenta. Mas cuando la

ola devoradora avanzó sobre la tierra y Númenor se derrumbó, la aniquilación hubiera sido una pena menor para Elendil, pues el arrebato de la muerte no le parecía más amargo que la pérdida y la agonía de aquel día; pero el viento huracanado lo alcanzó, más salvaje que ningún otro conocido por los Hombres, y avanzó bramando desde el oeste, y empujó muy lejos a los barcos, y desgarró velas y partió mástiles, persiguiendo a los Hombres infelices como briznas de hierba sobre el agua.

Eran nueve los barcos: cuatro para Elendil, y tres para Isildur, y dos para Anárion; y huyeron de la negra tempestad, desde el crepúsculo de la condenación a la oscuridad del mundo. Y las aguas profundas se levantaban debajo en una furia gigantesca, y olas como montañas avanzaron coronadas de nieve desgarrada, y cargaron a los Hombres entre jirones de nubes, y al cabo de muchos días los arrojaron a las costas de la Tierra Media. Y en aquel tiempo todas las costas y las regiones marinas del oeste del mundo cambiaron y se arruinaron; porque los mares invadieron las tierras, y las costas se derrumbaron, y antiguas islas fueron anegadas, y otras islas se alzaron en el mar; y las colinas se desmoronaron y los ríos se desviaron en extraños cursos.

Más tarde Elendil y sus hijos fundaron reinos en la Tierra Media; y aunque en ciencia y habilidad no eran sino un eco de lo que habían sido antes de que Sauron llegara a Númenor, les parecieron muy grandes a los Hombres salvajes del mundo. Y mucho se dice en otras historias acerca de las hazañas de los herederos de Elendil en la edad que vino después, y de la lucha que libraron con Sauron, que aún no estaba terminada.

Porque el mismo Sauron sintió gran temor ante la ira de los Valar, y el hado que Eru había impuesto a la tierra y al mar. No había imaginado nada semejante, pues sólo había esperado la muerte de los Númenóreanos y la derrota del orgulloso Rey. Y Sauron, sentado en la silla negra en medio del Templo, había reído cuando oyó las trompetas de Ar-Pharazôn que llamaban al combate, y otra vez había reído cuando oyó el trueno de la tormenta; y una tercera vez, pensando en lo que haría en el mundo, ahora que se había desembarazado de los Edain para siempre, fue sorprendido mientras se regocijaba, y el asiento y el Templo cayeron al abismo. Pero Sauron no era de carne mortal, y aunque había sido despojado de la forma en que hiciera tanto daño, de modo que ya nunca podría lucir una hermosa figura ante los ojos de los Hombres, su espíritu se alzó desde las profundidades, y pasó como una sombra y un viento negro sobre el mar, y llegó de vuelta a la Tierra Media y a Mordor, que era su morada. Se instaló de nuevo en Barad-dûr, se puso el Gran Anillo, y vivió allí, oscuro y silencioso, hasta que se dio a sí mismo una nueva forma, una imagen visible de malicia y odio; y el ojo de Sauron el Terrible pocos podrían soportarlo.

Pero estas cosas no pertenecen a la historia del Hundimiento de Númenor, de la cual todo se ha dicho ahora. E incluso el nombre de esa tierra pereció, y desde entonces los Hombres ya no hablaron de Elenna, ni de Andor, el Don que había sido arrebatado, ni de Númenórë en los confines del mundo; pero los exiliados en las costas del mar, volcaban el anhelo de sus corazones hacia el Oeste, hablaban de Mar-nu-Falmar, que se hundió bajo las olas, Akallabêth, la Caída, Atalantë en lengua eldarin.

*

Entre los Exiliados, muchos creían que la Cima del Meneltarma, el Pilar del Cielo, no fue anegada para siempre, sino que

Alfombra númenóreana (I)

Alfombra númenóreana (II)

se levantó otra vez por encima de las olas, una isla perdida en las grandes aguas; porque había sido un sitio consagrado y nadie lo había mancillado nunca, aun en días de Sauron. Y algunos hubo de la simiente de Eärendil que después lo buscaron, porque se decía entre los sabios que en otro tiempo los Hombres de vista penetrante alcanzaban a atisbar desde el Meneltarma las Tierras Inmortales. Porque aún después de la ruina los corazones de los Dúnedain se volcaban hacia el oeste; y aunque en verdad sabían que el mundo había cambiado, decían: «Avallónë ha desaparecido de la faz de la Tierra y la Tierra de Aman ha sido arrebatada, y nadie puede encontrarlas en la oscuridad que ahora domina. No obstante, una vez fueron, y por tanto todavía son, y en la forma completa del mundo tal como fue concebido al principio».

Porque los Dúnedain sostenían que aun los Hombres mortales, si habían recibido el don, podrían ver otros tiempos que el de la vida de sus cuerpos; y anhelaban siempre escapar de las sombras del exilio y contemplar de algún modo la luz que no muere; porque el dolor del pensamiento de la muerte los había perseguido por encima de los abismos del mar. Por ese motivo, los grandes marineros que había entre ellos exploraban todavía los mares vacíos, con la esperanza de llegar a la Isla del Meneltarma, y tener allí una visión de las cosas que una vez fueron. Pero no la encontraban. Y los que viajaban hasta muy lejos, sólo llegaban a las tierras nuevas, y las encontraban semejantes a las tierras viejas, y también sometidas a la muerte. Y los que viajaban más lejos todavía sólo trazaban un círculo alrededor de la Tierra para volver fatigados por fin al lugar de partida; y decían:

—Todos los caminos son curvos ahora.

De este modo, en parte por los viajes de los barcos, en parte por la ciencia y la lectura de las estrellas, los reyes de los

Hombres supieron que el mundo era ahora redondo, y sin embargo aún se permitía que los Eldar partieran y navegaran hacia el Antiguo Oeste y a Avallónë, si así lo querían. Por tanto, los sabios de entre los Hombres decían que tenía que haber un Camino Recto, para aquellos a quienes se les permitiese descubrirlo. Y enseñaban que, aunque el nuevo mundo estuviese torcido, el viejo camino y el sendero del recuerdo del Occidente seguían allí, una especie de poderoso puente invisible que atravesara el aire del aliento y del vuelo (y que ahora eran curvos, como el mundo), y cruzara el Ilmen, que ninguna carne puede soportar sin ayuda, hasta llegar a Tol Eressëa, la Isla Solitaria, y quizás aún más allá, hasta Valinor, donde habitan todavía los Valar y observan el desarrollo de la historia del mundo. Y cuentos y rumores nacieron a lo largo de las costas del mar acerca de marineros y hombres abandonados en las aguas, que por algún destino o gracia o favor de los Valar habían encontrado el Camino Recto y habían visto cómo se hundía por debajo de ellos la faz del mundo, y de ese modo habían llegado a los muelles, iluminados por lámparas, del puerto de Avallónë, o en verdad a las últimas playas en el extremo de Aman; y allí habían contemplado la Montaña Blanca, terrible y hermosa, antes de morir.

DE LOS ANILLOS
DE PODER Y
LA TERCERA EDAD

DE LOS ANILLOS DE PODER
Y LA TERCERA EDAD

con lo que estos relatos llegan a su fin

En tiempos antiguos estaba Sauron el Maia, a quien los Sindar en Beleriand llamaron Gorthaur. En el principio de Arda, Melkor lo sedujo y lo convirtió en aliado, y llegó a ser el más grande y el más leal de los servidores del Enemigo, y el más peligroso, porque podía asumir distintas formas, y durante mucho tiempo, si así lo quería, podía parecer hermoso y noble, de modo que era capaz de engañar a todos, salvo a los más precavidos.

Cuando Thangorodrim fue destruida y Morgoth vencido, Sauron asumió otra vez una forma hermosa, prometió obediencia a Eönwë, el Heraldo de Manwë, y abjuró de todo el mal que había hecho. Y dicen algunos que en un principio no lo hizo con falsedad, y que en verdad estaba arrepentido, aunque sólo por miedo, acongojado por la caída de Morgoth y la gran cólera de los Señores del Oeste. Pero Eönwë no tenía poder para perdonar a quienes eran sus pares, y mandó a Sauron que volviera a Aman para ser allí juzgado por Manwë. Entonces Sauron se avergonzó, y no quería regresar humillado, y aceptar quizá de los Valar una sentencia de larga servidumbre, como prueba de buena fe; porque había tenido mucho poder bajo Morgoth. Por tanto, cuando Eönwë partió, él se escondió en la Tierra Media; y recayó en el mal, porque las ligaduras con que Morgoth lo había atado eran muy fuertes.

Durante la Gran Batalla y los tumultos de la caída de Thangorodrim hubo en la tierra fuertes convulsiones, y Beleriand quedó quebrantada y yerma; y en el norte y en el oeste muchas tierras se hundieron bajo las aguas del Gran Mar. En el este, en Ossiriand, los muros de Ered Luin se quebraron, y una gran hendidura se abrió hacia el sur, y el mar penetró y formó un golfo. Sobre ese golfo se precipitaba el río Lhûn por un nuevo curso, y por lo tanto se lo llamó el Golfo de Lhûn. Tiempo atrás ese país había sido llamado Lindon por los Noldor, y este nombre tuvo en adelante; y muchos de los Eldar vivían allí todavía, demorándose, aún reacios a abandonar Beleriand, donde durante tanto tiempo habían luchado y trabajado. Gil-galad hijo de Fingon, era su rey, y con él estaba Elrond el Medio Elfo, hijo de Eärendil el Marinero y hermano de Elros, primer Rey de Númenor.

En las costas del Golfo de Lhûn los Elfos construyeron puertos, y los llamaron Mithlond: y allí tenían muchos barcos, porque era un lugar protegido. Desde los Puertos Grises los Eldar se hacían de vez en cuando a la mar, huyendo de la oscuridad de los días de la Tierra; porque por gracia de los Valar, los Primeros Nacidos aún podían seguir el Camino Recto y regresar, si así lo querían, junto con los hermanos de Eressëa y Valinor más allá de los mares circundantes.

Otros Eldar hubo que en aquellos tiempos cruzaron las montañas de Ered Luin y penetraron en las tierras interiores. Muchos de ellos eran Teleri, supervivientes de Doriath y Ossiriand; y establecieron reinos entre los Elfos Silvanos en bos-

Sin título (Paisaje montañoso)

ques y montañas, lejos del mar, por el que no obstante siempre sintieron mucha nostalgia. Más allá de las Ered Luin, sólo en Eregion, que los Hombres llamaron Acebeda, tuvieron los Elfos de raza Noldorin un reino perdurable. Eregion estaba cerca de las grandes mansiones de los Enanos, que se llamaban Khazad-dûm, pero los Elfos las llamaron Hadhodrond, y después Moria. Desde Ost-in-Edhil, la ciudad de los Elfos, el camino principal iba hacia la puerta occidental de Khazad-dûm, porque hubo amistad entre Elfos y Enanos, como no se conoció otra igual, para enriquecimiento de ambos pueblos. En Eregion, los artífices de los Gwaith-i-Mírdain, el Pueblo de los Orfebres, sobrepasaban en habilidad a todos cuantos se hubieran dedicado a la orfebrería, excepto a Fëanor; y en verdad el más hábil era Celebrimbor hijo de Curufin, que se distanció de su padre y se quedó en Nargothrond cuando Celegorm y Curufin fueron expulsados, como se narra en el *Quenta Silmarillion*.

En otros lugares de la Tierra Media hubo paz por muchos años; no obstante, las tierras eran casi todas salvajes y desoladas, salvo el sitio al que llegó el pueblo de Beleriand. Muchísimos Elfos moraron allí, como habían morado durante incontables años, errando libremente por las vastas tierras lejos del mar; pero eran Avari, que conocían los hechos de Beleriand sólo como rumores, y Valinor sólo como un nombre distante. Y en el sur y en el este lejano los Hombres se multiplicaron; y la mayor parte de ellos se inclinó al mal, pues Sauron no descansaba.

Al ver la desolación del mundo, Sauron se dijo que los Valar, después de haber derrocado a Morgoth, habían olvidado otra vez la Tierra Media; y su orgullo creció de prisa. Miraba con odio a los Eldar, y temía a los hombres de Númenor que volvían a veces en sus barcos a las costas de la Tierra Media; pero por mucho tiempo disimuló sus pensamientos y ocultó los oscuros designios que estaba tramando.

De todos los pueblos de la Tierra, le fue más fácil manipular a los Hombres; pero durante mucho tiempo trató de persuadir a los Elfos para que lo sirviesen, pues sabía que los Primeros Nacidos eran los que tenían mayor poder; y viajó mucho entre ellos, y tenía el aspecto de alguien que es a la vez hermoso y sabio. Sólo a Lindon no fue, porque Gil-galad y Elrond dudaban de él y de su hermoso aspecto, y aunque no sabían bien quién era, no quisieron admitirlo en el país. Pero en otros sitios los Elfos lo recibieron de buen grado, y pocos de entre ellos escucharon a los mensajeros que llegaban de Lindon y les aconsejaban precaución; porque Sauron se dio a sí mismo el nombre de Annatar, el Señor de los Dones, y ellos recibieron en un principio múltiples beneficios de su amistad. Y él les decía:

—¡Ay de la debilidad de los grandes! Porque poderoso rey es Gil-galad, y sabio en toda ciencia es el joven Elrond, y no obstante no me ayudan en mis trabajos. ¿Es posible que no quieran ver que otras tierras sean tan benditas como las suyas? Pero ¿por qué la Tierra Media ha de permanecer desolada y oscura cuando los Elfos podrían volverla tan hermosa como Eressëa, más aún, como Valinor? Y como no habéis vuelto allí, como podríais haberlo hecho, veo que amáis a esta Tierra Media como yo la amo. Siendo esto así, ¿acaso no es nuestra misión trabajar juntos para enriquecerla, y para elevar a todos los linajes élficos que yerran aquí ignorantes, a esa cima de poder y conocimiento a que han llegado los que viven más allá del Mar?

Era en Eregion donde los consejos de Sauron se recibían con mayor complacencia, porque en esa tierra los Noldor deseaban acrecentar cada vez más la ingeniosidad y la sutileza de sus obras. Además, no tenían paz en el corazón desde que se negaron a volver al Occidente, y a la vez querían permanecer en la Tierra Media, a la que amaban en verdad, y gozar de la bienaventuranza de los que habían partido. Por tanto, escucharon a Sauron y aprendieron de él muchas cosas, pues tenía grandes conocimientos. En aquellos días los herreros de Ost-in-Edhil superaron todo cuanto habían hecho antes; y concentraron sus esfuerzos, e hicieron los Anillos de Poder. Pero Sauron guiaba estos trabajos, y estaba enterado de todo cuanto hacían; porque lo que deseaba era someter a los Elfos y tenerlos bajo vigilancia.

Ahora bien, los Elfos hicieron muchos anillos, pero Sauron hizo en secreto un Anillo Único, para gobernar a todos los otros, cuyos poderes estarían atados a él, sujetos por completo a él, y durarían mientras él durase. Y gran parte de la fuerza y la voluntad de Sauron pasó a ese Anillo Único; porque el poder de los anillos élficos era muy grande, y el del que habría de gobernarlos tendría por fuerza que ser aún más poderoso; y Sauron lo forjó en la Montaña de Fuego en la Tierra de la Sombra. Y mientras llevaba el Anillo Único, era capaz de ver todo lo que se hacía por medio de los anillos menores, y podía leer y gobernar los pensamientos mismos de quienes los llevaban.

Pero no era tan fácil atrapar a los Elfos. No bien Sauron se puso el Anillo Único en el dedo, se dieron cuenta; y supieron quién era, y que quería adueñarse de todos ellos y de todo cuanto hiciesen. Entonces, con enfado y temor, se quitaron los anillos. Pero él, al ver que lo habían descubierto, y que los Elfos no habían sido engañados, se llenó de cólera, y los enfrentó exigiéndoles que le entregaran todos los anillos, ya que los herreros Elfos no podrían haberlos forjado sin la ciencia y el consejo que él les había prestado. Pero los Elfos huyeron de él; así salvaron tres de los anillos, y se los llevaron, y los ocultaron.

Ahora bien, estos Tres eran los últimos que se habían hecho, y los que tenían el poder más grande. Narya, Nenya y Vilya se llamaban, los Anillos del Fuego, y del Agua, y del Aire, que tenían engarzados un rubí y un diamante y un zafiro; y de todos los anillos élficos eran los que Sauron más deseaba, pues quienes los poseyeran podrían protegerse contra el deterioro y demorar la fatiga del mundo. Pero Sauron nunca los encontró porque fueron dados a los Sabios, que los ocultaron y nunca más se los pusieron abiertamente, en tanto Sauron tuviera el Anillo Regente. De ese modo los Tres permanecieron inmaculados, pues habían sido forjados por Celebrimbor en solitario, y la mano de Sauron no los había tocado; y sin embargo también estaban sometidos al Único.

Desde esos días siempre hubo guerra entre Sauron y los Elfos; y Eregion fue arruinada, y Celebrimbor muerto, y las puertas de Moria se cerraron. En ese tiempo la fortaleza y refugio de Imladris, que los Hombres llamaron Rivendel, fue fundado por Elrond Medio Elfo; y resistió largo tiempo. Pero Sauron recogió todos los Anillos de Poder que quedaban, y los repartió entre los otros pueblos de la Tierra Media, con la esperanza de tener así sometidos a todos los que desearan contar con un poder secreto, fuera de los alcances de su propia especie. Siete anillos dio a los Enanos; pero a los Hombres les dio nueve; porque en este asunto, al igual que en otros, le resultó más fácil someter a los Hombres a su voluntad. Y Sauron pervertía con mucha facilidad todos los anillos que estaban bajo su poder, pues él mismo había tomado parte en su creación, y estaban malditos, y traicionaron al final a todos quienes los llevaban. Los Enanos demostraron ser muy firmes y nada dóciles; no soportan de buen grado el dominio de los demás, y es difícil saber lo que en verdad piensan, y tampoco se puede convertirlos en sombras.

Sólo llevaban los anillos para la adquisición de riquezas; pero despertaron la ira y una abrumadora codicia de oro en sus corazones, cuyos efectos posteriores fueron suficientemente nocivos para servir a los propósitos de Sauron. Se dice que cada uno de los Siete Tesoros de los reyes Enanos de antaño comenzó con un anillo de oro; pero hace ya mucho que todos esos tesoros fueron saqueados, y los dragones los devoraron, y de los Siete Anillos algunos fueron consumidos por el fuego y otros recuperados por Sauron.

Fue más fácil engañar a los Hombres. Los que llevaron los Nueve Anillos alcanzaron gran poder en su época; eran reyes, hechiceros y guerreros de antaño. Ganaron riqueza y gloria, aunque al final los Anillos los consumieron. Parecía que para ellos la vida no tenía término, pero se les hacía insoportable. Podían andar, si así lo querían, sin que nadie de este mundo bajo el sol llegara a descubrirlos, y podían ver cosas en mundos invisibles para los Hombres mortales; pero demasiado a menudo veían sólo los fantasmas y los engaños que Sauron les imponía. Y tarde o temprano, de acuerdo con la fuerza original de cada uno y con la buena o mala voluntad que habían tenido desde un principio, iban cayendo bajo el dominio del anillo que llevaban, y bajo la servidumbre del Único, que era propiedad de Sauron. Y se volvieron para siempre invisibles, salvo para el que llevaba el Anillo Regente, y entraron en el reino de las sombras. Eran ellos los Nazgûl, los Espectros del Anillo, los más terribles servidores del Enemigo; les acompañaba la oscuridad, y clamaban con las voces de la muerte.

Ahora bien, la codicia y el orgullo de Sauron crecieron, hasta volverse inmensurables, y decidió convertirse en el amo de todas las cosas de la Tierra Media, y destruir a los Elfos, y maquinar, si le era posible, la caída de Númenor. No toleraba libertad ni rivalidad alguna, y se designó a sí mismo Señor de la Tierra. Aún podía llevar una máscara, con el fin de engañar a los Hombres, si así lo deseaba, con una apariencia sabia y hermosa. Pero prefería dominar por la fuerza y el miedo, si se lo permitían, y los que advirtieron cómo su sombra se extendía sobre el mundo lo llamaron el Señor Oscuro, y le dieron el nombre de Enemigo; y Sauron reunió otra vez bajo su poder a todas las criaturas malignas de los días de Morgoth que aún quedaban sobre la tierra o debajo de ella, y los Orcos le obedecían, y se multiplicaron como moscas. Así empezaron los Años Oscuros, que los Elfos llaman los Días de la Huida. En ese tiempo muchos Elfos de la Tierra Media huyeron a Lindon, y desde allí se fueron por el mar para no volver más; y muchos fueron destruidos por Sauron y sus servidores. Pero en Lindon, Gil-galad se mantenía firme, y Sauron no se atrevía aún a cruzar las Montañas de Ered Luin ni a atacar los Puertos; y Gil-galad recibía ayuda de los Númenóreanos. En todos los demás lugares reinaba Sauron, y los que querían librarse de él se refugiaban en escondites protegidos de bosques y montañas, y el miedo los perseguía de continuo. En el este y el sur Sauron dominaba a casi todos los Hombres, que se volvieron fuertes en aquellos tiempos y levantaron ciudades y muros de piedra, y eran numerosos y feroces en la guerra y estaban armados de hierro. Para ellos Sauron era rey y dios; y le tenían mucho miedo, porque rodeaba su morada con un círculo de llamas.

No obstante, finalmente fue frenada la arremetida de Sauron contra las tierras del oeste. Porque como se cuenta en la *Akallabêth*, fue desafiado por el poder de Númenor. Tan grandes eran el poderío y el esplendor de los Númenóreanos en el

Mordor

mediodía de su reino, que los sirvientes de Sauron no podían resistirlos, y con la esperanza de ganar por la astucia lo que no podía ganar por la fuerza, abandonó por un tiempo la Tierra Media, y fue a Númenor como rehén de Tar-Calion el Rey. Y allí habitó, hasta que por fin corrompió mediante argucias los corazones de la mayor parte del pueblo, y los hizo librar una guerra contra los Valar, y así maquinó la ruina que durante tanto tiempo había deseado. Pero esa ruina fue más terrible de lo previsto por Sauron, porque había olvidado el poder de los Señores del Oeste cuando montaban en cólera. El mundo fue destruido y la tierra tragada, y los mares se alzaron, y el mismo Sauron se hundió en el abismo. Pero su espíritu subió y huyó a la Tierra Media, llevado por un viento negro, en busca de morada. Allí descubrió que el poder de Gil-galad había crecido en sus años de ausencia, y se había extendido ahora por vastas regiones del norte y el oeste, y llegaba más allá de las Montañas Nubladas y el Gran Río, aun hasta los bordes del Gran Bosque Verde, y se acercaba a los sitios en los que otrora había estado seguro. Entonces Sauron se retiró a su fortaleza en la Tierra Negra, y pensó en la guerra.

En aquel tiempo los Númenóreanos que se salvaron de la destrucción huyeron hacia el este, como se cuenta en la *Aka-llabêth*. Los principales de ellos eran Elendil el Alto y sus hijos, Isildur y Anárion. Eran parientes del Rey, como descendientes de Elros, pero no habían querido escuchar a Sauron, y se habían negado a combatir contra los Señores del Oeste. Tripulando los barcos con todos los que se habían mantenido fieles, abandonaron la tierra de Númenor antes de que fuera destruida. Eran hombres poderosos, y las naves, resistentes y altas, pero las tempestades los alcanzaron y unas montañas de agua los levantaron hasta las mismas nubes, y descendieron sobre la Tierra Media como pájaros de tormenta.

Elendil fue arrojado por las olas a la tierra de Lindon, y tuvo la amistad de Gil-galad. Desde allí cruzó el Río Lhûn, y más allá de Ered Luin estableció su reino, y el pueblo habitó en muchos lugares de Eriador en torno a los cursos del Lhûn y el Baranduin; pero la ciudad principal se encontraba en Annúminas, junto a las aguas del Lago Nenuial. Los Númenóreanos también vivían en Fornost, en las Colinas del Norte, y en Cardolan, y en las colinas de Rhudaur; y levantaron torres sobre Emyn Beraid y sobre Amon Sûl; y en esos sitios quedan muchos montículos y obras en ruinas, pero las torres de Emyn Beraid todavía miran al mar.

Isildur y Anárion fueron transportados hacia el sur, y por último navegaron río arriba por el Gran Anduin, que fluye desde Rhovanion hacia el Mar Occidental y desemboca en la Bahía de Belfalas, y establecieron un reino en esas tierras que se llamó después Gondor, mientras que el Reino del Norte se llamó Arnor. Mucho antes, en los días de poder, los marineros de Númenor habían establecido un puerto y fortalezas en ambos lados de la desembocadura del Anduin, desafiando la Tierra Negra de Sauron, que no estaba lejos hacia el este. En días posteriores, sólo llegaban a ese puerto los Fieles de Númenor, y por tanto muchos de los habitantes de las costas de esa región eran parientes directos o indirectos de los Amigos de los Elfos y del pueblo de Elendil, y dieron la bienvenida a sus hijos. La principal ciudad del reino austral era Osgiliath, a través de la cual fluía el Río Grande; y los Númenóreanos levantaron allí un gran puente sobre el que había torres y casas de piedra de admirable aspecto, y altas naves venían del mar a los muelles de la ciudad. Otras fortalezas construyeron también sobre ambas márgenes: Minas Ithil, la Torre de la Luna Naciente, al este, sobre un risco de las Montañas de la Sombra, como amenaza a Mordor; y hacia el oeste, Minas

Anor, la Torre del Sol Poniente, al pie del Monte Mindolluin, como escudo contra los hombres salvajes de los valles. En Minas Ithil se alzaba la casa de Isildur, y en Minas Anor la casa de Anárion, pero compartían entre ambos el reino, y sus tronos estaban juntos en la Gran Sala de Osgiliath. Ésas eran las principales moradas de los Númenóreanos en Gondor, pero construyeron otras obras maravillosas y fuertes en la tierra durante sus días de poder, en las Argonath, y en Aglarond, y en Erech; y en el círculo de Angrenost, que los Hombres llamaron Isengard, levantaron el Pináculo de Orthanc de piedra inquebrantable.

Muchos tesoros y grandes reliquias virtuosas y maravillosas trajeron los Exiliados de Númenor; y de éstos los más renombrados eran las Siete Piedras y el Árbol Blanco. El Árbol Blanco había nacido de un fruto de Nimloth el Bello, que crecía en los patios del Rey de Armenelos, en Númenor, antes de que Sauron lo abrasara; y Nimloth a su vez descendía del Árbol de Tirion, que era una imagen del Más Anciano de los Árboles, el Blanco Telperion, que hizo crecer Yavanna en la tierra de los Valar. El Árbol, recuerdo de los Eldar y de la luz de Valinor, se plantó en Minas Ithil ante la casa de Isildur, puesto que fue él quien salvó el fruto de la destrucción; pero las Piedras fueron repartidas.

Tres tomó Elendil, y dos cada uno de sus hijos. Las de Elendil fueron guardadas en torres sobre Emyn Beraid, y sobre Amon Sûl y en la ciudad de Annúminas. Pero las de los hijos estaban en Minas Ithil y Minas Anor, y en Orthanc y en Osgiliath. Ahora bien, estas piedras tenían una virtud: quien las mirara vería en ellas la imagen de cosas distantes, fuera en el espacio o en el tiempo. Casi siempre revelaban sólo cosas que ocurrían cerca de otra Piedra emparentada, porque las Piedras se llamaban entre sí; pero quienes eran fuertes de vo-

luntad y de mente podían aprender a dirigir su mirada a donde quisieran. De este modo los Númenóreanos llegaban a conocer muchas cosas que el Enemigo pretendía ocultar, y poco
escapó a esta vigilancia en sus días de poder.

Se dice que las torres de Emyn Beraid no fueron construidas en verdad por los Exiliados de Númenor, sino que las levantó Gil-galad para su amigo Elendil; y la Piedra Vidente de
Emyn Beraid estaba guardada en Elostirion, la más alta de las
torres. Allí acudiría Elendil, y desde allí solía contemplar los
mares divisorios cuando lo afligía la nostalgia del exilio; y se
cree que de este modo a veces alcanzaba a ver la Torre de Avallónë sobre Eressëa, donde la Piedra Maestra habitaba, y habita todavía. Estas piedras eran un regalo de los Eldar a Amandil, padre de Elendil, para consuelo de los Fieles de Númenor
en los días de oscuridad, cuando los Elfos no podían ir ya a
esa tierra bajo la sombra de Sauron. Se llamaban las Palantíri,
las que vigilan desde lejos; pero todas las que habían sido llevadas a la Tierra Media hacía mucho tiempo se perdieron.

De este modo los Exiliados de Númenor establecieron sus
reinos en Arnor y en Gondor; pero antes de que hubieran
transcurrido muchos años se hizo evidente que el Enemigo,
Sauron, también había regresado. Había venido en secreto,
como ya se ha dicho, a su viejo reino de Mordor, más allá de
Ephel Dúath, las Montañas de la Sombra, y ese país limitaba
con el este de Gondor. Allí, sobre el valle de Gorgoroth levantó Barad-dûr, la Torre Oscura; su fortaleza, vasta y resistente;
y había una montaña de fuego en esa tierra que los Elfos llamaban Orodruin. En verdad, por esa razón Sauron había instalado allí su morada desde hacía mucho tiempo; porque el
fuego que manaba allí desde el corazón de la tierra lo utilizaba

para brujerías y forjas; y en medio de la Tierra de Mordor había fabricado el Anillo Regente. Allí meditó en la oscuridad, hasta que se hubo dado a sí mismo una forma nueva; y era terrible, ya que había perdido para siempre su hermoso semblante, cuando fue arrojado al abismo en el hundimiento de Númenor. Tomó otra vez el Gran Anillo y se vistió de poder; y pocos había aún entre los grandes de los Elfos y de los Hombres que pudieran soportar la Mirada de Sauron.

Ahora bien, Sauron preparaba la guerra contra los Eldar y los Hombres de Oesternesse y los fuegos de la Montaña despertaron otra vez. Por esta razón, al ver el humo de Orodruin y entender que Sauron había regresado, los Númenóreanos pusieron a la Montaña un nuevo nombre, Amon Amarth, el Monte del Destino. Y Sauron reunió una gran fuerza de servidores venidos del este y del sur; y entre ellos no pocos eran de la elevada estirpe de Númenor. Porque en los días de la estadía de Sauron en esa tierra, el corazón de casi todo ese pueblo se había inclinado hacia la oscuridad. Por ello, muchos de los que navegaron hacia el este en ese tiempo y levantaron fortalezas y viviendas en las costas estaban ya sometidos a la voluntad de Sauron, y lo servían de buen grado en la Tierra Media. Pero a causa del poder de Gil-galad, estos renegados, señores a la vez poderosos y malignos, moraron casi todos lejos al sur; dos había, sin embargo, Herumor y Fuinur, que crecieron en poder entre los Haradrim, un pueblo grande y cruel que habitaba en las amplias tierras al sur de Mordor más allá de las Bocas del Anduin.

Por lo tanto, cuando Sauron vio la oportunidad, avanzó con una gran fuerza contra el nuevo Reino de Gondor, y tomó Minas Ithil, y destruyó el Árbol Blanco de Isildur que allí crecía. Pero Isildur escapó, y llevando consigo un vástago del Árbol viajó en barco río abajo, con su esposa y sus hijos, y navegaron desde las Bocas del Anduin en busca de Elendil. Entretanto, Anárion resistió en Osgiliath contra el Enemigo y por un tiempo lo rechazó hacia las montañas; pero Sauron volvió a reunir sus fuerzas, y Anárion se dio cuenta de que, a menos que le llegara ayuda, el reino no podría resistir mucho tiempo.

Ahora bien, Elendil y Gil-galad buscaron mutuo consejo, porque percibían que Sauron se volvería demasiado fuerte, y que vencería a todos sus enemigos uno por uno si no se unían todos contra él. Por esta razón establecieron la Liga que recibió el nombre de la Última Alianza, y marcharon hacia el este a la Tierra Media reuniendo una gran hueste de Elfos y de Hombres; e hicieron alto por un tiempo en Imladris. Se dice que el ejército allí reunido era más gallardo y más espléndido en armas que ningún otro visto desde entonces en la Tierra Media, y el más numeroso desde que el ejército de los Valar avanzara sobre Thangorodrim.

Desde Imladris cruzaron las Montañas Nubladas por muchos pasos, y bajaron por la orilla del Río Anduin, y así se encontraron al fin con las huestes de Sauron en Dagorlad, la Llanura de la Batalla, que se extiende por delante de las puertas de la Tierra Negra. Todas las criaturas vivientes estaban divididas ese día, y algunas de la misma especie, aun animales y aves, se encontraban en distintos bandos; excepto los Elfos. Sólo ellos no estaban divididos y seguían a Gil-galad. De los Enanos, pocos eran los que luchaban en los dos bandos; pero el clan de Durin de Moria luchaba contra Sauron.

El ejército de Gil-galad y Elendil obtuvo la victoria, porque el poder de los Elfos era aún grande por aquel entonces, y los Númenóreanos eran fuertes y altos, y terribles en la cólera. A Aeglos, la espada de Gil-galad, nadie podía resistirse; y la espada de Elendil estremecía de miedo a Orcos y Hombres, porque resplandecía a la luz del sol y de la luna, y se llamaba Narsil.

Entonces Gil-galad y Elendil entraron en Mordor y rodearon la fortaleza de Sauron; y la sitiaron durante siete años, y sufrieron dolorosas pérdidas por el fuego, los dardos y las saetas del Enemigo; y Sauron enviaba muchas misiones de ataque contra ellos. Allí, en el valle de Gorgoroth, Anárion hijo de Elendil fue muerto, y también otros muchos. Pero por último el sitio fue tan riguroso, que el mismo Sauron salió; y luchó con Gil-galad y Elendil, y los mató a ambos, y cuando Elendil cayó la espada se le quebró bajo el cuerpo. Pero Sauron también fue derribado, y con el fragmento que quedaba junto a la empuñadura de Narsil, Isildur cortó el Anillo de la mano de Sauron, y lo tomó para sí. Entonces Sauron quedó vencido por el momento; y su espíritu abandonó el cuerpo, y huyó a espacios distantes y se escondió en sitios baldíos; y durante largos años no volvió a tener forma visible.

Así empezó la Tercera Edad del Mundo, después de los Días Antiguos y los Años Oscuros; y había todavía esperanza en aquel tiempo y quedaba el recuerdo de la alegría, y el Árbol Blanco de los Eldar floreció muchos años en los patios de los Reyes de los Hombres, porque antes de abandonar Gondor, Isildur plantó en la ciudadela de Anor el vástago que había salvado, en memoria de su hermano. Los servidores de Sauron fueron derrotados y dispersados, pero no del todo destruidos; y aunque muchos Hombres se apartaron del mal y se convirtieron en súbditos de los herederos de Elendil, muchos más recordaban a Sauron en sus corazones y odiaban los reinos del Oeste. La Torre Oscura fue derrumbada, pero sus cimientos perduraron, y no se olvidó. De hecho, los Númenóreanos montaron guardia junto a la tierra de Mordor, pero nadie se atrevió a morar allí por causa del terror del recuerdo de Sauron, y de la Montaña de Fuego que se levantaba cerca de Barad-dûr; y las cenizas cubrían el valle de Gorgoroth. Muchos de los Elfos, y muchos de los Númenóreanos y de los Hombres que eran aliados, habían perecido en la Batalla y en el Sitio; y Elendil el Alto y Gil-galad el Alto Rey ya no existían. Nunca volvió a reunirse un ejército semejante, ni volvió a haber alianza parecida entre Elfos y Hombres; porque después de los días de Elendil ambos linajes se distanciaron.

Nadie supo más del Anillo Regente en esa época, ni siquiera los Sabios; no obstante, no fue deshecho. Porque Isildur no estuvo dispuesto a cederlo a Elrond ni a Círdan, que estaban junto a él. Le aconsejaron arrojarlo al fuego de Orodruin en las cercanías, donde había sido forjado, para que pereciera y el poder de Sauron quedara disminuido por siempre, y no fuera sino una sombra de malicia en el desierto. Pero Isildur rechazó este consejo diciendo:

—Esto lo conservaré como indemnización por la muerte de mi padre y por la de mi hermano. ¿No fui yo el que asestó al Enemigo el golpe de muerte? —Y contemplando el Anillo que tenía en la mano le pareció sumamente hermoso, y no permitió su destrucción. Por tanto, con él volvió primero a Minas Anor, y allí plantó el Árbol Blanco en memoria de su hermano Anárion. Pero no tardó en partir, y después de haberle dado consejo a Meneldil, el hijo de su hermano, y encomendarle el Reino del Sur, se llevó el Anillo para que fuera heredad de su casa, y se marchó de Gondor hacia el norte por el camino por donde Elendil había venido; y abandonó el Reino del Sur, porque se proponía hacerse cargo del reino de su padre en Eriador, lejos de la sombra de la Tierra Negra.

Pero Isildur fue abrumado por una hueste de Orcos que acechaba en las Montañas Nubladas; y sin que él lo notara, cayeron sobre el campamento entre el Bosque Verde y el Río

Grande, cerca de Loeg Ningloron, los Campos Gladios, porque era descuidado y no había montado guardia alguna, creyendo derrotados a todos los enemigos. Allí casi todos los suyos recibieron muerte, y entre ellos sus tres hijos mayores, Elendur, Aratan y Ciryon; pero cuando partiera a la guerra había dejado en Imladris a su esposa y a su hijo menor, Valandil. Isildur escapó en cambio por mediación del Anillo, porque cuando se lo ponía se volvía invisible a todas las miradas; pero los Orcos le dieron caza por el olfato y el rastro hasta que llegó al río y se zambulló en él. Allí el Anillo lo traicionó y vengó a su hacedor, porque se le deslizó del dedo mientras nadaba, y se perdió en el agua. Entonces los Orcos lo vieron mientras se esforzaba contra la corriente, y le dispararon muchas flechas y ése fue su fin. Sólo tres de los suyos volvieron por encima de las montañas después de mucho errar de un lado a otro; y de ellos uno era Ohtar, el escudero, a cuyo cuidado había puesto Isildur los fragmentos de la espada de Elendil.

De este modo llegó Narsil, a su debido tiempo, a manos de Valandil, heredero de Isildur, en Imladris; pero la hoja estaba quebrada y su brillo se había extinguido, y no se la volvió a forjar. Y el Señor Elrond anunció que no lo haría en tanto no se reencontrara el Anillo Regente y Sauron volviera; pero la esperanza de Elfos y Hombres era que estas cosas no ocurrieran nunca.

Valandil estableció su residencia en Annúminas, pero su pueblo había disminuido, y de los Númenóreanos y de los Hombres de Eriador quedaban muy pocos como para poblar la tierra o mantener todos los lugares que Elendil había edificado; muchos habían caído en Dagorlad, y en Mordor, y en los Campos Gladios. Y sucedió al cabo de los días de Eärendur, el séptimo rey que siguió a Valandil, que los Hombres de

Oesternesse, los Dúnedain del Norte, se dividieron en mezquinos reinos y señoríos, y sus enemigos los devoraron uno por uno. Siguieron menguando con los años, hasta que pasó su gloria dejando tan sólo montículos verdes en la hierba. Al final nada quedó de ellos salvo un pueblo extraño que erraba secretamente por tierras deshabitadas, y los demás Hombres nada sabían de dónde moraban ni del propósito de sus viajes, y salvo en Imladris, en la casa de Elrond, el linaje quedó olvidado. Sin embargo, durante muchas vidas de Hombres los herederos de Isildur siguieron atesorando los fragmentos de la espada; y la línea de padre a hijo nunca se quebró.

En el sur, Gondor perduró, y durante un tiempo creció en esplendor, hasta que la riqueza y majestad del reino hizo recordar a Númenor antes de la caída. Altas torres levantó el pueblo de Gondor, y fortalezas, y puertos de muchos barcos; y la Corona Alada de los Reyes de los Hombres fue reverenciada por gentes de muchas tierras, y de muchas lenguas. Porque durante largos años creció el Árbol Blanco ante la casa del Rey en Minas Anor, descendiente de aquel árbol que Isildur rescatara de las profundidades del mar, de Númenor; y la simiente anterior provenía de Avallónë, y antes de Valinor, en el Día que precedió a los días, cuando el mundo era joven.

Sin embargo, al final, con el desgaste de los rápidos años de la Tierra Media, Gondor decayó, y el linaje de Meneldil hijo de Anárion se interrumpió. Porque la sangre de los Númenóreanos se mezcló demasiado con la de otros hombres, y perdieron poder y sabiduría, y tuvieron una vida más breve, y la vigilancia de Mordor languideció. Y en los días de Telemnar, el vigésimo tercero del linaje de Meneldil, una peste llegó desde el oriente, llevada por vientos oscuros, y atacó al Rey y a sus hijos, y perecieron muchos del pueblo de Gondor. En-

Barad-dûr

tonces los fuertes de las fronteras de Mordor quedaron abandonados, y Minas Ithil se vació de gente; y el mal penetró otra vez en secreto en la Tierra Negra, y las cenizas de Gorgoroth fueron removidas como por un viento frío, pues allí se agolpaban unas formas oscuras. Se dice que éstas eran en verdad los Úlairi, que Sauron llamaba los Nazgûl, los Nueve Espectros del Anillo, que durante mucho tiempo habían permanecido ocultos, pero que retornaban ahora para preparar la llegada del Amo, que había empezado a crecer otra vez.

Y en días de Eärnil asestaron el primer golpe, y vinieron durante la noche desde Mordor por los pasos de las Montañas de la Sombra, y tomaron Minas Ithil como morada; y lo convirtieron en un lugar tan espantoso que nadie se atrevía a mirarlo. En adelante se llamó Minas Morgul, la Torre de la Hechicería; y Minas Morgul estaba siempre en guerra con Minas Anor, en el oeste. Entonces Osgiliath, que con la decadencia de su gente hacía ya mucho que estaba desierta, se convirtió en lugar de ruinas y una ciudad de fantasmas. Pero Minas Anor resistió, y fue llamada nuevamente Minas Tirith, la Torre de la Guardia; porque allí los reyes hicieron construir en la ciudadela una torre blanca, muy alta y muy hermosa, cuya mirada abarcaba muchas tierras. Esa ciudad era orgullosa aún, y fuerte, y en ella el Árbol Blanco floreció por un tiempo ante la casa de los Reyes; y allí el resto de los Númenóreanos aún defendía el pasaje del Río contra los terrores de Minas Morgul, y contra todos los enemigos del Oeste, Orcos y monstruos, y Hombres malvados; y de ese modo las tierras a espaldas de ellos, al oeste del Anduin, quedaron protegidas de la guerra y la destrucción.

Minas Tirith aún se mantenía en pie tras los días de Eärnur hijo de Eärnil, último Rey de Gondor. Eärnur fue quien cabalgó solo hasta las puertas de Minas Morgul para contestar al desafío del Señor de Morgul; y se enfrentó con él en combate singular, pero fue traicionado por los Nazgûl y llevado vivo a la ciudad del tormento, y ningún hombre volvió a verlo. Ahora bien, Eärnur no dejó heredero, pero cuando la línea de los Reyes se extinguió, los Senescales de la casa de Mardil el Fiel gobernaron la ciudad y el reino, cada vez más menguado; y los Rohirrim, los Jinetes del Norte, llegaron y moraron en la verde tierra de Rohan que se llamó antes Calenardhon y fue parte del Reino de Gondor; y los Rohirrim ayudaron a los Señores de la Ciudad en la guerra. Y al norte, más allá de los Saltos del Rauros y las Puertas de Argonath, había todavía otras defensas, poderes más antiguos de los cuales poco sabían los Hombres, y que las criaturas malignas no se atrevían a molestar, mientras el Señor Oscuro, Sauron, no volviera, madurado el momento. Y hasta que esto no sucedió, los Nazgûl nunca se atrevieron a cruzar otra vez el Río tras los días de Eärnil, ni salieron de la ciudad como Hombres visibles.

Durante todos los días de la Tercera Edad, después de la caída de Gil-galad, el Señor Elrond vivió en Imladris, y reunió allí a muchos Elfos, y otras criaturas sabias y poderosas entre todos los linajes de la Tierra Media, y preservó a través de muchas vidas de Hombres el recuerdo de todo lo que había sido hermoso; y la casa de Elrond fue un refugio para los fatigados y los oprimidos, y un cúmulo de buenos consejos y sabiduría. En esa casa se albergaron los Herederos de Isildur, en la infancia y la vejez, pues estaban emparentados por lazos de sangre con el mismo Elrond, y también porque él sabía que a uno de su linaje le estaba asignada una parte principal en los últimos hechos de esa Edad. Y en tanto ese momento no llegara, los fragmentos de la espada de Elendil se encomendaron al cuidado de Elrond, cuando en días oscuros los Dúnedain se convirtieron en un pueblo errante.

En Eriador, Imladris era la más importante morada de los Altos Elfos; pero en los Puertos Grises de Lindon moraba también un resto del pueblo de Gil-galad el Rey de los Elfos. A veces erraban por tierras de Eriador, pero la mayoría vivía cerca de las costas del mar, donde construían y cuidaban las naves élficas en que aquellos de los Primeros Nacidos que estaban cansados del mundo se hacían a la mar rumbo al más extremo Occidente. Círdan el Carpintero de Barcos era el Señor de los Puertos y muy poderoso entre los Sabios.

De los Tres Anillos que los Elfos habían preservado sin mancha nada se decía abiertamente entre los Sabios, y aun de los Eldar, pocos sabían a quién habían sido confiados. No obstante, después de la caída de Sauron, el poder de los Tres Anillos continuaba obrando, y donde ellos estaban, estaba también la alegría, y los dolores del tiempo no mancillaban cosa alguna. Así ocurrió que, antes de que la Tercera Edad concluyera, los Elfos advirtieron que el Anillo de Zafiro estaba con Elrond, en el hermoso valle de Rivendel, pues sobre su casa las estrellas del cielo eran más brillantes; mientras que el Anillo de Diamante estaba en la Tierra de Lórien, donde vivía la Dama Galadriel. Era Reina de los Elfos del Bosque, y esposa de Celeborn de Doriath, pero Galadriel pertenecía a los Noldor, y guardaba recuerdos del Día anterior a los días en Valinor, y era la más poderosa y la más bella de los Elfos que aún quedaban en la Tierra Media. Pero el Anillo Rojo permaneció oculto hasta el final, y nadie, salvo Elrond y Galadriel y Círdan, sabía a quién había sido entregado.

Fue así que en dos dominios la bienaventuranza y la belleza de los Elfos permanecieron intactas mientras duró esa Edad: en Imladris y en Lothlórien, la tierra escondida entre el

Celebrant y el Anduin, donde los árboles daban flores de oro, y adonde no se atrevían a entrar los Orcos y las criaturas malignas. No obstante, muchas voces de entre los Elfos predecían que, si Sauron volviera, o bien encontraría el Anillo Regente perdido, o bien sus enemigos lo descubrirían y lo destruirían; pero en ambos casos terminaría el poder de los Tres, y todas las cosas mantenidas por ellos tendrían que marchitarse: de ese modo llegaría el crepúsculo de los Elfos y empezaría el Dominio de los Hombres.

Y así en verdad ha sucedido: el Único y los Siete y los Nueve fueron destruidos; y los Tres desaparecieron, y con ellos terminó la Tercera Edad, y concluyen las Historias de los Eldar en la Tierra Media. Ésos fueron los Años de la Declinación, y en ese tiempo llegó el invierno del último florecimiento de los Elfos al este del Mar. En ese tiempo los Noldor andaban todavía en las Tierras de Aquende, los más aguerridos y hermosos de entre los hijos del mundo, y los oídos mortales todavía podían oír las lenguas que hablaban. Muchas cosas bellas y maravillosas había aún en la tierra en aquel tiempo, y también muchas cosas malignas y horribles: Orcos, y trolls, y dragones, y bestias salvajes, y extrañas criaturas de los bosques, viejas y sabias, cuyos nombres se han olvidado; los Enanos trabajaban aún en las montañas, y labraban con paciente artesanía obras de metal y de piedra que hoy nadie puede igualar. Pero el Dominio de los Hombres estaba llegando, y todas las cosas estaban cambiando, hasta que el Señor Oscuro despertó otra vez en el Bosque Negro.

Ahora bien, antaño el nombre del bosque era el Gran Bosque Verde, y sus amplios espacios y senderos eran frecuentados por muchos animales y pájaros de canto alegre; y allí estaba el reino del Rey Thranduil bajo el roble y el haya. Pero al cabo de muchos años, cuando hubo transcurrido casi un tercio de esa edad, una oscuridad invadió lentamente el bosque desde el sur, y allí caminaba el miedo por claros umbríos; bestias salvajes venían cazando y criaturas malignas y crueles tendían sus trampas.

Entonces el nombre del bosque cambió y se llamó Bosque Negro, pues la noche era allí profunda, y pocos osaban atravesarlo, salvo sólo por el norte, donde el pueblo de Thranduil aún mantenía el mal a raya. Pocos podían decir de dónde venía, y pasó mucho tiempo antes de que los Sabios lo descubrieran. Era la sombra de Sauron y el signo de su retorno. Porque cuando vino de los yermos del Este, escogió como morada el sur del bosque, y allí creció lentamente y cobró forma otra vez; en una colina oscura levantó su morada, y allí obró su hechicería, y todos temieron al Hechicero de Dol Guldur, y sin embargo al principio todavía no conocían la magnitud del peligro.

Mientras aún las primeras sombras empezaban a invadir el Bosque Negro, en el oeste de la Tierra Media aparecieron los Istari, a quienes los Hombres llamaron los Magos. Nadie sabía en aquel tiempo de dónde eran, salvo Círdan de los Puertos, y sólo a Elrond y a Galadriel les reveló que venían de allende el Mar. Pero luego se dijo entre los Elfos que eran mensajeros enviados por los Señores del Oeste para contrarrestar el poder de Sauron, si éste despertaba de nuevo, y para incitar a los Elfos y a los Hombres y a todas las criaturas vivientes de buena voluntad a que emprendiesen valerosas hazañas. Tenían aspecto de Hombres, viejos pero vigorosos, y cambiaban poco con los años, y sólo envejecían lentamente, aunque llevaban la carga de muchas preocupaciones; y eran de gran sabiduría y poderosos de mente y manos. Durante mucho tiempo viajaron a lo largo y a lo ancho entre los Elfos y los Hombres, y conversaban también con los pájaros y las bestias; y los pueblos de la

Tierra Media les dieron muchos nombres, pues ellos no revelaron cómo se llamaban en verdad. Los principales de ellos fueron los que los Elfos llamaron Mithrandir y Curunír, pero los Hombres del Norte los llamaron Gandalf y Saruman. De éstos, Curunír era el mayor y el que llegó primero, y después de él llegaron Mithrandir y Radagast, y otros de los Istari que fueron al este de la Tierra Media, y no aparecen en estas historias. Radagast fue amigo de todos los animales y pájaros; pero Curunír anduvo sobre todo entre los Hombres, y era sutil de palabra, y hábil en obras de herrería. Mithrandir era quien tenía más íntimo trato con Elrond y los Elfos. Erró muy lejos por el norte y por el oeste, y nunca en tierra alguna tuvo morada permanente; pero Curunír viajó hacia el este, y cuando regresó vivió en Orthanc en el Anillo de Isengard, que construyeron los Númenóreanos en los días de poder.

Siempre el más vigilante fue Mithrandir, y él era quien más sospechaba de la oscuridad del Bosque Negro porque, aunque muchos creían que era obra de los Espectros del Anillo, él temía en verdad que fuera el primer atisbo de la sombra de Sauron que regresaba; y marchó a Dol Guldur, y el Hechicero huyó de él; y hubo una paz cautelosa durante un largo tiempo. Pero al fin regresó la Sombra, creciendo en poder; y en ese tiempo se celebró por primera vez el Concilio de los Sabios, llamado luego el Concilio Blanco, y en él estaban Elrond, y Galadriel, y Círdan, y otros señores de los Eldar, y también Mithrandir y Curunír. Y Curunír (que era Saruman el Blanco) fue escogido como jefe, pues era quien más había estudiado las estratagemas de Sauron en tiempos remotos. Galadriel había deseado en verdad que Mithrandir fuera el cabeza del Concilio, y Saruman se lo reprochó, pues su orgullo y su deseo de dominio se habían acrecentado mucho; pero Mithrandir rehusó el cargo, pues no quería pactos ni trabas excepto con aquellos que lo habían enviado, y no habitaba en sitio alguno ni se sometía a convocatorias. Y Saruman se puso a estudiar la ciencia de los Anillos de Poder, cómo habían sido fabricados, y qué les había ocurrido.

Ahora bien, la Sombra se hacía cada vez más grande, y los corazones de Elrond y Mithrandir se oscurecieron. Por tanto, en una ocasión, Mithrandir fue de nuevo con gran peligro a Dol Guldur y a los abismos del Hechicero, donde descubrió que sus miedos eran fundados, y escapó. Y volviendo ante Elrond, dijo:

—Ciertas, ay, son nuestras sospechas. Éste no es uno de los Úlairi, como muchos lo creyeron largo tiempo. Es el mismo Sauron que otra vez ha cobrado forma y crece ahora de prisa; y está juntando otra vez todos los Anillos; y busca siempre noticias acerca del Único y de los Herederos de Isildur, si viven aún sobre la tierra.

Y Elrond contestó:

—En la hora en que Isildur tomó el Anillo y no quiso cederlo, se obró este hado: que Sauron volvería.

—No obstante, el Único se perdió —dijo Mithrandir—, y mientras no se encuentre, podemos dominar al Enemigo, si unimos nuestras fuerzas y no nos demoramos demasiado.

Entonces se convocó el Concilio Blanco; y allí Mithrandir los instó a rápidos procederes, pero Curunír se opuso, y aconsejó esperar y vigilar.

—Porque no creo —dijo— que volvamos a encontrar el Único en la Tierra Media. Cayó en el Anduin, y pienso que habrá sido arrastrado al Mar hace ya tiempo. Allí quedará hasta el fin, cuando todo este mundo se haya roto y los abismos se vacíen.

Por tanto, nada se hizo en esa ocasión, aunque había recelo en el corazón de Elrond, quien dijo a Mithrandir:

—No obstante, presagio que el Único llegará a encontrarse, y habrá guerra otra vez, y en esa guerra esta Edad llegará a su fin. Sin duda terminará con una segunda oscuridad, a no ser que nos libere alguna extraña casualidad, que mis ojos no alcanzan a ver.

—Muchas son las extrañas casualidades del mundo —dijo Mithrandir— y el socorro a menudo llega de manos de los débiles, cuando los Sabios fracasan.

Los Sabios se sintieron perturbados, pero nadie percibió que la mente de Curunír se había tornado oscura, ni que ya era un traidor en su corazón, pues deseaba encontrar el Gran Anillo en solitario con el fin de ponérselo y doblegar a todo el mundo a su voluntad. Durante demasiado tiempo había estudiado los pasos de Sauron con la esperanza de derrotarlo, y ahora le tenía más envidia como rival que odio por lo que había hecho. Y creía que el Anillo, que pertenecía a Sauron, buscaría a su amo cuando éste reapareciese; pero si volvían a expulsarlo, entonces el Anillo permanecería oculto. Por eso estaba dispuesto a jugar con el peligro y dejar tranquilo a Sauron por un tiempo, pues esperaba prevalecer mediante artilugios, tanto sobre la gente amiga como sobre el Enemigo, cuando el Anillo apareciera.

Montó una guardia en los Campos Gladios, pero pronto descubrió que los sirvientes de Dol Guldur registraban todos los caminos del Río en esa región. Entonces advirtió que también Sauron estaba enterado de cómo había muerto Isildur, y tuvo miedo, y se retiró a Isengard y la fortificó; y se enfrascó cada vez más profundamente en la ciencia de los Anillos de Poder y en los métodos de su forja. Pero no dijo nada de esto en el Concilio, esperando ser el primero en oír nuevas del Anillo. Reunió a todo un ejército de espías, y muchos de entre ellos eran pájaros; porque Radagast no adivinó la traición de Curunír, y lo ayudó creyendo que estaban vigilando al Enemigo.

Pero la sombra del Bosque Negro era cada día más profunda, y unas criaturas malignas concurrieron a Dol Guldur desde todos los lugares oscuros del mundo; y se unieron nuevamente bajo una sola voluntad, y volvieron su malicia contra los Elfos y los supervivientes de Númenor. Por tanto, al fin el Concilio fue convocado nuevamente, y se debatió mucho la ciencia de los Anillos; pero Mithrandir habló al Concilio diciendo:

—No es necesario que encontremos el Anillo, porque mientras permanezca en la tierra y no se deshaga, mantendrá vivo su poder; y Sauron crecerá y confiará. El poder de los Elfos y de los Amigos de los Elfos es menor ahora de lo que fue. Sauron será pronto demasiado fuerte para vosotros, aun sin el Gran Anillo; porque gobierna los Nueve, y de los Siete ya ha recuperado tres. Tenemos que atacar.

A esto asintió ahora Curunír, deseando que Sauron fuera arrojado de Dol Guldur, que estaba cerca del Río, y no tuviera oportunidad de continuar la búsqueda. Así dio por última vez ayuda al Concilio, y las fuerzas se unieron; y atacaron Dol Guldur, y expulsaron a Sauron de su baluarte, y durante un corto tiempo el Bosque Negro volvió a ser un lugar sano.

Pero el golpe que asestaron llegó demasiado tarde. Porque el Señor Oscuro lo había previsto, y él estaba esperándolo desde hacía mucho, y los Úlairi, los Nueve Sirvientes, habían ido delante de él para prepararle el camino. Así que la huida fue sólo un engaño, y Sauron pronto volvió, y antes de que los Sabios pudieran prevenirlo, regresó a su reino de Mordor, y levantó una vez más las torres oscuras de Barad-dûr. Y en ese año se convocó el Concilio Blanco una última vez, y Curunír se retiró a Isengard, y ya no escuchó consejo alguno, salvo el suyo propio.

Los Orcos estaban reuniéndose; y lejos al este y al sur los pueblos salvajes se armaban. Entonces en mitad del miedo creciente y los rumores de guerra, el presagio de Elrond se cumplió, y el Anillo Único fue encontrado en verdad, por una casualidad más extraña todavía que la prevista por Mithrandir; y permaneció oculto de Curunír y de Sauron. Porque había sido recogido del Anduin mucho antes de que ellos lo buscaran; y lo había encontrado un pequeño pescador que vivía junto al Río, antes de la caída de los Reyes de Gondor; y quien lo encontró lo llevó a un oscuro escondrijo bajo las raíces de las montañas, a donde nadie podía encontrarlo. Allí quedó hasta que en el mismo año del ataque a Dol Guldur fue nuevamente encontrado por un viajero que huía perseguido por los Orcos a las profundidades de la tierra, y el Anillo pasó a un país distante, a la tierra de los Periannath, la Gente Pequeña, los Medianos, que habitaban al oeste de Eriador. Y antes de ese día poco habían interesado a los Elfos y a los Hombres, y en los consejos de Sauron o de los Sabios nadie excepto Mithrandir los había tenido en cuenta.

Ahora bien, por fortuna y por haber prestado atención, Mithrandir fue el primero en tener noticias del Anillo, antes de que Sauron se enterase; no obstante, se sintió afligido e inquieto. Porque muy grande era el poder maligno de esa cosa como para que la tuviera cualquiera de los Sabios, a no ser que como Curunír deseara convertirse en un tirano y en otro señor oscuro; pero no era posible ocultárselo por siempre a Sauron, ni deshacerlo mediante las artes de los Elfos. De modo que con ayuda de los Dúnedain del Norte Mithrandir hizo vigilar la tierra de los Periannath, y aguardó la ocasión oportuna. Pero Sauron tenía muchos oídos, y no tardó en enterarse del rumor del Anillo Único, que deseaba por encima de todas las cosas, y envió a los Nazgûl a que lo buscaran.

Entonces estalló la guerra, y en la batalla con Sauron la Tercera Edad acabó como había empezado.

Pero quienes vieron lo que se hizo en aquel tiempo, hazañas heroicas y asombrosas, han contado en otro sitio la historia de la Guerra del Anillo, y cómo terminó no sólo con una victoria imprevista, sino también con dolor, desde mucho antes presagiado. Dígase aquí que en aquellos días el Heredero de Isildur se levantó en el Norte, y tomó los fragmentos de la espada de Elendil, y en Imladris volvieron a forjarse; y el Heredero fue a la guerra, un gran capitán de Hombres. Era Aragorn hijo de Arathorn, el trigésimo noveno heredero en línea directa de Isildur, y sin embargo más semejante a Elendil que ninguno antes de él. Hubo batalla en Rohan, y Curunír el traidor fue derrocado, e Isengard quebrantada; y delante de la Ciudad de Gondor se libró una gran contienda, y el Señor de Morgul, Capitán de Sauron, pasó allí a la oscuridad; y el Heredero de Isildur condujo al ejército del Oeste hasta las Puertas Negras de Mordor.

En esa última batalla estaban Mithrandir, y los hijos de Elrond, y el Rey de Rohan, y los señores de Gondor, y el Heredero de Isildur con los Dúnedain del Norte. Allí por fin enfrentaron la muerte y la derrota, y todo valor resultó ser vano; porque Sauron era demasiado fuerte. No obstante, en esa hora se puso a prueba lo que Mithrandir había dicho, y la ayuda llegó de manos de los débiles cuando los Sabios fracasaron. Porque, como se oyó en muchos cantos desde entonces, fueron los Periannath, la Gente Pequeña, los habitantes de las laderas y los prados, quienes trajeron la liberación.

Porque se dice que Frodo el Mediano portó la carga a petición de Mithrandir, y con un solo sirviente atravesó peligros y oscuridad, y a pesar de Sauron llegó por último al Monte del Destino; y allí arrojó el Gran Anillo de Poder al Fuego en que había sido forjado, y así por fin fue deshecho, y el mal que tenía se consumió.

Entonces cayó Sauron, y fue derrotado por completo, y se desvaneció como una sombra de malicia; y las torres de Barad-dûr se derrumbaron en escombros, y al rumor de esta caída muchas tierras temblaron. Así llegó otra vez la paz, y una nueva Primavera despertó en el mundo; y el Heredero de Isildur fue coronado Rey de Gondor y de Arnor, y el poder de los Dúnedain fue acrecentado y su gloria renovada. En los patios de Minas Anor el Árbol Blanco floreció otra vez, pues Mithrandir encontró un vástago en las nieves del Monte Mindolluin, que se alzaba alto y blanco por encima de la Ciudad de Gondor; y mientras creció allí los Días Antiguos no fueron del todo olvidados en el corazón de los Reyes.

Ahora bien, casi todas estas cosas se lograron por el consejo y la vigilancia de Mithrandir, y en los últimos pocos días se reveló como señor de gran veneración, y vestido de blanco cabalgó a la batalla; pero hasta que el momento de partir llegó también para él, nadie supo que durante mucho tiempo había guardado el Anillo Rojo del Fuego. En un principio ese Anillo había sido confiado a Círdan, Señor de los Puertos; pero lo cedió a Mithrandir, porque sabía de dónde venía, y a dónde retornaría.

—Toma ahora este Anillo —le dijo—, porque tus labores y preocupaciones te pesarán, pero él te apoyará en todo y te defenderá de la fatiga. Porque éste es el Anillo del Fuego, y quizá con él puedas reanimar los corazones, y procurarles el valor de antaño en un mundo que se enfría. En cuanto a mí, mi corazón está con el Mar, y viviré junto a las costas grises guardando los Puertos hasta que parta el último barco. Entonces te esperaré.

Blanco era ese barco, y mucho tardaron en construirlo, y mucho tiempo aguardó el fin del que Círdan había hablado. Pero cuando todas estas cosas se cumplieron, y el Heredero de Isildur recibió el señorío de los Hombres y el dominio del Oeste, se hizo evidente que el poder de los Tres Anillos también había terminado, y el mundo se volvió viejo y gris para los Primeros Nacidos. En ese tiempo los últimos Noldor se hicieron a la mar desde los Puertos y abandonaron la Tierra Media para siempre. Y los últimos de todos en partir fueron los Guardianes de los Tres Anillos, y el Señor Elrond tomó el barco que Círdan había preparado. En el crepúsculo del otoño partió de Mithlond, hasta que los mares del Mundo Curvo cayeron por debajo del barco, y los vientos del cielo redondo no lo perturbaron más, y llevado sobre los altos aires por encima de las nieblas del mundo pasó al Antiguo Oeste, y el fin llegó para los Eldar de la historia y de los cantos.

CUADROS

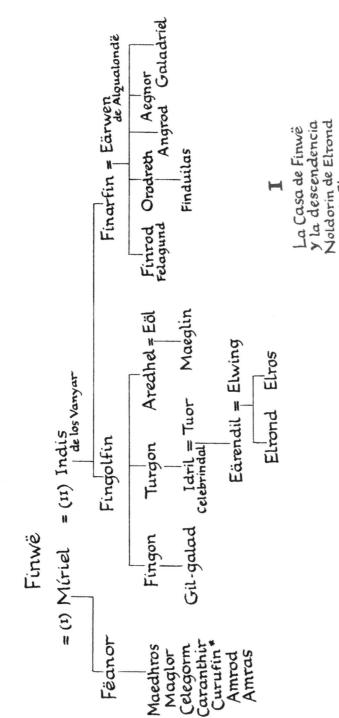

Finwë

= (I) Míriel   = (II) Indis
de los Vanyar

Fëanor

Maedhros
Maglor
Celegorm
Caranthir
Curufin *
Amrod
Amras

Fingolfin

Fingon

Gil-galad

Turgon

Idril = Tuor
Celebrindal

Eärendil = Elwing

Elrond   Elros

Aredhel = Eöl

Maeglin

Finarfin = Eärwen
de Alqualondë

Finrod   Orodreth
Felagund

Finduilas

Aegnor   Galadriel
Angrod

I

La Casa de Finwë
y la descendencia
Noldorin de Elrond
y Elros

* Padre de Celebrimbor

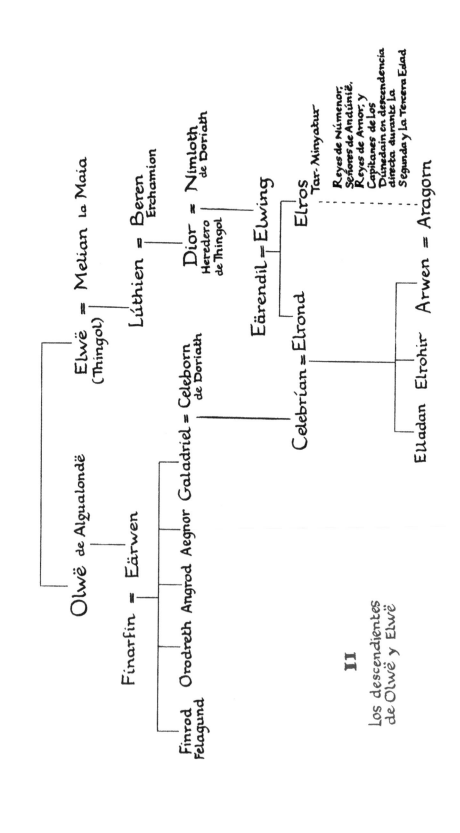

Olwë de Alqualondë

Elwë = Melian la Maia
(Thingol)

Lúthien = Beren
          Erchamion

Dior = Nimloth
Heredero   de Doriath
de Thingol

Finarfin = Eärwen

Finrod   Orodreth Angrod Aegnor Galadriel = Celeborn
Felagund   de Doriath

Eärendil = Elwing

Elros
Tar-Minyatur

Reyes de Númenor,
Señores de Andúnië,
Reyes de Arnor, y
Capitanes de los
Dúnedain en descendencia
directa durante la
Segunda y la Tercera Edad

Celebrían = Elrond

Elladan   Elrohir   Arwen = Aragorn

II
Los descendientes
de Olwë y Elwë

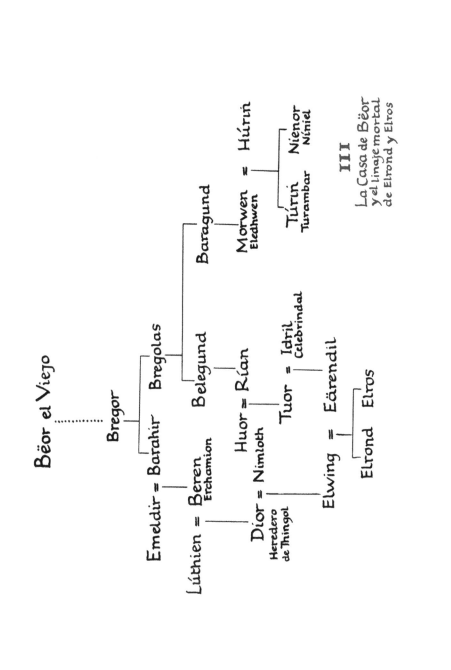

Bëor el Viejo

.... Bregor

Bregolas
Barahir

Emeldir = Barahir
Lúthien = Beren
        Erchamion
Díor = Nimloth
Heredero
de Thingol

Belegund
Huor = Rían
Tuor = Idril
       Celebrindal

Baragund
Morwen = Húrin
Eledhwen

Túrin   Nienor
Turambar Níniel

Elwing = Eärendil
Elrond Elros

III

La Casa de Bëor
y el linaje mortal
de Elrond y Elros

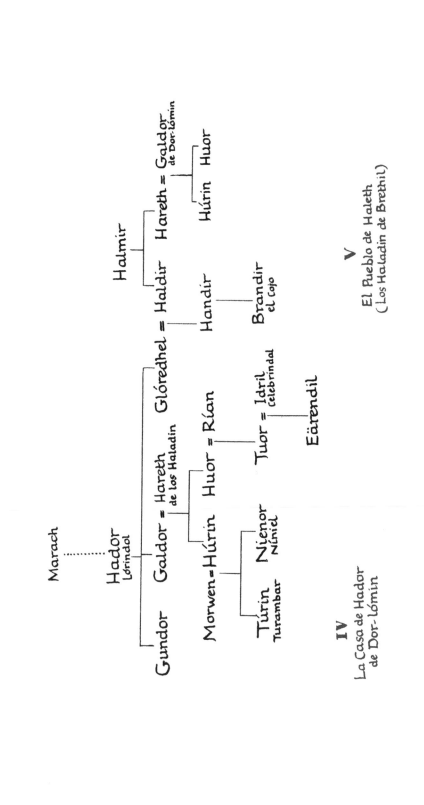

Marach

Hador
Lórindol

Gundor   Galdor = Hareth   Glóredhel = Haldir   Halmir
                de los Haladin

Morwen = Húrin   Huor = Rían   Handir   Hareth = Galdor
                                                                      de Dor-lómin

Túrin   Níenor   Tuor = Idril   Brandir   Húrin   Huor
Turambar Níniel   Celebrindal   el Cojo

                                  Eärendil

IV
La Casa de Hador
de Dor-lómin

V
El Pueblo de Haleth
(Los Haladin de Brethil)

QUENDI
Los Elfos

ELDAR
Elfos del Gran Viaje desde Cuiviénen

AVARI
'Los Renuentes': Elfos que rehusaron el Gran Viaje

VANYAR
Todos fueron a Aman

NOLDOR
Todos fueron a Aman

TELERI

Los que fueron a Aman

Los que permanecieron en Beleriand:

SINDAR
Elfos Grises

Los que abandonaron la marcha de los Teleri al este de las Mtñas. Nubladas:

NANDOR
De los que algunos entraron después en Beleriand:

LAIQUENDI
Elfos Verdes de Ossiriand

CALAQUENDI
'Elfos de la Luz' (Altos Elfos)
(Llegaron a Aman en los días de los Dos Árboles)

ÚMANYAR
Los Eldar que 'no eran de Aman'

MORIQUENDI
'Elfos de la Oscuridad'
(Nunca vieron la Luz de los Árboles)

La División de los Elfos y algunos de los nombres de las subdivisiones

NOTA SOBRE LA PRONUNCIACIÓN

El objetivo de esta nota consiste simplemente en clarificar algunas de las características principales de la pronunciación de las lenguas élficas; de ningún modo es exhaustiva. Para una información cabal sobre el tema, véase *El Señor de los Anillos,* Apéndice E.

Consonantes

C   siempre tiene valor de *k* [*c* fuerte en castellano], nunca de *s*; así pues, *Celeborn* es «*Keleborn*», no «*Seleborn*». En unos pocos casos se ha utilizado la *k* en la ortografía de este libro, como Tulkas, Kementári.

CH   siempre tiene el valor de *ch* en el escocés *loch* o el alemán *buch* [o el sonido de la *j* en castellano], nunca el del inglés *church* [o el castellano *hacha*]. Ejemplos son *Carcharoth, Erchamion.*

DH   representa siempre el sonido de una *th* sonorizada (suave en inglés), es decir, la *th* de *then*, no la de *thin*. Ejemplos son *Maedhros, Aredhel, Haudh-en-Arwen.*

G   siempre tiene el sonido de la *g* inglesa en *get* [o en castellano *gato*]; así pues, *Region, Eregion* no se pronuncian como en inglés *region,* y la primera sílaba de *Ginglith* es como en inglés *begin,* no como en *gin.*

Las consonantes dobles se pronuncian largas; así, *Yavanna* tiene la *n* larga del inglés en *unnamed, penknife,* no la *n* corta de *unaimed* o *penny.*

Vocales

AI   tiene el sonido de *eye* en inglés [o *ay* en castellano]; así, la segunda sílaba de *Edain* es como el inglés *dine*, no *Dane*.

AU   tiene el valor del inglés *ow* en *town* [o el castellano *auto*]; así, la primera sílaba de *Aulë* es como el inglés *owl*, y la primera sílaba de *Sauron* es como el inglés *sour*, no *sore*.

EI   como en *Teiglin* tiene el sonido del inglés *grey* [o el castellano *peine*].

IE   no ha de pronunciarse como en inglés *piece*, pues tienen que oírse ambas vocales; así, *Ni-enna,* no «*Neena*» [como *nieve* en castellano].

UI   como en *Uinen* tiene el sonido del inglés *ruin* [o en castellano *ruina*].

AE   como en *Aegnor, Nirnaeth,* y OE como en *Noegyth, Loeg,* son combinaciones de las vocales *a-e, o-e,* pero *ae* puede pronunciarse de igual modo que *ai* y *oe* en inglés *toy.*

EA y EO   no forman diptongo, y se pronuncian como dos sílabas; estas combinaciones se escriben *ëa* y *ëo* (o, cuando inician un nombre, *Eä* y *Eö: Eärendil, Eönwë*).

Ú   en nombres como *Húrin, Túrin, Túna* ha de pronunciarse *uu*; así pues, «Tuurin», no «Tyurin».

ER, IR, UR   ante una consonante (como en *Nerdanel, Círdan, Gurthang*) o al final de una palabra (como en *Ainur*) no ha de pronunciarse como en inglés *fern, fir, fur,* sino como en inglés *air, eer, oor* [*er, ir, ur* en castellano].

E   al final de las palabras se pronuncia siempre como vocal distintiva, y en esta posición se escribe *ë.* Igualmente se pronuncia siempre en el medio de las palabras, como *Celeborn, Menegroth.*

Un acento circunflejo en los monosílabos de la lengua sindarin indica la vocal particularmente larga propia de esas palabras (así, *Hîn Húrin*) pero en los nombres de las lenguas adûnaico (númenóreano) y khuzdul (de los Enanos), el circunflejo indica simplemente vocales largas.

ÍNDICE DE NOMBRES

Debido al gran número de nombres en este libro, este índice proporciona, además de referencias a las páginas, una breve explicación acerca de las personas y los lugares. Estas explicaciones no son epítome de todo lo que se dice en el texto, y para la mayoría de los personajes principales de la historia son extremadamente breves; pero un índice semejante es por fuerza abultado y he intentado reducirlo de diversos modos.

El principal de ellos consiste en que muy a menudo la traducción inglesa [castellana] de un nombre élfico se utiliza también como un nombre independiente; así, por ejemplo, la morada del Rey Thingol se llama tanto Menegroth como «Las Mil Cavernas» (y también ambos nombres a la vez). En la mayoría de estos casos he incluido el nombre élfico y la traducción en una sola entrada, de modo que las referencias a las páginas no están limitadas al nombre que aparece en el encabezamiento (por ejemplo, las que se dan bajo *Echoriath* incluyen aquellas relativas a «Montañas Circundantes»). Las traducciones al inglés [al castellano] tienen un encabezamiento propio, pero remiten al artículo principal. Las palabras entre comillas son traducciones; muchas se dan en el texto (como *Tol Eressëa* «la Isla Solitaria»), pero he agregado muchas otras. En el Apéndice se informa acerca de algunos de los nombres no traducidos.

He sido selectivo con los muchos títulos y expresiones formales en inglés [castellano] cuyo original élfico no se incluye, como «el Rey Élfico» y «los Dos Linajes», pero la gran mayoría ha quedado registrada. He procurado que las referencias sean completas (y a veces incluyen páginas en las que aparece el tema del artículo, aunque no se mencione por su nombre), con excepción de muy pocos casos en que el nombre se repite con suma frecuencia, como *Beleriand* o *Valar*. En este caso se utiliza la palabra *passim,* pero se remite a los pasajes importantes; y en las entradas relativas a algunos de los príncipes Noldorin, se han eliminado las muchas repeticiones del nombre cuando que sólo se relacionan con los hijos o las casas.

Las referencias a *El Señor de los Anillos* incluyen el título del volumen, el libro y el capítulo.

Agarwaen «Manchado de Sangre», nombre que se dio a sí mismo Túrin al llegar a Nargothrond, 298, 300.

Aglarond «La Caverna Centelleante» del Abismo de Helm en Ered Nimrais (véase *Las Dos Torres* III 8), 417.

Aglon «El Paso Estrecho» entre Dorthonion y las alturas al oeste de Himring, 167, 185, 211.

Águilas 38, 48, 77, 146, 163, 169, 214, 220-221, 256-257, 325-327, 344-345, 348, 396-398.

Ainulindalë «La Música de los Ainur», también llamada *La (Gran) Música, La (Gran) Canción*, 6, 8-11, 19, 22, 41, 47-48, 53, 55, 93, 128, 138, 170, 291. También es el nombre de la historia de la Creación, compuesta, se dice, por Rúmil de Tirion en los Días Antiguos, 75.

Ainur «Los Sagrados» (singular *Ainu*); los primeros seres creados por Ilúvatar, la «orden» de los Valar y los Maiar, hechos antes de Eä, 3-11, 17-18, 41-42, 44, 48, 64, 138, 291, 333.

Akallabêth «La Sepultada», palabra adûnaica (númenóreana) cuyo significado coincide con *Atalantë*, del quenya, 402. También el título de la historia de la Caída de Númenor, 414-415.

Alcarinquë «La Gloriosa», nombre de una estrella, 52.

Alcarondas La gran embarcación de Ar-Pharazôn en la que navegó a Aman, 398.

Aldaron «Señor de los Árboles», nombre en quenya del Vala Oromë; cf. *Tauron*, 23.

Aldudénië «Lamento por los Dos Árboles», compuesto por un Elfo Vanyarin llamado Elemmírë, 95.

Almaren La primera morada de los Valar en Arda, antes de la segunda embestida de Melkor: una isla en un gran lago en medio de la Tierra Media, 32-34, 133.

Alqualondë «Puerto de los Cisnes», ciudad principal y puerto de los Teleri en las costas de Aman, 71, 73, 110-114, 116, 137, 147, 176, 217, 357.

Altas Faroth Véase *Taur-en-Faroth*.

Alto élfico   Véase *Quenya*.

Altos Elfos   427 Véase *Eldar*.

Aman   «Bendecida, libre de mal», nombre de la tierra en el Oeste, más allá del Gran Mar, en la que los Valar moraron después de haber abandonado la Isla de Almaren. Con frecuencia también denominada *el Reino Bendecido*. *Passim*; véase especialmente 24, 34-35, 37-38, 50-51, 55-57, 59-60, 64, 66-69, 72, 74, 76, 78, 80, 82-85, 87, 89-91, 93, 98, 108, 110, 113-114, 126, 128, 131, 140, 172-174, 193, 244, 354, 357, 359, 362, 377-378, 399, 403-404, 407, 418.

Amandil   «Amante de Aman»; el último Señor de Andúnië en Númenor, descendiente de Elros y padre de Elendil; partió en un viaje a Valinor y jamás regresó, 388-391, 393-395, 400, 418.

Amarië   Elfa de los Vanyar, amada de Finrod Felagund, que se quedó en Valinor, 177.

Amigos de los Elfos   Los Hombres de las Tres Casas de Bëor, Haleth, y Hador, los Edain, 195, 197, 199-200, 267, 281, 360, 380-381, 388-389, 416, 433. En la *Akallabêth* y en *De los Anillos de Poder* se aplica a los Númenóreanos que no se apartaron de los Eldar; véase *Elendili*. En 433 se refiere sin duda a los Hombres de Gondor y los Dúnedain del Norte.

Amlach   Hijo de Imlach hijo de Marach; cabeza de la disensión entre los Hombres de Estolad; arrepentido, se puso al servicio de Maedhros, 199-201.

Amon Amarth   «Monte del Destino», nombre dado a Orodruin cuando sus fuegos despertaron de nuevo después de la vuelta de Sauron desde Númenor, 419, 436.

Amon Ereb   «La Colina Solitaria» (también sólo *Ereb*) entre Ramdal y el Río Gelion en Beleriand Oriental, 125, 165, 212.

Amon Ethir   «La Colina de los Centinelas», levantada por Finrod Felagund al este de las Puertas de Nargothrond, 310-312.

Amon Gwareth   La colina sobre la que se construyó Gondolin, en medio de la llanura de Tumladen, 171, 186, 342, 346-347.

Aranwë   Elfo de Gondolin, padre de Voronwë, 341.

Aratan   Segundo hijo de Isildur, muerto junto con él en los Campos Gladios, 423.

Aratar   «Los Exaltados», los ocho Valar de mayor poder, 24.

Arathorn   Padre de Aragorn, 435.

Árbol Blanco   Véase *Telperion, Galathilion, Nimloth* (1). Los Árboles Blancos de Minas Ithil y Minas Anor, 70, 375, 383-384, 390-391, 417, 419, 421-422, 424-425, 436.

Arcofirme   Traducción de *Cúthalion*, nombre de Beleg.

Arda   «El Reino», nombre de la Tierra como Reino de Manwë. *Passim*; véase especialmente 8-9, 12-14.

Ard-galen   La gran llanura cubierta de hierba al norte de Dorthonion, llamada después de haber sido asolada *Anfauglith* y *Dor-nu-Fauglith*. El nombre significa «la Región Verde»; cf. *Calenardhon* (Rohan), 140, 153-155, 158, 160-161, 167, 208-209.

Aredhel   «Elfa Noble», hermana de Turgon de Gondolin, atrapada por Eöl en Nan Elmoth, a quien dio a Maeglin; también llamada *Ar-Feiniel*, la Blanca Señora de los Noldor, la Blanca Señora de Gondolin, 71, 178-189, 286.

Ar-Feiniel   Véase *Aredhel*.

Ar-Gimilzôr   Vigésimo tercero Rey de Númenor, perseguidor de los Elendili, 383-384.

Argonath   Las «Piedras del Rey», los Pilares de los Reyes, grandes tallas de Isildur y Anárion sobre el Anduin a la entrada de los límites septentrionales de Gondor (véase *La Comunidad del Anillo* II 9), 417, 426.

Arien   Una Maia elegida por los Valar para guiar la nave del Sol, 129-133.

Armenelos   La Ciudad de los Reyes en Númenor, 372, 375, 386, 388-391, 417.

Arminas   Véase *Gelmir* (2).

Arnor   «Tierra del Rey», el reino septentrional de los Númenóreanos en la Tierra Media, establecido por Elendil después de huir del Hundimiento de Númenor, 416, 418, 436.

Aulë Un Vala, uno de los Aratar, el herrero y maestro de artesanías, marido de Yavanna, véase especialmente 20-21, 38; y en relación con su creación de los Enanos: 43 y siguientes. 9, 12, 18, 20-21, 25, 27, 31-32, 38, 40, 43-49, 56-57, 59, 70, 74, 77, 85, 98, 107, 119, 128, 371.

Avallónë Puerto y ciudad de los Eldar en Tol Eressëa, así llamada de acuerdo con la *Akallabêth*, «porque es, de todas las ciudades, la que más cerca está de Valinor», 371, 375, 377, 385, 398, 403-404, 418, 424.

Avari «Los Renuentes, los Recusadores», nombre dado a todos los Elfos que rehusaron unirse a la marcha hacia el Oeste desde Cuiviénen, 59-60, 121-122, 129, 409. Véase *Eldar* y *Elfos Oscuros*.

Avathar «Las Sombras», la tierra abandonada en la costa de Aman al sur de la Bahía de Eldamar, entre las Pelóri y el Mar, donde Melkor se encontró con Ungoliant, 90-92, 100, 132.

Azaghâl Señor de los Enanos de Belegost; hirió a Glaurung en la Nirnaeth Arnoediad, y fue muerto por él, 273.

Balada de Leithian El largo poema sobre las vidas de Beren y Lúthien del que deriva la narración en prosa de *El Silmarillion*. *Leithian* se traduce como «Liberación del Cautiverio», 225, 229, 235, 239, 241, 263.

Balan El nombre de Bëor el Viejo antes de ponerse al servicio de Finrod, 196.

Balar La gran bahía al sur de Beleriand en la que desembocaba el Río Sirion, 57, 62, 67, 161. También la isla en la bahía; de ella se dice que constituía el cuerno oriental de Tol Eressëa antes de desprenderse, donde Círdan y Gil-galad vivieron después de la Nirnaeth Arnoediad, 67, 119, 161-162, 222, 278, 349-351, 353.

Balrog «Demonio de Poder», forma sindarin (quenya *Valarauko*) del nombre de los demonios de fuego que servían a Morgoth, 27, 51, 101, 141, 143, 163, 208-209, 211, 234, 272, 274, 346-348, 360.

Barad-dûr «La Torre Oscura» de Sauron en Mordor, 382, 387, 402, 418, 422, 433, 436.

Barad Eithel «Torre de la Fuente», la fortaleza de los Noldor en Eithel Sirion, 270.

Barad Nimras «Torre del Cuerno Blanco», levantada por Finrod Felagund en el cabo oeste de Eglarest, 162, 277.

Baragund Padre de Morwen, la esposa de Húrin; sobrino de Barahir y uno de sus doce compañeros en Dorthonion, 205, 215, 224, 280, 360.

Barahir Padre de Beren; rescató a Finrod Felagund en la Dagor Bragollach, y recibió de él su anillo; muerto en Dorthonion. Para la historia posterior del anillo de Barahir, que se convirtió en heredad de la Casa de Isildur, véase *El Señor de los Anillos*, Apéndice A (I, iii). 138, 205, 210, 214-216, 224-228, 232-234, 236-237, 262, 265, 280, 331, 360.

Baran Hijo mayor de Bëor el Viejo, 196-197.

Baranduin «El Río Pardo» en Eriador, que desemboca en el Mar al sur de las Montañas Azules; el Brandivino de la Comarca en *El Señor de los Anillos*, 416.

Bar-en-Danwedh «Casa del Rescate», el nombre que Mîm el Enano dio a su morada en Amon Rûdh cuando se la cedió a Túrin, 288, 291-293.

Bauglir Un nombre de Morgoth: «el Opresor», 137, 281, 300, 331, 365.

Beleg Un gran arquero y jefe de los guardianes de la frontera de Doriath; llamado *Cúthalion* «Arcofirme»; amigo y compañero de Túrin, de quien recibió la muerte. 219, 261-262, 267, 281-287, 290-291, 293-298, 323.

Belegaer «El Gran Mar» del Occidente, entre la Tierra Media y Aman. Llamado *Belegaer*: 35, 114, 341; pero muy a menudo llamado *el (Gran) Mar, el Mar Occidental* y también *las Grandes Aguas*.

Belegost «Gran Fortaleza», una de las dos ciudades de los Enanos en las Montañas Azules; traducción al sindarin de *Gabilgathol* en lengua de los Enanos. Véase *Grandeburgo*, 118-120, 122, 150, 181, 267, 273, 289, 330, 334.

Belegund Padre de Rían, esposa de Huor; sobrino de Barahir y uno de sus doce compañeros en Dorthonion, 205, 215, 224, 280.

Beleriand Se dice que en un principio el nombre significó «el País de Balar» y se dio a las tierras en torno a las Bocas del Sirion frente a la Isla de Balar. Más adelante el nombre también abarcó toda la antigua costa del noroeste de la Tierra Media al sur del Estuario de Drengist, y todas las tierras interiores al sur de Hithlum y al este hasta las Montañas Azules, divididas por el Río Sirion en Beleriand Oriental y Beleriand Occidental. Al término de la Primera Edad fue quebrantada por los tumultos e invadida por el mar, de modo que sólo permaneció Ossiriand (Lindon). *Passim*: véase especialmente 160-168, 361, 407-409.

Belfalas Región de la costa austral de Gondor que da a la gran bahía del mismo nombre; *Bahía de Belfalas*, 416.

Belthil «Irradiación divina», imagen de Telperion que hizo Turgon en Gondolin, 171.

Belthronding El arco de Beleg Cúthalion, que fue sepultado junto con él, 296.

Bëor Llamado el Viejo; jefe de los primeros Hombres que entraron en Beleriand; vasallo de Finrod Felagund; progenitor de la Casa de Bëor (llamada también *la Casa Mayor de los Hombres* y *la Primera Casa de los Edain*), véase *Balan,* 193-199, 201, 205-206, 208, 236, *Casa de, Pueblo de, Bëor*: 198-199, 205, 210, 218, 224.

Bereg Nieto de Baran, hijo de Bëor el Viejo (no hay referencia a esto en el texto); cabeza de la disensión entre los Hombres de Estolad; volvió cruzando las montañas a Eriador, 199-201.

Beren Hijo de Barahir; cortó un Silmaril de la corona de Morgoth a cambio del permiso para desposar a Lúthien hija de Thingol, y fue muerto por Carcharoth, el lobo de Angband. Fue el único de los Hombres mortales en volver de los muertos, y vivió luego con Lúthien en Tol Galen, en Ossiriand, y luchó contra los Enanos en Sarn Athrad. Bisabuelo de Elrond y Elros y antepasado de los Reyes númenóreanos. Llamado también *Camlost, Erchamion* y *el Manco.* 138, 166, 205, 215, 224-225, 227-266, 280-281, 300, 331, 335-338, 352.

Brithon El río que desembocaba en el Gran Mar en Brithombar, 277.

Brodda Un Oriental de Hithlum de después de la Nirnaeth Arnoediad que tomó por esposa a Aerin, del linaje de Húrin; muerto por Túrin, 281, 307.

Cabed-en-Aras Garganta profunda en el Río Teiglin donde Túrin dio muerte a Glaurung y a la que Nienor se arrojó en busca de la muerte, 316, 319-320, 322, véase *Cabed Naeramarth*.

Cabed Naeramarth «Salto del Destino Espantoso», nombre dado a *Cabed-en-Aras* después de haber saltado Nienor desde sus acantilados, 320, 327-328.

Calacirya «Paso de la Luz», el paso abierto en las montañas de las Pelóri, en el que se levantó la colina verde de Túna, 69, 73, 89, 103, 133-134, 355.

Calaquendi «Elfos de la Luz», los Elfos que vivían o habían vivido en Aman (los Altos Elfos). Véase *Moriquendi* y *Elfos Oscuros*, 60, 137, 142.

Calenardhon «La Provincia Verde», nombre de Rohan cuando era la parte septentrional de Gondor; cf. *Ard-galen*. 426.

Camino de los Enanos Camino que conduce a Beleriand desde las ciudades de Nogrod y Belegost, y que cruza el Gelion por el vado de Sarn Athrad, 192, 197, 201.

Camino Recto, Vía Recta El sendero por mar que lleva al Antiguo o Verdadero Occidente, por el que los Elfos todavía podían navegar después de la Caída de Númenor y el Cambio del Mundo, 404, 408.

Camlost «Mano Vacía», nombre adoptado por Beren al volver ante el Rey Thingol sin el Silmaril, 260, 262.

Campos Gladios Traducción parcial de *Loeg Ningloron*; las vastas extensiones de juncos y lirios en el Anduin y a su alrededor, donde fue muerto Isildur y se perdió el Anillo Único, 423, 432.

Caragdûr El precipicio en la ladera norte de Amon Gwareth (la colina de Gondolin) de la que fue arrojado Eöl condenado a muerte, 189-190.

Caranthir El cuarto hijo de Fëanor, llamado el Oscuro; «el más duro de los hermanos y el más rápido para la ira»; gobernaba en Thargelion;

muerto en el ataque a Doriath, 71, 106, 148-150, 167-168, 175, 180, 196, 201-202, 212, 218, 339.

Carcharoth   El gran lobo de Angband que arrancó con sus dientes la mano de Beren que portaba el Silmaril; muerto por Huan en Doriath. El nombre se traduce en el texto como «Fauces Rojas». Llamado también *Anfauglir*, 253, 255-256, 259-262.

Cardolan   Región al sur de Eriador; parte del Reino de Arnor, 416.

Carnil   Nombre de una estrella (roja), 52.

Celeborn (1)   «Árbol de Plata», nombre del Árbol de Tol Eressëa, vástago de Galathilion, 70, 375.

Celeborn (2)   Elfo de Doriath, pariente de Thingol; se casó con Galadriel y con ella permaneció en la Tierra Media después del fin de la Primera Edad, 153, 336, 364, 427.

Celebrant   «Vía de Plata», río que fluye desde Laguna Espejo por Lothlórien y se une con el Anduin, 428.

Celebrimbor   «Mano de Plata», hijo de Curufin, que permaneció en Nargothrond cuando su padre fue expulsado. En la Segunda Edad fue el más grande de los herreros de Eregion; hacedor de los Tres Anillos de los Elfos; muerto por Sauron, 248, 409, 412.

Celebrindal   «Pies de plata»; véase *Idril*.

Celebros   «Espuma de Plata» o «Lluvia de Plata», arroyo de Brethil que vuelca sus aguas en el Teiglin cerca de los Cruces, 314.

Celegorm   Tercer hijo de Fëanor, llamado el Hermoso; hasta la Dagor Bragollach, señor de la región de Himlad, junto con su hermano Curufin; vivió en Nargothrond e hizo prisionera a Lúthien; amo de Huan el perro lobo; muerto por Dior en Menegroth, 71, 74, 106, 140, 167, 179-180, 185, 211, 237-238, 241-243, 247-249, 258-259, 266-267, 339, 409.

Celon   Río que fluía hacia el suroeste desde la Colina de Himring, afluente del Aros. El nombre significa «aguas que descienden de las alturas», 125, 167, 180, 184, 196, 203, 217.

Cima de los Vientos   Véase *Amon Sûl*.

Desposeídos, Los   La Casa de Fëanor, 113, 147.

Días Antiguos   La Primera Edad; también llamada *los más Antiguos Días*, 25, 36, 136, 152, 157, 169, 297, 299, 330, 335, 346, 421, 436.

Días de la Huida   Véase 414.

Dimbar   La tierra que se extendía entre los ríos Sirion y Mindeb, 163, 179, 220, 248, 284-285, 287, 290-293, 325.

Dimrost   La catarata del Celebros en el Bosque de Brethil; traducido en el texto como «la Escalera Lluviosa». Llamada luego *Nen Girith*, 314.

Dior   Llamado *Aranel* y también *Eluchíl*, «Heredero de Thingol»; hijo de Beren y Lúthien y padre de Elwing, madre de Elrond; llegó a Doriath desde Ossiriand luego de la muerte de Thingol, y recibió el Silmaril después de muertos Beren y Lúthien; los hijos de Fëanor lo mataron en Menegroth, 265, 336-339, 344, 349, 352, 359, 362, 365.

Dol Guldur   «Colina de la Hechicería», fortaleza del Nigromante (Sauron) al sur del Bosque Negro en la Tercera Edad, 429-434.

Dolmed   «Cabeza Mojada», una gran montaña en las Ered Luin, cerca de las ciudades de los Enanos Nogrod y Belegost, 118-119, 125, 273, 336.

Dor Caranthir   «Tierra de Caranthir»; véase *Thargelion*, 167, 180, 196, 201, 212.

Dor-Cúarthol   «Tierra del Arco y el Yelmo», nombre del país defendido por Beleg y Túrin desde su guarida en Amon Rûdh, 292.

Dor Daedeloth   «Tierra de la Sombra de Horror», la tierra de Morgoth en el norte, 141, 143-144, 157.

Dor Dínen   «La Tierra Silenciosa», donde nada vivía, entre el curso superior del Esgalduin y el Aros, 164.

Dor Firn-i-Guinar   «Tierra de los Muertos que Viven», nombre de la región de Ossiriand en la que Beren y Lúthien moraron después de su retorno, 265, 337.

Doriath   «Tierra del Cerco» (*Dor Iâth*), nombre referido a la Cintura de Melian, antes llamada Eglador; el reino de Thingol y Melian en los bosques de Neldoreth y Region, regida desde Menegroth junto al Río Esgalduin. También llamada *el Reino Escondido. Passim*; 126, 163-164.

Fëanturi   «Los Amos de los Espíritus», los Valar Námo (Mandos) e Irmo (Lórien), 21-22.

Felagund   El nombre por el que fue conocido el Rey Finrod después del establecimiento de Nargothrond; era de origen enano (*felak-gundu*, «Excavador de Cuevas», pero en el texto se traduce como «Señor de las Cavernas», 72). Para referencias, véase *Finrod*.

Fieles, Los   Véase *Elendili*.

Finarfin   El tercer hijo de Finwë, el más joven de los medio hermanos de Fëanor; se quedó en Aman después del Exilio de los Noldor y gobernó al resto de su pueblo en Tirion. Sólo él y sus hijos entre los príncipes Noldorin tuvieron los cabellos dorados, heredados de su madre, Indis, que era de los Vanyar (véase *Vanyar*), 71-72, 78, 84, 86, 106-107, 109, 113-114, 133, 144, 233, 247. En muchas otras ocasiones el nombre de Finarfin está relacionado con los hijos de Finwë o con su pueblo.

Finduilas   Hija de Orodreth, amada de Gwindor; capturada durante el saqueo de Nargothrond y muerta por los Orcos en los Cruces del Teiglin, 298-300, 303, 305-306, 308, 313, 321.

Fingolfin   El segundo hijo de Finwë, el mayor de los medio hermanos de Fëanor; Alto Rey de los Noldor en Beleriand, que vivió en Hithlum; muerto por Morgoth en combate singular, 71-72, 78, 84-87, 94, 106-107, 109, 111, 114-116, 130, 139, 143-145, 147, 149-151, 154-155, 158, 160, 163, 197, 207-208, 210-216, 278. En muchas otras ocasiones el nombre de Fingolfin se refiere a sus hijos o su pueblo.

Fingon   El hijo mayor de Fingolfin, llamado el Valiente; rescató a Maedhros de Thangorodrim; Alto Rey de los Noldor después de la muerte de su padre; muerto por Gothmog en la Nirnaeth Arnoediad, 71, 106-107, 109, 111, 114-115, 145-147, 155, 158, 163, 178-179, 190, 210, 214, 223-224, 228, 266-277, 349, 408.

Finrod   El hijo mayor de Finarfin, llamado «el Fiel» y «el Amigo de los Hombres». Fundador y Rey de Nargothrond, de ahí su nombre Felagund; encontró en Ossiriand a los primeros Hombres que habían

Gondor «Tierra de Piedra», nombre del reino númenóreano austral en la Tierra Media, establecido por Isildur y Anárion, 416-419. *Ciudad de Gondor*: Minas Tirith, 435-436.

Gonnhirrim «Maestros de la Piedra», nombre sindarin para designar a los Enanos, 118.

Gorgoroth (1) Véase *Ered Gorgoroth*.

Gorgoroth (2) Una meseta de Mordor en la convergencia de las Montañas de la Sombra y las Montañas de Ceniza, 418, 421-422, 425.

Gorlim Llamado el Desdichado; uno de los doce compañeros de Barahir en Dorthonion, al que se le tendió una trampa con un fantasma de su esposa Eilinel, y que reveló a Sauron el sitio en que se escondía Barahir, 215, 226-227.

Gorthaur El nombre de Sauron en sindarin, 27, 216, 407.

Gorthol «Yelmo Terrible», nombre que adoptó Túrin como uno de los Dos Capitanes en la tierra de Dor-Cúarthol, 292.

Gothmog Señor de los Balrogs, gran capitán de Angband, que dio muerte a Fëanor, Fingon y Ecthelion. (El teniente de Minas Morgul llevó el mismo nombre en la Tercera Edad; *El Retorno del Rey* V 6.) 141, 273-274, 286, 347.

Grandeburgo Traducción de *Belegost*: «gran fortaleza», 118.

Grandes Tierras La Tierra Media, 375.

Grond La gran maza de Morgoth con la que luchó contra Fingolfin; llamada el Martillo del Inframundo. El ariete que se utilizó contra las puertas de Minas Tirith recibió también este nombre (*El Retorno del Rey* V 4), 213.

Guerras de Beleriand La primera batalla, 125. La segunda batalla (la Batalla bajo las Estrellas): véase *Dagor-nuin-Giliath*. La tercera batalla (la Batalla Gloriosa): véase *Dagor Aglareb*. La cuarta batalla (la Batalla de la Llama Súbita): véase *Dagor Bragollach*. La quinta batalla (Lágrimas Innumerables): véase *Nirnaeth Arnoediad*. *La Gran Batalla*: 56, 279, 359, 370, 408.

Guilin Padre de Gelmir y Gwindor, Elfos de Nargothrond, 266, 270, 294, 298, 303.

Haldan   Hijo de Haldar; cabeza de los Haladin después de la muerte de la Señora Haleth, 203.

Haldar   Hijo de Haldad de los Haladin y hermano de la Señora Haleth; muerto junto con su padre en la incursión de los Orcos por Thargelion. 203-204.

Haldir   Hijo de Halmir de Brethil; desposó a Glóredhel, hija de Hador de Dor-lómin; muerto en la Nirnaeth Arnoediad, 219, 267, 268, 271, 276.

Haleth   Llamada Señora Haleth; conductora de los Haladin (que se llamaron por ella el Pueblo de Haleth) desde Thargelion a las tierras al oeste del Sirion, 212-214. *Casa de, Pueblo de Haleth*: 202-204, 206, 218-219, 267, 309, 316-317.

Halmir   Señor de los Haladin, hijo de Haldan; con Beleg de Doriath derrotó a los Orcos que avanzaron al sur por el Paso del Sirion después de la Dagor Bragollach, 219, 267.

Handir   Hijo de Haldir y Glóredhel, padre de Brandir el Cojo; señor de los Haladin después de la muerte de Haldir; muerto en Brethil luchando contra los Orcos, 276, 302, 399.

Haradrim   Los Hombres de Harad («el Sur»), las tierras al sur de Mordor, 419.

Hareth   Hija de Halmir de Brethil; se casó con Galdor de Dor-lómin; madre de Húrin y Huor, 219, 224.

Hathaldir   Llamado el Joven; uno de los doce compañeros de Barahir en Dorthonion, 215.

Hathol   Padre de Hador Lórindol, 204.

Haudh-en-Arwen   «El Túmulo de la Señora», montículo sepulcral de Haleth en el Bosque de Brethil, 204.

Haudh-en-Elleth   El túmulo en que fue sepultada Finduilas, cerca de los Cruces del Teiglin, 308-309, 313-314, 319, 321.

Haudh-en-Ndengin   «El Túmulo de los Muertos» en el desierto de Anfauglith, donde se apilaron los cuerpos de los Elfos y los Hombres que murieron en la Nirnaeth Arnoediad, 279-280.

Himring La gran colina al oeste de la Brecha de Maglor sobre la que se levantaba la fortaleza de Maedhros; traducido en el texto como «Siempre Fría», 149, 166-167, 179, 211-212, 248, 259, 267.

Hírilorn La gran haya de Doriath con tres troncos en que se mantuvo presa a Lúthien. El nombre significa «Árbol de la Señora», 241, 262.

Hísilómë «Tierra de la Niebla», nombre quenya de Hithlum, 158.

Hithaeglir «Línea de los Picos Nublados»: las Montañas Nubladas o Montañas de la Niebla. (La forma *Hithaeglin* que aparece en el mapa de *El Señor de los Anillos* es un error), 61-62, 122, 415, 420, 422.

Hithlum «Tierra de la Niebla» (véase 168), la región que limita al este y al sur con Ered Wethrin, y al oeste con Ered Lómin; véase *Hísilómë*. 57, 102, 140, 143-145, 148, 155, 158, 160, 163, 166, 179, 197-198, 208, 210-212, 214, 216-218, 223, 256, 267-271, 275-277, 280-282, 294, 325, 340-341.

Hogar de los Elfos Véase *Eldamar*.

Hombres Véase especialmente 40-42, 83, 135-137, 192-196, 206, 369-370, 378-379; y véase también *Atani, Hijos de Ilúvatar, Orientales*.

Hombres Oscuros Véase *Orientales*, 218.

Hombres del Rey Los Númenóreanos hostiles a los Eldar y a los Elendili, 380-381, 385.

Hoz de los Valar Véase *Valacirca*.

Huan El gran perro lobo de Valinor que Oromë dio a Celegorm; amigo y benefactor de Beren y Lúthien; mató a Carcharoth y a la vez fue muerto por él. El nombre significa «gran perro, sabueso», 242-243, 245-253, 256-257, 260-262.

Hunthor Un hombre de los Haladin en Brethil; acompañó a Túrin cuando éste fue a atacar a Glaurung en Cabed-en-Aras; fue allí muerto por la caída de una piedra, 316-317.

Huor Hijo de Galdor de Dor-lómin, marido de Rían y padre de Tuor; fue a Gondolin con Húrin, su hermano; muerto en la Nirnaeth Arnoediad. 171, 205, 219-220, 222, 268, 274-275, 280, 340, 343, 345, 349, 360.

Imladris «Rivendel» (literalmente, «Valle Profundo de la Hendidura»), morada de Elrond en un valle de las Montañas Nubladas, 412, 420, 423-424, 426-427, 435.

Indis Elfa de los Vanyar, pariente cercana de Ingwë; segunda esposa de Finwë, madre de Fingolfin y Finarfin, 71, 78, 84.

Ingwë Cabeza de los Vanyar, el primero de los tres grupos de los Eldar que se pusieron en marcha hacia el oeste desde Cuiviénen. En Aman vivió en Taniquetil y se lo consideró Alto Rey de todos los Elfos, 58-59, 67, 70, 73, 78, 133, 359.

Inziladûn Hijo mayor de Ar-Gimilzôr e Inzilbêth; llamado después *Tar-Palantir*, 384.

Inzilbêth Reina de Ar-Gimilzôr; de la casa de los Señores de Andúnië, 384.

Irmo El Vala llamado habitualmente Lórien, el lugar de su morada. *Irmo* significa «Anhelante» o «Amo de los Anhelos», 21-22, 25, 76.

Isengard Traducción (para representar la lengua de Rohan) del nombre élfico *Angrenost*, 417, 430, 432-433, 435.

Isil Nombre quenya de la Luna, 129-130.

Isildur Hijo mayor de Elendil, que con su padre y su hermano Anárion huyó del Hundimiento de Númenor y fundó en la Tierra Media los reinos númenóreanos en exilio; señor de Minas Ithil; cortó el Anillo Regente de la mano de Sauron; muerto por los Orcos en el Anduin cuando el Anillo se le deslizó del dedo, 389-391, 396, 401, 415-417, 419, 421-424, 426, 431-432, 435-437. *Herederos de Isildur*: 424, 426, 231. *Heredero de Isildur* = Aragorn: 389-391.

Isla Solitaria Véase *Tol Eressëa*.

Islas Encantadas Las islas puestas por los Valar en el Gran Mar al este de Tol Eressëa en tiempos del Ocultamiento de Valinor, 134, 354.

Istari «Los Magos». Véase *Curunír; Saruman; Mithrandir; Gandalf; Olórin; Radagast*, 429.

Ivrin El lago y las cataratas bajo Ered Wethrin donde nacía el Río Narog, 159, 297, 298, 302. *Estanques de Ivrin*: 150, 307, 342. *Cataratas de Ivrin*: 160, 239. Véase *Eithel Ivrin*.

Mereth Aderthad   La «Fiesta de la Reunión», celebrada por Fingolfin cerca de los Estanques de Ivrin, 150.

Mil Cavernas   Véase *Menegroth*.

Mîm   El Enano Mezquino, en cuya casa *(Bar-en-Danwedh)* en Amon Rûdh, Túrin vivió junto con una banda de forajidos; él fue quien delató la guarida a los Orcos; muerto por Húrin en Nargothrond, 287-293, 329.

Mina de los Enanos   «Morada de los Enanos»; traducción de *Khazad-dûm (Hadhodrond)*, 118.

Minas Anor   «Torre del Sol» (también sencillamente *Anor*), llamada después Minas Tirith; la ciudad de Anárion al pie del Monte Mindolluin, 417, 422, 424-425, 436.

Minas Ithil   «Torre de la Luna», llamada después Minas Morgul; la ciudad de Isildur, levantada sobre una saliente de Ephel Dúath, 416-417, 419, 425.

Minas Morgul   «Torre de la Hechicería» (también sencillamente *Morgul*), nombre de Minas Ithil después de ser capturada por los Espectros del Anillo, 425-426, 435.

Minastir   Véase *Tar-Minastir*.

Minas Tirith (1)   «Torre de la Vigilancia», levantada por Finrod Felagund en Tol Sirion; véase *Tol-in-Gaurhoth*, 161, 216, 219.

Minas Tirith (2)   Nombre posterior de Minas Anor, 291, 425. Llamada *la Ciudad de Gondor,* 435.

Mindeb   Afluente del Sirion, entre Dimbar y el Bosque de Neldoreth 163, 284.

Mindolluin   «Imponente Cabeza Azul», la gran montaña tras Minas Anor 417, 436.

Mindon Eldaliéva   «Alta Torre de los Eldalië», la torre de Ingwë en la ciudad de Tirion; también simplemente *la Mindon.* 70, 86, 103, 109, 113.

Míriel (1)   La primera esposa de Finwë, madre de Fëanor; murió después del nacimiento de éste. Llamada Serindë «la Bordadora», 71, 76, 78, 84.

Mormegil   «La Espada Negra», nombre dado a Túrin cuando era capitán del ejército de Nargothrond; véase *Gurthang*, 299-301, 308-310.

Morwen   Hija de Baragund (sobrino de Barahir, el padre de Beren); esposa de Húrin y madre de Túrin y Nienor; llamada *Eledhwen* (que se traduce en el texto como «Resplandor Élfico») y *la Señora de Dor-lómin*, 205, 215, 224, 279-282, 299, 301, 305-308, 310-311, 313, 322, 324, 327-328.

Música de los Ainur   Véase *Ainulindalë*.

Nacidos Después, los   Los Hijos Menores de Ilúvatar, los Hombres; traducción de *Hildor*, 105, 129, 136.

Nahar   El caballo del Vala Oromë; según los Elfos se le daba ese nombre por causa de su voz, 23, 40, 53-54, 60, 96, 124.

Námo   Un Vala, uno de los Aratar, comúnmente llamado *Mandos*, el sitio de su morada. *Námo* significa «El que Dispone, Juez», 21.

Nandor   Según se dice, significa «los que se volvieron»: los Nandor fueron los Elfos del grupo de los Teleri que se negaron a cruzar las Montañas Nubladas en el viaje al oeste desde Cuiviénen; pero una parte, conducida por Denethor, llegó mucho después cruzando las Montañas Azules y vivió en Ossiriand (los Elfos Verdes), 61, 122, 165, 282.

Nan Dungortheb   También *Dungortheb*; traducido en el texto como «Valle de la Muerte Terrible». El valle entre los precipicios de Ered Gorgoroth y la Cintura de Melian, 102, 163, 180, 248.

Nan Elmoth   El bosque al este del Río Celon donde Elwë (Thingol) quedó encantado por Melian y se perdió; luego morada de Eöl. 64, 68, 118, 180-182, 184, 186, 196, 286, 334.

Nan-tathren   «Valle del Sauce», traducido como «la Tierra de los Sauces», donde el Río Narog desemboca en el Sirion. En la canción de Bárbol en *Las Dos Torres* III 4, se utilizan las formas quenya del nombre: *en los sauzales de Tasarinan; Nan-tasarion*, 162, 277, 349.

Oromet   Colina cerca del puerto de Andúnië en el oeste de Númenor, sobre la que se levantó la torre de Tar-Minastir, 385.

Orthanc   «Elevación Dentada», la torre númenóreana en el Círculo de Isengard, 417, 430.

Osgiliath   «Fortaleza de las Estrellas», ciudad principal del antiguo Gondor, a ambos lados del Río Anduin, 416-417, 420, 425.

Ossë   Un Maia, vasallo de Ulmo, con quien entró en las Aguas de Arda; amante e instructor de los Teleri, 25, 39, 67-69, 72, 111, 160, 278, 371.

Ossiriand   «Tierra de los Siete Ríos» (el Gelion y sus afluentes que descendían de las Montañas Azules), la tierra de los Elfos Verdes. Cf. la canción de Bárbol en *Las Dos Torres* III 4: «Recorrí en el verano los olmedos de Ossiriand / ¡Ah, la luz y la música en el verano junto a los Siete Ríos de Ossir!» Véase *Lindon*. 123, 125-126, 150, 163, 165-168, 192, 196-197, 210, 212, 265, 276-277, 335-336, 338, 408.

Ost-in-Edhil   «Fortaleza de los Eldar», la ciudad de los Elfos en Eregion, 409, 411.

Palantíri   «Las que ven desde lejos», las Siete Piedras Videntes llevadas por Elendil y sus hijos de Númenor; hechas por Fëanor en Aman (véase 77 y *Las Dos Torres* III 11), 418.

Pastores de Árboles, Los   Los Ents, 48, 336.

Pelargir   «Dársena de los Barcos Reales», el puerto númenóreano sobre el delta del Anduin, 381.

Pelóri   «El cerco de las alturas defensivas», llamado también *Montañas de Aman* y *las Montañas de la Defensa*, levantadas por los Valar después de la destrucción de su morada, Almaren; forman una curva en cuarto creciente de norte a sur, cerca de las costas orientales de Aman, 35, 38, 69, 90, 92, 100, 131, 133.

Periannath   Los Medianos (Hobbits), 434-435.

Pharazôn   Véase *Ar-Pharazôn*.

Vado de Piedras   Véase *Sarn Athrad.*

Vados del Aros   Véase *Arossiach.*

Vairë   «La Tejedora», una de las Valier, esposa de Námo Mandos, 22, 18.

Valacirca   «La Hoz de los Valar», nombre de la constelación de la Osa Mayor, 52, 244.

Valandil   Hijo menor de Isildur; tercer Rey de Arnor, 423.

Valaquenta   «Relato de los Valar», obra breve tratada como entidad separada de *El Silmarillion* propiamente dicho.

Valar   «Los que Tienen Poder», «Los Poderes» (singular, *Vala*); nombre dado a los grandes Ainur que entraron en Eä al comienzo de los Tiempos, y que cumplieron la función de guardianes y regentes de Arda. Llamados también *los Grandes, los Regentes de Arda, los Señores del Oeste, los Señores de Valinor. Passim;* véase especialmente 10-12, 40-41, 92-93 y véase también Ainur, Aratar.

Valaraukar   «Demonios del Poder» (singular, *Valarauko*), forma quenya que corresponde a la sindarin *Balrog*, 27.

Valaróma   El cuerno del Vala Oromë, 23, 40, 96, 124.

Valier   «Las Reinas de los Valar» (singular *Valië*); término sólo usado en el *Valaquenta*, 18, 24.

Valimar   Véase *Valmar.*

Valinor   La tierra de los Valar en Aman, más allá de las montañas de Pelóri; también llamada *el Reino Guardado. Passim;* véase especialmente 35-36, 132-133.

Valmar   La ciudad de los Valar en Valinor; también aparece con la forma *Valimar.* En el lamento de Galadriel en Lórien (*La Comunidad del Anillo* II 8), Valimar es equivalente a Valinor, 35-36, 55-56, 63, 72, 79, 86-87, 89, 93-95, 107, 137.

Vána   Una de las Valier, hermana de Yavanna y esposa de Oromë; llamada *la Siempre Joven*, 18, 23, 25, 130.

Vanyar   El primer grupo de los Eldar en el viaje al oeste desde Cuiviénen conducido por Ingwë. El nombre (singular, *Vanya*) significa «Los Hermosos», con lo que se hace referencia a los cabellos dorados de los

APÉNDICE

Elementos de nombres en quenya y sindarin

Estas notas se han reunido para aquellos que se interesen por las lenguas eldarin; se ha recurrido en abundancia a *El Señor de los Anillos* en busca de ejemplos. Por fuerza han sido muy condensadas, dando una impresión de certidumbre e irrevocabilidad que no se justifica del todo; además son muy selectivas, lo que es consecuencia del espacio disponible y de los limitados conocimientos del redactor. Los encabezamientos no se han dispuesto sistemáticamente de acuerdo con las raíces o las formas quenya o sindarin, sino de manera un tanto arbitraria, con el fin de que los elementos constitutivos de los nombres sean identificados con la mayor facilidad posible.

adan   (plural *Edain*) en *Adanedhel, Aradan, Dúnedain*. Para su significado e historia, véase *Atani* en el Índice.

aelin   «lago, estanque» en *Aelin-uial*; cf. *lin* (1).

aglar   «gloria, brillo» en *Dagor Aglareb, Aglarond*. La forma en quenya *alkar*, tiene transposición de las consonantes; al sindarin *aglareb*, corresponde *Alkarinquë*. La raíz es *kal-* «brillo». q. v.

aina   «sagrado» en *Ainur, Ainulindalë*.

alda   «árbol» (quenya) en *Aldaron, Aldudénië, Malinalda*, que corresponde al sindarin *galadh* (que se advierte en *Caras Galadhon* y en los *Galadhrim* de Lothlórien).

alqua   «cisne» (sindarin *alph*) en *Alqualondë*; de una raíz *alak-* «velocidad», que aparece también en *Ancalagon*.

amarth   «destino» en *Amon Amarth, Cabed Naeramarth, Úmarth*, y en la forma sindarin del nombre de Túrin «Amo del Destino», *Turamarth*. La forma quenya de la palabra aparece en *Turambar*.

amon   «colina», palabra sindarin que aparece como primer elemento de muchos nombres; plural *emyn* en *Emyn Beraid*.

anca   «mandíbulas» en *Ancalagon* (para el segundo elemento de este nombre, véase *alqua*).

an(d)   «largo» en *Andram, Anduin*; también en *Anfalas* («Playa Larga») en Gondor, *Cair Andros* («nave de larga espuma»), una isla en el Anduin, y *Angerthas* «secuencia rúnica larga».

andúnë   «puesta de sol, oeste» en *Andúnië*, correspondiente al sindarin *annûn*, cf. *Annúminas*, y *Henneth Annûn* «ventana del sol poniente» en Ithilien. La vieja raíz de estas palabras, *ndu*, que significa «hacia abajo, desde lo alto», aparece también en el quenya *númen*, «el sendero del sol poniente, oeste» y en el sindarin *dûn*, «oeste», cf. *Dúnedain*. El elemento *adûn* del adûnaico en *Adûnakhôr, Anadûnê* estaba tomado de la lengua eldarin.

anga   «hierro», sindarin *ang*, en *Angainor, Angband, Anghabar, Anglachel, Angrist, Angrod, Anguirel, Gurthang; angren* «de hierro», en *Angrenost*, plural *engrin* en *Ered Engrin*.

anna   «don» en *Annatar, Melian, Yavanna*, la misma raíz en *Andor*, «Tierra del Don».

annon   «gran puerta o portal», plural *ennyn*, en *Annon-in-Gelydh*; cf. *Morannon*, la «Puerta Negra» de Mordor, y *Sirannon*, la «Corriente de la Puerta» de Moria.

ar-   «junto a, fuera de» (de ahí quenya *ar* «y», sindarin *a*) probablemente en *Araman* «fuera de Aman»; cf. también *(Nirnaeth) Arnoediad* «(Lágrimas) fuera de cálculo».

ar(a)-   «alto, noble, real» aparece en muchos nombres, como *Aradan, Aredhel, Argonath, Arnor*, etcétera; la raíz extendida *arat-* aparece en *Aratar*, y en *aráto*, «campeón, hombre eminente», e.g. *Angrod* de *Angaráto* y *Finrod* de *Findaráto*; también *aran*, «rey», en *Aranrúth. Ereinion* «vástago de reyes» (nombre de Gil-galad) incluye el plural de *aran*; cf. *Fornost Erain*, «Norburgo de los Reyes» en Arnor. El prefijo *Ar-* de los nombres adûnaicos de los Reyes de Númenor derivaba de esto.

arien   (la Maia del Sol) derivaba de una raíz *as-*, que se advierte también en el quenya *árë*, «luz del sol».

atar   «padre» en *Atanatári* (véase *Atani* en el Índice de Nombres), *Ilúvatar*.

band   «prisión, constricción» en *Angband*; del original *mbando*, cuya forma quenya aparece en *Mandos* (sindarin *Angband* = *quenya Angamando*).

bar   «morada» en *Bar-en-Danwedh*. La antigua palabra *mbár* (quenya *már*, sindarin *bar*) significaba la «casa» tanto de las personas como de los pueblos, y aparece en el nombre de muchos lugares, como *Brithombar, Dimbar* (cuyo primer elemento significa «triste, lóbrego»), *Eldamar, Val(i)mar, Vinyamar, Mar-nu-Falmar. Mardil,* el Primero de los Senescales Regentes de Gondor, significa «devoto a la casa» (esto es, de los Reyes).

barad   «torre» en *Barad-dûr, Barad Eithel, Barad Nimras*; el plural en *Emyn Beraid*.

beleg   «poderoso» en *Beleg, Belegaer, Belegost, Laer Cú Beleg. bragol*   «súbito» en *Dagor Bragollach.*

brethil   probablemente significa «abedul plateado». Cf. *Nimbrethil*, los bosques de abedules en Arvernien, y *Fimbrethil*, una de las Ents-mujeres.

brith   «grava» en *Brithiach, Brithombar, Brithon.*

(Para muchos de los nombres que empiezan con C, véanse los artículos bajo K)

calen   *(galen)* la palabra habitual en sindarin para el color «verde», en *Ard-galen, Tol Galen, Calenardhon*; también en *Parth Galen* («Campo de Hierba Verde») junto al Anduin y *Pinnath Gelin* («Colinas Verdes») en Gondor. Véase *kal-.*

cam   (de *kambā*) «mano», pero específicamente las manos ahuecadas en la actitud de recibir o sostener, en *Camlost, Erchamion.*

carak- Esta raíz se advierte en el quenya *carca*, «colmillo», cuya forma sindarin *carch* aparece en *Carcharoth* y también en *Carchost* («Fuerte del Colmillo»), una de las Torres Dentadas a la entrada de Mordor). Cf. *Caragdûr*, *Carach Angren* («Mandíbulas de Hierro», el bastión y terraplén que guardaba la entrada a Udûn en Mordor) y *Helcaraxë*.

caran «rojo», quenya *carnë*, en *Caranthir*, *Carnil*, *Orocarni*; también en *Caradhras a partir de caran-rass*, el «Cuerno Rojo» en las Montañas Nubladas, y *Carnimírië*, «enjoyado de rojo», el serbal de cazadores de la canción de Ramaviva. La traducción de *Carcharoth* en el texto como «Fauces Rojas» seguramente depende de una asociación con esta palabra; véase *carak-*.

celeb «plata» (quenya *telep*, *telpë*, como en *Telperion*) en *Celeborn*, *Celebrant*, *Celebros*, *Celebrimbor* significa «puño de plata», del adjetivo *celebrin*, «plateado» (que significa no «hecho de plata», sino «como la plata en color o valor») y *paur* (quenya *quárë*), «puño», que a menudo se utiliza en el sentido de «mano»; la forma quenya del nombre era *Telperinquar*. *Celebrindal* incluye *celebrin* y *tal*, *dal*, «pie».

coron «montículo» en *Corollairë* (también *Coron Oiolairë*, cuya última palabra parece significar «Verano Sempiterno», cf. *Oiolossë*); cf. *Cerin Amroth*, el gran montículo en Lothlórien.

cú «arco» en *Cúthalion*, *Dor Cúarthol*, *Laer Cú Beleg*.

cuivië «despertar» en *Cuiviénen* (sindarin *Nen Echui*). Otros derivados de la misma raíz son *Dor Firn-i-Guinar*; *coirë*, la primera manifestación de la primavera, sindarin *echuir*, *El Señor de los Anillos* Apéndice D; y *coimas*, «pan de la vida», nombre quenya de *lembas*.

cul- «rojo dorado» en *Culúrien*.

curu «hábil» en *Curufin(wë)*, *Curunír*.

dae «sombra» en *Dor Daedeloth* y, quizá, en *Daeron*.

dagor «batalla»; la raíz es *ndak-*, cf. *Haudh-en-Ndengin*. Otro derivado es *Dagnir* (*Dagnir Glaurunga* «Ruina de Glaurung»).

del   «horror» en *Deldúwath*; *deloth* «aborrecimiento en *Dor Daede-loth*.

dîn   «silencioso» en *Dor Dínen*; cf. *Rath Dínen,* la calle silenciosa en Minas Tirith, y *Amon Dîn,* una de las colinas con almenaras de Gondor.

dol   «cabeza» en *Lórindol*; a menudo se aplica a colinas y montañas como en *Dol Guldur, Dolmed, Mindolluin* (también *Nardol,* una de las colinas provistas de almenaras de Gondor, y *Fanuidhol,* una de las Montañas de Moria).

dôr   «tierra» (es decir, tierra firme en oposición al mar) derivada de *ndor*; aparece en muchos nombres sindarin, como *Doriath, Dor-thonion, Eriador, Gondor, Mordor,* etcétera. En quenya la raíz se mezcló y se confundió con una palabra muy distinta, *nórë,* que significaba «pueblo»; en su origen *Valinórë* significaba estrictamente «el pueblo de los Valar», y sin embargo tenemos *Valandor,* «la tierra de los Valar», y, de modo semejante, *Númen(n)órë,* «pueblo del Oeste», pero también *Númendor,* «tierra del Oeste». El quenya *Endor,* «Tierra Media», provenía de *ened,* «medio», y *ndor*; esto en sindarin se transformó en *Ennor* (cf. *ennorath,* «tierras medias» en el cántico *A Elbereth Gilthoniel*).

draug   «lobo» en *Draugluin*.

dú   «noche, penumbra» en *Deldúwath, Ephel Dúath.* Derivada de la anterior *dōmë,* de ahí el quenya *lómë*; de este modo, el sindarin *dúlin* «ruiseñor», corresponde a *lómelindë.*

duin   «(largo) río» en *Anduin, Baranduin, Esgalduin, Malduin, Taur-im-Duinath.*

dûr   «oscuro» en *Barad-dûr, Caragdûr, Dol Guldur*; también *Dur-thang* (un castillo en Mordor).

ëar   «mar» (quenya) en *Eärendil, Eärrámë* y muchos otros nombres. La palabra sindarin *gaer* (en *Belegaer*) aparentemente deriva de la misma raíz original.

echor en *Echoriath*, «Montañas Circundantes» y *Orfalch Echor*; cf. *Rammas Echor*, «la gran muralla del círculo exterior» en torno a los Campos del Pelennor en Minas Tirith.

edhel «elfo» (sindarin) en *Adanedhel, Aredhel, Glóredhel, Ost-in-Edhil*; también en *Peredhil*, «Medio Elfos».

eithel «fuente» en *Eithel Ivrin, Eithel Sirion, Barad Eithel*; también en *Mitheithel*, el río Fontegrís en Eriador (llamado por su fuente). Véase *kel-*.

êl, elen «estrella». De acuerdo con la leyenda élfica, *ele* era una exclamación primitiva («¡mirad!»), emitida por los Elfos cuando vieron las estrellas por primera vez. De ésta derivaron las palabras *êl* y *elen*, que significaban «estrella», y los adjetivos *elda* y *elena*, «de las estrellas». Estos elementos aparecen en muchos nombres. Para el empleo posterior del nombre *Eldar*, véase el Índice. El equivalente sindarin de *Elda* era *Edhel* (plural *Edhil*), q.v.; pero la correspondencia estricta era *Eledh*, que aparece en *Eledhwen*.

er «uno, solo», en *Amon Ereb* (cf. *Erebor*, la Montaña Solitaria), *Erchamion, Eressëa, Eru*.

ereg «espino, acebo» en *Eregion, Region*.

esgal «pantalla, ocultamiento» en *Esgalduin*.

falas «costa, línea de la marea» (quenya *falassë*) en *Falas, Belfalas*; también *Anfalas* en Gondor. Cf. *Falathar, Falathrim*. Otro derivado de la raíz era el quenya *falma* «ola (crestada)», de ahí *Falmari, Marnu-Falmar*.

faroth deriva de una raíz que significa «caza, persecución»; en la Balada de Leithian, las *Taur-en-Faroth* sobre Nargothrond se llaman «las Colinas de los Cazadores».

faug- «boquear» en *Anfauglir, Anfauglith, Dor-nu-Fauglith*.

fëa «espíritu» en *Fëanor, Fëanturi*.

fin- «cabellos» en *Finduilas, Fingon, Finrod, Glorfindel*.

formen «norte» (quenya) en *Formenos*; sindarin *forn* (también *for, forod*) en *Fornost*.

fuin   «penumbra, oscuridad» (quenya *huinë*) en *Fuinur, Taur-nu-Fuin*.

gaer   «mar» en *Belegaer* (y en *Gaerys*, nombre sindarin de Ossë). Según se afirma, deriva de la raíz *gaya* «sobrecogimiento, miedo», y fue el nombre con que se designó al aterrador Gran Mar cuando los Elfos llegaron por primera vez a sus costas.

gaur   «licántropo» (de una raíz *ngwaw*, «aullido») en *Tol-in-Gaurhoth*.

gil   «estrella» en *Dagor-nuin-Giliath, Osgiliath* (*giliath*, «multitud de estrellas»); *Gil-Estel, Gil-galad*.

girith   «estremecido» en *Nen Girith*; cf. también *Girithron*, nombre del último mes del año en sindarin (*El Señor de los Anillos*, Apéndice D).

glîn   «resplandor» (particularmente de los ojos) en *Maeglin*.

golodh   es la forma sindarin del quenya *Noldo*; véase *gûl*. Plural *Golodhrim*, y *Gelydh* (en *Annon-in-Gelydh*).

gond   «piedra» en *Gondolin, Gondor, Gonnhirrim, Argonath, seregon*. El nombre de la ciudad escondida del Rey Turgon fue inventado por él en quenya: *Ondolindë* (quenya *ondo* = sindarin *gond*, y *lindë*, que significa «canción»); pero siempre se lo conoció en la leyenda en la forma sindarin *Gondolin*, que probablemente se interpretó como *gond-dolen* «Roca Escondida».

gor   «horror, miedo» en *Gorthaur, Gorthol*; *goroth* de igual significado, con repetición de *gor*, en *Gorgoroth, Ered Gorgoroth*.

groth (grod)   «excavación, morada subterránea» en *Menegroth, Nogrod* (probablemente también en *Nimrodel*, «señora de la cueva blanca»). *Nogrod* era originalmente *Novrod*, «excavación hueca» (de ahí la traducción *Morada Hueca*), pero fue alterada por influencia de *naug*, «enano».

gûl   «hechicería» en *Dol Guldur, Minas Morgul*. Esta palabra deriva de la misma antigua raíz *ngol* que aparece en *Noldor*; cf. la palabra quenya *nólë*, «largo estudio, ciencia, conocimiento». Pero el sentido de la palabra sindarin quedó oscurecido por su frecuente uso en el compuesto *morgul*, «magia negra».

gurth   «muerte» en *Gurthang* (véase también *Melkor* en el Índice).

gwaith   «pueblo» en *Gwaith-i-Mírdain*; cf. *Enedwaith* «Pueblo Medio» nombre de la tierra entre el Aguada Gris y el Isen.

gwath, wath   «sombra» en *Deldúwath, Ephel Dúath*; también en *Gwathló*, el río Aguada Gris en Eriador. Formas relacionadas en *Ered Wethrin, Thuringwethil*. (Esta palabra sindarin se refería a una luz poco clara, no a las sombras de los objetos proyectadas por la luz; a éstas se las llamaba *morchaint*, «formas oscuras».)

hadhod   en *Hadhodrond* (traducción de *Khazad-dûm*) era la traslación de *Khazâd* a sonidos sindarin.

haudh   «montículo» en *Haudh-en-Arwen, Haudh-en-Elleth*, etcétera.

heru   «señor» en *Herumor, Herunúmen*; en sindarin *hîr* en *Gonnhirrim, Rohirrim, Barahir; híril*, «señora» en *Hírilorn*.

him   «fresco» en *Himlad* (¿y en *Himring*?).

híni   «hijos» en *Eruhíni* «Hijos de Eru»; *Narn i Hîn Húrin*.

hîth   «niebla» en *Hithaeglir, Hithlum* (también en *NenHithoel*, un lago formado por el Anduin). *Hithlum* es una forma sindarin adaptada del nombre quenya *Hísilómë*, usado por los Noldor exiliados (en quenya *hísië*, «niebla», cf. *Hísimë*, el nombre del decimoprimer mes del año, *El Señor de los Anillos*, Apéndice D).

hoth   «hueste, horda» (casi siempre en sentido peyorativo) en *Tol-in-Gaurhoth*; también en *Loss(h)oth*, los Hombres de Nieve de Forochel (*El Señor de los Anillos*, Apéndice A (I, iii) y *Glamhoth*, «horda estridente» nombre con que se designaba a los Orcos.

hyarmen   «sur» (quenya) en *Hyarmentir*; en sindarin *har-, harn, harad*.

iâ   «vacío, abismo» en *Moria*.

iant   «puente» en *Iant Iaur*.

iâth   «cerco» en *Doriath*.

iaur   «viejo» en *Iant Iaur*, cf. el nombre élfico de Bombadil, *Iarwain*.

ilm-   Esta raíz aparece en *Ilmen*, *Ilmarë*, y también en *Ilmarin* («mansiones de los altos aires», la morada de Manwë y Varda en Oiolossë).

ilúvë   «la totalidad, el todo» en *Ilúvatar*.

kal- (gal-)   Esta raíz, que significa «brillar», aparece en *Calacirya*, *Calaquendi*, *Tar-Calion*, *galvorn*, *Gil-galad*, *Galadriel*. Los dos últimos nombres no tienen conexión alguna con el sindarin *galadh*, «árbol», aunque en el caso de Galadriel esta conexión se hizo muy a menudo, y el nombre se convirtió en *Galadhriel*. En alto élfico su nombre era *Al(a)táriel*, derivado de *alata* «radiación» (en sindarin *galad*) y *riel* «doncella enguirnaldada» (de una raíz *rig-*, «trenzar, envolver»); la significación completa referida a sus cabellos es «doncella coronada con una guirnalda radiante». *calen (galen)* «verde» es etimológicamente «luminoso» y deriva de esta raíz; véase también *aglar*.

káno   «comandante»; esta palabra quenya constituye el origen del segundo componente de *Fingon* y *Turgon*.

kel-   «partir», dicho del agua, «fluir», «bajar», en *Celon*; de *et-kelē*, «salida de agua, fuente» derivaba, con transposición de consonantes, *ehtelë* del quenya, *eithel* del sindarin.

kemen   «tierra» en *Kementári*; palabra quenya que se refiere a la tierra como un suelo plano bajo *menel*, los cielos.

khelek   «hielo» en *Helcar*, *Helcaraxë* (quenya *helka*, «helado, frío como el hielo»). Pero en *Helevorn* el primer elemento es el sindarin *heledh*, «cristal», tomado del khuzdul *kheled* (cf. *Kheled-zâram*, «Laguna Espejo»); *Helevorn* significa «cristal negro» (cf. *galvorn*).

khil-   «seguir» en *Hildor*, *Hildórien*, *Eluchíl*.

kir-   «cortar, hendir» en *Calacirya*, *Cirth*, *Angerthas*, *Cirith (Ninniach, Thoronath)*. De la acepción «atravesar velozmente» derivó la palabra quenya *círya*, «nave de proa aguda» (cf. *cutter* en inglés) y esta significación aparece también en *Círdan*, *Tar-Ciryatan*, y, sin duda, en el nombre del hijo de Isildur *Ciryon*.

lad   «llanura, valle» en *Dagorlad*, *Himlad*; *imlad*, un valle con bordes empinados, en *Imladris* (cf. también *Imlad Morgul* en las Ephel Dúath).

laurë   «oro» (pero en cuanto al brillo y el color, no en cuanto al metal) en *Laurelin*; las formas sindarin en *Glóredhel*, *Glorfindel*, *Loeg Ningloron*, *Lórindol*, *Rathlóriel*.

lhach   «llama saltarina» en *Dagor Bragollach*, y, probablemente, en *Anglachel* (la espada que hizo Eöl con hierro de un meteoro).

lin   (1) «estanque, laguna» en *Linaewen* (que contiene *aew* [en quenya *aiwë*], «pajarillo»), *Teiglin*; cf. *aelin*.

lin-   (2) Esta raíz, que significa «cantar, emitir un sonido musical», aparece en *Ainulindalë*, *Laurelin*, *Lindar*, *Lindon*, *Ered Lindon*, *lómelindi*.

lith   «ceniza» en *Anfauglith*, *Dor-nu-Fauglith*; también en *Ered Lithui*, las Montañas de Ceniza, que constituyen el límite septentrional de Mordor, y *Lithlad*, «Llanura de Cenizas» al pie de Ered Lithui.

lok-   «doblar, enroscar» en *Urulóki* (quenya *(h)lókë*, «víbora, serpiente», sindarin *lhûg*).

lóm   «eco» en *Dor-lómin*, *Ered Lómin*; relacionado con *Lammoth*, *Lanthir Lamath*.

lómë   «atardecer» en *Lómion*, *lómelindi*; véase *dú*.

londë   «puerto rodeado de tierra» en *Alqualondë*; la forma sindarin *lond (lonn)* en *Mithlond*.

los   «nieve» en *Oiolossë* (quenya *oio*, «siempre» y *lossë*, «nieve, blanca nieve»); en sindarin *loss* en *Amon Uilos* y *Aeglos*.

loth   «flor» en *Lothlórien*, *Nimloth*; quenya *lótë* en *Ninquelótë*, *Vingilótë*.

luin   «azul» en *Ered Luin*, *Helluin*, *Luinil*, *Mindolluin*.

maeg　«agudo, penetrante» (en quenya *maika*) en *Maeglin*.

mal-　«oro» en *Malduin, Malinalda*; también en *mallorn*, y en el Campo de *Cormallen*, que significa «círculo dorado»; el campo recibió su nombre por los árboles *culumalda* que crecían en él (véase *cul-*).

mān-　«bondadoso, bendito, sin tacha» en *Aman, Manwë*; derivados de *Aman*, en *Amandil, Araman, Úmanyar*.

mel-　«amor» en *Melian* (de *Melyanna*, «apreciado don»); esta raíz se advierte también en la palabra sindarin *mellon*, «amigo», en la inscripción que aparecía en la Puerta Occidental de Moria.

men　«camino» en *Númen, Hyarmen, Rómen, Formen*.

menel　«los cielos» en *Meneldil, Menelmacar, Meneltarma*.

mereth　«fiesta» en *Mereth Aderthad*; también en *Merethrond*, la Sala de Banquetes en Minas Tirith.

minas　«torre» en *Annúminas, Minas Anor, Minas Tirith*, etcétera. La misma raíz aparece en otras palabras que se refieren a cosas aisladas y prominentes, v. g., *Mindolluin, Mindon*; probablemente relacionada con el quenya *minya*, «primero» (cf. *Tar-Minyatur*, el nombre de Elros como primer Rey de Númenor).

mîr　«joya» (en quenya *mírë*) en *Elemmírë, Gwaith-i-Mírdain, Míriel, Nauglamír, Tar-Atanamir*.

mith　«gris» en *Mithlond, Mithrandir, Mithrim*; también en *Mitheithel*, el río Fontegrís en Eriador.

mor　«oscuro» en *Mordor, Morgoth, Morgul, Moria, Moriquendi, Mormegil, Morwen*, etcétera.

moth　«atardecer» en *Nan Elmoth*.

nan(d)　«valle» en *Nan Dungortheb, Nan Elmoth, Nan Tathren*.

nár　«fuego» en *Narsil, Narya*; presente también en las formas originales de *Aegnor* (*Aikanáro* «Llama Penetrante») y *Fëanor* (*Fëanáro*, «Espíritu de Fuego»). La forma sindarin era *naur*, como en *Sammath Naur*, las Cámaras de Fuego de Orodruin. Derivado de la misma antigua raíz *(a)nar* era el nombre del Sol, en quenya *Anar* (también en *Anárion*) y en sindarin *Anor* (cf. *Minas Anor, Anórien*).

naug «enano» en *Naugrim*; véase también *Nogrod* en la entrada para *groth*. Se relaciona con otra palabra sindarin que significa «enano», *nogoth*, plural *noegyth* (*Noegyth Nibin*, «Enanos Mezquinos») y *nogothrim*.

-(n)dil es una terminación muy frecuente de los nombres propios de las personas, *Amandil, Eärendil* (forma abreviada, *Eärnil*), *Elendil, Mardil*, etcétera; implica «devoción», «amor desinteresado» (véase *Mardil* en la entrada relativa a *bar*).

-(n)dur en nombres como *Eärendur* (forma abreviada *Eärnur*) tiene una significación semejante a *-(n)dil*.

neldor «haya» en *Neldoreth*; pero parece que era en realidad el nombre de *Hírilorn*, la gran haya con tres troncos (*neldë*, «árbol», y *orn*).

nen «agua», referida a lagos, estanques y ríos menores, en *Nen Girith, Nenning, Nenuial, Nenya; Cuiviénen, Uinen*; también en muchos nombres que figuran en *El Señor de los Anillos*, como *Nen Hithoel, Bruinen, Emyn Arnen, Núrnen, Nîn*, «húmedo» en *Loeg Ningloron*; también en *Nindalf*.

nim «blanco» (de la forma anterior *nimf, nimp*) en *Nimbrethil, Nimloth, Nimphelos, niphredil* (*niphred*, «palidez»), *Barad Nimras, Ered Nimrais*. La forma quenya era *ninquë*; así, *Ninquelótë = Nimloth*. Cf. también *Taniquetil*.

orn «árbol» en *Celeborn, Hírilorn*; cf. *Fangorn*, «Bárbol», y *mallorn*, plural *mellyrn*, los árboles de Lothlórien.

orod «montaña» en *Orodruin, Thangorodrim, Orocarni, Oromet*. Plural *ered* en *Ered Engrin, Ered Lindon*, etcétera.

os(t) «fortaleza» en *Angrenost, Belegost, Formenos, Fornost, Mandos, Nargothrond* (de *Narog-ost-rond*), *Os(t)giliath, Ost-in-Edhil*.

palan (quenya) «lejano y amplio» en *palantíri, Tar-Palantir*.

pel- «rodear, circundar» en *Pelargir, Pelóri*, y en el *Pelennor*, la «tierra cercada» de Minas Tirith; también en *Ephel Brandir, Ephel Dúath* (*ephel* de *et-pel*, «cerco exterior»).

quen- (quet-) «decir, hablar» en *Quendi (Calaquendi, Laiquendi, Moriquendi), quenya, Valaquenta, Quenta Silmarillion*. Las formas sindarin tienen *p* (o *b*) en lugar de *qu*; v. g., *pedo*, «hablar» en la inscripción de la Puerta Occidental de Moria, corresponde a la raíz quenya *quet-*, y las palabras de Gandalf ante la Puerta, *lasto beth lammen*, «escuchad las palabras de mi lengua», en que *beth*, «palabra», corresponde al quenya *quetta*.

ram «muro» (en quenya *ramba*) en *Andram, Ramdal*; también en *Rammas Echor*, el muro en torno a los Campos del Pelennor en *Minas Tirith*.

ran- «errar, extraviarse» en *Rána*, la Luna, y en *Mithrandir, Aerandir*; también en el río *Gilraen* en Gondor.

rant «curso» en los nombres de los ríos *Adurant* (con *adu*, «doble») y *Celebrant* («Cauce de Plata»).

ras «cuerno» en *Barad Nimras*, también en *Caradhras* («Cuerno Rojo») *Methedras* («Último Pico») en las Montañas Nubladas; plural, *rais*, en *Ered Nimrais*.

rauko «demonio» en *Valaraukar*; sindarin *raug, rog*, en *Balrog*.

ril «brillo» en *Idril, Silmaril*; también en *Andúril* (la espada de Aragorn) y en *mithril* (Plata de Moria). El nombre de Idril en su forma quenya era *Itarillë* (o *Itarildë*), de una raíz *ita-*, «destello».

rim «gran número, hueste» (en quenya *rimbë*) se utilizaba comúnmente para formas plurales colectivas, como *Golodhrim, Mithrim* (véase el Índice), *Naugrim, Thangorodrim*, etcétera.

ring «frío, frígido» en *Ringil, Ringwil, Himring*; también en el río *Ringló* en Gondor, y en *Ringarë*, nombre quenya del último mes del año (véase *El Señor de los Anillos*, Apéndice D).

ris «clavar» parece haberse mezclado con la raíz *kris-*, de significado parecido (derivado de la raíz *kir-*, «clavar, cortar», q. v.); de ahí *Angrist* (también *Orcrist*, «Cortaorcos», la espada de Thorin Escudo de Roble), *Crissaegrim, Imladris.*

roch «caballo» (en quenya, *rokko*) en *Rochallor, Rohan* (de *Rochand*, «tierra de caballos»), *Rohirrim*; también en *Roheryn*, «caballo de la señora» (cf. *heru*), el caballo de Aragorn, así llamado porque se lo había dado Arwen (*El Retorno del Rey* V 2).

rom- Raíz que hace referencia al sonido de las trompetas y los cuernos, que aparece en *Oromë* y *Valaróma*; cf. *Béma*, el nombre de este Vala en la lengua de Rohan como se lo traduce al anglosajón en *El Señor de los Anillos* Apéndice A (II): en anglosajón *bēme*, «trompeta».

rómen «elevación, salida del sol, este» (quenya) en *Rómenna*. Las palabras sindarin con que se designa el «este», *rhûn* (en *Talath Rhúnen*) y *amrûn*, tenían el mismo origen.

rond significaba un techo abovedado o arqueado o una gran sala o estancia techada de esa manera; así, *Nargothrond* (véase *ost*), *Hadhodrond, Aglarond.* Podía aplicarse a los cielos, de ahí el nombre *Elrond*, «bóveda de las estrellas».

ros «espuma, espuma de mar, rociada» en *Celebros, Elros, Rauros*; también en *Cair Andros*, una isla en el río Anduin.

ruin «llama roja» (en quenya *rúnya*) en *Orodruin.*

rûth «ira» en *Aranrúth.*

sarn «(pequeña) piedra» en *Sarn Athrad* (el *Vado de Sarn* del Brandivino es una traducción a medias de esto); también en *Sarn Gebir* («clavos de piedra»: *ceber*, plural *cebir*, «estacas»), rápidos en el río Anduin. Un derivado es *Serni*, río de Gondor.

sereg «sangre» (en quenya *serkë*) en *seregon.*

sil- (y la variante *thil-*) «brillar (con luz blanca o plateada)» en *Belthil, Galathion, Silpion*, y en quenya *Isil*, sindarin *Ithil*, la Luna (de ahí,

Isildur, Narsil; Minas Ithil, Ithilien). Según se sostiene, la palabra quenya *Silmarilli* deriva del nombre *silima* que Fëanor dio a la sustancia con que las hizo.

sîr   «río», de la raíz *sir-*, «fluir», en *Ossiriand* (el primer elemento corresponde a la raíz del numeral «siete», en quenya *otso*, en sindarin *odo*), *Sirion*; y también en *Sirannon* (la «Corriente de la Puerta» de Moria) y *Sirith* («un flujo», como *tirith*, «vigilancia» de *tir*), un río de Gondor. Con la transformación de *s* en *h* en medio de las palabras, aparece en *Minhiriath*, «entre ríos», la región entre el Brandivino y el Fontegrís; en *Nanduhirion*, «valle de los arroyos oscuros». El Valle del Arroyo Sombrío (véase *nan(d)* y *dú*) y en *Ethir Anduin*, la desembocadura o el delta del río Anduin (de *et-sîr*).

sûl   «viento» en *Amon Sûl, Súlimo*; cf. *súlimë*, nombre quenya del tercer mes del año (*El Señor de los Anillos*, Apéndice D).

tal (dal)   «pie» en *Celebrindal*, y con el significado de «fin», en *Ramdal*.

talath   «tierras planas, planicies» en *Talath Dirnen, Talath Rhúnen*.

tar-   «alto» (en quenya *tára*, «elevado») prefijo de los nombres quenya de los Reyes númenóreanos; también en *Annatar*. Femenino *tári*, «la que es alta, reina» en *Elentári, Kementári*. Cf. *tarma*, «pilar», en *Meneltarma*.

tathar   «sauce»; adjetivo *tathren* en *Nan-tathren*; en quenya *tasarë* en *Tasarinan, Nan-tasarion* (véase *Nan-tathren* en el Índice).

taur   «bosque» (en quenya *taurë*) en *Tauron, Taur-im-Duinath, Taur-nu-Fuin*.

tel-   «terminar, finalizar, ser último» en *Teleri*.

thalion   «fuerte, intrépido» en *Cúthalion, Thalion*.

thang   «opresión» en *Thangorodrim*, también en *Durthang* (un castillo de Mordor). La palabra quenya *sanga* significaba «presionar, abarrotar», de ahí *Sangahyando* («Hiendemultitudes»), nombre de un hombre de Gondor, *El Señor de los Anillos*, Apéndice A (I iv).

thar-   «de través, a través» en *Sarn Athrad, Thargelion*; también en *Tharbad* (de *thara-pata*, «encrucijada»), donde el antiguo camino de Arnor y Gondor cruzaban el Fontegrís.

thaur   «abominable, aborrecible» en *Sauron* (de *Thauron*), *Gorthaur*.

thin(d)   «gris» en *Thingol*; en quenya *sinda* en *Sindar, Singollo* (*Sinda-collo: collo,* «capa»).

thôl   «yelmo» en *Dor Cúarthol, Gorthol*.

thôn   «pino» en *Dorthonion*.

thoron   «águila» en *Thorondor* (en quenya *Sorontar*), *Cirith Thoro-nath*. La forma quenya aparece quizá en el nombre de la constelación *Soronúmë*.

til   «punta, cuerno» en *Taniquetil, Tilion* («el Cornamentado»); también en *Celebdil*, «Punta de Plata», una de las Montañas de Moria.

tin-   «destello» (quenya *tinta*, «centelleante», *tinwë* «centellea) en *Tintallë*; también en *tindómë* «crepúsculo estrellado» (*El Señor de los Anillos*, Apéndice D); de ahí *tindómerel* «hija del crepúsculo», nombre poético del ruiseñor (sindarin *Tinúviel*). Aparece también en la palabra sindarin *ithildin*, «luna estrellada», la sustancia de la que fueron elaborados los diseños de la Puerta Occidental de Moria.

tir   «vigilancia, atalaya» en *Minas Tirith, palantíri, Tar-Palantir, Ti-rion*.

tol   «isla» (que se levanta con flancos empinados desde el mar o un río) en *Tol Eressëa, Tol Galen,* etcétera.

tum   «valle» en *Tumhalad, Tumladen*; en quenya *tumbo* (cf. el *tumba-lemorna* de Bárbol, el «profundo valle negro», *Las Dos Torres* III 4). Cf. *Utumno*, en sindarin *Udûn* (Gandalf en Moria llamó al Balrog «Llama de Udûn»), nombre con que se designó luego el profundo valle de Mordor entre Morannon y la Garganta de Hierro.

tur   «poder, dominio» en *Turambar, Turgon, Túrin, Fëanturi, Tar-Minyatur*.

uial   «crepúsculo» en *Aelin-uial, Nenuial*.

ur-   «calor, calentarse» en *Úrulóki*; cf. *Úrimë* y *Úrui*, nombres quenya y sindarin del octavo mes del año (*El Señor de los Anillos*, Apéndice D). Guarda relación con la palabra quenya *aurë*, «luz del sol, día» (cf. el grito de Fingon antes de la Nirnaeth Arnoediad), en sindarin *aur* que, en la forma *Or-*, se utiliza como prefijo de los días de la semana.

val-   «poder» en *Valar, Valacirca, Valaquenta, Valaraukar, Val(i)mar, Valinor*. La raíz original era *bal-*, preservada en el sindarin *Balan*, plural *Belain*, los Valar, y en *Balrog*.

wen   «doncella» constituye una terminación frecuente, como en *Eärwen, Morwen*.

wing   «espuma, rociada» en *Elwing, Vingelot* (y sólo en estos dos nombres).

yávë   «fruto» (quenya) en *Yavanna*; cf. *Yavannië*, nombre quenya del noveno mes del año, y *yávië*, «otoño» (*El Señor de los Anillos*, Apéndice D).